Das Schlagwort von der „neuen Moral" ist der ebenso ernste wie ironisch gefaßte Ausgangspunkt dieses Buches. Der Verfasser, ein noch junger Doktor der Philosophie, begründet mit seiner Kritik der herrschenden Moral zugleich eine wissenschaftliche Ethik. Hier geht es – im Gegensatz zur traditionellen Ethik – nicht um sittliche Postulate für einen „guten Willen", sozial zu handeln, sondern um eine Klärung der Bedingungen, unter denen soziales Leben überhaupt möglich wird. Besonderes Augenmerk gilt der Verkümmerung und Pervertierung unserer „sozialen Begabung" durch eine Moral, die unsere vitalen Antriebe unterdrückt oder reglementiert. Kulturvergleich und geschichtliche Perspektiven, soziologische und kriminologische Analysen, biologische und vor allem tiefenpsychologische Einsichten unterstützen und fördern die ethische Untersuchung. Dabei ist gezeigt, daß verstreut in einer Reihe von Wissenschaften, im Rechtsleben, in der Dichtung und schon in der Alltagserfahrung ein Wissen bereitliegt, das heute reif ist, zusammengefaßt zu werden zu einer besonderen Wissenschaft: zu einer Wissenschaft von den Bedingungen friedlichen Miteinanderseins.

„Die Gesellschaft und das Böse" beschreibt die sittliche Infrastruktur unserer Gesellschaft. Das Buch zeigt die Konsequenzen einer verbreiteten Kleinkinddressur und unserer den „Erfolgsmenschen" prägenden Erziehung. Es beleuchtet wirtschaftspsychologisch das Konkurrenzsystem, in dem wir leben, und erprobt die geringe Tragfähigkeit des Marxismus als einer Theorie der Unterdrückung: Marx wird durch Freud ergänzt. Umgekehrt erfährt die triebpsychologische Perspektive ihre Ergänzung durch den kultursoziologischen Aspekt. Fragen der Kriminalpolitik und der Geschlechtsethik stehen des weiteren in der Brennlinie der Kritik, die schließlich unsere „Hochkultur" als eine Kultur der Kriege und Verbrechen erweist. Der konstruktive Grundgedanke des Autors ist – entgegen der Meinung von Konrad Lorenz – die begründete Überzeugung, daß die Aggression des Menschen gegen den Menschen kein ursprüngliches, sondern ein erst durch Triebfrustrationen „erlerntes" Verhalten ist.

ARNO PLACK

DIE GESELLSCHAFT UND DAS BÖSE

Eine Kritik der herrschenden Moral

PAUL LIST VERLAG

Umschlag von Gerhard M. Hotop

ISBN 3 471 78405 5 Leinenausgabe
ISBN 3 471 66515 3 Studienausgabe

Zweite, verbesserte Auflage, Oktober 1968
Dritte, verbesserte Auflage, Dezember 1968
Vierte, unveränderte Auflage, März 1969
Fünfte, aktualisierte Auflage, Juli 1969
Sechste, unveränderte Auflage, November 1969
Siebte, unveränderte Auflage, Februar 1970
Achte, durchgesehene Auflage, Juni 1970
Neunte, unveränderte Auflage, Oktober 1970
66.–80. Tausend

Printed in Germany. Schrift: Garamond-Antiqua
Satz: E. C. Baumann KG, Kulmbach
Druck: Buch- und Offsetdruckerei Georg Wagner, Nördlingen
Bindearbeit: Klotz, Augsburg

INHALT

VORWORT

Es sind in den letzten Jahren eine Reihe von Streitschriften erschienen, die allesamt im Dienste einer »neuen Moral« stehen, von der wir, dem bloßen Anschein zum Trotz, heute weiter denn je entfernt sind. Nun geht es bei der Rede von der »neuen Moral« aber immer nur um eine neue Sexualmoral, ja eigentlich nur um »freiere Sitten« für die Erwachsenen, so als hätten FREUD und RENÉ SPITZ nicht längst die Bedeutung der »ersten Objektbeziehung«, nämlich derjenigen zur stillenden Mutter, erkannt. Die Zahl der Mütter, die ihre Säuglinge stillen, nimmt aber ständig ab. Das Beispiel zeigt, daß es an der Zeit ist, das Problem der »neuen Moral« in einen größeren Zusammenhang zu stellen: Nicht nur kinderpsychologische, auch soziologische, historische, ethnologische, kriminologische, biologische und immer wieder tiefenpsychologische Aspekte sind in die ethische Perspektive mit einzubeziehen. Der Mensch muß seine – weithin verdrängte – Triebnatur akzeptieren, wenn er aufhören will, an sich selber zu leiden. Doch zuerst muß sein Leiden ein Bewußtsein bekommen.

Das Sexuelle ist gewiß nur ein Teilaspekt des Humanen, aber ein recht dringlicher überall dort, wo die Sexualität unterdrückt wird. Im Leben des Einzelnen wie in dem der Gesellschaft ist eben nichts, was als »sexuelle Besonderheit« vorkommt, bloßer Zufall und mit anderen Lebensbezügen ohne Zusammenhang. Vereinfachend und zugespitzt gesprochen: Eine bestimmte Form der Triebunterdrückung wird notwendig entsprechende Formen der Kriminalität hervorbringen, typische psychosomatische Krankheiten, Süchte und Perversionen. Dies alles zusammen aber kann nur mit einer unverwechselbaren sozialen Struktur sich ergeben: sie bedingen und umgekehrt sich durch sie überliefern.

Das bedeutet, daß jedes noch so wünschenswerte soziale Verhalten seine realen Bedingungen hat. Das herrschende Vorurteil nimmt demgegenüber an, es könne das rechte Verhältnis zum Mitmenschen aus reinen Willensakten hervorgehen. Die wiederholten Zusammenbrüche unserer »sittlichen Ordnung« in den kollektiven Eruptionen der Aggression haben diese verbissene Meinung bis heut nicht erschüttert. So bedürfen wir einer Wissenschaft, um zu zeigen, was allen offen vor Augen liegt: was die Menschen im Zusammenleben vermögen und wozu sie, blind für ihr eigenes Wesen, jederzeit fähig sind.

Eine Wissenschaft von der sozialen Begabung des Menschen strebt, schon indem sie sich bildet, danach, sich zu popularisieren. Ihre Absicht, die Gesellschaft mit der Natur des Menschen zu versöhnen, wirkt darauf hin, die Gesellschaft zu verändern, um nicht das Individuum terrorisieren oder verbiegen zu müssen. Die sozialpädagogische Absicht wirkt zurück aber auch auf den, der sie hegt, sofern er fürs erste durch die bloße Kraft des Arguments sie zu verwirklichen sucht. Da er ja nicht einfach nur hinschreibt, »was ihn bewegt«, sondern es in Rede und Gegenrede längst stilisiert hat, so spricht in seiner Kritik an der Gesellschaft noch deren affektive Reaktion darauf sich mit aus, wenngleich gebrochen durch seine eigene – vielleicht gereizte – Gegenreaktion. Das ist unvermeidlich, solange wir nicht den Marsbewohnern das Geschäft der Kritik an uns übertragen. Und die würden, wenn es sie gäbe, vermutlich nichts mehr an uns kritisieren. Der Kulturkritiker muß ja, nach einem Wort von ADORNO, an der Kultur zugleich teilhaben und nicht teilhaben.

Der Wissenschaftler, der vorhat, an eine breitere Leserschaft sich zu wenden, steht überdies in einem Dilemma: Soll er den Fachgenossen langweilen, um den gebildeten Laien an die Sache heranzuführen, oder soll er diesen verärgern, indem er Kenntnisse voraussetzt, die die Lektüre des Buches erst vermitteln sollte? Jeder Kompromiß vermengt nur die Nachteile beider Verfahren. Nun war der Verfasser dieses Buches insofern in einer günstigen Lage, als er manches, was er schrieb, gleichsam sich selbst erst verdeutlicht hat, indem er es schrieb: Wer dürfte verlangen, es solle jemand Geschichte der Philosophie und Kulturgeschichte, Psychologie und Soziologie, Rechtswissenschaft und Völkerkunde, desgleichen Anthropologie, Psychoanalyse, psychosomatische Medizin, Verhaltensforschung und Biologie, dies alles gleichermaßen als ein wahrer Fachmann kennen und beherrschen. Die Einbeziehung aller dieser Wissenschaften ist aber nötig, um heute Ethik zu treiben, Ethik als Wissenschaft, die mehr ist als jene geistreiche Überhöhung des herrschenden Vorurteils, die sich selber zumeist noch als »philosophische Ethik« versteht. Ethik als philosophische Disziplin bestätigt indessen sich dadurch, daß sie auch alle die genannten Fachwissenschaften (die überwiegend der Philosophie entsprungen sind oder entscheidend von ihr beeinflußt) auf die eine philosophische Frage zurückbindet: Was sollen wir tun, wie sollen wir leben?

Das vorliegende Buch ist so in erster Linie das Buch eines Fachphilosophen für philosophische Laien, die Fachleute sind auf Gebieten, die er als Laie heranzieht, um Philosoph bleiben zu können. Über diesen schon recht großen Kreis hinaus wendet sich das Buch an den Nachdenkenden schlechthin, der nicht einfach blindlings dem Wandel der geltenden Moral sich überlassen möchte und der als Mensch und Mitmensch mit den mannigfachen Erscheinungen einer »doppelten Moral« sich nicht abfinden will. Dieser geschätzte Leser möge, um sich einzulesen, gleich mit dem Kapitel über »Die herrschende Moral« beginnen und die wissenschaftliche Einleitung überspringen und nach Gutdünken später lesen. Dem wissenschaftlichen Kollegen, der »diagonal« zu lesen gelernt hat, brauche ich eine reziproke Empfehlung nicht zu geben.

Heidelberg, im August 1967 A. P.

ZUR ZWEITEN AUFLAGE

Die bald nötig gewordene zweite Auflage weist gegenüber der ersten nur vereinzelte Ergänzungen und Druckfehlerberichtigungen auf, besonders in den Anmerkungen und im Register. Neu mit verwertet wurden – im V. Teil – bereits Vorkommnisse bei den Studentenunruhen des Frühjahrs 1968: weitere Belege dafür, daß die Triebstruktur unserer Völker seit dem Zweiten Weltkrieg sich gar nicht verändert hat.

An die überwiegend günstige Aufnahme des Buches durch die Presse knüpft der Autor die Erwartung, daß auch die wissenschaftliche Diskussion nicht ausbleibt. Eine Wirkung auf Leben und Handeln der Menschen wagt er indessen noch kaum zu erhoffen. Doch fürs erste mag es genügen, all denen, die unserer »sittlichen Ordnung« sich versagen, zu einem guten Gewissen zu raten und ihnen Mut zu machen zur Aufrichtigkeit.

Heidelberg, im September 1968 A. P.

Die dritte und die vierte Auflage (Dezember 1968 und März 1969) sind gegenüber der zweiten Auflage nahezu unverändert.

ZUR FÜNFTEN AUFLAGE

Die fünfte Auflage, im Juli 1969 gedruckt, ist an einigen Stellen aktualisiert in dem Sinne, daß manches, was bisher reines Postulat war, schon auf einige ermutigende Fakten sich abstützen darf. So ist in den entsprechenden Zusammenhängen abgestellt auf das Erste Strafrechtsänderungsgesetz, das im Bonner Bundestag im Frühjahr 1969 durchgesetzt wurde und das, mit nicht ganz einsichtiger Psycho-Logik, vorab Sodomie und Homosexualität unter erwachsenen Männern, aber auch den Ehebruch als Delikte gestrichen hat, weiter jedoch allernormalstes Verhalten als »Kuppelei« oder »Unzucht« verfolgen läßt. Daß es auch Entwicklungsgesetze für die sittliche Evolution gibt, an deren vorläufigem Ende freilich jede nicht durch Gewalt qualifizierte »Unsittlichkeit« im Strafgesetzbuch fehlen müßte, wird von den Progressiven sowenig eingesehen wie von den Konservativen, am allerwenigsten aber das eine, daß es gilt, auf eine Gesellschaft hinzuwirken, die kein *Straf*recht mehr verlangt, sondern nur noch ein reines *Schutz*recht oder Maßnahmerecht.

Der Autor freut sich unterdessen über freundliche Stellungnahmen von psychologischer und medizinischer Seite und über das lebhafte Echo aus der Schweiz. Was weniger beweist, daß die Schweizer moralkritische Traktate besonders nötig hätten, als vielmehr umgekehrt, daß die lange staatlich erzwungene Verdrängung der Psychoanalyse in Deutschland immer noch nachwirkt. A. P.

ZUR ACHTEN AUFLAGE

Im dritten Jahr nach ihrem ersten Erscheinen kommt die Kritik der herrschenden Moral noch einmal als nahezu unveränderter Nachdruck der fünften Auflage heraus. Das Buch, das inzwischen mancherlei Rezeption und Nachahmung erfahren hat, wird bisweilen immer noch als schockierend empfunden, wie eine Schweizer Zeitung es ausdrückt. Warum also umarbeiten, was vielen schon befremdlich genug ist, schnelllebigen Großstädtern nur vielleicht als das Einrennen offener Türen erscheint? Dabei neigt man dazu, die Ersatzlüste, die jetzt sich öffentlich Bahn brechen, gleich als Zeichen der Triebbefreiung zu nehmen. Moralisten hoffen indessen, daß das Pendel von einer erst zagen Liberalisierung der Sitten her wieder zurückschlägt. Dies zu verhüten, dürften Argumente, wie sie hier von Anfang an vorgebracht wurden, wohl noch gebraucht werden.

Heidelberg, im Juni 1970 A. P.

EINLEITUNG

MORALKRITIK ALS WISSENSCHAFTLICHE UNTERNEHMUNG

EINLEITUNG

MORALKRITIK ALS WISSENSCHAFTLICHE UNTERNEHMUNG

Die hier vorgelegte Kritik der herrschenden Moral ist keine Kritik aus bloßer Laune und aus Unmut über eine »sittliche Ordnung«, in die der Verfasser, wer weiß, sich nur widerstrebend fügte. Wir untersuchen die hier und heute geforderte Moral wie das dabei faktisch gelebte Ethos mit wissenschaftlichen Methoden. Das Resultat dieser Untersuchung ist gleichwohl eine oft herbe Kritik der Gesellschaft, der in ihr hochgehaltenen Ideale und jener Leute, die alles, was davon abweicht, als unsittlich, schlecht oder böse verwerfen. Aus solcher Kritik springt allenthalben die Forderung einer neuen Moral. Doch kann es fürs erste nicht darum gehen, eine neue, bessere Moral zu propagieren und sie zusammen mit einer vernünftigeren Rechtsordnung bis ins Detail zu entwerfen. Die neue Moral, die hier von verschiedenen Seiten erst anvisiert wird, ist eine Möglichkeit der Zukunft: kein Buch, das sie rund und fertig präsentieren könnte. Aber es werden Bücher sein, die ihr den Weg bereiten. Denn in einer Kultur, die den Menschen seiner angeborenen Natur entfremdet hat, bedarf er der wissenschaftlichen Erhellung, um wieder im Einklang mit dem, was er seinem Wesen nach ist, sich verhalten zu können.

Es werden Bücher sein, die einen grundlegenden Wandel in den sozialen Beziehungen einleiten: nicht Bücher, die nach Art der Boulevardpresse zu einer Mode zu überreden suchen und günstigstenfalls eine breite Strömung erzeugen, auf die dann eine Gegenströmung »antwortet«; Bücher vielmehr, die die Begründungen für das, was in ihnen sich ankündigt, nicht vorenthalten. Jede noch so tiefe Einsicht, die es verschmäht, sich auf ihre eigene Begründung herabzulassen, kann von den Gegnern der Wahrheit als eine bloße Meinung mißachtet werden, als eine Meinung eben, die man haben könne oder auch nicht. Zunächst geht es noch nicht einmal darum, irgend jemanden von der Notwendigkeit einer neuen Moral zu überzeugen, sondern bloß darum, den allzusehr vom herrschenden Geist Überzeugten davon abzubringen, beharrlich an Entdeckungen der Wissenschaft vorbeizusehen, die ihm nicht in den Kram passen. Eine ähnliche Absicht wendet sich an den Wissenschaftler, der es nicht lassen kann zu werten, wo er glaubt, nur zu beobachten und zu analysieren, und folgerichtig (im Sinne solchen Glaubens) die sozialen Phänomene, die er untersucht, vom Standpunkt der hier und heute herrschenden Ordnung her bewertet. Es wäre töricht zu meinen, es könne so etwas wie eine moralische Revolution durch die Wissenschaft sich anbahnen, noch ehe die Sozialwissenschaften im letzten ihrer Vertreter sich von der Tragweite ihrer Untersuchungen selbst überzeugt haben. Oder wenn sie nur Antworten auf Fragen suchen, die das herrschende Ethos eben nicht »in Frage stellen«. Es ist zum Beispiel sehr aufschlußreich für die Art von wissenschaftlicher Gesinnung, die heute in Deutschland maßgebend ist oder erwünscht, wenn da – im Gegensatz zu früher und anderen Ländern – das statistische Material, das Familienstand, Geschlecht und Kriminalität zueinander in Beziehung setzt, höchst lückenhaft ist[1]. Es wird offenbar davon ausgegangen, daß der Ehe schlechthin, der Ehe als Institution, eine »sittigende« Kraft innewohne: ohne Rücksicht auf die Eigenart der Menschen, die in ihr miteinander verbunden sind. HANS VON HENTIG, auf den wir fortlaufend hier uns beziehen, konfrontiert diese verschwiegene Voraussetzung mit den Ergebnissen früherer Statistiken, die erbrachten, »daß die Männer unter 25 Jahren als Ehemänner mehr Delikte begehen als ledige des gleichen Alters«, des weiteren, »daß bei Hausfriedensbruch, Beleidigung, Sachbeschädigung, Körperverletzung, schwerem Diebstahl, Begünstigung und Hehlerei die verheiratete Frau mehr strafbare Handlungen begeht als die ledige«[2]. Solche Resultate, die »ein zum sozialen Credo hochgewachsenes Wunschbild« (v. HENTIG) stark erschüttern, mögen entmutigen, die Statistik, die sie erbracht hat, fortzuführen. Solche »Entmutigung« ist aber unwissenschaftlich.

Das breit dargelegte Beispiel soll eine Vorstellung davon vermitteln, aus welchem Geiste wissenschaftliche Ethik getrieben werden muß: unter tunlichster Beschränkung aller Neigungen, das hier und heute Hochgehaltene in seiner Richtigkeit zu »beweisen«, dabei aber auch fern der revolutionären Bereitschaft, nun in allem das Gegenteil zu fordern von dem, was der gute Bürger bejaht. Das heißt aber wiederum nicht, daß die Wahrheit überall »in der Mitte« liegen müßte: in der Mitte etwa zwischen Spießergesinnung und Anarchismus. In dem, was wir noch nicht hinreichend geklärt haben, gibt es keine Frage nach dem »Ort« der Wahrheit, so als könne diese »rechts« stehen oder auch »links«. Die systematische Kritik der herrschenden Moral markiert nur die Grundlinien einer neuen Moral, die das Leben erst noch zu entwickeln hat. Wenn einige Grundlinien nur in sinnvollen Rechtsnormen festliegen, durch Aufklärung über unsere vitalen An-Triebe sich ergänzen und pädagogisch wirksam werden, dann geht die Entwicklung schon einen geordneten Weg. Die Evolution der Moral selber fußt dann auf »Wissenschaft«: auf Wissenschaft von der Natur des Menschen und den Gesetzmäßigkeiten des Miteinanderseins[3].

Im Programm einer »wissenschaftlichen Ethik« liegen Anspruch und Bescheidung zugleich. Ein Anspruch: wir trauen den Methoden, nach denen wir verfahren, zu, daß sie uns aufdecken, was es mit den moralischen Phänomenen auf sich hat. Eine Bescheidung: wir bilden uns nicht ein, von vornherein zu wissen, was den Sinn des »Moralischen« ausmacht. Wenn wir ihn schließlich und immer wieder in der *Liebe* entdecken, so ist dies das wie unversehens abspringende Resultat ethischer Analysen, nicht eine vorgefaßte oder religiös verwurzelte Meinung vom Wesen des Sittlichen. Wir untersuchen, ob hinter den verschiedenen Ausprägungen des »Sittlichen«, wie man sagt, ein einheitlicher Grund ist, von dem die Verbindlichkeit jedweder Moral sich hernimmt und abschattet zugleich.

Die Methoden, deren wir uns bedienen, sind nicht als Mittel für oder gegen eine bestimmte Moral gebildet. Gleichwohl schließt das ihre kulturkritische *Anwendung* nicht aus. Diese ergibt sich sogar zwangsläufig aus einer ethischen Perspektive, die die hier und heute herrschende Moral bewußt überschreitet. Der Ethiker überschreitet sie schon, indem er spürt, daß im Gefüge der herrschenden Moral die reinsten Widersprüche klaffen, so wenn von einem jeden von uns verlangt wird, nur ja die Lüge zu vermeiden und ein aufrichtiger Mensch zu sein, und wenn andererseits bestimmte Tabus uns dazu drängen, über wesentliche Seiten unserer Natur »idealistisch« uns hinwegzulügen. Solche offenkundigen Widersprüche in einer Moral weisen den Nachdenkenden über sie hinaus.

Das Beispiel eines inneren Widerspruches in unserer eigenen Moral macht deutlich, daß schon die einfache Phänomenanalyse, wenn sie nur tief genug ansetzt, die Grenzen einer herrschenden Moral übersteigt. Die Tendenz verstärkt sich, wenn *kulturgeschichtliche* und *ethnologische* Perspektiven neue Horizonte erschließen. Wenn man weiß, daß in zeitlich oder räumlich fernen Kulturen oft ganz andere Normen gelten als bei uns, andere Haltungen vorbildlich sind, andere Formen der Familie bestehen, andere Ausprägungen der Mitmenschlichkeit überhaupt sich zeigen, dann kann man das in der eigenen Gesellschaft Geltende nicht mehr unreflektiert als Absolutum achten. Das heißt nicht schon, daß man aufhörte, die herrschende Moral für sich selbst als verbindlich zu nehmen. Das Bewußtsein der Verschiedenheit der Moralen und des historischen Wandels einer jeden Moral beläßt auch der hier und heute geltenden den kulturhistorischen Stellenwert, der nichts anderes meint als das Faktum, daß sie in der »öffentlichen Meinung«[4] unserer Kulturgemeinschaft sich durchgesetzt hat. Wer sich gebunden fühlt an die größere Gemeinschaft im Rahmen eines Staates, einer Kultur, der wird nicht in revolutionärer Weise die »Werte« stürzen wollen, auf die die Gemeinschaft gesetzt hat. Aber er kann darauf vertrauen, daß schon das Bewußtsein der Vielfalt und Wandelbarkeit der Moralen auf die Entwicklung der Moral bei uns zurückwirkt. Diese Wirkung verstärkt sich in dem Maße, in dem ein so weitgespanntes ethisches Bewußtsein selber ein Moment unserer Kultur wird und unserer Geschichte.

Nun könnte aber hieraus nichts werden, wenn, wie der Rassismus es wollte, die Vielfalt der Kulturen und Moralen einfach aus der Verschiedenheit der Rassen sich ergäbe. Kulturwandel wäre dann gleichsinnig mit dem Wandel der biologischen Substanz einer Kulturgemeinschaft. Wäre es so, keine der großen Weltreligionen hätte je auch nur ein einziges fremdes Volk »bekehren« können. Buddhisten außerhalb Indiens wären dann ebenso undenkbar wie Christen mit schwarzer oder gelber Hautfarbe. Zwar kann man scharfsinnig noch unterscheiden zwischen religiös geformten Gebräuchen, die ursprünglich aus einem Volke hervorgehen, und solchen religiösen und sittlichen Werten, die ohne rechte Neigung von siegreichen Völkern übernommen wurden. Wer aber vermag – nach Jahrhunderten der Kriege, Völkerwanderungen und Kreuzzüge – gerade die rassische Integrität der Eroberer noch zu verbürgen? Wenn schließlich bei heute christianisierten Völkern genau dieselben persönlichen Nöte und Neurosen wieder sich finden, die uns von unserem eigenen Milieu her vertraut sind[5], so ist das kein Grund zu der Annahme, daß nur eben jenen »Wilden« die christlich-abendländische Moral nicht so recht auf den Leib passe. Das von Sigmund Freud zuerst artikulierte leibhafte Unbehagen an unserer Kultur ist vielmehr gerade das Drehmoment hinter unserer eigenen moralischen Evolution. Nun erlebt in unserer »schnellebigen Zeit«

schier ein jeder, daß innerhalb einer einzigen Generation die Moral in vielerlei Hinsicht sich wandelt. Die biologische Substanz der Gesellschaft im ganzen ist unterdessen so wenig verändert, daß ihre Änderung nicht gut den moralischen Wandel verursachen kann. Es ändert nicht selten schon der Einzelne seine »moralischen Ansichten«, und er ändert sie nicht notwendig in einer Weise, die aus dem Faktum, daß er altert, allein verständlich würde. Wer nachdenkt, braucht oft recht lange, bis er weiß, wie man in der Jugend leben soll. Wenn er es weiß, ist er für seine Einsicht zu alt.

Man könnte indessen an einen Wandel der Moral denken, der das hier und heute verpflichtende Ethos im Grunde doch unangetastet ließe und nur an der Oberfläche Umformungen vollzöge, das heißt, die Möglichkeiten gegeneinander austauschte, in denen ein und derselbe moralische »Geist« sich auszudrücken vermag. Unsere Untersuchung über den Wandel der herrschenden Moral (im I. Teil) kommt zu einem solchen Ergebnis. Wir überblicken dabei allerdings nur die letzten 150 Jahre mitteleuropäischer Kultur. Der Gedanke, die Eigenart einer Moral sei rassisch bedingt, ist so weder begründet noch grundlos abgetan. Er erledigt sich vollends, wenn wir sehen, daß sogar rassisch eng verwandte Völker einander völlig entgegengesetzte Moralen entwikkeln. BRONISLAW MALINOWSKI[6] hat in der Südsee ein besonders sinnfälliges Beispiel gefunden: zwei »in Rasse, Gebräuchen und Sprachen« einander nahverwandte Völker auf Inseln nur etwa 45 km voneinander entfernt; hier die Trobriander, ein heiteres, sinnenfrohes Völkchen; dort, auf den Amphlett-Inseln, eine »Gemeinschaft von Neurasthenikern«, von Opfern einer die Sexualität unterdrückenden Moral. Die Parallele mit unserer eigenen Kultur ist deutlich. Während aber der »normale« Europäer oder Amerikaner nur zu geneigt ist, in Sexualverdrängung und Neurose Stigmata einer höheren Kulturentwicklung zu sehen, zeigen die Amphlett-Insulaner sich gleichsam als Stigmatisierte ohne tiefere Bedeutung. Es ist auch nicht etwa der Einfluß weißer Kolonisatoren, der ihre repressive Moral hervorgebracht hätte. Der Ethnologe, MALINOWSKI, kann bestätigen: daß »die Grundkonzeption der FREUDschen Theorie richtig ist«.

Das Verhältnis der Ethik zur *Tiefenpsychologie* bedarf eingehender Betrachtung. ALEXANDER MITSCHERLICH, dem ich dieses Vorhaben einmal mitteilte, schrieb mir darauf[7]: »Es wäre gewiß eine wichtige und für uns alle interessante Untersuchung, ethische Wertsetzungen mit den Erkenntnissen psychologischer Motivationen, wie sie uns die

Psychoanalyse verschafft hat, eingehender zu studieren.« Nun ist das nur die eine Seite der Aufgabe, die sich uns stellt. Wir haben andererseits auch zu untersuchen, *ob nicht in den tiefenpsychologischen Kategorien die herrschenden sittlichen Wertvorstellungen noch mit enthalten sind*. Die hier und heute geltende Moral ist ja die Basis des (gegenseitigen) Verständnisses, von welcher der nur psychologisch Forschende oder Analysierende sich allenfalls ab-neigt, die er aber nie ganz verläßt. Erst im Bewußtsein der Vielfalt der Moralen kann ein Sinn dafür sich bilden, daß die Moral der eigenen Kultur, in die auch der Tiefenpsychologe hineingewachsen ist, etwas zwar historisch Notwendiges, aber ethisch doch Zufälliges ist. Dabei bleibt der Ethik immer noch die Aufgabe, in und hinter den verschiedenen Moralen den einhelligen Sinn des »Moralischen« sichtbar zu machen, falls es einen gibt. Dieser allgemeinste Sinn von Moral liegt womöglich gerade im faktischen Gebundensein des Einzelnen an die Gesellschaft, in der er lebt.

Ein wichtiges Zeichen für die Kulturgebundenheit unserer Tiefenpsychologie ist deren vielgeschmähte Betonung oder »Überbetonung« der Sexualität (wenn auch FREUD den Begriff recht erweitert hat[8]). Doch hier heißt es vorsichtig sein. Im Klima der Sexualverdrängung mußte notwendig am Leitfaden des sexuellen Verhaltens der psychoanalytische Schlüsselbegriff der *Triebverdrängung* gefunden werden. Spielten Fastengebote hier und heute eine wenigstens gleich große Rolle (wie im Islam), dann wäre der Nahrungstrieb in ähnlicher Weise paradigmatisch. Nicht also die Orientierung an der Sexualität weist die Psychoanalyse als kulturgebunden aus: denn sie transzendiert, indem sie die Sexualverdrängung beim Namen nennt, schon die Kultursituation, die von ihr geprägt ist. Erst in der Art und Weise, in der der Tiefenpsychologe Sexualverdrängung und konkretes Sexualverhalten *bewertet*, verrät er den Grad seiner Abhängigkeit vom herrschenden Wertsystem. So wenn er – mit FREUD – die Beschränkung der sexuellen Betätigung als schlechthin kulturnotwendig versteht, oder wenn er einen »Aggressionstrieb« oder einen »Bemächtigungstrieb« als Komponente oder doch als notwendiges Begleitphänomen des Geschlechtstriebes annimmt. Ein solches Vorstellungsschema nimmt schon die Deformationen und Zerfallserscheinungen der Sexualität, die das herrschende Ethos zuwege bringt, als etwas Allgemeinmenschliches an. (Wir werden das besonders im IV. Teil näher begründen.)

Die Kulturgebundenheit unserer bisherigen Tiefenpsychologie zeigt sich gerade auch in der Weise, in der sie sexuelle Perversionen interpretiert: als ein je nur ontogenetisch (aus dem Werdegang des Einzelnen) verstehbares Verhalten. Man sieht nicht oder will nicht sehen, daß jenseits der individuellen Ätiologie die sexuelle Fehlentwicklung ihre soziale, ja geradezu: ihre moralische Komponente hat, wenn wir von den relativ seltenen Fällen körperlicher Mißbildung einmal absehen. Sicher werden bei einem Voyeur ganz bestimmte frühkindliche Frustrationen sich aufweisen lassen. Aber diese wie auch sein abnormes (nur »zuschauendes«) Sexualverhalten selber haben doch ihren genauen Stellenwert in einer Kultursituation, in der ganz allgemein der Blick sich sexualisiert unter der Hemmung und Reglementierung, die die ursprünglichen Sexualimpulse erfahren. Der Voyeur wie sein Gegenpol, der Exhibitionist, haben strenggenommen nur eine Tendenz, die in unserer Moral überhaupt angelegt ist, verabsolutiert: sie mögen in ihrer Selbstauffassung sogar als die eigentlich »Reinen« sich empfinden – weil sie es zu sexuellem Verkehr niemals kommen lassen und längst »vorher« *ihre* Befriedigung finden. *Eine jede Moral hat am Ende nur die Perversen, die für sie charakteristisch sind.* Wäre es anders, wir dürften uns wundern, daß in so mancher »Primitivkultur« Exhibitionismus und Schaulust gar nicht vorkommen, jedenfalls nicht als *Ersatz* für eigentliche sexuelle Betätigung[9]. Nacktheit gilt dann auch nicht als ein Delikt, das die Gesellschaft bekämpfen müßte.

Der Anteil der herrschenden Moral an sexuellen Perversionen spricht mitunter durch den Mund der Perversen selber sich aus. So sagte in psychoanalytischer Behandlung ein Exhibitionist, daß er schon seine Befriedigung darin finde, durch die Blicke der Frauen »berührt« zu werden; »direkte körperliche Berührung« erscheine ihm demgegenüber »plump und tierisch, wie eine Sünde«[10]. Und ein Patient mit nekrophilen Phantasien erklärte: »Wenn man mit einem lebenden Menschen so was macht – er meint einen sexuellen Kontakt haben –, dann sind da vorwurfsvolle Augen, die einen ansehen; aber ein Toter guckt einen nicht an, mit dem kann man so was machen.«[11]

Den »moralischen« Gehalt – moralisch im Sinne der herrschenden Moral – an solchen Motiven sollte der Psychoanalytiker nicht überhören. Wissenschaftliche Ethik, die eine Vielfalt von Moralen umgreift, könnte dafür noch das Ohr schärfen. *Die Wissenschaftlichkeit der Ethik (wie auch der Tiefenpsychologie) legitimiert sich nur durch Rück-Sicht auf die Natur des Menschen.* Solche »Rück-Sicht« mag auch erst in der Form einer Frage bestehen. Jenseits anthropologischer Gesinnung aber wird jede Wissenschaft vom Menschen zu einem Instrument der herrschenden Ordnung, wenn nicht sogar der jeweils herrschenden Macht.

Die Einbeziehung der *Kriminologie* in unsere moralkritischen Perspektiven ist bestimmt durch die Erwägung, daß der Verbrecher und der gute Bürger derselben Gesellschaft in ihrer Triebstruktur weitgehend sich gleichen. In ihrer Trieb*struktur*, das heißt: nicht nur in ihren angeborenen Trieben, insofern sie beide leibhafte Menschen sind. Wir behaupten, daß im Klima einer triebunterdrückenden Moral bei einem jeden, der in ihm lebt, das Gefüge der ursprünglichen Antriebe sich *umstrukturiert*. Sind aber Recht und Moral einer Gesellschaft der in ihr wirksame *Geist* des Miteinanderseins, dem man nicht durch simples Zuwiderhandeln, sondern zuerst im Denken sich entzieht, so können der sozial Angepaßte und der, der ohne Einsicht ins Wesen der Gesellschaft nur dumpf gegen diese sich aufbäumt[12], in ihrem Gewissen so verschieden voneinander nicht sein. Sie sind beide geprägt von einer Moral, die sie als Menschen derselben Gesellschaft miteinander sein läßt und nach der sie – zum Beispiel im Kriege – bisweilen auch völlig einträchtig miteinander handeln. Zum (statistisch erwiesenen) Rückgang der Gewaltverbrechen im Kriege meinte ein Londoner Richter: »Der Kriminelle ist ein Patriot.«[13] Dem Ethiker sei es erlaubt, umgekehrt zu fragen nach dem, was im Phänomen des Patriotismus kriminologisch relevant ist.

Wie sehr Verbrecher und Ehrenmann derselben Gesellschaft »moralisch« sich gleichen, das wird vollends deutlich durch die Relationen, die zwischen den Kurven der Kriminalstatistik und den kollektiven Ausbrüchen destruktiver Neigungen bestehen: Die gewissermaßen privaten Gewaltverbrechen nehmen ab, wo Kriege, Pogrome und Revolutionen ein Ventil schaffen für die im Kollektiv unterdrückten Triebe*. Die »zeitbedingt« wechselnde Zahl der Verbrechen, die Modifizierung und Umschichtung der »typischen Verbrechen« einer Gesellschaft sowie die Unmöglichkeit, das abstoßende Bild des Verbrechers allgemein psychiatrisch zu fixieren – dies alles läßt uns argwöhnen, *daß die Verbrechen in einer bestimmten Gesellschaft eine Wirkung der in ihr durchgesetzten Moral selber sind.* Der Zwang zu einer willkürlich, das heißt nicht anthropologisch begründeten oder begründbaren Form des Gutseins muß ein diesem »Guten« genau entsprechendes Böses aus den Menschen hervortreiben. Die »moralisch« je so und nicht anders umgepolte Menschennatur äußert sich destruktiv in einer die Gemeinschaft selber störenden oder zerstörenden Weise: äußert sich derart aus eben den

* Im V. Teil (»Die Kultur der Kriege und Verbrechen«) kommen wir eingehend hierauf zu sprechen.

Antrieben heraus, die der Verpönung anheimgefallen sind. So über die kriminalisierende Wirkung einer triebverdrängenden Moral verständigt, fragen wir nicht mehr, was moralisch den Verbrecher vom sogenannten guten Bürger unterscheide, sondern vielmehr: woher es kommt, daß in einer Kultur der sexuellen und motorischen Frustration* die einen, die Verbrecher, auf eigene Faust ihren Drang zu destruktivem Handeln entladen, während es anderen gelingt, ihn – völlig legal – in die Aggressionen des Kollektivs einzuschmelzen. Das Problem des Verbrechens reduziert sich so zu einer Frage nach der mißglückten Anpassung. Es ist dann auch kein moralisches Problem mehr im Sinne der Individualethik, die so tut, als könne der Mensch aus purem Übermut sich völlig frei entscheiden, ob er Verbrecher werden wolle oder nicht.

Wir haben bis jetzt erklärt, warum wir Kulturgeschichte und Völkerkunde, Tiefenpsychologie und Kriminologie mit in die Ethik verflechten. Wenn wir gelegentlich auch das soziale Verhalten von Tieren zum besseren Verständnis des Menschen heranziehen, so sei auch eine solche Praxis, die durch Kinsey und Konrad Lorenz gleichwohl erprobt ist, noch philosophisch begründet. Ein Beispiel: Die *Verhaltensforschung* bedient sich bisweilen des Tricks, ein neugeborenes Tier auf einen Menschen »zu prägen« (K. Lorenz), so daß dieser ihm gegenüber quasi die Rolle der Mutter übernimmt. Wenn nun etwa eine Graugans hinter einem Menschen beständig hertappt, als stamme sie von ihm ab, dann zeigt sich in einem so rührenden Bild mehr als die bloße Fehlleitung der sozialen »Begabung« dieses Tiers. Daß es überhaupt zwischen Tier und Mensch zu einer Bindung kommt, weist auf die tiefere biologische Übereinstimmung beider. So »irren« kann ein höher organisiertes Lebewesen sich gar nicht, daß es nicht im Angehörigen einer anderen Gattung noch das leibhafte Wesen spürte, das es selber ist. Wenn, mit Freud zu sprechen, das Unbewußte das Unbewußte versteht, so heißt das aber auch: Das vital Unbewußte versteht sich selber in dem Kontakt, den Lebewesen miteinander haben. So versteht – über die Gattungsgrenze hinweg – noch der Hund seinen Herrn, womöglich so gut, daß er dessen verdrängte pervers-sexuelle Neigungen auslebt[14].

Die Beschäftigung mit dem sozialen Verhalten von Tieren ernüchtert den Blick, der sonst allzu fasziniert oder bestürzt das Tun und Lassen der Menschen verfolgt. Wer sieht, wie infantil manche erwachsenen

---

* Daß in unserer Kultur nicht nur der Sexualtrieb, sondern auch der natürliche Bewegungstrieb weitgehend unterdrückt wird, zeigen wir im Kapitel B des III. Teils.

Tiere noch sich benehmen, wenn ein stärkerer Artgenosse sie bedroht[15], der denkt gelassener über Infantilismus und Neurose beim Menschen. Und er lernt als Tiefenpsychologe und Ethnologe noch einiges hinzu. Umgekehrt bedarf der Ethologe, der sozusagen nur die Tiere befragt, einigen tiefenpsychologischen und ethnologischen Wissens. Allzuleicht durchfärbt sich ihm das Reich des Lebendigen überhaupt mit dem giftgrünen Ton spezifisch abendländischer Konkurrenz. (Der für sein Fach bahnbrechende KONRAD LORENZ ist dafür ein abschreckendes Beispiel.) Eine wichtige Aufgabe des Philosophen ist es (oder wäre es), jene Entgleisungen der Fachwissenschaftler zu korrigieren, die eben davon kommen, daß sie gegenseitig voneinander nicht Notiz nehmen.

Die Vorstellung, die mit dem Begriff einer wissenschaftlichen Ethik wohl am leichtesten sich verbindet, ist die, hier werde mit den Mitteln der *empirischen Sozialforschung* (also im wesentlichen durch demoskopische Umfragen) das moralische Potential der Gesellschaft geprüft, nicht ohne die Absicht, über Sinn oder Unsinn bestehender Normen ins reine zu kommen. Daß in sexualethischer Hinsicht verschiedentlich schon so verfahren wurde, mag eine solche Vorstellung noch begünstigen. Die konservativen Kritiker an derlei »wissenschaftlicher Ethik« haben längst bemerkt, daß Norm und überwiegendes Verhalten nicht gleichzusetzen sind und daß darum sittliche Normen auch nicht durch Demoskopie zu gewinnen sind[16]. Nur ist denen, die so argumentieren, entgangen, daß auch der Kritiker der herrschenden Moral ihr Argument noch verwenden kann: Sind Moral und faktisches Verhalten eines Volkes fein säuberlich voneinander zu trennen, dann kann auch nichts uns hindern, eine Moral zu verlangen, die noch das überwiegende Verhalten an Weitherzigkeit gegenüber dem heute Geltenden übertrifft. Die Zweischneidigkeit des Arguments weist darauf zurück, daß die Moral einer Gesellschaft und das in ihr überwiegend geübte Verhalten doch irgendwie aufeinander bezogen sind, wenn auch wohl nicht einfach so, daß das häufigste Verhalten allein den Schrittmacher von Sitte und Recht spielte. Eine solche Deutung in der Tat unterstellte, daß moralische Entwicklung überhaupt sich nur als eine »Lockerung der Sitten« vollziehen könne, da freiwillig niemand strenger, eingeengter zu leben bereit scheint, als es bestehenden Normen und Zwängen entspricht. Wenn also vorübergehend sogar die Sitten wieder sich festigen, so hieße das nur, daß das überwiegende Verhalten wieder eher der Norm sich annähert, die es gleichwohl nie ganz erfüllt. Die Normen selber bleiben dabei unveränderlich bestehen.

Nun aber ist, wie ich meine, der Zusammenhang von Norm und Verhalten nicht gar so simpel. Tiefenpsychologisch gewitzigt, haben wir vor allem zu untersuchen, *wieweit sogenannte moralische Vorschriften selber in dem, was als »Unsittlichkeit« oder »Böses« herauskommt, wirksam gewesen sind.* Sie konstituieren zwar nicht unmittelbar das Böse, das sie je erklärtermaßen negieren, aber insgesamt doch das, was uns zugrunde richtet, weil die »sittliche« Beschränkung der Lebensfreude ganz allgemein einen Unmut ansammelt, der selten weiß, woher er kommt, aber ebenso blindlings auch losbricht. Wo gehässiges, asoziales Verhalten oft nur ein unbewußter Protest ist gegen »sittliche Normen«, die auf die Natur des Menschen nicht passen, da ist von einer Lockerung dieser Normen eher ein Plus an Mitmenschlichkeit zu erwarten als eine Verstärkung jener aggressiven Tendenzen, die wir ohne jede Einschränkung böse nennen. Von einem Nachgeben der Normen, die eben die Aggression in Schach zu halten haben, wird man ähnliches nicht verlangen dürfen, auch nicht von einem Abbau der Normen, in denen die Gesellschaft nur gleichsam eine Auffangstellung formiert für die im Konkreten versagende oder erlahmende Mitmenschlichkeit. Man wird aber weder Verbotsnormen noch materiale Pflichtnormen, um so vereinfachend zu sprechen, unmittelbar aus dem faktischen Verhalten einer »demoskopischen« Mehrheit gewinnen mögen, wenn man ahnt, was in keiner Statistik wieder erscheint: daß eine ganze Kulturgemeinschaft neurotisch sein kann und dann jenen generellen Sinn von Moral verfehlt, der aus der ungebrochenen Natur des Menschen sich ergibt. Wissenschaftliche Ethik, die gerade auf diesen Sinn es abgesehen hat, wird darum viel lieber ihr Material aus der Ethnologie und im Alltag gewinnen als aus Um-Fragen, die sie selber nicht formuliert hat. Die Nebeneinanderstellung von Ethnologie und Alltag ist hier nicht Willkür. So wie der Ethnologe in fremden Völkern wenigstens eine Zeitlang mitleben muß, um gewissermaßen von innen her zu erfahren, was es mit ihrer Kultur auf sich hat[17], so muß der Ethiker, wenn er sich als Moral-Wissenschaftler und nicht als ein Moral-Prediger versteht, in seiner eigenen Kultur bereits mitleben – wie aus einem kulturellen Abstand heraus. Es ist zumindest der Abstand dessen, der weiß, daß die von andern als selbstverständlich hingenommene Moral ihre kulturhistorischen Bedingungen hat. Einem solchen Bewußtsein werden besonders jene Tugenden fragwürdig: des Fragens würdig, die in unserer eigenen Kultur die stärksten Wandlungen durchgemacht haben[18] und dabei in mancher anderen Kultur gänzlich fehlen.

Wer ethische Fragen ernst nimmt, der kann sie auch im Alltag nie ganz vergessen, vielmehr: wo immer der soziale »Nerv« im Zusammenleben unsanft berührt wird, da wird das ethische Bewußtsein hellwach. In seinem Licht gewinnt dann ein sonst vorbeiwehender Satz einen Sinn, als spräche in ihm das herrschende Ethos selber sich aus. So wenn zum Beispiel ein mittlerer Beamter mir einmal sagte: »Ein Mensch ohne Ehrgeiz hat eigentlich gar keinen Wert.«[19] Der Alltag ist dem wissenschaftlichen Ethiker das entscheidende Beobachtungsfeld schon auch deswegen, weil hier – anders als bei Umfragen – jede Äußerung eines Menschen nicht als ausdrückliche Äußerung zu ethischen Fragen stilisiert ist. Im Miteinander-Agieren und -Handeln achtet jeder zuerst auf den Zweck seines Tuns und im allgemeinen weit weniger auf den Eindruck, den er bei anderen damit erweckt. Wer hier einigermaßen darauf sich versteht, den inneren Abstand des Beobachters zu wahren, bekommt manchen Aufschluß über moralische Phänomene, der anders nicht zu gewinnen ist.

Als 1948 und 1953 die beiden *Kinsey-Reports* erschienen, da argumentierten manche, denen die Ergebnisse nicht paßten, am liebsten so: Es sei leicht zu denken, daß die Interviewer nach Strich und Faden belogen worden seien[20]. Erfahrungen, wie sie gerade die Psychoanalytiker sammeln, lassen befürchten, daß jene Kritiker recht hatten, freilich nicht im Sinne der Absicht, die sie verfolgten. Jedenfalls bereitet es Schwierigkeit einzusehen, wieso ein vom Sozialforscher Befragter ad hoc die reine Wahrheit über sein Sexualleben aussprechen soll, wenn sie in psychoanalytischer Behandlung oft erst nach mehreren Wochen zum Vorschein kommt (wenn überhaupt), weil der Befragte sie so gründlich verdrängt hatte, daß er selber sie »nicht mehr wußte«. Man wird einwenden, daß es dabei doch um besonders verklemmte Neurotiker sich handle, von denen auch gar nichts anderes zu erwarten sei. Doch man bedenke: Die Menschen, die in die Sprechstunde eines Psychotherapeuten geraten, sind jene wenigen aus dem großen Heere der »vegetativ Gestörten«, der »Überarbeiteten«, »Nervösen« oder auch »organisch Kranken«, die irgendein Zufall oder ein verständiger Arzt dorthin bringt. Das liegt schon angesichts der geringen Zahl von Psychotherapeuten und psychosomatisch orientierten Ärzten auf der Hand – sofern wir davon ausgehen, daß mindestens 30 Prozent, vielleicht sogar 60 Prozent der Patienten in der ärztlichen Allgemeinpraxis mehr oder weniger verkappte Neurotiker sind[21]. Hinzu kommt, daß gerade die relativ Einsichtsfähigen unter den »psychogen« (oder besser: den psychosomatisch) Erkrankten von der Psychotherapie noch am ehesten sich Heilung versprechen dürfen. Der hartnäckig Verdrängende, der dem Analytiker sich sperrt, bleibt, wenn dieser nicht seinerseits ihn abgelehnt hatte[22], meistens schon bald wieder weg. Ist aber Einsichtsfähigkeit ein Moment psychischer Gesundheit und »Normalität«, dann ergibt sich das Paradoxe, daß psychoanalytisch geheilt werden kann, wer psychisch so krank gar nicht ist. Die körperlich gesunden Neurotiker aber werden kaum einen Grund sehen, sich in Behandlung zu begeben, wenn sie nur einigermaßen ihre Posten ausfüllen. Solche Scheingesunden gibt es mehr als genug: Pedanten, Doktrinäre, Rechthaber, Sadisten und Sittenwächter. Psychische Spannungen brauchen sich nicht zu somatisieren; das Individuum kann sie auch in einem Zwang ausleben[23], etwa in einem Waschzwang, Kratzzwang, durch Nägelbeißen, zwanghafte Onanie usw., oder durch schikanöses Verhalten gegenüber Menschen, die von ihm abhängig sind. Hier bestätigt uns schon die einfache »Feldbeobachtung«, um wie ethnologisch zu sprechen, daß ein Mensch, der fortgesetzt einen anderen gequält hat, erst erkrankt, nachdem dieser seinem Einfluß entzogen ist.

Tiefenpsychologisch skeptisch geworden gegenüber dem soziologischen Wert von Umfragen in der sogenannten Intimsphäre, bleiben wir als wissenschaftliche Ethiker darauf angewiesen, im Miteinander-Leben die Augen offenzuhalten. Wer die letzten Monate des zweiten Weltkrieges noch bewußt erlebt hat, ahnt vollends, was auf dem Grunde einer zivilisatorisch geschönten Seele heranreift. Wer es mit Augen gesehen hat, wie hochangesehene Bürger an Plünderungen sich beteiligten, der zweifelt daran, daß dergleichen jemals durch fixe Umfragen sich bestätigen ließe. Die da mitgemacht haben, wissen es selber nicht mehr; sie haben es verdrängt, schon um sich ihre Selbstachtung zu erhalten. So kann der gute Bürger mit der ehrlichsten Entrüstung, deren er fähig ist, auf heikle Fragen reagieren. Das gilt auch für jene »anständigen Frauen«, die bei Kriegsende den Besatzungssoldaten entweder freiwillig sich hingaben oder ihnen die Gelegenheit, bei der sie vergewaltigt wurden, unbewußt zuschoben[24]. Wer von tiefenpsychologischen Zusammenhängen nichts weiß, den mag es verblüffen, wie leicht bei höchst ehrengeachteten Leuten in »Ausnahmesituationen« alles das, was hierzulande »Ehre«, »persönliche Würde« oder »Kultur« heißt, zusammenbricht. Aber allzu sehr verwundern dürfen wir uns nicht, wenn wir – mit CAMUS – bedenken, daß bei diesen Menschen sonst »diese Ehre einzig durch die unablässige Vergewaltigung ihrer Natur aufrechterhalten« wird[25].

Aber da es so ist, besteht doch kein Anlaß, mit der Natur des Menschen zu hadern. Was unterdrückt wird, entweicht ins Unbewußte und drängt und bohrt. Darum sind allemal auch die perversen, die verbogenen und verborgenen Sexualimpulse die stärkeren[26]: sie verdanken als perverse Regungen zuletzt sich der Unterdrückung des Geschlechtstriebes selber. Der Mensch, der sich nicht annimmt in seiner Natur, muß sich in seiner Wurzel verstümmeln. Die Frage, ob der Mensch von Natur aus gut oder böse sei, ist als solche schon hybrid, weil sie die menschliche Natur unter Kriterien stellt, die nicht aus ihr selber stammen. Sie kommen aus dem Willen, sich über sie hinwegzusetzen. Die traditionelle Ethik hat die Pervertierung unserer Triebnatur zwar wohl nicht selber hervorgebracht, aber ihr die guten Gründe besorgt. Diese »Gründe« gipfeln allesamt in dem Wahn, daß der Mensch mehr sein könne als ein Mensch, wenn er nur hinreichend angewidert ist von der Lust seines Leibes.

Wissenschaftliche Ethik wird den Menschen nicht fiktiv über seine endliche, triebhafte Natur hinausheben; sie bedarf aber auch nicht des Glaubens, es ließe von der ursprünglichen Natur des Menschen als »böse« oder »schlecht« sich abtun, was einem natur- und leibfeindlichen Ideal nicht entspricht. Als spezifisch *menschlich* erscheint einer anthropologisch fundierten Ethik vielmehr die Kraft, die eigene endliche animalische Natur zu begreifen und auszuhalten. Der Verzicht auf den Wunsch, sich als Existenz absolut zu setzen, ist die sozusagen »existentielle« Prämisse jeder wissenschaftlichen Ethik.

Ontologisch sprechen wir vom einen, unteilbaren leibhaften Dasein, das nach »Leib« und »Seele« gar nicht zu unterscheiden ist. Schon die Rede von der »Leib-Seele-Einheit«, die immer noch getrennt hält, was sie angeblich »überwinden« möchte, haben wir uns versagt. Solche Vorsicht ist nicht ohne guten Grund, war doch sogar schon die Rede von der Seele als einem »autonomen Organ im Leib-Seele-Gesamtsystem«[27]. Wir halten uns entschieden jenseits des Materialismus, der den Leib mechanistisch deutet, wie auch jener Ideologie vom »Primat des Geistes«, die den Leib als Maschine voraussetzt und fordert. Wir versagen uns dem Bedürfnis, den Menschen gerade so dualistisch zu denken, wie er willkürlich mit seinen Trieben zu schalten gedenkt. Der Gedanke des *einen* Daseins ist geradezu der Leitfaden, an dem unsere Kritik der herrschenden Moral sich bewegt. Dies durchzuhalten, bestimmt uns nicht nur die eigene philosophische Haltung; es ist methodologisch auch eine Notwendigkeit bei einer Untersuchung, die die verschiedensten Fachgebiete umgreift. Wo der Tiefenpsychologe und der Ethnologe, der Soziologe und der Kriminologe, der Verhaltensforscher und der Anthropologe von jeweils denselben oder doch von ähnlichen

Dingen reden, dabei aber verschiedener Terminologien sich bedienen, da haben wir immer wieder uns zu fragen: Was kommt dem, was der Fachwissenschaftler jeweils so und nicht anders bezeichnet, ontologisch überhaupt zu, welcher Sinn von Sein, welche Auffassung des Daseins liegt ihm zugrunde? Eine Verständigung über all das, was in den verschiedensten Disziplinen verstreut liegt, wäre sonst gar nicht möglich. Zugleich aber mag es uns so gelingen, dem ebenso verschwiegenen wie verbreiteten Vorurteil zu begegnen, wonach Moralkritik sich selber als philosophische Kritik nur verstehen dürfe, wenn sie die in unserer Kultur entwickelten Werte nicht ernsthaft in Frage stellt, sondern zuletzt doch wieder zu rechtfertigen weiß. Das heißt umgekehrt aber nicht, daß einfach alle hier und heute gefundenen Werte gestürzt werden müßten. Was vom Geiste der Liebe ist, also von jenem ursprünglichen Ethos, das auf die ungebrochene Natur des Menschen sich gründet, wird von jedweder Moralkritik nur verfehlt. Es ist von einer Qualität, die, wenn sie sich durchsetzte, jede ethische Reflexion selber noch überflüssig, ja lächerlich machte.

I. TEIL

DIE HERRSCHENDE MORAL

A.

MORAL ALS MITTEL DER HERRSCHAFT

a) Sittlichkeit und herrschende Moral

Die herrschende Moral, das ist nicht einfach die Moral, die in einem Volk, in einer Kulturgemeinschaft verbreitet ist. »Herrschende Moral« hat durchaus mit Herrschaft zu tun, dies aber gerade nicht so, daß sie die Moral derjenigen wäre, die herrschen, sondern umgekehrt: sie ist – ursprünglich wenigstens – die Moral für die Bürger, die im doppelten Sinne die »Beherrschten« zu sein haben, die stille sein sollen, an sich halten und sich kuschen. »Ruhe ist die erste Bürgerpflicht.« Alle die anderen »bürgerlichen Tugenden«, als da sind: Gehorsam, Fleiß und Pünktlichkeit, Keuschheit und Anspruchslosigkeit, Bescheidenheit, Sparsamkeit und Opfersinn leiten sich davon ab. Der Mensch, der sie als Haltungen, das heißt: als Verhaltensdispositionen, in sich verwirklicht, das ist der lenkbare, bescheidene, unauffällige Mensch, wie ihn die Herrschenden brauchen. Er muckt nicht auf, stellt keine Ansprüche und auch nichts in Frage, wofür zu opfern man ihm bedeutet. Er ist autoritätsgläubig und schlimmstenfalls nur gleichgültig gegenüber den »Werten«, in deren Namen ein Wohlverhalten ihm abgefordert wird, das die repressive Ordnung stabilisiert. Seine mögliche Gleichgültigkeit ist dabei aber gar nicht im Wege, im Gegenteil: ein gelinder Druck, doch seine Pflicht zu erfüllen, kann sinnvoll gerade bei demjenigen ansetzen, dessen Eifer, sich unterzuordnen, erlahmt. Hatte nicht sogar KANT, der große Theoretiker der Pflicht, den moralischen Wert einer Handlung als die Überwindung innerer Gleichgültigkeit oder geheimen Widerwillens definiert: »Gerade da hebt der Wert des Charakters an, der moralisch und ohne alle Vergleichung der höchste ist, daß er wohltue, nicht aus Neigung, sondern aus Pflicht.«[1] Aus Pflicht handeln heißt: etwas ungerne tun. Die Befriedigung über erfüllte Pflicht ist der Sache nach eines mit der Genugtuung, etwas Lästiges hinter sich gebracht zu haben.

Das System der bürgerlichen Moral enthält sorgfältig aufeinander abgestimmte Tugenden. Nimmt eine der genannten Tugenden überhand, drängt sie andere zurück, so kommt das ganze System – zwar nicht ins Wanken, aber doch in Bewegung. Fleiß bei verminderter Sparsamkeit, was ergibt das? Eine Entwertung der Anspruchslosigkeit. Das fleißig Erarbeitete wird ausgegeben, ostentativ ausgegeben zuletzt. *Fleiß ohne Sparsamkeit*, das ist beinahe die Grundstruktur der bürgerlichen Moral nach wiederholter Geldentwertung und bei beständigem Schwund der Kaufkraft. Mit dem Vertrauen in die Stabilität der Währung schmilzt das Vertrauen in die Obrigkeit selber. Die von höchster Stelle ausgesprochene Mahnung, doch »die gute alte Tugend der Sparsamkeit« wieder zu Ehren zu bringen, wird ebenso stark oder ebenso wenig beachtet wie der sprachlich schon altväterische Appell, einer »Aktion Gemeinsinn« sich anzuschließen. Der Bürger hat aufgemuckt. Er will leben, gut leben, konsumieren. »Wer weiß, was die Zukunft bringt.«

Die Repräsentanten des Staates haben die Autoriät, Moral zu predigen, verloren. Ihre Neigung, die gewünschten Tugenden an der jeweiligen Marktlage zu orientieren, bringt sie moralisch um den Kredit, den sie wirtschaftlich brauchen. Hatte nach dem Zweiten Weltkrieg ein sogenannter »gesunder Konsumwille« die Wirtschaft wieder anzukurbeln, so war später zur Konjunkturdämpfung »Maßhalten« das Gebot der Stunde. Im nächsten Augenblick, da offenbar nur die Verkehrten maßhielten, mußte wieder der Konsumwille zu seinem Recht kommen: um eine Überproduktionskrise zu mildern. Tugenden, die so manipulierbar geworden sind, haben ihren »ethischen Wert« eingebüßt. Nicht, daß bewußt darüber reflektiert würde: man hört ganz einfach nicht mehr hin, wenn die psychologischen Wirtschaftsführer »mahnen«. Eine neue Moral, die den Genuß, nein: das Konsumieren betont, schleift sich ein. Sie ist soziologisch davon bestimmt, daß es eine festumrissene bürgerliche Schicht längst nicht mehr gibt. Der sprichwörtliche Tellerwäscher, der es zum Millionär bringt, ist zwar auch im Lande der unbegrenzten Möglichkeiten nicht eben häufig. Immerhin aber sind die Grenzen des »Mittelstandes« nach oben hin durchlässig geworden. Dies schon auch deswegen, weil Kapitalbesitz heute nicht immer gleichbedeutend ist mit wirtschaftlicher Macht und politischem Einfluß. Der Mann, der plant und steuert, ist faktisch mächtiger als der, dem alles gehört, wenn der die Hand in den Schoß legt. Berthold Beitz war – vielleicht – mächtiger als Alfried Krupp*. Das ist es, was JAMES

* Wir illustrieren hier nur ein Problem mit Hilfe bekannter Namen und eines jetzt nur noch historischen Beispiels. Über die konkrete Arbeitsverteilung zwischen den Herren Krupp und Beitz wissen wir so gut wie nichts.

Burnham die *Revolution der Manager* nennt (in seinem gleichnamigen Buch[2]).

Fehlt eine deutliche Abgrenzung des Mittelstandes nach oben, dann wird seine Moral zum allgemeinverbindlichen Gesetz, das noch die Inhaber der staatlichen Macht auf eine Stufe drückt, die es ermöglicht, sie nach Grundsätzen bürgerlicher Gesittung zu messen. War ehedem – im Feudalismus – das ausschweifende Leben eines Fürsten mehr Signum seiner Macht als Stein des Anstoßes, so bezeichnet die Abdankung eines Königs wegen einer Tänzerin den Anfang der Demokratisierung des Staatswesens, das heißt das Mächtigwerden des Bürgers über die Mächtigen mit Hilfe eben jener Moral, die ursprünglich zu seiner eigenen Unterdrückung gedacht war. Heute vollends scheint sich das Verhältnis umzukehren; das Volk und seine Meinungsmacher sehen den Regierenden in die Schlafzimmer: wer eine Mätresse hat oder sonstwie Ehebruch begeht, der muß zurücktreten (wie Profumo beziehungsweise Nevermann*). Wer sichtbar Verantwortung trägt für das Ganze, hat jedenfalls weniger persönliche Freiheit, weniger Macht über sich selbst, als die, die er regiert. Moral als Instrument der Macht, auch heute noch? Der Volkssouverän dürfte sich glücklich schätzen, wenn es keine Macht gäbe außer der, die ihn repräsentiert. Die Ranküne des guten Bürgers gegen Leute, die es zu Amt und Würden bringen, macht ihn blind für die Macht der Wirtschaftsbosse. Zum anderen ist er über diese auch viel zuwenig informiert. Die Boulevardpresse, die den Bürgermeister wegen seines Privatlebens abschießt, bringt natürlich nichts über die Eskapaden des Zeitungskönigs, dem sie gehört. Dazu kommt noch dies: daß die Vermögenden, anders als die Nur-Mächtigen, den kleinen Mann sich zum Komplicen machen. Sie lassen ihn Lotto spielen. Wie sollte der gute Bürger dem Getty die Frauen neiden, wenn der doch nur lebt, was er sich selber beim Ausfüllen seines Tippzettels erträumt.

> Mancher wär' gern Millionär in Ohio,
> denn er liebt die Mädchen und den Whisky so.

Der leichte Schlagertext spricht unmittelbar aus, worauf wir mühsam soziologisch reflektieren. Denn solche Unmittelbarkeit ist eines mit dem

* Jack Profumo war jener britische Heeresminister, der im Jahre 1963 wegen intimer Bekanntschaft mit einem Playgirl zurücktreten mußte; Paul Nevermann, Hamburgs Erster Bürgermeister, wurde 1965 wegen einer außerehelichen Beziehung von seiner eigenen Partei zum Rücktritt gedrängt. Beispiele auf mehr lokaler Ebene ließen sich häufen.

Phänomen, das wir untersuchen. Allzuviel darf einer nicht denken, wenn ihn noch ansprechen soll, was in so einem Schlager sich ausdrückt: Wer Geld hat, der hat »Mädchen und Whisky« genug. Man muß unreflektiert daran glauben wie an die Beschreibung des Paradieses in der 78. Sure des Korans, die gar nichts anderes verheißt: »schönbusige Gespiele« und »Becher voll Weines« – als Lohn für irdische Entsagung[3].

Entsagen muß freilich auch der, der alle seine Kraft für den Gelderwerb einsetzt. Er übt, mit MAX WEBER zu sprechen, »innerweltliche Askese«. Die Seligkeit, nach der er sich sehnt, erhofft er aber noch für dieses Leben. Das Profit- und Erwerbsstreben wird ihm zur Tugend, die sie ihm vorbereitet. Die Fähigkeit, »Geld zu machen«, tritt an die Stelle des bloßen Verzichts, der dem älteren Glauben gemäß die Freuden des Jenseits verbürgt. Im einen wie im anderen Falle aber bemißt sich der moralische Wert eines Menschen nach dem Glück, das er – so oder so – »verdient«. Wir klammern damit nicht nur zusammen, was etwa gar nicht zusammengehörte. Es gibt ein Übergangsphänomen: den Puritanismus, der glauben macht, Gott belohne die Tugendhaften schon hier in dieser Welt. Ein Puritaner dürfte gar nicht schockiert sein zu hören, es gebe nur ein einziges Laster, das die bürgerliche Moral unter keinen Umständen verzeihe: daß einer kein Geld hat[4].

b) Das Volk und seine Herren

Der Glaube an die Macht des Geldes hat sein Paradies inmitten der Welt. Das Geld ist der Schlüssel dazu. Doch irgendwie »gläubig« sein muß ein jeder, der hoffen soll, daß ein Glück ihm noch wartet, das die herrschende Moral ihm hier und heute versagt. Ein Ketzer, wer an der Macht des Geldes zweifelt wie jener niederbayerische Bauer, der mir sagte: »Mehr wie essen und trinken kann der Mensch nicht.« Der Verdacht liegt zwar nahe, daß die Rede vom Geld, das nur Sorgen bringe, von denen selber stammt, die es behalten wollen. Aber es ist wohl zu unterscheiden zwischen den listigen Klagen über die Steuern, mit denen der Wohlsituierte sich ausweist, und den Klagen über »Termindruck«, Nachlassen der Spannkraft, »Überarbeitung« und Schlaflosigkeit, die ihm nicht so leicht von den Lippen gehen. Man läßt sich ja gerne ein bißchen bemitleiden; aber ein Mitleid, das so an den Sinn der eigenen Existenz geht, deprimiert. Zu behaupten, daß mancher Wirtschaftsführer in der Sorge um die Bilanz sich aufreibt, daß der Moloch des eigenen Betriebes ihn frißt, solche ketzerischen Thesen duldet am wenigsten der Kommunist, der mit dem Ideologen der Freiheit den Glauben an die Allmacht des Geldes gemein hat. Er hat ihn nur umgekippt in den Haß auf jene, die es sich nehmen. Solange er mit ihnen im selben (westlichen) Staat lebt, teilt er so spiegelbildlich auch ihre Überzeugung, daß alles Glück nur am Geld hängt. Baut er sich selbst seinen Staat, so geht es ihm gleichfalls darum, eine Stellung sich zu erringen, die unangefochtenes Genießen verbürgt. Auf seinem Landsitz, der natürlich dem ganzen Volke gehört, lebt er wohlabgesondert von diesem. Sein Reitpferd, wenn man es fragte, könnte ihn von einem Großfürsten, von einem Großindustriellen nicht unterscheiden. Geritten wird nach wie vor. Die »neue Klasse«, die im Sattel sitzt, ist, psychologisch gesehen, keine andere als die alte, deren Lebensstil sie kopiert: Hatte ehedem das Volk das Zusehen, wenn die Besitzenden prunkten und praßten, so trinken jetzt die Werktätigen den Sekt – durch die Kehlen ihrer »berufenen Vertreter«.

Wird längst, im Westen zumindest, daran gezweifelt, ob der Kommunismus den Geist des Bürgertums je überwunden hat, so greift solcher Zweifel gar nicht tief genug. Hier wie dort sind feudalistische Momente erhalten geblieben. Die Großindustriellen hier, die hohen Funktionäre dort, beide von niemandem kontrolliert, sind faktisch der neue Adel, von dem immer noch gilt, was GOETHE schon am alten bemerkt hat: daß er, unbekümmert genug, jenseits der Sittlichkeit lebt, die vom Volk erwartet wird; »und so sind denn die Tugenden nur für den geringen Stand.«[5] Das steht, einigermaßen vorwitzig, in *Wilhelm Meisters theatralischer Sendung*, GOETHES »Urmeister«. Aber noch der betagte Dichter konnte ernstlich das Moralische nicht anders denn als »Subordination« verstehen[6]. Das Unvermögen des großen Mannes, darüber hinauszudenken, ist ein Beleg für die Ordnung, der es nicht anders paßte: Wer zum Volk, moderner: wer zur Masse gehört, hat sich unterzuordnen, hat sich anzupassen. Das ist der Hauptnenner, in dem jede konkrete sittliche Pflicht ohne Rest enthalten sein muß. Anders fiele sie aus dem Rahmen der herrschenden Ordnung. Alles, was daneben wie eine besondere »Adelsethik« erscheint, ist nur die erhabene Seite der Subordination: ist kühl auf Wirkung beim Volke berechnet, ist Mittel zur Befestigung der Macht.

Wenn einem mittelalterlichen Fürstenspiegel gemäß die guten Umgangsformen »den Eindruck von gravitas = Würde und facilitas = Anmut, Grazie, sprezzatura erwecken« sollen[7], so fehlt es auch heutigentags nicht an mächtigen Männern, die immerhin eine der beiden Haltungen (oder beide) so in sich stilisieren, daß sie vom Volk bewundert werden oder ihm gefallen. Der Zwang, sich in einer Weise zu geben, die »ankommt«, ist heute womöglich noch stärker als einst, weil nun die Massenmedien das Bild des »großen Mannes« bis in die entlegenste Hütte tragen. BALTHASAR GRACIANS Mahnung »Was man nicht sieht, das ist wie nicht vorhanden« gilt erst recht vor dem Fernsehschirm. »Mehr sein als scheinen mag für den Bürger gelten, die Maxime des Adels lautet eher umgekehrt.«[8] Soweit der Politiker die Stelle des alten Adels besetzt hat, gilt es auch für ihn. Für die Großindustriellen und ihre Manager trifft es kaum noch zu, obschon sie selber die Notwendigkeit verspüren, »in anschaulichen Beispielen der Öffentlichkeit [sich] vorzustellen«[9]. Die Eitelkeit, die nicht zulassen möchte, daß Filmsternchen und Lokalpolitiker in der öffentlichen Meinung weit höher rangieren, mag solche Mahnung unmittelbar motivieren. Doch zur Selbstdarstellung vor dem Volk besteht auch machtpolitischer Zwang: der allseits bewunderte und verehrte Wirtschaftsführer wäre – auf lange Sicht – gegen revolutionäre Tendenzen am ehesten gefeit. Der lautlose Fleiß des Unnahbaren wirkt unterschwellig provozierend. Graue Eminenzen sind nicht beliebt. Wenn erst Agitatoren der Linken für ihre Publizität sorgen, ist es für den Aufbau eines positiven »Image« zu spät.

Was aber ist »positiv«; was kommt beim Bürger an? »Bescheidenheit in der Lebensführung«, Fleiß und Betriebsamkeit sind nicht das, was ihn fesselt. Er erwartet sie vom Politiker, aber nicht von dem, der Geld hat. Er würde aufhören, Lotto zu spielen, wenn Reichtum ihm erst recht noch Arbeit einbrächte. Der kleine Mann identifiziert sich am ehesten mit dem, der nicht so lebt wie er selbst, sondern so, wie er selber gerne leben möchte. Sein Idol ist der Mächtige, dessen Schreibtisch immer aufgeräumt ist.

Dem widerspricht es nur scheinbar, daß bei einer Meinungsumfrage 72 Prozent der berufstätigen Arbeiter sich dafür aussprachen, niemanden mehr als zehntausend Mark im Monat verdienen zu lassen[10]. Ein so mildes »kommunistisches« Denken hat auch noch seine unbefragte, unbefragbare, seine unbewußte Seite. Die politische Meinung, es solle niemand zuviel verdienen, verträgt psycho-logisch sich durchaus mit dem Wunsch, durch einen unerhörten Glücksfall selber zur Ausnahme zu werden. Eine jede »Meinung«, die eine bloße Wünschbarkeit vorschiebt, ist niemals schon das, was als die volle Gesinnung zur Sache in einem Menschen bereitliegt. Unter dem, was »ja eigentlich sein sollte«, bleiben Gegen-Motive verborgen, die womöglich die entscheidenden Trieb-Kräfte repräsentieren. Die Demoskopie erfaßt unmittelbar nur das Wachbewußtsein der Befragten. Die geheimen oder verdrängten Wünsche kommen in den Befragungsergebnissen selber noch gar nicht zum Ausdruck. Die Marktforschung, die, nüchtern genug, das »kollektive Unbewußte«

(C. G. JUNG) ergründet, zieht aus dem statistischen Ergebnis einer Umfrage erst ihre Schlüsse: oft sogar erst nach Kombination mit den Ergebnissen anderer, ähnlich vordergründiger Fragen. Eine Marktanalyse, die die Popularität des Lottos erklärte, müßte auf die Wirksamkeit feudaler Leitbilder stoßen.

Der Schwerreiche im Lodenmantel (im Sinne MAX WEBERS der »Idealtypus« des kapitalistischen Unternehmers[11]) ist fast so etwas wie ein Gegenbild gegen den geheimen Wunschtraum des Bürgers, den dieser heute nach außen wendet, wenn er sonntags sich »fein macht«. Die Kleidermode, seit der Französischen Revolution generell bürgerlich, erlaubt im Prinzip einem jeden, wie ein *Herr* auszusehen, wenn er nur mit genügend Unbefangenheit, *facilitas,* sich bewegt. Die Sehnsucht nach dem »weißen Kragen« am Arbeitsplatz oder nach dem *white collar job* ist sichtbarstes Zeichen einer allgemeinen Feudalisierung des Lebens.

c) Warum noch keine kommunistische Revolution?

Die allgemeine Feudalisierung des Alltags könnte bereits zur Erklärung dienen dafür, daß die von MARX prophezeite kommunistische Revolution immer noch ausbleibt. Auch die Oktoberrevolution war ja keine kommunistische Erhebung, sondern die verspätete bürgerliche Revolution der Russen (vom Februar 1917), die nur jetzt von Lenin umgebogen wurde in jenen Marxismus, der im längst verbürgerlichten Westeuropa sich herangebildet hatte. Revolutionen sind nicht einfach die Umsetzung einer humanitären Idee in die Wirklichkeit; sie haben ihre historischen Bedingungen, die erfüllt sind, wenn, wie man sagt, die Zeit gekommen ist. Die revolutionären Ideen selber sind zunächst nur das jeweils volle Bewußtsein einer bestimmten historischen Situation; dann drängen sie darauf, dieser Wirklichkeit ihr Gesetz zu geben. Revolution ist nicht Absturz ins Chaos, sondern Aufstieg ins Recht – für alles, was anders nur in Illegalität und mit Heuchelei sich behauptet. Die revolutionäre Idee der Gleichheit aller Menschen vor dem Gesetz war 1789 auch nicht der Affront gegen die alte feudale Ordnung, die damals kaum noch bestand, sondern die radikale Tendenz, die faktische Gleichheit aller Bürger vor dem (absolutistischen) König zu »legalisieren«. Der König selber wurde nur dabei nicht mehr gebraucht[12].

Die Forderung »Gleiches Recht für alle« konnte überhaupt erst aufkommen, seitdem die absolutistische Herrschaft damit begonnen hatte, alle ihre Untertanen gleich zu behandeln – ohne Rücksicht auf die alten Privilegien des Adels und der Geistlichkeit. Aus diesem historischen Grunde ist Frankreich die Wiege des Gleichheitsgedankens: hier war der Absolutismus am reinsten verkörpert. Aus dem genau entgegengesetzten Grunde gibt es heute in Westeuropa und in Nordamerika keine kommunistischen Revolutionen; die kapitalistische Gesellschaft ist hier viel reicher gestaffelt als das *ancien régime.* Der Wind könnte freilich umschlagen, wenn immer noch mehr Kapital in den Händen von immer wenigeren Leuten sich konzentriert. Die Ausgabe von Volksaktien ist ein erster, wenn auch problematischer Versuch, die Macht des Kapitals vor jedem Umsturz zu bewahren. Konsequente Verteilung des Eigentums, sofern man sie jemals durchführte, liefe nur darauf hinaus, die Macht der Wirtschaftslenkung vom Eigentum am Kapital zu trennen. Eine »Revolution der Manager« könnte dann in der Tat das Herrschaftssystem übernehmen, in dem immer noch »unten« und »oben« unüberbrückbar geschieden wären. Die Revolution der Funktionäre im Osten hat ähnlich die alte hierarchische Ordnung wiederhergestellt – oder erhalten. Es bleibt sich schließlich gleich, ob alle Produktionsmittel zu »Gemeineigentum« werden oder ob der Kapitalbesitz an ihnen so breit gestreut wird, daß zuletzt keiner der (Klein-)Aktionäre mehr über sie verfügt.

Die paradoxe Konsequenz radikaler Vermögensstreuung zeigt den überwiegend propagandistischen Wert des Gedankens: eine hierarchische Ordnung schützt vor revolutionären Bestrebungen sich am besten, indem sie auf breiter Basis »Aufstiegschancen« anlegt oder doch solche Möglichkeiten vorspiegelt. Dann verpulvert sich die revolutionäre Kraft, die nach oben drängt, im Kampfe der kleinen Konkurrenten gegeneinander. Gerade damit aber stabilisiert sich die Macht der Wenigen, deren Großväter bereits es »geschafft« haben. Sie sehen – hier im Westen – vom Gipfel der Kapitalanhäufung gelassen zu, wie ein Volk von sozialen Bergsteigern auf halber Höhe sich gegenseitig behindert oder »fallen läßt«. Die Mächtigen der Wirtschaft nähren nur beim Volk den Glauben an die freie Konkurrenz und verflechten dabei sich gegenseitig in einer Weise, daß kein Neuer in ihren Kreis mehr eindringen kann. Die Zeiten, in denen das möglich war, sind vorbei – oder sie kommen so schnell nicht wieder. Kein Tellerwäscher in den USA bringt es mehr zum Ölkönig, kein mittelloser Lizenzträger in Westdeutschland zum Zeitungszaren. Solche Laufbahnen waren aber noch zu jeder Zeit die Ausnahmen: setzten sie doch einen – seltenen – wirtschaftlichen oder politischen Umbruch voraus, freilich auch das Geschick des

Einzelnen, die Gunst der Stunde zu nutzen. Die *Ideologie des freien Aufstiegs* macht daraus aber die Regel, die die unzufriedenen Massen für die herrschende soziale Ordnung zu ködern hat.

Wir sehen nur, daß hier und gegenwärtig das gelingt. Würde das Volk der Konkurrenten erst darauf aufmerksam, daß es in seiner Gesamtheit nur immer im Kreise läuft, weil jeder bloß auf seiner sozialen Stufe mit anderen konkurriert: die Position der heute Mächtigen wäre gefährdet. Da aber die einmal kreisende Konkurrenz allein den Zusammenhalt in der Gemeinschaft erschüttert und nicht den Kegel der Macht, so ist vorerst nicht zu besorgen, es könnte zu ernsten revolutionären Bestrebungen kommen*. Solange der Einsatz in den Wettbüros steigt, steigt bei einem jeden auch noch das Vertrauen, gerade *er* sei zu einem Fürsten der herrschenden Ordnung erkoren. Noch den kollektiven Traum vom Reichwerden muß der kleine Mann sich selbst finanzieren.

* Daß revolutionär gestimmte Jugendliche – im Westen wie im Osten – bisweilen »den Aufstand proben«, ist sozialpolitisch ohne Bedeutung, solange aus den jungen Heißspornen noch allemal wohlangepaßte Bürger werden. Um ernsthaft von revolutionären Bestrebungen reden zu können, ist nötig, daß diejenigen unnachgiebig revolutionär sich verhalten, die am Produktionsprozeß beteiligt sind und als Eltern und Erzieher den Charakter der nächsten Generation bestimmen.

B.

DAS KONKURRENZSYSTEM

a) Leben aus zweiter Hand

Da heute immerhin theoretisch die sozialen Schichten gegeneinander hin offen geworden sind, ergibt es sich, daß ein jeder mit jedem sich vergleicht, jeder am Anderen sich mißt, vor ihm glänzen will, auf eine Weise ihm zu »gefallen« sucht, daß es Neid erregt[12a]. Was ehedem nur Neigung des Adels war, »eine Rolle zu spielen«, das will heute jedermann, wobei der Doppelsinn des Wortes nicht zu überhören ist: Wer eine Rolle spielt, gewinnt vermehrte Bedeutung in den Augen der Umwelt, aber er steckt in der Rolle auch wie ein Schauspieler seiner selbst; er zeigt sich nicht, wie er ist, sondern »bedeutender«, distinguierter, gebildeter, einflußreicher, erfahrener, als er in Wahrheit ist. Dabei bestimmt das Maß seiner Verstellung die Attitüde des Anderen, die es zu übertrumpfen gilt.

So wird das Verhältnis des Menschen zu sich selbst wie zur Welt überhaupt ein gebrochenes: was immer er von sich selber hält, auch seine Beziehung zu irgend etwas sonst, ist bestimmt von der Meinung, die die Umwelt davon hegt. Wie die Welt sich in den Mienen des Nachbarn spiegelt, so nimmt er sie wahr. Da jedoch der Andere ganz ebenso um sich blickt, ebenso vorsichtig sich der »Meinung der Leute« vergewissert, so ist das Verhältnis zur Wirklichkeit durch die wechselseitige Beobachtung der Reaktion auf sie verdeckt. Dieses Verstellen der Realität durch Besinnung auf das Verhalten der anderen nennen wir *Konvention.*

Nun ist das nicht einfach widernatürlich. Immer schon ist Zusammenleben zu einem guten Teil Konvention, das heißt: die Menschen vermitteln sich, indem sie sich über das Erfahrbare verständigen, »die Welt«. Der völlig in Konventionen Befangene leistet aber selber nichts mehr zur Verständigung. Er sieht das Krumme gerade und das Gerade krumm, wenn man es ihm so bezeichnet. Er lebt *primär* aus zweiter Hand: ihn »erfreut«, was als lustig gilt, er findet fade und abgeschmackt oder »primitiv«, was einer »Bildung«, die Sozialprestige verbürgt, sich nicht einfügt. (So schätzt einer schöngeistige Literatur, ernste Musik, gehobene Unterhaltung überhaupt, weil er sich dabei sozial »gehoben« fühlt. Der Hang zum Gegenteil wird niedergekämpft oder wenigstens geleugnet.) Der Zwang mitzumachen, um sich nicht vereinsamt zu fühlen, läßt einen jeden das Glück nur dort suchen, wo man es allgemein vermutet: im Erfolg *vor* Anderen. So ist noch der böse Wille, den Andern eins auszuwischen, indem man sie überflügelt, motiviert von der Angst, von ihnen an den Rand der Gesellschaft bugsiert zu werden. Die ursprüngliche Neigung zur Gesellung ist noch ein Motor im Bestreben, die Anderen hinter sich zu lassen.

Die miteinander Konkurrierenden sind miteinander verbunden durch die gemeinsame Wertschätzung der Konkurrenz und des je individuellen Erfolgs. Das ist ihr Ethos. Konkurrenz überhaupt ist ja nur dort möglich, wo eine gewisse Gleichheit in den Zielsetzungen herrscht oder wo immerhin die Verschiedenartigkeit von individuellen Zielsetzungen auf ein allgemein-verbindliches Maß reduziert ist. Dieses allgemeine Maß aber ist in der feudalisierten bürgerlichen Gesellschaft das soziale *Prestige*, das je mit dem Erreichen eines Zieles verbunden ist. »Ziel« bedeutet dabei entweder eine berufliche »Position«, die als solche selber den Glanz eines Prestiges verleiht, oder ein Einkommen, das den Kauf entsprechender »Statussymbole« ermöglicht. Das Statussymbol kann den erstrebten Status ersetzen. So hungert der kleine Angestellte für »sein Auto«. Umgekehrt kann einer, dessen sozialer Status in der allgemeinen Wertschätzung völlig unangefochten ist, auf Statussymbole verzichten. Ein Fachkollege, der seine Ernennung zum Professor erfuhr, sagte zu mir: »Jetzt kaufe ich mir ein neues Fahrrad.« Das war gewiß ein kokettes Understatement. Aber der wahre Kern darin ist doch der, daß ein Professor es sich eben leisten kann, sich nichts »zu leisten«.

In der völlig offenen Konkurrenzgesellschaft gibt es kein befriedigtes Verweilen bei einem Ziel, das erreicht wird[13]. Wer die oberste Stufe einer Laufbahn erreicht, sieht im selben Augenblick sich auch schon vor der untersten der nächsthöheren Rangordnung. Der Gedanke an ein Ziel ist geblieben. Aber im absoluten Konkurrenzsystem schiebt der Mensch seine Ziele vor sich her. Rückblickend gesehen, war jedes Ziel, von dem er zuvor alles Glück sich versprochen hatte, nur eine Durchgangsstation. So wird der Mensch faktisch »ziellos«: er hat jeden Tag ein anderes Ziel, sofern er täglich »Fortschritte« macht. Aber: »Stillstand ist Rückschritt.« Wer nach dieser Devise lebt, lebt immer mehr in der Zukunft. Eine Gesellschaft, in der jeder sich mit jedem vergleicht und sich am je Höhergestellten mißt, muß notwendig futuristisch werden: Der Mensch lebt sich selber immer um jenes Stück voraus, das er seiner hoffnungsfrohen Meinung nach noch braucht, um das zu werden, was er *gerade* gerne sein möchte. Wir kommen noch dahin, daß weniger als verkrachte Existenz gilt, wer nichts erreicht hat, als wer nicht auf der Jagd nach immer neuen Zielen ist. Es fällt uns schon auf, daß wir häufiger danach gefragt werden, was wir denn für Pläne hätten und Absichten, daß die so Fragenden aber kaum zuhören, wenn wir ihnen – ungefragt – erzählen, was wir in der letzten Zeit *gemacht haben*.

Der Bürger, der nach oben hin keine soziale Grenze mehr anerkennt und eben deshalb unausgesetzt nach Erfolg strebt, ist, kulturhistorisch betrachtet, immer noch ein Revoltierender. Der nach Erfolg Strebende ist der Mensch, der aufhört, an Menschen zu glauben, die dem Stand nach über ihm sind. Er ist nicht mehr bereit, im Höhergestellten ein Wesen zu erblicken, dem er kritisch sich gar nicht nähern dürfte. Er findet in ihm nicht mehr die Hoffnung verkörpert für das, was der Mensch mehr sein könnte als ein Mensch. Was so positiv ist, spiegelt – im Strome allgemeiner Konkurrenz – zugleich sein negatives Bild: Wer mächtig genug ist, die Mächtigen selbst zu entthronen, der hat an ihnen auch keinen Halt. Er ist, da niemals auf Erfolg abonniert, in seiner sozialen Stellung aufs äußerste gefährdet. Er befindet sich im labilen Gleichgewicht eines Eisläufers, der vornübergeneigt dahineilt. Unversehens gebremst, ist er in Gefahr zu fallen. Der allgemeine Zug, jeweils mehr sein zu müssen, als man im Augenblick ist, macht auch vor Berufen nicht halt, in denen die Staffelung nach Dienstaltern noch am ehesten eine gewisse Ruhe verbürgt. Auch der Beamte verspürt den Zwang, den Kollegen zu übertrumpfen – aus Angst, inmitten der Laufbahn steckenzubleiben. Denn dieser Zug zum Mehrsein ist ein Grundzug der Gesellschaft im ganzen und nicht an bestimmte Berufe geknüpft. Freilich verstärkt sich der »moralische« Zug zum Mehrsein, zum Mehrhaben im Felde der freien (Konkurrenz-)Wirtschaft zu einer Nötigung, immer mehr zu produzieren, da schon am Rande des Bankrotts entlangwirtschaftet, wer nicht entschlossen ist, die gefährliche Konkurrenz zu schlagen.

Kein Zweifel, die alte »Welt der Sicherheit«, wie STEFAN ZWEIG sie nannte[14], ist dahin. Was es aber immer noch gibt, das ist der Geist der Sicherheit: das Streben nach Sicherheit oder »Sicherheit« als Motiv des Strebens. Im Maße die soziale Mittelschicht an Sicherheit einbüßt (da sie aufhört, eine festumrissene Schicht zu sein), im selben Maße wird der Einzelne in ihr sein Streben nach Sicherheit verstärken, da sein Verlangen, gesichert zu sein, zunimmt, indem es ungestillt bleibt. Der Mensch im Konkurrenzsystem kann Sicherheit indessen nur erstreben in dem, was ihm niemals sicher ist: im persönlichen Erfolg. Die dumpfe Ahnung, daß Sicherheit immer nur geborgt ist im Erfolg, durch den man die anderen überholt, verstärkt ihrerseits die Sehnsucht nach Sicherheit wie die Jagd nach Erfolg. Diese Dialektik führt aber gleichzeitig dazu, daß alles, wozu man Erfolg haben muß, unter dem Aspekt der Sicherheit gesehen und erlebt wird. Das kommt in zwei Lebensbezügen ganz deutlich zum Vorschein:

im Verhältnis zum Gegenstand unserer Arbeit;
in unserem Verhältnis zum Mitmenschen.

b) Der Zwang zum Erfolg

Wo der Mensch im Konkurrenzkampf beständig nach dem Anderen schielt, weil es ihn zu überflügeln gilt, da hat er schon kein ursprüngliches Verhältnis mehr zum Gegenstand seiner Arbeit, als Arbeitnehmer nicht und nicht als Arbeitgeber. Der Fabrikarbeiter leidet vielleicht noch nicht einmal so sehr unter der Gleichförmigkeit seiner Arbeit als unter dem, was Mitscherlich die »Spurlosigkeit« seiner Arbeit nennt[15]. Er kann acht Stunden arbeiten und unter Zeitdruck dabei, und er kann doch danach nichts vorweisen, von dem er sagen könnte: »Das habe ich gemacht.« Dem entspricht auch die herrschende Arbeitsmoral: sie ist abgestellt auf eine bloße Pflicht des Tätigseins, nicht auf eine Liebe zur Sache (zu der ja auch gar nicht verpflichtet werden könnte). Daß einer aber nicht bummelt, wo er nicht mehr mit Eifer dabei ist, dafür sorgen die Zeitnehmer, die Vorarbeiter und Programmierer. Doch dem Unternehmer ergeht es kaum besser. Ihm sieht kein Polier auf die Finger, aber die Konkurrenz. Kniet er mit allzuviel Liebe zur Sache sich in die Arbeit, und vergißt er darüber die Kalkulation, dann geht er vor die Hunde. (Borgward ist dafür das sinnfällige Beispiel.) Wer etwas gerne tut, wer arbeitet, weil es ihm Spaß macht, weil ihm das, womit er arbeitend umgeht, am Herzen liegt, der »arbeitet« gar nicht im Sinne einer Moral, die vom Zwang zur Konkurrenz geprägt ist. Wer bis zur Erschöpfung arbeitet, aber doch von Kollegen oder von der Konkurrenz überholt wird, empfindet das womöglich wie eine Schuld, er habe nicht genug getan. Solches Schuldgefühl ist ethisch so widersinnig nicht, steckt doch dahinter auch die Verantwortung gegenüber der eigenen Familie. Sie erwartet, daß der ihr errungene Lebensstandard allermindest erhalten bleibt. Die Gattin drängt womöglich auf mehr: wie könnte sie sonst vor Nachbarsfrauen und Freundinnen, deren Männer es weiterbringen, bestehen? So hängt der häusliche Friede am Gelingen in Fabrik und Büro. – Und doch ist am erfolgreichsten der, der alle seine Kraft in den Betrieb wirft, weil er es zu Hause nicht aushält. Solang der Erfolg ihm treu ist, ist er auch gar nicht so ungeborgen: alle Türen stehen ihm offen, alle Herzen schlagen ihm entgegen. Solang der Erfolg ihm treu ist ...

Noch die intimste Bindung wird Bindung von Gnaden des Erfolgs. Es gäbe keine Spießer mehr, sagen die Optimisten. Ich sehe, daß es sogar Schulen gibt, in denen man Spießerinnen heranzieht[16]. Eine junge Dame erzählte mir, sie habe ein Töchterheim besucht, in dem die Mädchen von den Erzieherinnen angehalten werden, junge Männer beim Kennenlernen immer sofort und als erstes nach Beruf und Berufsaussichten zu fragen. Der naive junge Mann, dem die Frage oft genug widerfuhr, so oft, daß er eine derart diabolische Order scherzend für möglich hielt, kann sich bestätigt fühlen. Verwundern darf es nicht, daß dem Ethos des Erfolges auch die entsprechenden moralischen Anstalten erwachsen. Im wohlmeinenden »Ratschlag« der Internatslehrerin wie in dem stereotypen Ehewunsch einer »gesicherten Existenz« spricht sich lediglich aus, was man ohnehin denkt. Bemerkenswert ist allerdings, daß in den Heiratsanzeigen der Ruf nach der »gesicherten Existenz« allmählich verdrängt wird durch den Wunsch nach einem *aufstrebenden, zielstrebigen* oder *erfolgreichen* Mann.

Erfolg, oder zumindest das spürbare Versprechen des Erfolgs, wird so zur Vorbedingung für Glück und Geborgenheit in der Ehe. Das Unsichere, der Erfolg, als Voraussetzung der Verlässigkeit einer Beziehung – das kann nicht gutgehen. Die Streiter für die restlose Gleichberechtigung der Frau erwarten grundlegenden Wandel für den Fall, daß dieses löbliche Ziel erreicht wird. Weil nur der Mann einen Beruf ausübe, nötige die Gattin ihn darin zum Erfolg, sagt Simone de Beauvoir[17]. Was wird geschehen, wenn einmal die Frau wie der Mann – jeder für sich – beruflichen Ehrgeiz entfaltet? Konkreter gesprochen: Wie sieht es aus in den Ehen, in denen das schon der Fall ist? Nach meiner Beobachtung: Sie harmonieren oder sie harmonieren nicht, ganz ebenso wie andere Ehen auch. Vielleicht, daß das wechselseitige Verhältnis von *der* Seite her eine Entlastung erfährt, daß die Frau es nicht mehr nötig hat, zur Befriedigung *ihres* Geltungsstrebens den Mann anzutreiben. Dafür entwickelt sich da und dort eine ausgesprochene Wettkampfsituation zwischen den Gatten. Der Mann, dessen Frau im Beruf erfolgreicher ist als er selbst, ist selten in beneidenswerter Situation. Und wenn er's bis dahin noch nicht wußte, beim nächsten Ehekrach erfährt er es bestimmt: daß er eigentlich von ihr, seiner Frau, sich aushalten lasse.

In einer Gesellschaft, deren ungeschriebenes Gesetz die Konkurrenz ist, ist durch soziale Reformen und Gesetzesänderungen, die nicht das Konkurrenzsystem selber abbauen, nur wenig fürs Zusammenleben zu gewinnen. Was für die Ehe gilt, gilt allgemein. Schon die Liebe der Eltern zu ihren Kindern ist anfällig für die Bedingung, daß die Kinder erfolgreich sein müßten, und rettet sich oft nur durch die Fiktion, daß sie es tatsächlich seien: daß sie »braver«, begabter, leistungsfähiger seien als die Kinder anderer Eltern. Die Wendung »mein Sohn tut das nicht« ist nicht eine Äußerung der Liebe; was da spricht, ist die verbissene Meinung, daß die eigene Familie jeder anderen überlegen sei. Die eigenen Kinder werden so geradezu ein Instrument des Ehrgeizes, nicht anders als der Ehemann, den ein geltungssüchtiges Weib sowohl überschätzt als auch antreibt. Was gar nicht heißt, daß sie ihn nicht liebte. Im Konkurrenzsystem zeigt Liebe zum Andern sich überwiegend in der Form des *Ehrgeizes für ihn*. So wünschen wir unseren Freunden zum Geburtstag, zum Jahreswechsel mit besonderem Nachdruck »viel Erfolg«. Kein Wunder, daß der, der ohnehin Erfolg hat, an Freunden nicht Mangel leidet. Es sind nicht einfach nur Schmarotzer, die ihn umlagern. Manchem, der es selbst zu nichts bringt, tut es wohl, an einen Erfolgreichen sich anzulehnen. Er identifiziert sich mit ihm und genießt so ein illusionäres Glück. Unbewußt mag er hoffen, es selbst noch so weit zu bringen wie der, an dessen Stelle er sich schon träumt. Wird die Illusion erschüttert, dann kann er jedoch überraschend die Beziehung abbrechen, von dem sich zurückziehen, der, unverschämt genug, sein bloßes Hoffen durch Tätigkeit überrundet. Wer den Abbruch verschuldet, ist aber psychologisch nicht nachzurechnen. Dem Unterlegenheitsgefühl des einen entspricht meist eine Pose der Überlegenheit und der Herablassung beim andern. Kriecherei kann Arroganz auch erst provozieren. Die beiden Haltungen steigern sich gegenseitig, indem sie aufeinander wirken. Selbst da, wo der Erfolgreiche vor seinen Freunden sich gar nicht aufspielt, wird plötzlich einer bei geringem Anlaß eine solche Neigung unterstellen. Es ist schwer zu sagen, welches Mißtrauen auf dem Grunde unserer Bindungen lauert, solange sie noch intakt scheinen.

Keine mitmenschliche Bindung liegt eben insular inmitten einer Gesellschaft. Eine jede erwächst aus ihr und ist von dem Ethos, das in ihr herrscht, geprägt. Echte Bindung im Konkurrenzsystem ist daher nicht denkbar ohne ein Pathos des Affronts gegen die Gesellschaft. Aber das gibt ihr auch schon wieder etwas Unechtes, Gepreßtes.

Diese Dinge kulturkritisch herauszustellen ist heute schon nicht mehr unbefangen möglich. Das Selbstverständliche ist der Mensch, der immer aufs neue sich Ziele vorauswirft. Dies ist längst die Voraussetzung einer »Kulturkritik«, die sich an den »Auswüchsen« erregt. Einer Kritik aber, die eben dies, was dabei als selbstverständlich erscheint, erschüttern möchte, fehlt der Boden des Einverständnisses, auf dem sie ansetzen könnte. Ohne archimedischen Punkt im allgemeinen Bewußtsein versuchen wir zu zeigen, daß die Bewußtseinslage, von der aus über »natürlich« und »unnatürlich« befunden wird, selber schon gegen die ursprüngliche Natur des Menschen geneigt ist. Die Aufforderung, diese Natur doch in concreto vorzuzeigen, bringt uns zumindest in unseren Breiten in arge Verlegenheit. Wer auf den Muselmanen deutet, der sein Geschäft zumacht, wenn er für den Tag genug verdient hat, erntet Gelächter. Oder er darf sich belehren lassen, daß das südliche Klima eben den Menschen so »leichtsinnig« mache. So als erkläre der strenge Winter unsere Neigung zum Luxus. Selbst unsere Philosophen lassen uns im Stich. Einer der maßgeblichen Anthropologen, ARNOLD GEHLEN, sieht im Menschen überhaupt den erfindungsreichen Entdecker immer neuer Zwecke, die ursprünglich jeweils nur Mittel waren zu Zwecken der Triebbefriedigung, so daß, von den ursprünglichen Triebzielen her gesehen, ein »Entlastungssystem« sich aufbaue[18]. (Für dessen Unterhaltung dann auch noch gearbeitet werden muß.) Den Existenzphilosophen ist es ohnehin eine ausgemachte Sache, daß der Mensch seinen essentiellen Schwerpunkt sozusagen beständig außerhalb seiner selbst trägt: Erst in *Grenz*situationen soll er – nach JASPERS – eigentlich zu sich selbst kommen. (Was uns, also philosophisch belehrt, veranlassen könnte, auf so herausgehobene Situationen, wie ekstatische Liebe, Trauer, Not und Verzweiflung, willentlich *hinzuleben.)* Für HEIDEGGER ist die Existenz des Menschen ohnehin nichts anderes als ein »Sein zum Tode«. Nach SARTRE ist der Mensch »dauernd außerhalb seiner selbst; indem er sich entwirft und indem er sich außerhalb seiner verliert, macht er, daß der Mensch existiert, und auf der anderen Seite, indem er transzendente Ziele verfolgt, kann er existieren.«[19] Solcher Verschwörung in Selbstverständlichkeit gegenüber haben wir einen schweren Stand.

c) Die Dialektik von Geborgenheit und Erfolg

Wo Sicherheit, um die es dem Bürger ja immer geht, nur in der steten Flucht in den Erfolg zu bekommen ist, da ist es nicht möglich, Arbeitswelt und Privatleben auseinanderzuhalten. Der Erfolg im Beruf wird da zur Bedingung, unter der man uns liebt. Noch das Bedürfnis, vom Konkurrenzkampf sich loszulösen in der Geborgenheit der Familie, treibt den, der hier aufatmen möchte, um so atemloser ins Feld beruflicher Ambition. Nicht der Widerstreit allein, daß da immer ein Mensch die anderen ausstechen will und doch umhegt sein möchte wie ein Kind, erzeugt im Ganzen der Gesellschaft eine neurotische Spannung, sondern dies, daß Erfolg und Geborgenheit im Konkurrenzsystem wechselseitig einander bedingen: Um Erfolg zu haben, um sicher *wirken* zu können, muß ich aus einer Rückbindung heraus handeln, die von Erfolg oder Mißerfolg nicht berührt wird; aber umgekehrt werden jetzt, wo alles vom sozialen Erfolg abhängig ist, auch meine intimsten Bindungen erst verlässig, im Maße der Erfolg mir treu ist. Diese unentwirrbare *soziale* Dialektik ist der Grund, auf dem je individuell jener Konflikt entstehen kann, der nach Meinung der »psychosomatisch« orientierten Ärzte die Ausgangssituation bildet für ein Magengeschwür: der Konflikt zwischen Ehrgeiz und dem Wunsch, auf eine umhegende, »mütterliche« Weise geliebt zu werden[20]. Sofern diese Konfliktsituation für unser soziales Klima bezeichnend ist, ist es berechtigt zu sagen, daß wir in einer *Kultur des Magengeschwürs* leben. Wieviele Magenkranke unter den Neurotikern es auch sind, Gastritis und Ulcus wären die für unsere Gesellschaft *typischen* psychosomatischen Prozesse, die bei hyposekretorischen Patienten durch andere Störungen ersetzt sein mögen. Das bestätigt sich durch das Faktum, »daß die typischen emotionalen Konstellationen, wie sie bei den Ulcuspatienten gefunden werden, auch bei einer großen Zahl von Patienten zur Beobachtung kommen, die nicht an Ulcus leiden.« (Franz Alexander[21]) Immerhin aber steht das Magengeschwür neben Herzkrankheiten an der Spitze der bis jetzt als «psychosomatisch« verstandenen Krankheiten[22].

Wenn wir uns wertethisch ausdrücken, können wir sagen, zwei Werte seien es, die im Konkurrenzsystem das Verhalten bestimmen und widersprüchlich in sich zerfallen lassen: der Wert des je individuellen Erfolgs und der Wert der Geborgenheit. Der absolute, der un-bedingte Wert dabei ist der Erfolg; mit ihm wird noch moralisch ein jeder gemessen. Der Einzelne mag in der Geborgenheit bei seinen »Lieben« den höheren Wert sehen, das ändert nichts: die Familie selber stößt ihm die Nase darauf, daß nicht Geborgenheit, Beistand, Verträglichkeit die Hauptsache sind, sondern beruflicher und wirtschaftlicher Erfolg und das aggressive Streben nach diesem Erfolg. Liebe und Geborgenheit im engsten Familienkreis hängen noch davon ab. Der Sieger im Konkurrenzkampf ist hier jeder Anteilnahme gewiß, auch wenn er nur Schnupfen hat. Wer wirtschaftlich vor dem Ruin steht, muß damit oft genug allein fertig werden. Die Gattin, die ihn verläßt, weiß sich moralisch im Recht (im Sinne der herrschenden Moral): Sie hat jetzt »keinen Respekt mehr vor ihm«.

Es ist schon die Geborgenheit, indem sie Wertcharakter gewinnt, ein Gegen-Wert gegen das Übel des Ausgesetztseins im Felde der Konkurrenz. Nur wer in unzumutbarer Weise sich bedroht fühlt in einer ihm »feindlichen Welt«, wird – scheinbar spießerhaft – die Geborgenheit als Wert proklamieren. Es ist nur eine Notwehr des Denkens. Die Geborgenheit mochte ursprünglich der Wert der Kränklichen sein, das verschwiegene Ideal derer, die buchstäblich dem Leben sich nicht gewachsen fühlten. Im Konkurrenzsystem aber wird die Geborgenheit zum »Wert«, das heißt zur offenen Sehnsucht aller, da hier ein jeder beständig überfordert ist. Selbst der glücklich Arrivierte, der eben behaglich sich zurücklehnen wollte, sei es auch nur, um ein wenig zu verschnaufen, spürt hinter sich schon den Atem des Postenjägers, der ihn aufstört. Da ein jeder des anderen potentieller Konkurrent ist, wird das, was in der alten bürgerlichen Welt schon ein für allemal verwirklicht schien, Sicherheit im engsten Lebenskreis, zum ewig unerreichten Gut. Bedeutet Bürgerlichkeit ursprünglich ein Sich-Absichern (gegenüber der Obrigkeit, gegenüber den Wechselfällen des Lebens überhaupt) in der Solidarität mit Menschen desselben Standes, so verändert die allgemeine Wunschvorstellung der Geborgenheit im Konkurrenzsystem noch die Kontakte im engsten Kreis: aus der »halben« Erwartung heraus, man würde hier gerade bei *uns* eine »Ausnahme« machen und auf einen Wettstreit verzichten. Jetzt, im Konkurrenzsystem, stehen deshalb die mitmenschlichen Beziehungen, soweit sie überhaupt noch gelingen, in einer gleich doppelten Gefahr: einmal in der, als *Egoismen zu zweit* schon zu entstehen, als eine Verschwörung gegenüber den »bösen Menschen«, zu denen man sich selber nicht rechnet; zum andern aber verleitet die Bereitschaft, jene »Ausnahme« beim Freunde, beim Gatten zu machen, dazu, sich jeder Aktivität im wechselseitigen Umgang zu enthalten. Die übermächtige Erwartung, in der Liebe geborgen zu sein, reduziert – im gegenseitigen Mitvollzug dieser Erwartung – die Liebe selber um das Moment des Zugehens auf den Andern. Es ist eine phänomenal verstümmelte Liebe, die als Gegengewicht gegen die Ungeborgenheit im Konkurrieren gesucht wird. Die sentimentale, inaktive, in Zärtlichkeitsphantasien schwelgende Liebe ist die genaue Ergänzung zum schonungslosen Wettstreit aller mit allen.

d) Die besitzergreifende »Liebe«

Eine »Liebe« ohne rechte Bemühung um den Andern, eine passive Liebe (Liebe hier immer in Anführungszeichen zu denken) – das ist, genaugenommen, eine Einstellung des Begehrens, »Begehren« dabei keineswegs nur im engen sexuellen Sinne verstanden. Begehren meint allgemein eine Haltung des Besitzen-, des Haben-Wollens, meint den Wunsch, über etwas (oder eine Person) nach Belieben verfügen zu können. Alles, was ich begehre, begehre ich als mein eigen. Es ist eine Einstellung gegenüber Sachen. Die Rede von der »Versachlichung der mitmenschlichen Beziehungen« gewinnt so einen neuen Aspekt: Nicht eine bloße Verflachung unserer Zuneigungen macht das Wesen solcher Versachlichung aus, sondern dies, daß der Andere, der eigentlich mein Partner sein sollte, vergegenständlicht, versachlicht wird in der Auffassung, die ich von ihm habe. Er wird gesehen unter dem Aspekt der Manipulierbarkeit für Zwecke, die der eigene Ehrgeiz entwirft. Natürlich »verflachen« in solcher Auffassung des Mitmenschen auch die mitmenschlichen Gefühle – zwar nie bis zum Grade Null –; aber das heißt nicht auch schon, daß damit das sogenannte Gefühlsleben überhaupt schon verflachte. Unsere Gefühle gegenüber Sachen mögen andere sein als diejenigen, die gegenüber Personen am Platze wären. Aber die Bindung an bestimmte vertraut gewordene Dinge wird gerade bei jenem nicht minder heftig sein, dem menschliche Bindungen sich verdinglichen. Der Wunsch, eine Sache ganz und ausschließlich zu besitzen, oder auch der, einen Menschen so zu eigen zu haben, wird im selben Maße sich emotional verschärfen, in dem einer dabei erst als Person sich zu bestätigen sucht. Dabei ist die Haltung durchaus passiv: ». . . genau besehen wünsche ich im Wunsch, daß der Gegenstand zu mir kommt. Ich bin das Gravitationszentrum und erwarte von den Dingen, daß sie mir zufallen.«[23] Die begehrende Liebe, so könnten wir auch sagen, ist eine Art Hunger, ein Wunsch, den Andern sich einzuverleiben, eine Einstellung, die gerade dem sogenannten »sexuellen Begehren«, solange es nicht denaturiert ist, gar nicht entspricht. Die Rede von der bloßen »Begehrlichkeit« der Triebregungen nimmt ja den vom bürgerlichen

Ethos des Habenwollens schon deformierten Trieb zur Voraussetzung. Denn daß eine Triebregung nach Befriedigung drängt, das ist noch nicht eines mit dem Wunsch, das Wesen, das seine »Befriedigung verspricht«, in gegenständlicher Weise zu besitzen. Erst da, wo die begehrende, nach dem Andern immerzu hungernde Liebe zum vermeintlichen Normalfalle wird, kann naiv und philosophisch zugleich gefragt werden, was es denn bedeute, wenn einer sagt, er habe einen Andern »zum Fressen gern«, also, ob Lieben ein Fressen sei. So fragt BRUNO WILLE in seiner 1930 erschienenen *Philosophie der Liebe* (S. 13 ff.). Und FREUD nennt geradezu das Einverleiben oder Fressen eine »Vorstufe des Liebens«, ja »eine Art der Liebe, welche mit der Aufhebung der Sonderexistenz des Objekts vereinbar ist, also als ambivalent bezeichnet werden kann.«[24]

Die Liebe, die den Andern sich einverleiben möchte, die ihn »seelisch« ganz in sich saugen will, ist mehr als ambivalent, sie ist im Grunde tragisch. Wer ganz den Andern zu eigen haben möchte, so, als sei dieser schon ein Teil von ihm selbst, der kann dies nur erreichen, indem er ihn als eigen-willige Person vernichtet. Wer ganz und unbegrenzt eines Anderen sich versichern möchte, der kann es überhaupt nur *wollen* in dem Wunsch, ihn zu töten. Das ist die Tragik des Herodes in HEBBELS »Herodes und Mariamne«: Er will Mariamnes ganz und für immer gewiß sein, auch über seinen eigenen, vielleicht früheren Tod hinaus, und kann das nur wünschen in einem mit der Absicht, sie ermorden zu lassen, wenn er aus der Schlacht nicht zurückkehrt. Die Tendenz, die geliebte Person zu töten, ist aller verschlingenden, eifersüchtig besitzergreifenden Liebe wesenhaft eingezogen: weil nur im Akte des Tötens der Andere ganz und ungeteilt besessen werden kann, für den Augenblick, da er schon als lebloser Körper den Händen seines Mörders entgleitet. Im »Mord aus Eifersucht« gewinnt die besitzergreifende Liebe die einzige ihr ganz gemäße »Erfüllung«, in der sie als Liebe sich selbst widerlegt. Denn Lieben heißt: ausdrücklich haben wollen, daß der Gegenstand unserer Liebe *sei*. Die ebenso ausdrückliche Ablehnung seiner Existenz vollzieht der Haß. Die eifersüchtige, besitzergreifende Liebe ist so ohne ein Überhandnehmen des Hasses nicht denkbar, ohne einen Haß auf den, der als Person unserer jäh nach ihm ausgreifenden Liebe sich zu entziehen sucht. Der Grund allen Hasses ist eine Enttäuschung über verweigerte Liebe. Der Haß des besitzergreifend »Liebenden« ist so die Enttäuschung darüber, daß die geliebte Person nie eigentlich sich fassen läßt. In dieser Enttäuschung liegt durchaus etwas Metaphysisches, sofern darunter die Erfahrung einer uns vorgegebenen Grenze gemeint ist. Es ist aber eine metaphysische Erfahrung, die niemand als ein besitzergreifend Liebender zu machen imstande ist. Ihm fehlt – zum Geliebten – der Abstand des Verstehens. Er überblickt den Anderen nicht mehr; er verfehlt ihn in seiner Eigenart; er ist ihm zu nah. Und eben darum stößt er, der Besitzergreifende, – tragisch – an die nur ihm erfahrbare Grenze des Miteinanderseins.

e) Erfolg als oberster Wert

Besitzergreifende Liebe – davon waren wir ausgegangen –, das ist die Weise, in der der Mensch im Konkurrenzsystem dem Mitmenschen sich zu nähern trachtet. Totale Besitznahme eines Anderen aber ist nur möglich um den Preis seiner Vernichtung, seiner Vernichtung zumindest als Person: als ein Wesen mit eigenem Willen. Schon indem besitzergreifende Liebe insgeheim ahnt, daß ihr konsequent nur diese Möglichkeit bleibt zu zerstören, beginnt sie auch schon, sich umzuwandeln in Haß, genauer gesprochen: in jenen Haß des »leidenschaftlich Liebenden«, den wir *Eifersucht* nennen. Die Verfälschung der Liebe durch die Überbewertung des Erfolgs, das ist es, was wir damit skizziert haben. Wo der Erfolg im Zusammenleben der allgemein leitende Wert ist, da müssen notwendig alle ethischen Werte sich umwerten, ja *entwerten*. Denn Erfolg ist immer Erfolg vor Anderen, Erfolg auf ihre Kosten, also Erfolg gegen ihren Willen. Im Ethos des Erfolgs stemmt so ehrgeizig einer vom andern sich ab.

Wenn, wie gezeigt, im Schielen nach Erfolg die Einstellung zur Arbeit sich wandelt, so bedeutet das auch, daß der in unserer Kultur gewachsene »Wert der Arbeit« sich entwertet. Nicht nur ist eine Arbeit »nicht viel wert«, wenn sie keinen sozialen Erfolg bringt, wenn sie finanziell nichts einbringt; es hat jetzt umgekehrt viel eher einen »Wert«, mit einem Minimum an Arbeit recht erfolgreich zu sein. Die allgemeine Zielvorstellung wird der *arrivierte Faulenzer*, der Mensch, der es sich leisten kann, auf seinen Lorbeeren auszuruhen, der es versteht, die Anderen für sich arbeiten zu lassen. (Ein feudalistisches Ideal!) Die Sache gilt wenig bis nichts, der Erfolg aber alles. Anweisungen zum glücklichen Leben sind längst nicht mehr (wie noch bei Schopenhauer) Rezepte, wie am besten man sich bescheide, sondern die Bücher führen jetzt Titel wie »Der Weg zum Erfolg« oder »Wie komme ich besser voran?«. Reformwaren werden vertrieben unter dem Schlagwort der »Leistungssteigerung«. Die Gesundheit sich zu steigern hat anscheinend nur einen Wert, wenn darin zugleich ein Mittel erblickt wird, um besser voranzukommen. Man mag solche Abwertung der Vitalwerte beklagen: den sogenannten geistigen Werten ergeht es nicht besser. Wer Kunst oder Wissenschaft sich verschreibt ohne die feste Absicht, dadurch berühmt zu werden, der erscheint bemitleidenswert, weil nicht ganz »lebenstüchtig« – vom Standpunkt des Erfolgs. Es gibt sogar Pfarrer, die den Glauben an Gott und das Gebet als wirksame Mittel empfehlen, sich in der Gesellschaft besser durchzusetzen[25].

Wäre der Erfolg schlechthin nicht der allgemein respektierte oberste Wert, die Reklame könnte nicht fast beständig bei unserem Prestigebedürfnis uns packen (soweit sie nicht noch wirksamer bei der Sexualverdrängung ansetzt*). Die Anzeigenseiten sind wie ein Projektionstest auf den Zustand der Gesellschaft. Stellenangebote verlocken mit Schlagzeilen wie: »Immer eine Sprosse höher.« Leiter von Fernlehrgängen, Abendschulen und ähnlichem appellieren keineswegs an unsere Liebe zur entsprechenden Sache, sie verheißen uns »Bessere Aufstiegsmöglichkeiten«. Kein Wunder, daß auch die Seiten mit den Heiratsanzeigen aussehen wie der Stellenmarkt: »Studienrat«, »Akademiker«, »Dipl.-Ing.«, »höherer Beamter«, »Dame mit Abitur«, »Industrieller« suchen – jeweils in Fettdruck – den Partner fürs Leben. Dieselbe Gesellschaft, die auf ausschließliche Treue pocht, läßt es sich bieten, daß eine Kosmetikfirma sie belehrt: »Pickel können trennen«. Ein Narr, wer das für einen Scherz nimmt. Sein Lachen verrät nur, daß er noch kein vollwertiges Glied der Gesellschaft ist, in der das Prestige gilt: versteckt – und immer offener. »Prestige« und »Gelten« sind Markennamen für ein Kölnisches Wasser bzw. für eine Zigarette, den »Duft der großen weiten Welt« verheißt eine andere. »Zur Spitze gehören – dabei sein« (eine Illustriertenreklame) ist alles, Mitredenkönnen schon viel.

Am sinnfälligsten – und den Kulturkritikern schon geläufig – ist die Veränderung unseres Verhältnisses zum *Sport*. Ehedem naiver Ausdruck einer Freude am eigenen Körper und einer Lust, ihn spielerisch zu betätigen, spielerisch: das heißt gelöst vom Zweck einer Arbeit, eines Kampfes, ist Sport heute selber zu einer Arbeit, in jedem Falle aber zu einem permanenten Wettkampf geworden. Hier kommt nur wieder heraus, in welchem Verhältnis wir auch sonst zueinander stehen. Ist die generelle Feindschaft einmal durchbrochen, dann wird sie als

---

* Wir werden hiervon noch ausführlich sprechen im IV. Teil unter der Überschrift »Sexualverdrängung und Sexualisierung«.

solche erst eigentlich sichtbar: »Ich mag dich leide«, sagte der Radprofi Rudi Altig zu einem anderen, »schad, daß mer gegeneinanner fahre müsse.«[26] *Gegeneinander fahren:* da spricht geradezu der Sachverhalt selber sich aus. Der wahre Charakter des sportlichen Wettkampfes ist hier nicht durch die Pose der »Fairneß« verdeckt.

Gewiß, Wettstreit war der Sport immer, aber Wettstreit nicht anders als der Wettstreit in jedem Spiel: betrieben mit dem ganzen Ernst, dessen der tätige Mensch fähig ist, aber genossen vor dem sicheren Gefühl, daß nichts Entscheidendes davon abhängt. Der Boxchampion, der weint, da seine Niederlage offenbar ist, zeigt den bitteren Ernst des Sports, der aufgehört hat, ein Spiel zu sein. Die tobenden Zuschauer zeigen ihn nicht minder: im Grunde resignieren sie in der Begeisterung für die wenigen, die sich körperlich übernehmen. Wo der Erfolg zählt, hat es nur einen Sinn zu turnen, wenn damit ein Aufsehen erregt werden kann. Ich kenne eine berühmte Wettschwimmerin, die seit dem Tag, an dem sie ihre sportliche Laufbahn einstellte, kaum noch ins Becken steigt. Ein Einzelfall? Was »Sportgesinnung« ist an unseren Wettkämpfern, kommt jedenfalls hier recht deutlich heraus.

Noch wo der Mensch quasi »rein passiv« ist, im Genießen, hat seine innere Einstellung sich verändert, wenn der Gedanke an Erfolg und Prestige ihn nie ganz verläßt. Das heißt: was hier sich verändert, ist der Genuß selber. Er entwertet sich. Nicht mehr das zu Genießende wird genossen, sondern nur noch der Neid des Nebenmenschen, der den scheinbar Genießenden »genießen« sieht. Die Delikatessen schmecken erst dann, wenn andere zusehen, die sich »so etwas« nicht leisten können. Man liebt den »ostentativen Verzehr«. VEBLEN, der damit auf die nordamerikanische Gesellschaft zielt[27], trifft – Jahrzehnte nach seinem Tod – noch das Ethos in Mitteleuropa. Wir sind jetzt soweit. ADORNO hat gegen den Begriff, der im Original *conspicuous consumption* heißt, geltend gemacht. daß der Mensch für sein Glück immer schon der »Anerkennung der Gesellschaft« bedarf[28]. (Das wäre die ethische Seite an allem Genuß.) Wo aber die Anerkennung der Anderen nur durch eine Beimischung des Neides das Glück noch verbürgt, das den je Genießenden als ein Glied der Gesellschaft bestätigt, da ist mit seinem Verhältnis zu den Anderen auch sein Genuß schon gestört. Voller Genuß bedarf des Mitvollzugs durch Menschen, die uns gewogen sind:

Und wenn die Brust von Sehnsucht überfließt,
Man sieht sich um und fragt –
wer mitgenießt.[29]

Man sieht sich nicht mehr um, jedenfalls nicht in solcher Erwartung. Es charakterisiert den Zerfall der Gesellschaft in miteinander rivalisierende Einzelne, daß die Sprache ein Wort »Mitgenuß«, das im Mittelhochdeutschen als ›mitnies‹ vorkommt, längst nicht mehr kennt. *Die Verkümmerung der Genußfähigkeit ist eines mit dem Verlust an Geborgenheit in der Gemeinschaft.* Das Ethos des Erfolgs untergräbt nicht nur den Zusammenhalt in der Gemeinschaft, so daß ein jeder darüber doch still für sich oder in trauter Zweisamkeit sein Glück noch genießen könnte. Wer immer und in allen Stücken erfolgreich sein muß, ist glücklich nur, wenn er dafür gehalten wird. Er ist so abhängig in seinem Glück gerade von denen, denen er »eins auswischen« möchte. Dies ist, genau besehen, eine Variation der Dialektik von Macht und Ohnmacht. Der Mächtige ist ohne den Unterworfenen nichts, ein Nichts als Person. Abhängig noch vom Schwächsten für die Bestätigung seiner Macht, gewinnt dieser eine Macht über ihn, die innerlich ihn versklavt: hiervon das Zwanghafte im Gehaben der Totalitären; sie sind nicht mehr mächtig ihrer selbst.

f) Erfolg und Macht

Wir werden hierzulande gewarnt vor früheren Nationalsozialisten, die wieder in höchste Stellungen rückten, so als erstrebten sie diese in ihrer Eigenschaft als Nationalsozialisten, als seien, aufs Ganze gesehen, die Nationalsozialisten wieder im Vormarsch. Daß aber da ein heute bekannter Mann 1933 vom aktiven Katholiken zum Nationalsozialisten, 1945 zum Kommunisten und bald darauf wieder zum Parteichristen sich »wandelt«, und dies alles binnen knapp fünfzehn Jahren, ein solches »Phänomen« ist nicht einfach nur politisch zu erklären. Aber auch rein »charakterlich« nicht, zumindest nicht in dem Sinne, daß man schon klagen dürfte, es müsse sich hier um einen Menschen »ohne feste Grundsätze« handeln, um einen Mann »ohne Moral«, dem alle Moralen gleichviel gälten. Auf die Gefahr hin, hier stärksten Widerspruch zu erregen, sage ich: Ein solcher Mensch *hat* seine Moral, und zwar nicht nur seine eigene, höchst private Moral, die er wundersam genug aus sich allein entwickelt hätte. Seine Moral ist vielmehr nur *ausnehmend rein* die Moral, die die herrschende Moral der Gesellschaft ist, in der er lebt, die Moral, deren oberster Wert heißt: *Erfolg*. Nur eben erscheint in solcher Reinheit diese herrschende Moral wie kaum noch erkennbar, zumal sie dabei ein Moment scheinbarer Inkonsequenz enthält: die schier unglaubliche Sorglosigkeit gegenüber der Gefahr des Ertapptwerdens auf den Verwandlungskünsten. Aber dieses Ethos, das Ethos des sozialen Erfolgs, hat seine noch kühneren »Helden«: den Mann etwa, der ungefragt öffentlich sich rühmt, vor einigen Jahrzehnten einen bestimmten politischen Mord begangen zu haben, sich dessen rühmt aus ersichtlich keinem anderen Grund als dem, nicht aus dem Gerede zu kommen. Klüger schon handelte da ein anderer, der das Gerede nie suchte, das sich doch um ihn kümmerte: der Mann, der den Nationalsozialisten seine Arbeitskraft lieh in einem höchst inkriminierenden Ressort und der doch zugleich höchsten kirchlichen Kreisen als geheimer Zuträger diente. Keine der beiden Seiten kam je auf den Gedanken, mit ihm unzufrieden zu sein. Eine jede wußte ihm entweder zu ihrer Zeit noch oder zur rechten Zeit schon zu danken. Neu avanciert nach dem Krieg, wurde er gefragt: »Wo standen Sie wirklich?« Wer weiß es? Weiß er es selbst? Er ist erfolgreich. Mehr ist nicht sichtbar. Aber das Sichtbare genügt, wenn ethisch nicht sosehr gefragt wird nach individueller Schuld als danach, wie allgemein in einer Gesellschaft der »Erfolg« der offen oder verborgen leitende Wert ist, der alles andere auf sich bezieht und entwertet oder mit einem »Wert« erst versieht. Die Lebensläufe der Gesinnungswandler haben jenseits von Schuld und Verdienst alle das gleiche Geheimnis: sie haben es an der Oberfläche, da, wo niemand es sucht, wo keiner es suchen kann, dem selber in seinem Enthüllungseifer das Streben nach Erfolg im eigenen Nacken sitzt. Wer ist davon frei? Der Kulturkritiker, der es durchschaut, wagt nicht, sich auszunehmen. Er könnte es, hätte er vollends aufgehört, ein Glied dieser Gesellschaft zu sein. Aber dann würde er nichts mehr an ihr verstehen.

Die politischen Beispiele sollten nicht als »erstaunlich«, sondern als symptomatisch verstanden werden. In der Überzeugung, daß es jederzeit »auch wieder anders kommen kann«, feiert die bürgerliche Gesinnung ihren heimlichen Triumph. In ihr findet das Gefühl der Sicherheit gleichsam seine kardanische Aufhängung: Weder die jeweiligen politischen »Umstände« noch der eigene Ehrgeiz werden dem braven Bürger ernstlich zur Gefahr. Was noch bei denen, die sich immer nahe bei der Macht halten, als ein gefährlicher Balanceakt erscheint, das hat, ins Triviale übersetzt, doch seine »Aufhängung« im Schwerpunkt der eigenen Angst, um die man im Grunde nicht einmal weiß. Solch »indifferentes Gleichgewicht« (um den physikalischen Vergleich fortzuführen) zeigt sich bildkräftig in dem biederen Manne, der in SA-Uniform die Messe besucht (den der Verfasser noch mit eigenen Augen und in mehreren Exemplaren gesehen hat). Dabei zwingt uns nichts, hier ein bewußtes Spekulieren zu unterstellen. Notwendig ist es wohl nicht. In der Angst um sich selber kann schon der Glaube »an etwas Höheres« sich spalten in den Glauben an Mächte, die sich feind sind. So von zwei Seiten in seiner Nabe gehalten, läuft das Rad des Ehrgeizes sicher hervor.

Unterdessen könnte es uns geschehen, daß man unsere Erregung über den Ehrgeiz nicht mehr für voll nimmt. Was wir beklagen, wird am Ende zu einem so anerkannten Prinzip, daß einer, der davon abfällt, sich noch genötigt sehen wird, seine geistige Gesundheit nachzuweisen. Auf die Frage, ob es stimme, daß Beamte, die das Parteibuch der stärksten Regierungspartei besäßen, schneller befördert würden als die anderen, antwortete am 15. Juli 1963 der Ministerpräsident eines deutschen Bundeslandes in der Evangelischen Akademie Tutzing: Es sei noch nie ein Unfähiger befördert worden. Aber er wolle es nicht bestreiten. Es könne »sich ja jeder so ein Parteibuch beschaffen«.

Die Umwertung der Werte, die sich im »Ethos des Erfolgs« vollzieht, wäre nicht so radikal, wenn nicht der herausgesteckte Wert des Erfolgs selber schon das Ergebnis einer Umwertung von »Erfolg« im ursprünglichen Sinne wäre: das Ergebnis seiner Umwertung im Klima der Macht. Erfolg haben mit einer Arbeit, bedeutet ursprünglich (und noch bei GOETHE): Folge zeitigen, Wirkung tun mit ihr. Wer Erfolg hat als Baumeister, der hat das Glück, sich mitfreuen zu können mit denen, die der Anblick seiner Häuser erfreut und die es schätzen, in ihnen zu wohnen. Der Prediger, der Erfolg hat mit seiner Predigt, der tut die Wirkung, daß er mit ihr mitreißt und bekehrt. Das ist Erfolg noch jenseits des »Geistes des Erfolgs« im heutigen Sinne. Wo der sich ausbreitet, da bedeutet Erfolg haben das immer eine: sich Ansehen erwerben, sich einen Namen machen mit seinem Tun. Erfolg haben heißt jetzt allein, mit dem, was man mit einigermaßen Liebe zur Sache noch tut, sich *erheben* über die Andern. Insofern ist der Geist des Erfolgs eine Spielart des Geistes der Macht. Eine etwas schwächliche, passivische Spielart. Wer Erfolg hat vor einem Andern, gewinnt nicht notwendig reale Macht über ihn. Und wenn er welche gewinnt, übt er sie gar nicht aus, sobald er vor oder über sich einen noch Erfolgreicheren sieht und sich daran stößt. Die in der Industriegesellschaft scheinbar ins Unendliche gedehnte Erfolgsleiter nimmt dem Erfolg der Erfolgreichen das gefährliche Moment der Macht, das auch hier bei der obersten Spitze verbleibt (soweit es nicht im repressiven System gerinnt). »Erfolg« als Glück des Erfolgreichen ist weniger das genußvolle Schmecken realer Macht als der Selbstgenuß einer Überlegenheit über andere. Der beständig Erfolgreiche sogar genießt nicht mehr eine je relative Überlegenheit über andere, sondern – noch abstrakter – den Rausch des Überholens als solchen.

Der wesentliche Unterschied zwischen Erfolg und Macht ist der, daß der nach Erfolg Jagende sich zuallererst vor seinen Mitmenschen zu bestätigen sucht als Person, während der Machthungrige in der Bemächtigung anderer sich als Person bereits absolutsetzen will: er wird der Mittelpunkt, um den herum sich alles ordnet und auf den hin sich alles bezieht. Der Erfolggierige ist neurotisch im Sinne einer Störung seiner mitmenschlichen Beziehungen durch die Jagd nach Erfolg als solchem; der Machtmensch ist unmenschlich der Tendenz nach, wie er sich bemüht, im Herrschen über andere sich selber als *mehr* zu erscheinen als der endliche, zerbrechliche Mensch, den er in der Person des Nebenmenschen unterdrückt. Dem Machtmenschen ist die Angst vor dem Tod unmittelbarer Bestimmungsgrund, der Erfolgsmensch hat diese Angst schon abgedrängt durch die Enge seiner jeweiligen Zielsetzung. Wohin er transzendiert, das ist: zu der Fiktion, daß die Bahn erfolgreichen Fortschreitens unendlich ist. In der *allgemeinen* Wirksamkeit dieser Fiktion ist die Endlichkeit und Zerbrechlichkeit des Menschen *kollektiv verdrängt*. Der Machtmensch, der immer ein Einzelner und weitgehend Einsamer ist, leistet diese Verdrängung noch selbst und jeweils in jedem Akte der Bemächtigung neu. Im Konkurrenzsystem, im System des allgemeinen Jagens nach Erfolg, ist auch noch das Unterbewußte des Einzelnen von solcher Verdrängungsleistung befreit; das System selber ist eine (freilich nie ganz verlässige) Versteinerungsform jener Verdrängung.

C.

DIE VERDRÄNGUNG DER KREATÜRLICHKEIT

a) Die kollektive Verdrängung des Todes

Die kollektive Verdrängung der menschlichen Endlichkeit, also des Todes, bringt andere Phänomene hervor als die je individuelle. Die individuelle setzt ein Wissen voraus von dem, was durch sie verdunkelt wird. Darüber bleibt eine Ahnung. Sie wird deutlich in den unwilligen Abwehrbewegungen gegen die Thematik des Verdrängten. Solcher Unmut kann ganz unverhüllt sich zeigen, etwa wenn einer sagt, er wolle »dergleichen nicht hören«. Das kann bis zur Magie sich steigern, wie in jener großen nordamerikanischen Zeitung, in der das Wort »Tod« nie zu lesen ist[30]. Das willentlich Ausgesparte reflektiert dabei noch den Unmut, der es verschweigt. Wo nun aber die Formen kollektiver Verdrängung ganz unreflektiert übernommen wurden, da ist keiner mehr verstimmt, wenn der Gegenstand der Verdrängung berührt wird. Denn er ist da kein »Gegenstand« mehr. Ein jeder kann quasi »unerschrocken« mit Namen nennen, was ein waches Bewußtsein schreckte, sowie er die Sache selber verdrängt oder abschirmt durch »Werte«, die man allgemein hochhält, und das heißt hier und heute: durch Sozialprestige, Besitz, Erfolg.

Diese Werte sind so vordringlich, daß noch einem Todkranken gegenüber – quasi gedankenlos – sich die Frage einstellt: »Und wie geht's *sonst*?« Oder: daß auf die Nachricht vom Tode eines jungen Menschen einer noch zu wissen begehrt, was denn aus jenem zuletzt noch »geworden« sei. Von solcher »Gedankenlosigkeit« ist es kein allzu großer Schritt mehr zur gehässigen Bemerkung am offenen Grab (den Nebenmann anstoßend): »Otto, *deine* Generation!« Das sind – so oder ähnlich – vielfach miterlebte Reaktionen, die ungeheuerlich nur wirken in so dichter Nebeneinanderstellung, nicht aber, wenn sie unvermerkt geschehen. Nur in einer Gesellschaft, in der fast ein jeder den Ernst des Todes bei sich selber verdrängt hat, vermag der Mensch so obenhin am Tode vorbei zu fragen oder so grimmig mit ihm zu »scherzen«.

Symptomatisch für die kollektive Verdrängung des Todes ist auch die Leichtfertigkeit, mit der oft langjährige Freundschaften von heute auf morgen »gekündigt« werden. Denn jeder ernstgemeinte Abbruch ist eine Trennung fürs Leben, dem Sinne nach auch da, wo er später wieder rückgängig gemacht wird. »Scheiden ist der Tod«, heißt es bei GOETHE (in dem Gedicht *An Werther*). Man muß verdrängt haben, was eigentlich der Tod ist, wenn man mühelos Beziehungen abbricht. Oder, was dasselbe ist: Man muß ohne metaphysisches »Gewissen« sein in der Bindung an andere, wenn es leichtfällt, von ihnen sich wieder zu trennen.

Ist der leichtfertige Abbruch einer Beziehung ein Kriterium der Todesverdrängung, so weist umgekehrt eine »kindliche« Verständnislosigkeit gegenüber dem Tod auf einen Mangel an Mitmenschlichkeit zurück. Im eigentlichen Sinn *solidarisch* miteinander sind wir als Menschen gegenüber dem, was uns Grenzen setzt, also gerade auch gegenüber dem Tod. In ihm hat das ursprüngliche Miteinandersein in Liebe einen metaphysischen: einen aller Erfahrung vorgegebenen, nie zu erfahrenden, aber doch zu ahnenden Grund. Das Vermögen zu lieben, könnten wir sagen, sei eines mit der Fähigkeit zu solcher Ahnung. In der Ahnung des Nichtseins stößt der Mensch an jene Grenze seiner Existenz, die mit ihrem Ursprung in eins fällt. (Ontologisch ist ja kein Unterschied zwischen Noch-nicht- und Nicht-mehr-Sein.) Der Mensch, der aus der Ursprünglichkeit seines *Wesens* heraus liebt, ist also zugleich der, der seine Endlichkeit nicht verdrängt hat.

KANT sagt, wir können das Sterben »nur an Andern wahrnehmen«[31]: im Sterben endet schon jede Erfahrung. Doch die »Wahrnehmung« des Sterbens an Anderen kann mehr sein als ein Aufmerken auf bestimmte »Anzeichen«; es ist mehr: wo einer dem Andern in ursprünglicher Weise sich verbunden fühlt. Im vitalpsychischen Mitvollzug des Hinschwindens des Andern wird einer – durch den Anderen hindurch – geradezu das Sterben selber erfahren. Mangel an Liebe und Leichtfertigkeit gegenüber dem Tod bestätigen so sich als zusammengehörig. Es sind in keinem Fall die Mitmenschlichsten, die uns versichern, sie hätten keine Angst vor dem Tod; sei es, daß sie lügen; sei es auch, daß sie »die Wahrheit sagen«: dann sind sie noch gar nicht wirklich ins Leben getreten als Liebende.

Man mag hier einwenden, daß wir so auf dem Grunde allen Bangens um Andere, auf dem Grunde allen Mitgefühls überhaupt die Angst um sich selber sähen. Solchen Einwand ermöglicht das Vorurteil, daß Liebe im eigentlichen Sinne nur altruistisch sein könne, wegsehend von sich selber. Aber was wäre das für eine Liebe, die, ich-flüchtig genug, schließlich unter sich die eigene Person verlöre, die – liebend – doch mit einer anderen sich ursprünglich zu *verbinden* suchte? Liebe, die noch in solcher Weise sich versteht, ist gleich-ursprünglich latente Sorge um sich selbst wie um den Anderen. Man tut sich leicht, ein Mitgefühl, in dem ein Bangen um sich selbst sich einstellt, schon als ursprünglichen Egoismus zu entlarven. Es muß doch einer erst im Mitgefühl dem Anderen verbunden sein in einer Weise, daß er irgendwie sich als sein »Stellvertreter« empfindet, wenn er sich selber spürt als einen, dem *Gleiches* widerfahren könnte. Wer will es hindern, wenn er dann auch um sich selber bangt? Ethisch bedeutsam ist dabei nur die Frage, wieweit einer angesichts der Leiden des Anderen sich der Sorge um sich selbst überläßt. Der wahre Autist ist ein Rechthaber, der sagt: »Das könnte mir nie passieren.« Den Gedanken an den Tod hat er völlig verdrängt. Ein Achtzigjähriger (übrigens ein studierter Mann), der einen Schlaganfall erlitten hatte, sagte auf dem Wege der Besserung, das hätte er »nie gedacht, daß so etwas einmal daherkommen könnte«.

b) Todesverdrängung und Sexualverdrängung

Man könnte denken – und NIETZSCHE hat so gedacht[32] –, daß der Mensch gar nicht leben könnte, würde er nicht das Bewußtsein des Todes verdrängen. Das ist sicher richtig für einen, dem der Gedanke schier unentwegt sich aufdrängt. Man kann nicht leben, wenn man stets nur um sein Leben bangt. Leben heißt sich aussetzen. Der bänglich um sich Besorgte lebt am Leben vorbei, weil er alles sich schon versagt, was möglicherweise »schlimme Folgen« hat. Aber gerade er auch ist es, der es nötig hat, den Gedanken an den Tod zu verdrängen. Nie gezwungen, aus elementarer Gefahr das Leben sich zu erretten, niemals auch mehr dem Ursprunge nahe, aus dem heraus wir leben, terrorisierte ihn sonst der Gedanke an den Tod: der Gedanke an das Ende seines einförmigen Lebens. Davon abgehalten, den Augenblick »von Grund aus zu genießen« (weil eine sinnenfeindliche Moral es so will), lebt der Mensch in unbestimmter Erwartung: hingespannt auf die Zukunft, in deren jäher Perspektive sein eigenes Dasein wieder verschwindet. Lustlos in sich selber versponnen, wird er vollends unfähig, die Angst vor dem Tod zu ertragen. Gerade darum muß er sie verdrängen – durch erst radikalen Autismus: Indem er stolz von anderen sich losmacht, mag einer wähnen, in sich selber wie ewig zu ruhen.

In Lieblosigkeit hat der Mensch seine Kreatürlichkeit sich verschleiert. Der reine Autist (so »rein« es ihn eben gibt) vermeidet auch schon das Bewußtsein des Todes, wenn er ein für allemal gegen den Mitmenschen sich sperrt. Eine *allgemeine* Atmosphäre der Lieblosigkeit hält so einen jeden von uns davon ab, die Endlichkeit unseres Daseins voll zu erfassen. Kein neurotischer Eigenwille muß noch zur Verdrängung des Todes sich mühen. Das Wertsystem der Gesellschaft hat es ihm abgenommen. So hat auch keiner mehr nötig, das schlimme Wort magisch zu vermeiden. Wer gar nicht verspürt, was mit »tot« gemeint ist, der plappert ganz flüssig – womöglich »existentialistisch« – darüber hinweg. Man darf ja nicht meinen, die kollektive Verdrängung des Todes zeige sich jeweils erst dann, wenn ein Mensch an den Tod »erinnert« wird. Die kollektive Verdrängung des Todes hat ihre Abwehrmechanismen in Funktion, längst ehe die Thematik des Todes berührt wird. Schon die Sexualverdrängung, die, geglückt, den Gedanken an den Tod erst recht unerträglich machte*, steht im Dienste seiner Verdrängung. Der Mensch, der wähnt, *über* dem Trieb zu stehen, da er ihn zurückstaut, mag bei sich selber den Glauben nähren, daß doch noch etwas in ihm sei, was nicht dem Leib und damit der Hinfälligkeit überlassen ist. Blind dafür, daß der verdrängte Trieb nur in anderen Bereichen des Lebens wieder hervorquillt, findet der ihn Verdrängende fast eine Befriedigung darin, *den Genuß in der Gewalt zu haben.* So mit KANT formuliert[33], drückt sich aus, daß die Sexualverdrängung ihren genauen Platz hat im Ethos der Macht. Das Ethos der Macht überhaupt ist der große Abwehrkomplex gegenüber dem Sinn der Leibhaftigkeit und dem Bewußtsein der Endlichkeit.

Ein Machtverhältnis kann offenbar auch der Einzelne im Verhältnis zu sich selber gewinnen: indem er sich *mächtig* fühlt, seine Triebe zu »beherrschen«. Und doch, da niemand seine Moral aus sich selber hat, liegt auch in solcher Selbstmächtigkeit der Bezug zur Gemeinschaft: Ein jeder wird, um nicht am Sinn der Verdrängung irre zu werden, noch »moralisch« am Andern sich *messen.* Der soziale Charakter von Moral überhaupt bezieht auch die »Pflichten gegen sich selbst«, oder was dafür gilt, auf das Verhältnis zum Nebenmenschen. Diese Pflichten werden – wo die Selbstanforderung der Keuschheit jeden leibhaft in sich verkapselt – zu einem *Machtverhältnis.*

In der repressiven Ordnung hegt ein jeder bei sich den Glauben, er

* Wir begründen das weiter im II. Teil in dem Abschnitt »Die Uhr als Instrument der Unterdrückung«.

selber ursprünglich sei es, der da mächtig genug den »störrischen Trieb« (FREUD[34]), der am besten gleich gar nicht wäre, besiegt. In Wahrheit aber erliegt der sogenannte Keusche nur dem Druck der Gesellschaft, die ihn hindert auszuleben, wozu seine leibhafte Natur ihn drängt. Diesem Druck erliegend, imaginiert sein Selbstbewußtsein einen »Sieg über sich selbst«, über den »niederen Trieb«, »das Böse« oder das »Tier in uns«. Das vermeintlich »Höhere« im Menschen, sein vorgeblich »besseres Ich« ist dabei nichts als der schwächliche Wille, der einfach ja sagt zu den überkommenen Werten und einstimmt in den Machtwillen derer, die Keuschheit predigen. Während der Angepaßte noch stolz ist auf die Verzichte, in die er sich quält, während er meint, sie entsprächen seinem wahren, besseren Selbst, seinem höchst eigenen Ideal vom Menschen, während noch sein Nervenarzt ihn so einschätzt, wissen die Ideologen der »Sittlichkeit« ganz genau, wie solche Ich-Ideale entstehen. Sie wissen – und PEALE, einer von ihnen, gibt es auch zu –, daß es nötig ist, den Menschen *einzuhämmern*, daß sie »dem Geschlechtstrieb Zügel anlegen müssen«[35].

c) Eitelkeit und Bewunderung

In Akten des Herrschens wie in solchen des Sich-Unterwerfens wird die eigene Kreatürlichkeit überspielt. Der Sich-Unterwerfende erreicht das nur, indem er weitgehend mit seinem Herrn sich identifiziert. Der willig sich Unterwerfende entwickelt dabei ein schizoides Bewußtsein: Er leidet unter dem Anderen, aber genießt im Mitvollzug noch dessen Freude am Quälen. Masochismus als Leidensgenuß ist mitvollzogener Sadismus. Dieser Zusammenhang erlaubt uns, vom Ethos der Macht schlechthin zu sprechen, ohne das Herrschen vom Beherrschtwerden besonders zu unterscheiden[36]. Die sadistischen Tendenzen des einen können mit den masochistischen Neigungen des anderen ziemlich genau sich ausbalancieren und miteinander verflechten.

Was auf einer noch elementareren Ebene uns Sadismus und Masochismus heißt, ist in verfeinerter Form Eitelkeit und Bewunderung. Das gewissermaßen Sadistische an Eitelkeit ist die Zumutung an den Anderen, seine Selbstachtung in der Begegnung mit uns selbstquälerisch zurückzuschrauben. Bewunderung auf Seiten des Anderen (im Unterschied zu einer Begeisterung, die Ansporn zum Nacheifern ist) wird dann im Mitvollzug unserer Eitelkeit erst sich ergeben. Wo Bewunderung aber primär ist, mag Eitelkeit beim Bewunderten sich auch erst einstellen, da er die Bewunderung mitvollzieht. Mitvollzug wird es hier notwendig immer geben, sofern die Haltung dessen, der bewundert, überhaupt *verstanden* wird[37]. Schon darauf eingestellt, »sich geschmeichelt zu fühlen« (wie man sinnvoll sagt) oder zu bewundern, nur indem man den Anspruch des Anderen versteht, mag einer allenfalls noch durch ein Lachen sich dem entziehen: er findet die Erwartung in einem metaphysischen Sinne lächerlich, lächerlich vor dem, was einem jeden von uns noch Grenzen setzt. Oder wie ein nachdenkender Bauernsohn es mir einmal sagte: »Nur wenn der Mensch ein Ballen Energie und Geist wäre und ohne Ausscheidungen, dann dürfte er stolz im Auto sitzen.«

Nun wird hier und heute keiner so leicht alle Eitelkeit von sich abtun. Die herrschende Moral hindert jeden von uns daran. Nicht allein, daß ausgesprochen eitle Leute immer aufs neue uns provozieren, es ihnen gleichzutun: In einem moralischen Klima, das jede tiefe Lust streng verpönt[38], bleiben dem Frustrierten nur noch die illusionären Freuden der Eitelkeit, um dem Leben einen »Sinn« abzugewinnen. Es ist hier kein Vorteil, das »Leere« und Sinnlose am Sozialprestige zu durchschauen. Der Wissende leidet doppelt: unfähig, allein gegen eine Front der Lustlosen und (darum) Eitlen sich durchzusetzen, bleibt ihm nicht einmal mehr ein Trost in eitler Lust, »eine Rolle zu spielen«. Man muß sehr sinnlich sein, wenn man sich aller Eitelkeit entschlägt. (Eine einfache Wahrheit, die nur jene verdunkeln, die, eitel genug, noch die Bescheidenen mimen.)

Unsere gesamte philosophische und theologische Ethik ist für diesen Zusammenhang blind. Sie hat noch nicht einmal die Frage gestellt nach möglichen Bedingungen mitmenschlichen Verhaltens. Man tut dafür so, als reiche der bloße Wille schon hin, um all die Tugenden zu üben, all die »Werte« zu realisieren, die »das Sittengesetz« oder eine »ewige Wertordnung« uns nahelege. Es ist dabei immer nur die hier und heute herrschende Ordnung gemeint, deren Moral samt ihren Widersprüchen zum Sittengesetz, zum Wertreich sich objektiviert. Der Glaube daran läßt nicht sehen, daß die herrschende Moral lauter Tugenden verlangt, die sich paarweise ausschließen. Der Mangel an Psycho-Logik in unserer Moral wird dann dem Einzelnen aufgebürdet – als die *Schuld*, die er sich zuzurechnen habe. Gelingt es ihm, so keusch zu sein, wie es die herrschende Sittlichkeit will, dann darf er doch zumeist sich schuldig fühlen für einen Hochmut, mit dem er den vitalen Unmut darüber kompensiert, sofern ihm nicht alle Lust am Leben schwindet. Ist sein »Versagen« aber genau umgekehrt strukturiert, dann wird ihm tadelnd bedeutet, daß er auch um die »Ordnung seines Geschlechtslebens« sich zu bemühen habe. Diese barbarische Psychologie, die sich Ethik nennt, geistert noch durch den Nachruf eines Ethikers auf einen anderen: Dietrich von Hildebrand weiß von Max Scheler zwar rühmend hervorzuheben, daß »aller Professorendünkel, das Genießen seiner Vorgesetztenstellung, ein Vergewaltigen anderer in irgendeiner Richtung« ihm gänzlich ferngelegen hätten. Aber ohne Zusammenhang damit wird gleich darauf vermerkt, Schelers »unstillbare sexuelle Reizbarkeit« sei unter anderem es gewesen, die sein Leben »zerrüttet« habe[39]. Kein Wunder, daß nervlich sich ruiniert, wer nicht den geltenden Normen entspricht. Ein jeder seiner Gegenspieler schlägt ihm noch die Moral an den Kopf. Die Eitlen und Hochgemuten, die guten Gewissens verdrängen, tun sich da leichter. Wo ihre Triebverzichte sie gesundheitlich zerrütten, glaubt ihnen jeder doch noch die Erklärung, sie hätten sich im Dienst an der Gemeinschaft verzehrt. Aus purer Arroganz bricht sich so leicht niemand den Hals, er sei denn ein »echter« Hochstapler. Aber selbst von so einem läßt man sich lieber noch bluffen, als daß man sich die Finger verbrennt. Denn der Schaden, den der Betrüger anrichtet, wirkt nur selten so nach wie die Rache dessen, der eine Machtposition innehat. Hinter diesem steht die Gesellschaft.

Stieße die Pose des Eitlen rundum auf Unverständnis, würde sie »nicht ernstgenommen«, der Eitle würde des Fiktiven an seiner Haltung gewahr, noch ehe sie recht gediehen wäre. So aber, da einer im andern sich abstützt, scheint es, als läge in Eitelkeit und Bewunderung selber ein Sinn, der uns hält: der uns am Leben hält und fernhält dem Tod. Auch Haß gibt diese Illusion. Der Vater, der in seinem Letzten Willen die Kinder wider deren Erwartung enterbt, mag wähnen, so den Tod zu überspielen. Das ist ein extremes Beispiel. Aber jede nachhaltige Unterdrückung eines Anderen, die seiner psychischen Verkrüppelung gleichkommt, lebt noch aus solcher Hoffnung. Umgekehrt ist in jedem Akt der Bewunderung, in dem einer vor einem Anderen sich verkrümmt, die Wahrheit über die Natur des Menschen ignoriert. Die romantische Liebe, die den Anderen nicht sein läßt, was er ist, nährt bei sich selber die Hoffnung, daß der Mensch doch mehr sein könnte als ein Mensch. Das kann – im sogenannten Idealfall der erwiderten »großen Liebe« – streng auf Gegenseitigkeit beruhen. Und dies ist zugleich der Grund, weshalb solche »Liebe« kaum je Bestand hat. Mit welchen »Werten« auch einer den andern umkleidet: das Menschliche näßt wieder durch.

d) Die romantische Liebe

Der romantisch Liebende ist in sich selber voller Spannung: Er vergöttert den Partner, hebt ihn über sich empor, aber er drängt sich auch an ihn, wie um an seiner »Erhöhung« teilzunehmen. »Unser Glaube an andre verrät, worin wir gerne an uns selber glauben möchten.« (NIETZSCHE[40]) Die romantische, die »gläubige«, die vergötternde Liebe ist so die eigentlich *distanzlose Liebe.* Sie will alle Schranken der Individualität durchbrechen, will das Du mit dem Ich verschmelzen, weil es diesem die Hoffnung verkörpert für das, was es für sich selber ersehnt: absolute Existenz. Die romantische Liebe ist – mit aller Vorsicht gesprochen – die Religion der Jugend.

Der abgöttisch Geliebte verkörpert die Hoffnung auf Unsterblichkeit – diese Illusion vollzieht sich jenseits bewußter Erwartung. Würde sie deutlich und ausgesprochen, ihr Bann wäre schon gebrochen. Aus diesem Grunde wird das auch keiner, der just verliebt ist, bestätigen. Ein Dichter immerhin, ein »positiver Phänomenologe« (SCHELER), hat, was wir meinen, schon ausgesprochen. In RILKES *Duineser Elegien* finden sich Sätze über »die Liebenden« (wie es leider nur ganz allgemein heißt), die das Gemeinte geradezu aussprechen: ». . . sie verdecken sich nur miteinander ihr Los.« (In der ersten Elegie.) »So versprecht ihr euch Ewigkeit fast / von der Umarmung.« (In der zweiten.)

Die romantische Liebe ist distanzlos. Sie verfehlt den Andern als Du, weil sie zu ihm nicht mehr den Abstand des Verstehens hält. Der romantisch Liebende, der den Partner vergöttert, liebt dabei im Grund nur sich selbst. Der Andere soll abhängig werden von ihm, so will es der »Romantische«: er will, daß das Geliebte sich seinem Wunschbild fügt. So liegt in aller Verehrung noch die Lust am Beherrschen. (Die Einheit des Ethos der Macht bestätigt sich so noch einmal.) Wehe dem vergötterten Partner, der dem ihm übergeworfenen Ideal entschlüpft! Der Haß des Enttäuschten ist ihm sicher.

Die romantische Liebe ist so gerade nicht das, als was sie gemeinhin gilt: sie ist keine un-bedingte Liebe. Der »romantisch« Bewundernde stellt das Geliebte unter die Bedingungen seines Ideals. Er ist dem Anderen gegenüber stets in der Rolle eines Richters. Er tut von sich aus nichts, die »höheren Werte«, die er dem Andern zuschreibt, im Miteinanderleben zu verwirklichen. Er glaubt, schon in Akten der Bewunderung ihrer teilhaftig zu werden. Genug, daß er bewundert. Erweist sich der Andere seiner Bewunderung nicht als würdig, so bricht er über ihn den Stab. Es fällt ihm nicht so schwer, von dem jetzt gestürzten

Idol sich zu trennen, wenn er bald ein anderes sich entdeckt oder doch – erfindet. Wer darauf ausgeht zu bewundern, dem ist es im Grunde gleichgültig, *wen* er bewundert. (Motto des jungen Mädchens: »Zu einem Mann muß ich aufschauen können.«) Immer ist die Bindung eines solchen Menschen ausschließlich: er ist fasziniert, fixiert auf den Gegenstand seiner Bewunderung. Aber nie ist er *treu* im eigentlichen Sinne. Treue beweist sich gerade im Festhalten oder Überdauern einer Bindung über neue Begegnungen und momentane Ablenkung hinweg. Man könnte sagen, die romantische, die bewundernde Liebe sei je absolut ausschließlich, weil sie nie wirklich treu ist, nie an unverwechselbare Züge des Anderen sich heftet[41], sondern immer blindlings ihn umklammert. Sie fordert den jeweiligen Partner sich zu eigen und »gibt sich ihm hin« mit einer Ausschließlichkeit, die ihrer Tendenz nach Verrat ist an jeder größeren Gemeinschaft. Man wird, je für die Dauer der Beziehung, egoistisch zu zweit, um nach einer Abkühlung der überhitzten Liebe übereinander herzufallen. Was nicht notwendig Trennung bedeutet. Man wird, inzwischen vermählt, weit häufiger sich »zusammenraufen« zu einem Leben zu zweit, das von der Weltentrücktheit der ersten Liebe nur noch den gemeinsamen Egoismus festhält, der nach und nach zum Familienegoismus sich erweitert. Trennt man sich aber, so sagt ein jeder, er habe sich im Andern getäuscht. Er hat sich auch getäuscht: über den Andern, aber ebenso auch über sich selbst, über das, was ein jeder von ihnen ist als Mensch.

Die romantische Liebe hat ihren Platz im Ethos der Macht. Sie ist nicht einfach nur dessen Kompensation; der Geist der Macht geht mitten durch sie hindurch, sie – als jene »Liebe« – schon konstituierend. Die romantische Liebe als der anerkannte Gipfel im Leben des Einzelnen ist das Modell, nach dem im repressiven System Liebe überhaupt sich versteht. In einer solchen »Kultur« wird noch der Mann auf seine eigenen Kinder eifersüchtig (womit er psychologisch freilich nicht ganz im Unrecht ist, da die herrschende Moral seiner eigenen polygamen Libido kein solches legales Ventil öffnet). Hier bekommen auch die Mütter recht, die sagen, daß sie den Sohn, der heiratet, nur »ungern hergeben«. Die letzte, durchgezogene Konsequenz solcher Eifersucht – wie aller Eifersucht überhaupt – aber ist Mord. Eine Nürnberger Mutter erstach im Jahre 1958 ihren Sohn, während er schlief, just vor dem Tag, an dem er geheiratet hätte. Später, als sie von Bahnbeamten daran gehindert worden war, sich vor einen Zug zu werfen, erklärte sie, »sie habe ihr Liebstes auf der Welt nur deshalb getötet, weil sie es mit niemandem habe teilen wollen.«[42] Diese »Mörderin aus Mutterliebe«, wie die Presse versöhnlich sie nannte, handelte zwar extrem, aber in gewisser Weise stellvertretend für die Mütter erwachsener Söhne in unserer Gesellschaft überhaupt. Die Mütter, deren Sohn sich verheiratet, sehen schon voraus, daß seine Liebe, oder was dafür gilt, von jetzt an in mindestens »zwei Teile« gehen wird. Die kapitalistische Vorstellung von der Liebe tut so, als handle es sich bei ihr um eine Summe Geldes, die man aufteile, wenn man mehr als nur einen einzigen Menschen liebt. Aber die abstruse Vorstellung (die Liebe eines Menschen gehe in zwei oder mehrere Teile) entlarvt sich schon nach ihrem eigenen Schema als egoistisch in der Klage, daß man seinerseits den, der nicht mehr ausschließlich liebt, jetzt »nicht mehr für sich allein habe«. Die Eifersucht, die daraus spricht, bringt es aber fertig, das Abstruse zum Plausiblen zu stempeln: treibt sie doch den nicht ausschließlich Liebenden in eine Reserve, mit der er zuletzt doch »bestätigt«, was man ja gleich von ihm behauptet hatte, nämlich, daß er seine Liebeskraft aufteile.

e) Die Flucht vor dem Du

Nun entdecken wir bereits eine Gegenwehr gegen die distanzlose besitzergreifende Liebe, eine Gegenwehr, die freilich kaum als solche sich schon versteht. Da sehen wir, schier als Massenbewegung, die »moderne« Reisefreudigkeit: schon von FREUD gedeutet als Tendenz, der Enge des Familienlebens zu entgehen[43]. Dabei ist das eigentlich treibende Motiv, das Trieb-Motiv, noch gänzlich verhüllt. Deutlicher wird es vereinzelt in einem aktiven Autismus, einer unwilligen Abkehr von den Andern (so als könnte der Einzelne ganz auf sich gestellt leben). Bei zeitgenössischen Dichtern findet diese Regung zur Sprache, wenn auch noch kaum zu vollem Bewußtsein. »Trenne dich von deinen Kameraden ...« – »Verwisch die Spuren!« – so lautet der Rat *Aus einem Lesebuch für Städtebewohner* von BERTOLT BRECHT. Keine Frage, die Andern rücken uns allzusehr auf den Leib, so sehr, daß religiöse Begriffe wie »Hölle« und »Gnade« für Zusammenleben und Alleinsein verwendbar werden: »Die Hölle, das sind die anderen«, heißt es bei SARTRE[44], »Es gibt eine Gnade, das Alleinsein«, steht in MAREK HLASKOS Roman *Der Nächste ins Paradies*. Es scheint, als sei *dies* der ethischen Weisheit letzter Schluß: »... stille bewahren / das sich umgrenzende Ich« (aus GOTTFRIED BENNS Gedicht *Reisen*). Ein Liebesgedicht gar von GÜNTER EICH *(Photographie)* endet mit der Strophe:

»Dich, Ferne, zu beschwören, / ist ohne Sinn. / Ich kann dich sehn und hören, / erst wenn ich ohne dich bin.« Da wird ganz deutlich, welchen Mittels die distanzlose, die anklammernde Liebe bedarf, um doch als Liebe sich noch zu retten: Man muß sich trennen, um zueinander den Abstand zu gewinnen, der dem Liebenden den Andern *als einen Anderen* erst sichtbar macht. Das Bedürfnis nach Abstand verdichtet sich in den Schrei der INGEBORG BACHMANN: »Haltet Abstand von mir, oder ich sterbe, oder ich morde, oder ich morde mich selber. Abstand, um Gottes willen.«[45] Um Abstand gegenüber denen, die allzu selbstverständlich uns beanspruchen, geht es auch dem Manne *Stiller* (in dem gleichnamigen Roman von MAX FRISCH). Die wunderliche Selbstverleugnung, die er übt, ist eine Reaktion auf die wie selbstverständlich ihn umklammernde Liebe der Gattin. Will das Du nicht Abstand gewähren, so kann das Ich, sich zu retten, auch in eine Vermummung hinein sich ihm entziehen. Aber da es kein Ich gibt ohne ein Du[46], wird es dabei noch sich selber verlieren.

Erstaunlicherweise behält Meursault, der »Fremde« in dem gleichnamigen Roman von ALBERT CAMUS, seine Sicherheit im Verhältnis zur Umwelt. Ja, er gewinnt sie erst eigentlich in seinem wütenden Protest gegenüber dem Gefängnispfarrer. Der Protestierende erleidet keinen Ich-Verlust und keinen Verlust seiner Beziehung zur Umwelt. Er *bezieht sich* protestierend auf sie. So wünscht sich der »Fremde« am Ende nur eines: »am Tag seiner Hinrichtung viele Zuschauer, die mich mit Schreien des Hasses empfangen.« Und auch der Grund ist ausgesprochen: »Damit ich mich weniger allein fühle.«[47]

Wir beziehen uns hier nicht auf den Roman von CAMUS, weil man das – nach all den Interpretationen, die er bis jetzt erfahren hat – an dieser Stelle erwarten mochte. Wir können uns am *Fremden* auch klarmachen, was Liebe unter Menschen in einem ursprünglichen Sinne wäre. Alle Liebe bedarf »gemeinsamer Interessen« im weitesten Sinne; JASPERS würde sagen: eines Mediums von »Weltinhalten«[48]. Unsere romantische, für das Ethos der Distanz erblindete »Liebe« hat das vergessen. Sie wähnt, es ließe Seele mit Seele geradezu sich verbinden – ohne jede Vermittlung von »Welt«. CAMUS' »Fremder« ist solchem Ansinnen gegenüber zwar ohne Widerstand; aber er tut doch etwas Sinnvolles: er entzieht sich dem in Gleichgültigkeit. Auf die nicht lange ausbleibende Frage der Maria, ob er sie heiraten wolle, antwortet er, das sei ihm einerlei. Wörtlich dieselbe Antwort gibt er dem Raymond Sintes, als dieser ihn fragt, ob er sein Freund sein wolle. Aber als er am Tag der Beerdigung seiner Mutter die Landschaft betrachtete, in der sie zuletzt gelebt hatte, da »begriff« er sie. Und als Maria später im Gerichtssaal als Zeugin aufgerufen ist, da »ahnt« er von seinem Platz aus »das leichte Gewicht ihrer Brüste«. Der »Fremde« ist Fremder in einer Welt, in der Bindungen an Andere sich als primär »seelisch« verstehen. Er geht den umgekehrten Weg, den Weg über konkrete Seinsbezüge, und kommt nur darum in seiner Mitmenschlichkeit schwer voran, weil ihm kaum einer bei seinem Weltverhältnis korrespondiert. Will doch ein jeder im Klima der herrschenden Moral »um seiner selbst willen« geliebt sein, so als stünde er jenseits der Welt und wäre nicht leibhaft ein Teil von ihr. Der autistische Wille, sich als Person absolutzusetzen (der bei FICHTE seine reinste philosophische Fassung gefunden hat), nimmt sich selber zum Maß der Liebe und beklagt die »Lieblosigkeit« dessen, der anders ist[49]. Als die »große Liebe« oder die »wahre Freundschaft« erscheint dann der »Glücksfall«, daß zwei Menschen wie unvermittelt voneinander Besitz nehmen. Und da kommt es noch zu der Frage: »Wollen Sie mein Freund sein?«

Der »Fremde« antwortet: »Es ist mir einerlei.« Sagte er nein, so würde er seinem eigenen Wesen untreu. Sagte er ja, dann nicht minder. Denn er ist nicht gegen Bindung. Er ist gegen die weltlose, un-vermittelte Bindung, die nicht einem Miteinanderleben sich verdankt. Später im Gerichtssaal, bejaht er die Frage des Staatsanwalts, ob er der Freund von Raymond gewesen sei. Er bejaht sie, obschon es für ihn als Angeklagten jetzt keineswegs von Vorteil ist, sich als den Freund eines Zuhälters zu bekennen.

Ob wir von distanzloser, besitzergreifender, ausschließlicher oder von un-vermittelter »Liebe« sprechen, es gilt gleichviel. Der gemeinsame Seinsbezug, über den ursprüngliche Liebe sich »vermittelt«, verbürgt dieser die Distanz, die verhindert, daß einer täppisch nach dem Anderen ausgreift, ihn an sich zu ziehen. Wo das Medium des gemeinsamen Umgangs harte reale Daseinsaufgaben sind, da gewinnt in ihnen die Beziehung auch einen festen Halt. Die alte bürgerliche Ehe hatte so »ihren Halt« im gemeinsamen Führen eines Geschäfts oder eines Hofes wie natürlich auch im Aufziehen der Kinder. Wo solche gemeinsamen Aufgaben schwinden, wo weitgehend gemeinsame »Hobbys« sie ersetzen, da beginnt notwendig einer im andern neurotisch sich abzustützen. Denn dies ist das Wesen der Neurose: daß »das Psychische« sich gleichsam selbständig macht in unseren Beziehungen und uns hypnotisiert. *Neurose ist Weltverlust*[50]. Aus der Psychosomatischen Klinik der Universität Heidelberg weiß ich von Fällen, in denen schwere neurotische Störungen wie sogar Lähmungen für Wochen und Monate verschwanden, wenn der Patient – etwa bei Kriegsende – unmittelbarer Bedrohung seiner Existenz ausgesetzt war. (Der Hinweis darf nicht kurzschlüssig therapeutisch verstanden werden, er dient zunächst nur dem Aufdecken eines Wesenszusammenhanges.)

Der Weltverlust ist die letzte Konsequenz der bürgerlichen Gesinnung, die zunächst nichts weiter bezweckt als »Sicherheit in der Welt«. Aber Sicherheit in der Welt ist eine Fiktion. Wer sich ganz sicher, ganz geborgen fühlen möchte, der muß über die Verfassung der Welt wie über seine eigene Natur sich im unklaren bleiben. Sein Ethos heißt: Verdrängung, Zurückdrängen alles dessen, was das Gefühl der Sicherheit erschüttern könnte. Das ist zugleich die Bedingung einer Liebe, in der unmittelbar Seele an Seele sich klammert.

Eigentliche Liebe ist nicht einfach das Gegenstück zu so »un-vermittelter«. In ihr vielmehr sind die Bindung an den Mitmenschen und die Bindung an reale Aufgaben gleichgewichtig und untrennbar. An den extremen Liebeshaltungen nur kommt heraus, was es damit auf sich hat. So stellt GOETHE sein Verhältnis zu Schiller dem zu Jacobi entgegen: »Sein [Jacobis] Verhältniß zu mir war eigener Art. Er hatte mich persönlich lieb, ohne an meinen Bestrebungen Theil zu nehmen oder sie gar zu billigen. Es bedurfte daher der Freundschaft, um uns an einander zu halten. Dagegen war mein Verhältniß zu Schiller so einzig, weil wir das herrlichste Bindungsmittel in unsern gemeinsamen Bestrebungen fanden und es für uns keiner sogenannten besondern Freundschaft weiter bedurfte.«[51] Am eigenen Unverständnis für ein solches Bekenntnis kann man die Wandlung des Sinnes von »Liebe« noch an sich selber verspüren (eben insofern auch Freundschaft eine Erscheinungsform der Liebe ist).

D.

GEFORDERTE MORAL UND GELEBTES ETHOS

a) Die objektive Heuchelei

Wir haben das herrschende Ethos in seiner dynamischen Verfassung nachzuzeichnen versucht, soweit das ohne eine tiefenpsychologische Untersuchung der Gesellschaft, um deren Moral es uns geht, schon möglich ist. Wir hatten bald gefunden, daß heute die Tendenz besteht, die Maßstäbe der alten bürgerlichen Moral, die eine Untertanenmoral ist, auf die gesamte Gesellschaft anzuwenden. Es besteht die *Tendenz*: Es bleibt dabei, daß die herrschende Moral ihrem Ursprung und Wesen nach eine Moral des Mittelstandes ist[52]. Der Adel und die höhere Geistlichkeit von einst wie heute die *upper ten* setzten und setzen sich ebenso darüber hinweg wie jederzeit ein mehr oder weniger starker »vierter Stand«. Das hat gerade KINSEY in verschiedenen Zusammenhängen gezeigt: daß die bürgerlichen Moralvorstellungen in Arbeiterkreisen und auf dem Lande längst nicht so wirksam sind. So ist zum Beispiel vorehelicher Geschlechtsverkehr, in manchen gutbürgerlichen Familien noch heute ein »Skandal«, bei Bauern und Arbeitern kaum ein moralisches Problem[53]. Die revolutionäre Bewegung der Arbeiterklasse, der klassische Marxismus, war denn auch folgerichtig mit libertinistischen Bestrebungen verknüpft: Die Ablehnung der neuen herrschenden Schicht, die Ablehnung des Großbürgertums war erst perfekt mit einer Ablehnung seiner repressiven sittlichen Ordnung. MARX ahnte bereits den psychologischen Zusammenhang zwischen dem (bürgerlichen) Besitzstreben und der Pflicht zu unbedingter ehelicher Treue – zumindest für die Frau: Der Besitzbürger wacht eifersüchtig über die ihm Angetraute; er sieht – nach MARX – in ihr »ein bloßes Produktionsinstrument«[54], das er sich von niemandem »vergesellschaften« lassen will.

So simpel das auch ist – oder von MARX gedacht ist, er hat doch nicht übersehen, daß die bürgerliche Moral gerade von denen, die in ihr ein Mittel der Herrschaft besitzen, oft insgeheim übertreten wird. Hinter den »herrschenden Ideen« verbergen sich handfeste Interessen, eben die Interessen der herrschenden Klasse. Dabei ist es aber nicht so, daß die hohen sittlichen Ideale zum Zwecke des Herrschens sich einfach instrumental gebrauchen ließen. Das hat auch MARX nicht behauptet. Die »herrschenden Gedanken« sind ihm sogar »nichts weiter als der ideelle Ausdruck der herrschenden materiellen Verhältnisse, die als Gedanken gefaßten herrschenden materiellen Verhältnisse«[55]. So kühn, so »materialistisch« das auch gesagt ist: MARX verharmlost eben damit die Machtgewohnten wie auch die, die erst nach Machtpositionen streben; er merkt nicht ihre *Lust am Herrschen.* Diese Lust ist nicht in platter Weise eines mit der ökonomischen Basis, aber auch nicht deren ideologische Überhöhung. Sie wird von denen, die sie von sich selber her kennen, noch verborgener gehalten als die Wahrheit über die soziale Ordnung, die ihr Raum gibt. Die Lust am Herrschen liegt phänomenal und historisch der herrschenden materiellen Ordnung voraus. Anders wäre es nicht zu verstehen, daß hier die einen mit Hilfe des Kapitals erst vollends zu Macht und Einfluß zu kommen suchen, andere aber, Leute mit kaum weniger sicherem »Machtinstinkt«, unmittelbar die Rolle eines »Befehlshabers« erstreben. Die Lust am Herrschen, diese merkwürdige, körperlich kaum zu lokalisierende Lust, ist bloße *Ersatzlust* für einen jeden, der selber im Glauben an die herrschenden sittlichen Werte sich ursprünglichere Lüste versagt. So wird noch der Herrschende zu einem Opfer der herrschenden Ordnung, freilich kaum je im selben Grade wie die, die sozial von ihm abhängen. Er hat doch die Möglichkeit, den Unmut über die Verzichte, die er sich abverlangt, an »seinen Leuten« auszulassen. Die Auguren unter seinen Standesgenossen, die privat ganz lustig leben, sind im Verhältnis zu ihm noch die Humaneren. Und die Gesünderen.

Wenn FREUD mit der Behauptung recht hat, daß sexuelle Abstinenz den Menschen neurotisiert[56], dann hat gerade die soziologische Untersuchung der Stadt New Haven (Connecticut) dies im großen bestätigt: Die von A. B. HOLLINGSHEAD und F. C. REDLICH im Jahre 1953 ermittelten Zahlen zeigen, »daß Neurosen in der soziologischen Schicht des gehobenen Mittelstandes besonders häufig auftreten. Dieser Schicht gehören 8,4 Prozent der Normalbevölkerung, aber 19,6 Prozent der Neurotiker an«[57]. Die bürgerlichen Sexualtabus weiter auszubreiten hieße also noch weitere Volkskreise zu neurotisieren. Vom medizinischen Standpunkt ist es geradezu ein Segen, daß zwischen der herrschenden Geschlechtsmoral und dem tatsächlichen Sexualverhalten eine Kluft ist.

Nun ist es eine Tendenz der Konkurrenzgesellschaft, die sozialen Schichten einander anzugleichen – nach den Verhaltensmustern der bürgerlichen Mittelschicht. Die moralisch völlig homogenisierte Gesellschaft sähe dann aber nicht so aus, daß alle nach dem gleichen sittlichen Ideal strebten, sondern so, daß – im Konkurrenzkampf – ein jeder jeden nach dem gleichen Maßstab »moralisch« beurteilte und dabei nach Kräften verurteilte, ihn »madig machte«, um ihn als Konkurrenten auszuschalten. War ehedem »die herrschende Moral« ein Zuchtmittel in der Hand der Herrschenden, die sich selber nicht an sie hielten, so wird sie im reinen Konkurrenzsystem zum Instrument des Kampfes aller gegen alle, wobei die feudale Überzeugung, daß die Moral nur für das niedere Volk sei, selber noch sich demokratisiert: Die Moral wird am Ende »Moral für die Anderen«; »Du sollst dich nicht erwischen lassen« wird zum 11. Gebot. (Dies letztere ist bereits sprichwörtlich.) Mit anderen Worten: Die Kluft zwischen geforderter Moral und gelebtem Ethos, die immer schon durch einen jeden hindurchgeht, vertieft sich noch in dem Maße, in dem die moralischen Forderungen für alle Stände gleichermaßen verbindlich werden und ein einheitliches Ethos sich herstellt. *Die moralische Kluft zwischen den Ständen wird überwunden durch die Vertiefung des Widerspruches zwischen dem, wie einer moralisch urteilt, und dem, wie er lebt.* Die Feudalisierung unserer Gesellschaft macht – der Tendenz nach – einen jeden zum *Herren:* als Sittenrichter über andere sowie in der Absicht, »wie die Fürsten zu leben«. Aber er wird unversehens wieder zum alten Kuli, sowie man verbotener Neigungen ihn überführt. Gar mancher Homosexuelle kann unangefochten Jahrzehnte in ehrengeachteter Stellung sich halten, obschon alle Welt über ihn tuschelt; doch er verliert Ansehen und Position, sowie ein ihm übel Gesinnter »hineinsticht« und ein Gericht ihn zum »Schuldigen« stempelt[58]. Die soziale Deklassierung des Verurteilten ist eine Konsequenz des Schuldgedankens im Strafrecht, die vertrauliche Empfehlung, sich nicht erwischen zu lassen, eine weitere. Die aus Gefängnissen und Zuchthäusern Entlassenen fallen ins Souterrain der Gesellschaft. Es sei denn, sie wären finanziell so gut gestellt, daß ihr Ansehen als »Begüterte« die juristische Deklassierung wieder auffängt.

Der allgemeine Widerspruch zwischen dem, was man die »moralische Überzeugung« der Leute nennt, und dem, wie sie wirklich leben, ist die *objektive Heuchelei*, die ein Ethos charakterisiert. Wir heißen sie objektiv: weil bewußte Lüge kaum je sich nachweisen ließe. Die Moral der Gesellschaft selber ist unaufrichtig, wo einer anders als so gespalten in Sittenrichter und Vergnügungssüchtigen sich innerlich nicht mehr ausgleicht. Die Heuchelei des Einzelnen ist nur ein Reflex der Selbsterhaltung, wo die Moral den Menschen überfordert. Im Ganzen der Gesellschaft ist die moralische Heuchelei ihrer Glieder ein Kriterium für die Unsinnigkeit der in ihr geltenden sittlichen Normen. Je mehr die Leute dabei überzeugt sind von dem, was zu leben ihnen mißlingt, desto schneidender, anmaßender ist, wie sie urteilen. Wenn es schon nicht richtig ist, das gelebte Ethos einfach als das ethisch Sinnvolle auszugeben, dann ist es ganz und gar abwegig, die moralischen Überzeugungen der Leute mit ihrem »moralischen Niveau« gleichzusetzen. Was sie moralisch mißbilligen, werden sie darum nicht schon unterlassen zu tun. Etwa zu sagen, die Deutschen seien »sittlicher« geworden, weil jetzt mehr von ihnen als noch kurz nach dem Zweiten Weltkrieg die »freie Liebe« *mißbilligten,* wäre plumper, tendenziöser Kurzschluß[59]. Meinungsumfragen, die feststellen, wie viele Menschen ein Tabu bejahen oder es ablehnen, werden ohnehin immer »moralischere« Prozentsätze erbringen als solche, die darauf ausgehen zu erfahren, wie viele *von den Betroffenen* faktisch das Tabu verletzen oder eine Gelegenheit zu seiner Verletzung sich wünschen[60]. Wenn in einer Gesellschaft die Zahl derer, die freie sexuelle Beziehungen mißbilligen, zunimmt, so ist daraus nicht bündig auf eine Zunahme des »moralischen Potentials« des Volkes zu schließen. Es kann sich auch nur um ein Mehr an Heuchelei handeln, sofern eben das faktische Verhalten davon unberührt bleibt oder zum Trotz völlig entgegengesetzt sich entwickelt.

b) Das Ethos der Lieblosigkeit

Eine Kluft zwischen geforderter Moral und gelebtem Ethos zeigt sich indessen nicht nur in soziologischer Perspektive, sondern auch bei psychologischer Betrachtung gerade derer, die nach Kräften der geforderten Moral sich anbequemen. Willig, die eigene triebhafte Natur zu ignorieren, sind sie zumeist unfähig, im alltäglichen Umgang die Lüge zu vermeiden. Was nicht zu verwundern ist: Wer über die Sexualität, eine so elementare Seite seiner leibhaften Existenz, sich hinweglügt, muß die Fähigkeit zur Aufrichtigkeit überhaupt sich verkümmern. Er wird, früh abgezogen von den Zielen eines ursprünglichen Triebinteresses, dafür in Dinge sich mischen, die ihn nichts angehen: »Neugierige sind Charaktere, deren kindliches Verlangen nach Wahrheit übers Geschlechtliche nicht befriedigt wurde: ihre Lust ist schäbiger Ersatz« (ADORNO[61]). Der zum Prüden Herangewachsene züngelt unausgesetzt nach Allerprivatestem im Leben Anderer, genauer: nach jenem »Sinnlichen«, von dem er – mit Betonung – »nichts wissen will«. Aber er muß doch Gelegenheit haben, seine Verachtung des Lasters zu zeigen. So *sucht* gar mancher beständig nach einem Grund, sich wenigstens »sittlich« zu erregen. Seine Einstellung zu den lockeren Vögeln ist dabei unbewußt ambivalent: Er braucht sie wohl – als Zielscheibe für seine stets »geladene« Indignation; aber er neidet ihnen auch, was sie unbekümmert sich »herausnehmen«. Seines vitalen Daseins nie wirklich froh, hat er sein bißchen Freude daran, den Andern ihre Lust zu vergällen. Er verbreitet, was er über sie erfährt, so lange, bis der Spaß vollends sich aufhört. Das wegwerfende Urteil der Vielen mobilisiert so oft der, der selber mit vielen nicht auskommt. Wer nicht genießt, wird ungenießbar. Es gibt nur die beiden Möglichkeiten: entweder im geforderten Maße keusch zu sein und dabei unaufrichtig und neugierig, »indiskret« und klatschsüchtig, mißmutig und schadenfroh – oder die sexuellen Tabus in den Wind zu schlagen, um mit gleicher Unbekümmertheit anderen offen und taktvoll zu begegnen, fähig, mit ihnen sich mitzufreuen.

Man wird Gegenbeispiele nennen, auf Leute zeigen, deren exzessives Sexualleben sie anscheinend nicht daran hindere, hinterhältig ihre Mitmenschen zu übervorteilen und jede Schwäche bei ihnen auszuforschen. Aber man muß hier fragen, ob der, der exzessiv über die geltenden Tabus sich hinwegsetzt, nicht einfach nur die Kehrseite der herrschenden Moral, das Spiegelbild des Geforderten lebt. An der Sinnlichkeit derer, denen es nur darum geht, »Eroberungen« zu machen, darf füglich gezweifelt werden. Sie leben womöglich so lustlos wie jene, die voller Hemmungen sind. Die Heiterkeit der Sinne kommt unter die Räder, wo psychische Hemmungen erst immer gewaltsam überwunden werden müssen. Da wird das Laster recht anstrengend. So sind schließlich beide, der moralistisch Verklemmte wie sein Gegenbild, der forciert Enthemmte, Opfer ein und derselben Moral. *Das heißt, daß im Klima der herrschenden Moral noch der Affront gegen sie von ihr selber geprägt ist.* Geforderte Moral und wilde Auflehnung gegen sie kommen eben darin überein, daß beide an einer Wertvorstellung sich orientieren, die wie jenseits von Gut und Böse in den Gehirnen sich festgesetzt hat: am »Wert« des leeren Erfolgs. Wer nicht durch bürgerliche Tugenden glänzen kann, die für höchste Staatsämter qualifizieren, versucht es mit den Allüren des Lebemannes, oder umgekehrt. Geltung bringt beides. Man muß nur wissen, welche Rolle man sich leisten kann.

Das herrschende Ethos – im Unterschied zur »herrschenden Moral« – ist also dadurch charakterisiert, daß es neben dieser, der geforderten Moral, auch die gelebten Haltungen mit umgreift: bis hin zu dem »Bösen«, das als das glatte Gegenteil des Geforderten erscheint. Eine nie ausdrücklich geforderte, nie aber auch ernstlich in Frage gestellte Wertvorstellung bindet dies alles zum »herrschenden Ethos« zusammen: zum Ethos des Erfolgs. Wo persönlicher Erfolg die axiologische Voraussetzung von Gut *und* Böse ist, wo alles sich danach bemißt, welches soziale Prestige sich mit einer Sache verbindet, da sind noch Aufopferung und Freigebigkeit bloße Mittel, sich in Szene zu setzen. Da aber aus dem Nichts kein Sterblicher schöpft, so muß gerade der Freigebigste zwischendurch ins krasse Gegenteil verfallen. Es sei denn, er hätte schon ein Vermögen, es aufzubrauchen. Aber das ändert doch nichts daran, daß der Reiche, den jedermann seiner Freigebigkeit wegen rühmt, nur wieder unter die Menge streut, was vorher – wohlkalkuliert – ihr abgeknöpft wurde. Der mitleidlos gewonnene Profit, die unbarmherzig eingetriebenen Außenstände fließen, wenigstens zum Teil, als »hochherzige Spenden« wieder zurück. Das eine ist die Voraussetzung des anderen. Egoismus und Altruismus überhaupt bedingen einander. Zusammen bilden sie das Ethos der Lieblosigkeit. In einer Gesellschaft, in der es zuletzt immer auf die kräftigeren Ellenbogen ankommt, ist »Altruismus«, Selbstaufopferung, schon eine notwendige Forderung der Moral, um wenigstens halbwegs auf ein erträgliches Zusammenleben hinzulenken. Es muß umgekehrt denen, die naiv genug wären, die moralische Forderung völlig ernst zu nehmen, beizeiten ein »gesunder Egoismus« empfohlen werden. (So, als gäbe es gesunden und kranken.) Durch »gesunden Egoismus« und Altruismus sucht eine der Liebe entfremdete Gesellschaft die Verhaltensweisen des Liebenden zu kopieren. Wo – liebend – einer mit dem anderen sich mitfreut, wäre es unsinnig zu sagen, daß einer *vor* dem Anderen Erfolg hat.

Die herrschende Moral ist nicht darauf abgestellt, spontane Äußerungen der Liebe zu unterstützen und zu erleichtern. Sie »begrüßt« zwar jede spontane Hilfsbereitschaft, bevorzugt aber die organisierte. Spontane Mitmenschlichkeit hat immer noch etwas von der Sinnlichkeit, die tunlichst nicht sein soll. Darum wird sie auch leicht als Anbiederung mißdeutet, sofern man nicht dummerweise auf sie doch angewiesen ist. Das sind beobachtete Reaktionen. Die Klage über mangelnde Ritterlichkeit der Männer kommt aus dem Munde der Damen, die den Hilfsbereiten mißtrauisch ansehen, zumeist in Überschätzung ihres eigenen Reizes. Herzlichkeit, die einem weiteren Kreis von Menschen sich mitteilt, ist von vornherein verdächtig. Als Familienegoismus wird sie gefeiert. KINSEY hat gefunden, daß gar mancher alte Mann wegen der Verführung Minderjähriger verurteilt wurde, obschon er längst impotent war und lediglich Zärtlichkeiten sich herausnahm, die beim Großvater als natürlich empfunden werden[62]. Die Kinder sind angehalten, sich vor »bösen Onkels« zu hüten. Sie erleben sie denn auch, zumindest in der Phantasie. »Beschenkte ein Nachkomme des Fontaneschen Herrn von Ribbeck auf Ribbeck im Havelland die kleinen Mädchen mit Birnen, so machte seine Humanität sogleich sich verdächtig.«[63] Dabei ist solche Verdächtigung immer im Recht, wenn sie das Kind nicht nur vor Unkeuschheit, sondern eifersüchtig auch vor jeder Liebe eines Unbefugten zu bewahren sucht. KANT ist insoweit rezipiert: Er war – in der Abwehr der Sinnlichkeit – konsequent genug, jedes Sympathiegefühl aus der Ethik zu verbannen, spürend offenbar, daß jede ursprüngliche mitmenschliche Regung schon ein Affront ist gegen die Ideale der Keuschheit und der Pflichterfüllung, jene höchsten Werte im Ethos der Lieblosigkeit.

c) Die Verharmlosung der Grausamkeit

Die herrschende Moral arrangiert sich auch mit dem Leben, soweit es ihren Idealen sich nicht fügt, einmal durch Ignorieren, zum andern durch Bagatellisieren. »Was die Moral nicht kontrollieren kann, das sucht sie zu ignorieren.«[64] Und was sie weder ignorieren kann noch verhindern, das sucht sie zu verharmlosen. Ignoriert wird zum Beispiel die von etwa 92–97 Prozent der Männer irgendwann in ihrem Leben praktizierte Onanie[65] – als Folge der moralistisch verpönten (und erschwerten) vorehelichen und außerehelichen Kontakte. Bagatellisiert aber werden die aus Triebverzicht und Verdrängung resultierenden Ersatzhandlungen der Aggression, deren sexueller Sinn freilich nicht immer so deutlich wird wie in dem Fall jenes SS-Offiziers, der bei der Erschießung von Jüdinnen einen Mann des Exekutionskommandos beiseite nahm mit den Worten: »Die da, die will ich selber ›fertig‹machen, die ist so jung.«[66] Doch auch ohne Kenntnis des Trieb-Ursprungs solcher Aggression wittern die prototypischen Verfechter der herrschenden Moral den Zusammenhang. Anders wäre es nicht erklärlich, daß so manches unbedachte Wort, das sie zur Verharmlosung der Grausamkeit sagen, mit Ausfällen gegen die »Unsittlichkeit« (oder was ihnen dafür gilt) verknüpft ist. So meinte der Erzbischof von Palermo, Kardinal Ruffini, Sizilien (das bekanntlich die Hochburg der Mafia ist, die bis in die Klöster hinein ihre Schlupflöcher hat) sei »nicht krimineller als irgendein anderes Land. Die wahre Gefahr aber ist der Sittenverfall im Norden«[67]. Und ein Prälat Anton Maier vom Erzbischöflichen Ordinariat München-Freising ist der Ansicht: »Der Geist der Liebe wird nicht in den mörderischen Partisanenkämpfen in Südvietnam vertrieben, sondern hier, jetzt bei uns – etwa beim ›Badehosenkrieg‹ von Loope mit all seinen Begleiterscheinungen.«[68] (Es ging um die Frage, ob Schüler sittlich gefährdet werden, wenn sie völlig unbekleidet voreinander sich duschen.)

Man mag in solcher Art Moral-Predigt nur »zufällige« und gelegentliche Äußerungen erblicken, »Gedankenlosigkeiten«, die keinen repräsentativen Wert hätten. Aber man muß dann fragen, worin die Gedankenlosigkeit besteht: darin, daß ein ethisch so perverser Gedanke[69] sich bildet, oder darin, daß er sich ausspricht? Schon der Gedanke selber, es könnte Nacktheit den Geist der Liebe gefährden, Mord aber nicht, kann nur aus einer ihm wesensgemäßen »sittlichen Tradition« heraus gedacht werden. Der ausgesprochene Gedanke, mag er jeweils noch so »unbedacht« sein, ist eben darum eine höchst symptomatische Fehlleistung, symptomatisch weniger für den Sprecher als für das Ethos, das in ihm zur Sprache kommt. Die Exkulpierung der Grausamkeit ist – wie die Todesverdrängung und die Wertschätzung des Erfolgs – ein durchaus integraler Bestandteil des herrschenden Ethos: eine geheime, aber selbstverständliche Wertung, nicht lauthals propagierte Moral; und wenn propagiert, dann unter verschleiernden Namen wie Tapferkeit, Einsatzbereitschaft, Heldenmut, gerechte Strafe, Strafaktion, notwendige Härte, Vergeltung. Daß die herrschende Moral aber entschieden Grausamkeit und Brutalität sexueller Unbekümmertheit und Offenherzigkeit vorzieht, illustriert bildkräftig die allgemeine Duldung brutal-sadistischer Kriminalromane und Kriminalfilme neben der stets von neuem entfachten Entrüstung über obszöne Bücher und sogenannte Sittenfilme[70]. Die »Gedankenlosigkeit« des einen oder anderen Sittenpredigers, die dem haargenau entspricht, enthüllt so nur die Psycho-Logik, die hinter der herrschenden Moral sich verbirgt.

II. TEIL

PSYCHO-ANALYSE DER REPRESSIVEN GESELLSCHAFT

VORBEMERKUNG

Die Absicht, eine ganze Gesellschaft mit Kategorien der Psychoanalyse zu untersuchen, mag befremdlich klingen einem jeden, der mit »Psychoanalyse« die Vorstellung verbindet, daß sie – als therapeutische Praxis – nur jeweils ein Einzelschicksal durchleuchtet, und zudem jedesmal eines, dessen Träger »neurotisch« erkrankt ist. Da aber der Mensch nicht neurotisch an sich selber erkrankt, sondern stets an dem Mißverhältnis zwischen dem, worauf er hinauswill, und dem, wozu seine Umwelt ihn preßt, so können auch einmal die sozialen und die quasi »moralischen« Bedingungen der Neurosen untersucht werden. Da außerdem zwischen dem klinischen Fall und dem »wohlangepaßten Bürger«, der eben nur seine »kleinen Eigenheiten« hat, ein offenbar fließender Übergang ist, so wäre am hochgradig Abnormen noch am ehesten die »Laune« des Normalen zu studieren: Er hat vergröbert, und darum nur greifbarer, die Fehlhaltungen verkörpert, in die noch ein jeder von uns im repressiven System »moralisch« gedrängt wird. Auf die Vielfalt neurotischer Erscheinungsbilder kommt es dabei zunächst gar nicht an. Für die Absicht einer psychoanalytisch inspirierten Pathologie der Gesellschaft genügt es zu wissen, daß die psychosomatische Klinik zumindest keinen »vegetativ Gestörten« empfängt, hinter dessen körperlichen Symptomen nicht ein ungelöster Triebkonflikt sich verbürge. Dessen Wurzeln reichen oft tief in die Kindheit zurück*. Nun ist das nicht zu verwundern in einer Gesellschaft, in der fast ein jeder von klein auf sexuelle Frustrationen erfährt. Dabei ist »sexuell« allerdings in dem weiten Sinne genommen, den der Begriff durch FREUD erhalten hat[1].

* Die Frage, warum wir dennoch nicht allesamt »psychosomatisch« erkranken, diskutiert noch der IV. Teil.

A.

DIE UNTERDRÜCKUNG DES MENSCHEN VON KLEIN AUF

a) Die ignorierte frühkindliche Sexualität

Die wohl am meisten umstrittene Entdeckung FREUDS war die Entdeckung der frühkindlichen Sexualität. Mochte er immerhin in seine psychoanalytische Praxis zum Beispiel einen fünfjährigen Jungen bekommen, der – nach Angaben seiner Eltern – onanierte[2], verallgemeinern, so lautete (und lautet) der gängige Einwand, verallgemeinern lasse sich dergleichen doch nicht. Es möge frühreife, in ihrer psychischen Entwicklnug »fehlgeleitete« Kinder geben, für die überwiegende Mehrheit der »normalen« Kinder haben sexuelle Regungen erst mit der Pubertät zu beginnen. »Das Kind gilt als rein, als unschuldig, und wer es anders beschreibt, darf als ruchloser Frevler an zarten und heiligen Gefühlen der Menschheit verklagt werden.«[3] FREUD hat es erfahren. Unterdessen haben sowohl der *Kinsey-Report*[4] wie ethnologische Feldforschungen[5] seine Entdeckung bestätigt.

Es bleibt allerdings festzuhalten, daß der Begriff der »frühkindlichen Sexualität« im Sinne FREUDS nicht allein genitale Sexualität bedeutet, sondern ebenso orale und anale Funktionslust mit umfaßt. Dabei sind die Lustempfindungen beim Saugen und Lutschen wie die bei der Blasen- und Darmentleerung auch die ontogenetisch früheren: als die Empfindungen, die die zuerst vollzogenen Körperfunktionen begleiten. Wenn FREUD aber beides, die orale wie die anale Lust, in den Begriff der Sexualität mit aufgenommen hat, so nicht deswegen, um schon dem Säugling Sexualität zu bescheinigen, sondern um die bei Erwachsenen sich findenden Abweichungen von rein genitaler Sexualität entwicklungspsychologisch erklären zu können. Wenn schließlich beim einen oder anderen Erwachsenen Berührungen des Mundes (beim Küssen), des Anus oder auch des Ohrs ganz ebenso zum Orgasmus führen wie eine Erregung der Genitalien, so liegt eben hierin, in der potentiellen Dienlichkeit zum Orgasmus, der verschwiegene Angelpunkt des

FREUDschen Begriffes »Sexualität« für Lustempfindungen von so verschiedener organischer Quelle. Ontologisch ist dabei aber nicht das scheinbar Triviale zu übersehen, daß für alle diese Lusterregungen jeweils ein und derselbe Körper begabt ist.

Die frühkindliche Sexualität paßt, wie gesagt, nicht ins Bild der »Reinheit« und »Unschuld« des Kindes. Die Leugnung entsprechender Phänomene in der frühen Kindheit ist aber selber bereits ein Symptom ihrer Unterdrückung. Was so ins Werk gesetzt wird, ist geradezu eine *Magie des Verschweigens:* Das Kind, das sonst ausdrücklich dazu angehalten ist, alles, womit es in Berührung kommt, zu benennen und damit als ein Weltding zu *bejahen,* verspürt deutlich den Zwang, einen bestimmten Lebensbereich von solcher Bejahung auszuschließen. Das, »worüber man nicht spricht«, verfällt so einer viel radikaleren Abwertung als das, worüber man wettert: es ist nicht einmal für wert erachtet, in der von der Sprache benannten Welt irgend etwas zu sein. Die Eltern, die denken, der beste Kompromiß zwischen Unterdrückung und Ermunterung der kindlichen Sexualität sei es, »gewisse Dinge« bei den Kindern einfach mit Schweigen zu übergehen, solche Eltern bedenken zweifellos nicht, daß sie damit das kindliche Gewissen noch viel stärker terrorisieren, als es durch Prügel und Verächtlichmachen geschehen kann.

Als häufigste Form genitaler Sexualbetätigung bei Kindern und Jugendlichen ermitteln alle unsere Sexualreports die Onanie. Nach KINSEY onanieren 82 Prozent der 15jährigen Jungen; von den 20-jährigen Männern sind es bereits 92 Prozent[6]. Wo es allgemeine Anschauung ist, daß nur »verdorbene Kinder« ihre Kameraden zum »Doktorspielen« verleiten, wo dergleichen als etwas »Schlimmes« bestraft wird, da braucht ein solcher Prozentsatz nicht zu verwundern: *Der verpönte Trieb entweicht in die heimlichste Form seiner Äußerung.* Sind es nicht mehr die Eltern, die spontane sexuelle Regungen unterdrücken, dann ist es bereits ein »Gewissen«, das den elterlichen Willen introjiziert, verinnerlicht hat. Reicht dieses sexualisierte Gewissen nicht hin, geschlechtliche Betätigung überhaupt zu verhindern, so verhindert es doch die volle orgastische »Lösung« und ermöglicht gerade ein oberflächliches Naschen in Promiskuität. Macht eine sexualfeindliche Erziehung den Menschen auch nicht asexuell, so gibt sie ihm doch das schlechte Gewissen ein, das er braucht, um erotisch nie völlig befriedigt zu sein. Die sittenstrenge Erziehung treibt so erst »das Böse« mit hervor, das zu verhüten sie erklärt: die permanente »Sexualisierung« des Lebens. »Sexualisierung« ist nur die Folge einer »Kultur des Gewissens«, dessen zentrale Thematik die Sexualität ist. In dieser Art Gewissen kommt noch der Sittlichkeitsverbrecher mit den Sittenrichtern überein. Das bestätigt deutlich der Fall des jugendlichen Mörders Dippl aus Landshut (1952), der von den heftigen Schuldgefühlen nach einem Notzuchtakt sich erst befreit fühlte, als er das Opfer umgebracht hatte[7]. Durch die Hand eines solchen Mörders drückt noch die herrschende Moral selber dem Opfer die Kehle zu. Die Vorstellung, daß der Verbrecher völlig gewissenlos sei, ist eine literarische Abstraktion[8]. Der völlig Gewissenlose wäre der reine Solipsist, der auch nicht einmal mehr durch Akte der Aggression und der Grausamkeit dem Mitmenschen an die Haut zu kommen suchte. Im Gewissen des Verbrechers spiegelt sich, vergröbert nur oder verzerrt, das moralische Bewußtsein, zu dem die Gesellschaft auch ihn, den Verbrecher, erzogen hat. *An das, was den Kern einer herrschenden Moral bildet, ist noch ein jeder in der Gesellschaft, für die sie gilt, gebunden.* Denn der »Kern« einer Moral ist gerade das, was dem Einzelnen sich vermittelt, schon indem man ihn sprechen lehrt. In unserer hiesigen und heutigen Kultur nimmt der in sie Hineingeborene die Verpönung der sexuellen Lust bereits in sich auf mit einer Sprache, in der dieser leibhafte Kontakt mit der Welt sich kaum anders ausdrückt als entwertet, wenn überhaupt. Eigentliche moralische Belehrung dient später dann nur noch dazu, das so »Empfangene« zu verfestigen und zu versteifen. Denn »moralische Belehrung wird«, wie NICOLAI HARTMANN sagt, immer »erst da möglich, wo sie bereits überflüssig ist«, nämlich da, »wo eine gewisse Gemeinsamkeit des Empfindens sich bereits herausgebildet hat«[9].

Die Unterdrückung der kindlichen Sexualität erreicht, wenn sie wenig erreicht, nur die Prägung eines sexual- und lustfeindlichen Gewissens. Sie erreicht, wenn sie viel erreicht, *darüber hinaus* auch noch dies, daß sie den so »moralisch« Geprägten auf einer frühen Stufe der Libidoentwicklung festklemmt, oder sie erreicht seine Kriminalisierung. Ein Junge, der schwer unter einem Schuldgefühl wegen Onanie leidet, begeht ein scheinbar völlig »sinnloses Delikt«: Er stiehlt etwas, was er gar nicht braucht, oder er zerstört »mutwillig«, wie man sagt, anderer Leute Hab und Gut. Dabei geht er aber so unbedacht zu Werke, daß man ihn erwischt, oder vielmehr: er »läßt sich erwischen«. Das unterbewußte Strafbedürfnis arrangiert zielstrebig die Fehlleistung, die ihn verrät. In der Strafe aber reinigt er sich zugleich vom Druck des Schuldgefühls für sein »heimliches Laster«[10].

Im »sinnlosen Diebstahl«, noch deutlicher in Akten der Sachbeschädigung, liegt aber auch der Sinn einer Aggression gegen die Gesellschaft, die einen der spontansten Naturtriebe »moralisch« niederhält. Ein allgemeines Klima der Aggressivität wird so erklärlich als die Wirkung eines *vitalen Unmuts* über die nicht einfach bloß geforderten Verzichte. Sie werden von klein auf an fast einem jeden von uns exekutiert, ohne daß er darüber notwendig zum gerichtsnotorischen Verbrecher wird. Denn, immer synchronisiert mit den aggressiven und destruktiven Akten der Gesellschaft im ganzen, ist es dem Einzelnen in einer Kultur der Kriege, Pogrome und Revolutionen auch möglich, seine kriminellen Neigungen völlig legal auszuleben. Die kollektive Verfolgung derer, die das nicht fertigbringen, die Verbrechensbekämpfung also, ergibt hier selber noch ein Feld für solche Abreaktion. Wenn es nicht schon Verbrecher gäbe, sie müßten zu diesem Zweck noch geschaffen werden, und sei es, indem man das Spazierengehen am Sonntag verbietet. Wir scherzen hier nicht von ungefähr; das Verbot, an Sonn- und Feiertagen »unnötig umherzugehen«, ist ein rechtsgeschichtliches Faktum, es bestand unter Cromwell in Großbritannien[11]. Es leuchtet ein, daß straffällig da nur werden mußte, wer über starke motorische Kräfte verfügt. Dies zeigt das verdeckte Prinzip, nach dem auch sonst die Gesellschaft Verbrecher hervorbringt: jene typischen Gewaltverbrecher und »Sittenstrolche«, deren Vitalität im herrschenden Ethos nicht Raum findet oder deren enges Gewissen, Frucht einer »strengen Erziehung«, den verpönten Trieb bis auf Explosionsdichte zurückstaut. Zumindest unbewußt schafft die Gesellschaft so den Verbrecher, dessen »böse Neigungen« dann eine ihr gemäße Justiz reflektiert. Dabei sieht diese gelassen mit an, wie erst im Gefängnis der mäßig Gestrauchelte seinen letzten Schliff bekommt – zum perfekten Verbrecher. »Ich war schon mit sechzehn Jahren im Gefängnis«, sagte uns ein neunzehnjähriger Häftling[12]. »Da waren auch einige Ältere. Da lernt man allerhand.«

Fasziniert von der unmittelbaren Zielsetzung der herrschenden Moral, die sexuelle Lust möglichst niederzuhalten, und benommen zugleich vom Verlangen nach ihr, wird ein Sinn, der darin liegen soll, uns nicht deutlich. Aller Sinn dieser Moral bleibt dem in ihr Befangenen reduziert auf die ihm selbst in früher Kindheit andressierte Abwehr der Lust. Ist aber dieser Mechanismus einmal durchschaut, dann stellt sich die Frage nach seinem Sinn, zumindest in der Weise, welchen Zweck außer ihr selbst die Sexualverdrängung noch habe.

Da die bestimmenden Züge einer Kultur wohl nicht einfach »zufällig« sich zusammengetragen haben, sondern ihre Logik aus der – jeweils so und nicht anders umgepolten – Natur des Menschen beziehen, so wäre zu fragen, ob nicht die hier und heute verbreitete Neigung, den Mitmenschen zu übertrumpfen und auszustechen, mit der Tendenz zur Sexualverpönung in Beziehung steht. Wie schließlich wäre, gleich vom Geist der Macht her gefragt, eine Machtordnung durchzusetzen? Der Mensch als ein leibhaftes Wesen könnte gar nicht unterdrückt werden, wenn nicht die Unterdrückung an seinem Leib einen Ansatz fände. *Die Unterdrückung der Sexualität erscheint so nur als ein Instrument der Unterdrückung überhaupt.* Vom Geist der Macht her gesehen, ist die Unterdrückung der frühkindlichen Sexualität nichts als ein Mittel, dessen die jeweils herrschenden Mächte, vielleicht unbewußt, sich bedienen, um in sicherer Weise: von klein auf, den Menschen sich gefügig zu machen. Ist Beherrschung aber der eigentliche Zweck der Sexualverpönung, dann ist dieser Zweck am besten erreicht, wenn die im Namen einer solchen »Moral« geforderte Anpassung – mißlingt. Denn nicht die gelungene Anpassung des Einzelnen gewährleistet seine reibungslose Unterwerfung, sondern seine aus unvermeidlichem »sittlichem Versagen« resultierende Zerknirschung. Wer einem der starken Lebenstriebe wie dem Geschlechtstrieb enge Grenzen zieht, sich zu äußern, der muß damit rechnen, daß seine Verbote übertreten werden. Hat er längst aber die Menschen durch frühkindliche Dressate für »die Schönheit« solcher Moral gewonnen, dann ist ihm ihre moralische Kapitulation gewiß. Nicht also die »Eindämmung der sexuellen Gelüste der Erwachsenen«, wie FREUD meinte[13], ist eigentlicher Zweck der Verpönung des kindlichen Sexuallebens. Wenn diese überhaupt einen Sinn hat, dann liegt er in der Zerstörung der moralischen Selbstsicherheit und Unbefangenheit des Menschen. Der Mensch, der mit Selbstvorwürfen sich peinigt, ist beherrschbar geworden. »Mit Konflikten leben!«* – das ist eine Losung im Klima der Macht.

b) Frustrieren oder nicht?

Die Unterdrückung der frühkindlichen Sexualität ist ein Mittel der Beherrschung, ein Mittel neben anderen. Andere Methoden, schon das kleine Kind sozusagen »mores zu lehren«, sind Eingriffe in seinen natürlichen Rhythmus von Schlafen und Wachen, Hunger und Sättigung. Kann die Erziehung mit dem Schein der Plausibilität noch so tun, als gebe es wenigstens *einen* Trieb, nämlich den Sexualtrieb, dessen

---

* Losung des XI. Evangelischen Kirchentages in Dortmund 1963.

völlige Unterdrückung dem Individuum niemals schade[14], so wäre eine solche Meinung am Trieb zum Schlaf wie am Nahrungstrieb schon nicht mehr zu exekutieren. Die Natur rächte sich für einen solchen Versuch viel rascher und viel augenfälliger. Da aber das System einer repressiven Erziehung nur komplett ist, wenn es keinen der elementaren Antriebe zu unterdrücken versäumt, so verfährt es bei den sogenannten lebensnotwendigen Trieben praktisch nach dem Prinzip des Gewährens und Versagens. Der Säugling, der im starren Sechs-Stunden-Turnus gestillt wird, bekommt so bereits leibhaft »bedeutet«, daß er in eine Gesellschaft hineinwächst, in der Disziplin herrscht. Die Argumente, die die Mütter dafür verwenden, klingen denn auch danach. Es geht, so heißt es, darum, die Kinder »an die Ordnung zu gewöhnen«. Um welche Ordnung es sich dabei handelt und um welchen Sinn von Ordnung, scheint nebensächlich, Hauptsache: Ordnung herrscht. Ich habe einmal bei einem Volkshochschulvortrag, bei dem ich das Problem zur Sprache brachte, ins Auditorium hinein gefragt, welcher Turnus denn für das Stillen »der richtige« sei. Da bestanden einige der Frauen darauf, daß ein fünfstündiger Turnus »das Natürliche« sei, obschon andere meinten, sechs Stunden Abstand, wieder andere, vier Stunden Abstand zwischen den »Mahlzeiten« seien angemessen. Nur etwa »halbe« Zustimmung fand ich mit dem Vorschlag, den Säugling doch nicht eigens aus dem Schlaf zu reißen, um den »Stundenplan« einzuhalten. Als ich jedoch zu überlegen gab, ob es nicht überhaupt das Gescheiteste sei, die Kinder nur dann zu stillen, wenn sie Hunger haben, stieß ich auf solches Befremden, daß ich Mühe hatte, meine wissenschaftliche Glaubwürdigkeit zu retten. Ich half mir, indem ich auf einige psychologische Autoritäten wie Geoffrey Gorer, Paul Reiwald und Alexander Mitscherlich mich berief[15]. Der Hinweis auf die ganz anderen Stillgewohnheiten vieler Naturvölker wie auch der meisten nordamerikanischen Neger verfing nicht; mir wurde, scharfsinnig genug, entgegengehalten, daß man ja hier und heute Kinder für die bestehende Gesellschaft heranzuziehen habe: um sie für diese lebenstüchtig zu machen.

Nun wird eine Kulturethik sich nicht bei einem solchen Gedanken beruhigen können. Soweit sie mit Mitteln der Tiefenpsychologie die Zusammenhänge aufdeckt, ist ihr das keineswegs bloßer Selbstzweck. Sie tut das in der Hoffnung, eine sich ausbreitende Einsicht in die Entwicklungsgesetze der Triebe werde die Voraussetzung dafür schaffen, daß die Gesellschaft im ganzen gesundet. Wenn wir einsehen, daß die am kleinen Kind schon verübte Dressur – zunächst beim Stillen, dann beim »Stubenrein-Machen« – jeweils nicht ohne Triebfrustrationen abgeht, die dann ein ganzes Leben lang nachwirken: als Lebensunlust, mangelnde Kontaktfähigkeit, als gesteigerte Verletzlichkeit und Aggressivität, dann müßte doch der eine oder andere das »Wagnis« auf sich nehmen, Kinder gegen den Geist der *repressiven* Ordnung zu erziehen.

Man wird vielleicht einwenden, was bei einer nichtfrustrierenden Erziehung herauskomme, das habe man nun in Amerika gesehen: »unzählige ganz unerträglich freche Kinder, die alles andere als unaggressiv waren.« So wörtlich KONRAD LORENZ, der es damit zugleich darauf anlegt, seine These vom »ursprünglichen Aggressionstrieb« zu untermauern[16]. – Doch hier ist eine Klärung nötig. Was in manchen zivilisierten Ländern als nicht-frustrierende Erziehung sich ausgibt, ist oft alles andere als das, was wir triebpsychologisch darunter verstehen. Kinder, denen alles »hinausgeht«, weil sie »sonst doch keine Ruhe gäben«, haben die härteste Frustration längst hinter sich: sie durften im eigentlichen Sinne niemals Säuglinge sein. Die Mutter ist so »modern«, daß sie alles mitmacht, was als »sportlich« gilt und jugendliches Aussehen garantiert. Sie zieht, schon aus Sorge um ihre »Figur«, die Kinder mit der Flasche auf und gewährt ihnen – dafür – später jede Art von Ersatzbefriedigung. Das Kind, das nur immer Wünsche äußert – und sie auch erfüllt bekommt, ist das gerade Gegenteil von dem im triebpsychologischen Sinne nicht-frustrierten: Als Säugling gleich mit der Flasche ernährt oder früh entwöhnt, ist ihm von Anfang an jede erfüllte leibhafte Beziehung zu einem anderen Menschen versagt, von der stillschweigenden Unterdrückung früher sexueller Impulse im engeren Sinn ganz zu schweigen. Ein so zur Autoerotik gedrängtes Individuum, dem schon die orale Phase keine sinnliche Befriedigung gewährt, muß zeitlebens auf orale *Wünsche* fixiert bleiben und selbstbezogen alles, was es bei anderen sieht, in einem weiteren Sinne »sich einzuverleiben« trachten. Der Klinikarzt, der zur hormonellen Stillegung der Milchdrüsen »rät«, fügt so sich zwanglos ins Bild einer leibfeindlichen Kultur, einer Kultur, die zugleich dem Einzelnen ein sogenanntes gesundes Erwerbsstreben eingibt. Es ist hier auch kein Zufall, daß zu einer derart rüden biologischen Pervertierung die Institutionen schweigen, die es übernommen haben, sonst jede uneingeplante Regung eines natürlichen Triebes als Perversion zu verdächtigen oder als »Unsittlichkeit« zu verfolgen. Man könnte, wäre man pessimistisch genug, hinter alledem einen diabolischen Geist sehen, der ungerührt jede vitalpsychische Versagung zuläßt, wenn sie nur die Menschen narzißtisch und eigensüchtig macht, der aber als »böse« und »schändlich« verpönt, was am Ende das Miteinandersein leibhafter Wesen verbessern könnte. Ein solcher »Geist« wäre die Personifikation des Geistes der Macht.

c) Problematische Kinderliebe

Man sagt, wir lebten in einem wissenschaftlichen Zeitalter. Mir scheint, als sei ein irrationales Ethos immer noch dafür maßgebend, welche Erkenntnisse »der Wissenschaft« für das Leben der Menschen zur Anwendung kommen und welche nicht. So können Ergebnisse der Endokrinologie noch dazu verwendet werden, die frühkindliche Frustration erst noch perfekt zu machen (indem man die Laktation unterbindet), während die von René A. Spitz und anderen Forschern[17] erbrachten Beweise für die verheerenden Folgen frühkindlicher Verzichte von den Frauenärzten weithin übergangen werden. So kann noch ein Verhaltensforscher, Konrad Lorenz, das allgemeine Vorurteil nachsprechen, eine nicht frustrierende Erziehung mache »erst recht aggressiv«. Wissenschaftliche Urteile sind aber nicht vom bloßen Augenschein her zu gewinnen Dies ist der Grund, warum wir für unsere wissenschaftliche Moralkritik die Forschungen der verschiedensten Fachgebiete verarbeiten.

René Spitz hat systematisch eine große Zahl von mehr oder weniger frustrierten Kindern miteinander verglichen und dabei festgestellt, daß das völlige Fehlen einer »Mutter« von den ersten Lebenswochen an (in Waisenhäusern) sogar zum völligen Zusammenbruch der Gesundheit führen kann. (Das ist für den psychosomatisch eingestellten Arzt nichts Überraschendes[18].) Wer indessen vom Alltag her oder von dem, was man da zu sehen bekommt, über die Wirkungen einer nichtfrustrierenden Erziehung befinden möchte, der muß schon in einem Alltag außerhalb unserer eigenen Kultur sich umsehen. Die Beobachtungen Malinowskis auf den Trobriand-Inseln[19] geben genau das Studienmaterial, das wir in der Atmosphäre einer lustfeindlichen Moral vermissen. Beim Besuch einer solchen Kultur mag der, der ganz vom Geiste der repressiven Ordnung erfüllt ist, sich wundern, daß dort die Jugendlichen den Erwachsenen überhaupt nicht aufsässig begegnen. Nansen hat so in Grönland sich gewundert und festgestellt, daß stets schon ein freundlicher Wink der Eltern genügte, um junge Leute von etwas abzuhalten, wozu sie keine Erlaubnis besaßen[20]. Nun ist das nicht zu verwundern in einer Kultur, die überhaupt sparsam ist mit

Verboten. Der Jugendliche dort, der seine Erzieher nicht als bedrükkend empfindet, weil sie nie in seinen vitalen Antrieben ihn reglementierten, kann den Erwachsenen gegenüber keine andern als freundliche Gefühle entfalten. (Aller Haß ist ja Reaktion auf eine Enttäuschung.) Der junge Eskimo, der – für unser Verständnis – so »willig gehorcht«, vollbringt im Grunde »nur« immer einen Akt der Sympathie oder des Nachvollzugs einer Fertigkeit, die man ihm vorgemacht hat. Der pädagogische Gemeinplatz, daß einer nur für sich selbst lerne und nicht für seinen Lehrer, mußte demgegenüber in einer Gesellschaft sich prägen, die den Egoismus ihrer Individuen schon für natürlich ausgibt. Wehe dem Schüler, der hier nicht bereit ist zu lernen, weil der Lehrer ihm »unsympathisch« ist! Denn das heißt in den meisten Fällen doch nur: daß der Lehrer zu tyrannisch ihn anfaßt.

Dies überhaupt ist ein Grundzug unserer abendländischen Kinderliebe oder dessen, was uns dafür gilt: das tyrannische Moment an ihr, die Lust, die Kinder niederzuhalten in allen ihren spontanen Regungen. Man weigert sich, im kleinen Jungen oder Mädchen den Mann beziehungsweise die Frau schon zu sehen, die sie doch werden müssen. Das ist *die machtethische Seite der Unterdrückung der kindlichen Sexualität*. Die Hemmung des vitalpsychischen Reifungsprozesses versteht sich so aus dem Bestreben, das Kind, das doch unterdessen heranwächst, auf einer Stufe seiner Entwicklung zu halten, die charakterisiert ist durch seine totale Abhängigkeit von uns selber. Das »oral« verklemmte Kind ist immer noch so niedlich, daß dadurch der Gedanke, es könnte uns über den Kopf wachsen, an Bedrohlichkeit verliert. Die übersteigerte Freude an der »Niedlichkeit« der Kinder ist nur die Kehrseite der Lust, sie zu unterdrücken. »Am besten wär's, die Kinder blieben klein.« Erich Kästner hat so einmal diese Art von »Kinderliebe« getroffen[21].

Es wäre in diesem Zusammenhang zu fragen, ob nicht die angeblich unvermeidliche Rivalität zwischen Geschwistern auch hierin ihren Grund hat: in der so großen Freude der Eltern am jeweils niedlicheren Kinde. Das Kind, das unversehens wegen dem so niedlichen neuen sich zurückgesetzt fühlt, muß zwangsläufig das Neugeborene hassen. Eltern, die in jedem ihrer Kinder den ganzen Menschen liebten, der es erst eigentlich werden soll, würden quasi »instinktiv« den Fehler der Zurücksetzung des älteren Kindes vermeiden. Ich habe sozusagen aus nächster Nähe beobachtet, daß schon eine bewußte Gegensteuerung gegen solche Zurücksetzung die Eifersucht zwischen den Kindern vermindert, vor allem dann, wenn man das ältere Kind dazu einlädt, an der Pflege des kleineren – spielend – sich zu beteiligen. Freilich, wo die entsprechende innere Einstellung dem Erwachsenen fehlt, da wird sein »gerechtes Verhalten« nie zuverlässig wirken. Die Kinder nehmen ja, mit C. G. JUNG zu sprechen, kraft einer *participation mystique* in sich auf, was die Erwachsenen empfinden[22], so wie das auch zwischen Liebenden der Fall ist, da einer des anderen Gedanken »errät«[23]. Gerade die parapsychischen Kontakte zwischen Eltern und Kindern, die auch den Eltern kaum je bewußt sind, machen jede bewußte Pädagogik, die »falsche Gefühle« sich nicht auswirken lassen will, doch immer wieder zunichte. In einem moralischen Klima, in dem Liebe überhaupt am monogamen Ideal der Geschlechtsliebe sich orientiert und so als eine ausschließliche sich versteht, da muß auch die willentliche Übung mißlingen, jedes Kind in gleicher Weise zu lieben. Schon der Vorsatz, jedes Kind »in gleicher Weise« zu lieben, verrät das Verkrampfte und Unechte an derart gerechter »Liebe«. Liebe, die wirklich jedem der Kinder *gerecht wird*, ist nicht so beschaffen, daß sie gleichmäßig über sie hinwegstriche, sondern so, daß von ihr jedes in seiner Eigenart »erfaßt« wird, verstanden. Die Liebe zum Kind aber als dem bloß Niedlichen ist die schlecht nach außen projizierte Eigenliebe: Man liebt im niedlichen Kinde nur das »Kind« wieder, das man selber, oral fixiert, im Grunde geblieben ist. Und man genießt dabei zugleich noch die Überlegenheit, die man dem leibhaften Kinde gegenüber verspürt. Man liebt tyrannisch.

Man liebt tyrannisch und man liebt stolz. Längst hat die Prestigegesellschaft das Kind, das eigene Kind – neben dem eigenen Wagen –, zum Statussymbol erhoben, mit dem man sich brüstet. Das Kind kommt so in eine Spannung von Erwartungen, die sich ausschließen: Es soll so niedlich bleiben, daß seine vital frustrierten Eltern noch möglichst lange an ihm was zu herzen haben; es soll andererseits aber den anderen Kindern »voraus sein«. Der Primus, der zu Hause dümmlich um Süßigkeiten bettelt – das ist der geheime Inbegriff des »lieben Kindes«: schon morgen ein perfekter Heuchler oder ein Nervenbündel, sofern er die Spannung, die man ihm schafft, nicht erträgt.

d) Der moderne Infantilismus

Der Mensch, der durch eine triebfeindliche Erziehung lange niedergehalten wird und in seiner psychischen Entwicklung gebremst, muß, erwachsen geworden, auch alle die Züge aufweisen, die ins Bild des Infantilismus passen: anlehnungsbedürftig aus innerer Unsicherheit; trotzig, rechthaberisch und hochfahrend aus eben demselben Grunde;

dabei kritiklos kapitulierend vor allem, was auf seine Autorität pocht; ohne Vertrauen in die eigene Fähigkeit zu denken; lieber »selig« in Tagträumen (Lotto spielend!) als willens, die quälenden Triebkonflikte durch Nachdenken und Gespräche zu lösen; mehr noch: denkfeindlich, ängstlich und aggressiv zugleich alles von sich schiebend, was Aufschluß geben könnte über die eigene Triebnatur. Man vertritt dafür pubertäre Ideale von Liebe und Treue – und ist dabei beständig treulos gerade aus mangelndem Überblick über sich selbst. Man lebt in der Zukunft, sehnsüchtig alles von ihr erwartend, und gewinnt eben darum keinen Sinn für die Zeit und das eigene Leben. Das bislang unerfüllte Leben wird verdrängt; das Beste an der Gegenwart ist noch die Hoffnung. Das Schlechteste, was sich von ihr sagen läßt, aber ist die Angst.

Das beständige Pendeln zwischen Angst und Hoffnung ist ein Merkmal des Menschen, der leibhaft nicht in sich selber ruht, weil er, gehemmt in seiner Entwicklung, eine voll-sinnliche Befriedigung gar nie erfährt. Der zwischen Angst und Hoffnung Schwankende, das ist der ungeduldige, der ruhelose, mißtrauische und selbstbezogene Mensch, der seinen inneren Unfrieden nach außen abführt, auf andere projiziert: durch aggressives Verhalten. Solche Menschen infantil zu nennen, haben wir einen triftigen physiologischen Grund: Ihre Hirnstromwellen im Elektroenzephalogramm sehen aus wie die von Kindern. William Grey Walter, der die Übereinstimmung festgestellt hat, folgert daraus ganz allgemein eine »mangelnde Reife der Mechanismen, die Hirnrinde, Thalamus und Hypothalamus verbinden«[24]. Die neurologische Entdeckung ist wie die Probe aufs Exempel einer primär psychologischen These: »Neurose ist immer zugleich Infantilismus.« (Mitscherlich[25])

Wenn wir sagen, Infantilismus und Neurose seien Wechselbegriffe, so wird diese Gleichsetzung jetzt kaum noch schockieren. Immer verstehen wir leicht, was leibhaft sich veranschaulichen läßt. Es bietet ja auch keine Schwierigkeit zu begreifen, daß ein erwachsener Mensch schon rein anatomisch infantil ist, wenn er – etwa als Frau – den Uterus eines kleinen Mädchens hat. Schwieriger ist es, bestimmte psycho-physische Fehlregulationen als Infantilismen zu erkennen. Darunter fallen aber alle diejenigen psychosomatischen Störungen, die auf die Hemmung vitaler Antriebe zurückgehen (wobei wir – *captatio benevolentiae* – naiv genug in Rechnung stellen, es gebe dafür noch eine andere Ätiologie*). Das sinnfällige Beispiel ist das Magengeschwür.

---

* **Wir kommen aber auf die hier angetippte Problematik im IV. Teil noch zurück, unter der Überschrift »Krankheit als Ausweg«.**

Auf dem Wege zu seiner Entstehung »verhält sich der Magen ständig so, als ob Nahrung aufgenommen würde oder vor der Aufnahme stünde«[26], das heißt: Der Magen sondert unausgesetzt Verdauungssäfte ab, die deshalb, weil ja nicht beständig Nahrung im Magen sein kann, ihn selber anzudauen beginnen. Das Resultat sind eben jene Trichter in der Magenwand, die wir Ulcus nennen.

Aber welches sind die Gründe für die unausgesetzte Absonderung von Magensaft? Organphysiologisch (also am Magen selber) zu finden sind sie nicht. Die Brücke zu letzten, auch physiologisch faßbaren Ursachen schlägt eine »psychologische Erklärung«: Die Gastritiker und Ulcus-Kranken verraten in tiefenpsychologischer Exploration ein geheimes Verlangen nach mütterlicher Liebe und Fürsorge. Das läßt zurückschließen darauf, daß entweder zu seiner Zeit das entsprechende Triebbedürfnis buchstäblich nicht gestillt worden ist, oder darauf, daß die einst bei der Mutter verspürte Geborgenheit nicht vorhalten konnte in einer »feindlichen Welt«, in einer Gesellschaft, in der einer den andern zu überrunden trachtet. In jedem Falle ist es ein Mißverhältnis zwischen erfahrener Mutterliebe und empfangenen »Schlägen« (im wörtlichen wie im scheinbar übertragenen Sinne), das beim Ulkuskranken destruktiv auf seinen Körper *zurückschlägt*. Es ist immerhin zu denken, daß ein Mensch, der nach frühkindlichen Frustrationen in eine soziale Strömung gerät, die ihn trägt, schließlich doch noch einigermaßen »seelisch« sich ausgleicht. In der repressiven Gesellschaft indessen, die im wesentlichen durch Frustrieren der Kinder sich »forterbt«, kommen die Spätfolgen einer lieblosen Kindheit erst richtig heraus[27]. Die Lebensbedingungen in einer solchen Gesellschaft bringen mit sich, daß gerade der früh in seinem Liebesvermögen beschädigte Mensch nun besonders ehrgeizig von den Andern sich abstemmt. Ohne rechtes Vertrauen zu denen, die mit ihm leben, geht sein ganzes Sinnen und Trachten nach einer *Position*, die ihm äußerste Sicherheit in der Gesellschaft verspricht. Doch solches Streben nach »erhöhter« sozialer Sicherheit (»erhöht« im Verhältnis zu den Anderen) ist noch angetrieben von dem vielfach gebrochenen und enttäuschten Verlangen nach Liebe. Der mächtig Gewordene entgeht wenigstens einer letzten Lieblosigkeit: der Vereinsamung. Solange die anderen von ihm abhängig sind, mag er spüren: ›solange wenigstens verlassen sie mich nicht‹.

Geheimes Liebesverlangen und rücksichtsloser Ehrgeiz schließen so einander nicht aus; sie fordern, ja steigern sich gegenseitig. Erst im Blick auf das repressive System im ganzen aber wird verständlich, weshalb die für den Gastritiker typische Konfliktsituation die zwischen

Ehrgeiz und kindlichem Liebesverlangen ist[28], des weiteren: weshalb das Magengeschwür – neben bestimmten Herzleiden – die hierzulande häufigste psychosomatische Krankheit ist[29]. Es ist kein Zufall, welche psychosomatischen Krankheitsbilder in einer bestimmten Gesellschaft im Zenit stehen. Sie stehen vermutlich in genauer Opposition zu dem hier herrschenden Ethos. ALEXANDER MITSCHERLICH hat bemerkt, daß im Ersten Weltkrieg bei den Soldaten beider Seiten angesichts des Feindes epidemisch das Zittern ausbrach. »Im Zweiten Weltkrieg gab es sie nicht mehr, die Zitterer, dafür eine Unmenge von Magenkranken, und wiederum auf beiden Seiten.«[30] Es handelt sich hier – mit den Worten MITSCHERLICHS – jeweils um »kollektive Rückzugswege aus einer Situation, der man sich nicht gewachsen fühlt«[31]. Wenn im Zweiten Weltkrieg sozusagen der Weg über das Ulkus beschritten wurde, so könnte das, meine ich, seinen Grund darin haben, daß unterdessen eine Generation von Männern an die Front kam, in deren früher Kindheit das Stillen schon etwas »unmodern« geworden war. Die Mütter hatten zumeist die Kinder wohl noch gestillt, die Stillperioden aber wurden stark abgekürzt. Diese Entwicklung war unterdessen so weit fortgeschritten, daß im Jahre 1946 in den USA aus Entbindungsanstalten überwiegend Neugeborene kamen, die – also etwa zehn Tage nach der Geburt – bereits entwöhnt waren oder denen ihre Mütter überhaupt nie die Brust gegeben hatten: das waren insgesamt schon 62 Prozent aller Babys[32].

Wir gehen mit FREUD davon aus, daß der Mensch nacheinander bestimmte Phasen einer vitalpsychischen Entwicklung durchlaufen muß, soll er endlich ein psychisch *reifer* Mensch werden. Wird die orale Phase, die Phase der Mundsexualität, nicht befriedigend durchlebt, dann bleibt der Mensch vitalpsychisch in ihr stecken. Die Eßsüchtigen, die Genäschigen, die Kettenraucher und die Vieltrinker sind die Spielarten dieses erwachsenen Kindes. Zu den letzteren gehören dabei nicht allein die »Trinker« oder Alkoholiker, sondern schon auch die, die sich beständig ein Vielfaches des täglichen Wasserbedarfes zuführen[33]. Der Infantilismus des Säufers verrät sich aber nicht nur in seiner Lust am Trinken als solchem, sondern erst recht im Inhalt seiner Rauschphantasien. RUDOLF BILZ[34] hat anhand der Lebensgeschichten einiger Trinker gezeigt, daß die Halluzinationen der Betrunkenen Ausdruck eines »Reifedefizits« sind, aber insofern auch einen unbewußten Selbstheilungsversuch bedeuten. Die Alkoholvergiftung löst nach BILZ die »selbstregulatorischen« Mechanismen des Körpers aus, die eine »Läuterung« einleiten sollen. So ist es kein Wunder, daß Antialkoholikerklubs[35] mit langjährigen Trinkern oft verblüffende Erfolge erzielen. Finden dort doch nur Leute sich ein, bei denen der Alkohol seine wohltuende Wirkung bereits getan hat. Der Infantilismus ist überwunden, eine Sucht im eigentlichen Sinne nicht mehr vorhanden. Es geht nur noch um das Ablegen einer Gewohnheit.

Wir werden später das Phänomen des Rausches noch unter einem etwas anderen Blickwinkel untersuchen. Wesentlich ist aber jetzt wie auch dann die Erkenntnis, daß die Trunksucht das charakteristische Verhalten eines Menschen ist, der irgendwann in seiner natürlichen Entwicklung gehemmt wurde. Zwar kann man die Dinge auch auf den Kopf stellen – nach BILZ erscheint es bisweilen so[36] – und sagen, der Trunksüchtige sei gehemmt in seiner Reifung zu einem Menschen, der sich anzupassen versteht und in der Gesellschaft Verantwortung übernimmt, indem er zu verzichten lernt. Einem solchen Denken in der Kategorie der »falschen Reife der Resignation« (ADORNO[37]) erschiene dann gerade der vitalpsychisch Unverklemmte als der eigentlich unreife, in seiner Entwicklung steckengebliebene Mensch: als der Mensch eben, der die generell *vorgeschriebene* Entwicklung zu weitgehender Entsinnlichung nicht mitmacht.

Es kommt darauf an, von welchem Standpunkt her wir werten: ob vom Standpunkt eines kulturellen Fortschritts, der – unter Leugnung einer menschlichen Natur – nach deren größtmöglicher Vergewaltigung sich bemißt, oder ob wir werten vom Grundwert des Lebens her. Man kann aus der Tatsache, daß der Mensch auf dieser Welt vieles erst lernen muß, was bei niederen Tieren mit dem blinden Mechanismus des Instinktes geschieht, die »Folgerung« ziehen, er sei eben »von Natur ein asketisches Wesen«, »ein verdrängendes Wesen« (ALBERT GÖRRES[38]). Man kann aber auch darauf hinweisen, daß der Mensch noch zu dem Zweck, ein vollsinnliches Wesen zu werden, vieles erst lernen müßte, was zu lernen ein sinnenfeindliches Ethos ihm verwehrt. Da hier und heute bestimmte Erfahrungen der Sinne – bei Strafe – nicht gemacht werden dürfen, oder, wo sie doch gemacht werden, aus Vorsicht nicht gelehrt und tradiert werden, so kann es jetzt scheinen, als sei es »die Natur« von Erfahrung und Lernprozessen, *gegen* die Sinne zu sein. So als gebe es in räumlich und zeitlich fernen Kulturen nicht auch eine Kultur des Geschlechtslebens.

Man kann – mit FREUD – die Ablenkung der sexuellen Regungen von den ihnen adäquaten Zielen als kulturbefördernde *Sublimierung* preisen[39], aber man muß dann mit FREUD[40] auch sehen, daß die unterdrückten Triebregungen sich nur auf eine andere Weise äußern: versteckter, heimlicher und sozusagen »partieller«. Die Einheit des Triebes im »Funktionskreis« von Aufmerken, Begehren, Werben, Sich-Vereinigen und orgastischer »Lösung« wird demontiert und zerbröselt in lauter »Partialtriebe«. Das Umherschauen selber schon sexualisiert sich und wird zur (mehr oder weniger geduldeten) Schaulust; Begehren und Werben chronifizieren sich zum »harmlosen Flirt« des ewig Lächelnden oder zur stets bereiten Entrüstung dessen, der selber nichts mehr zu lachen hat. Der Orgasmus aber wird weit gestreut in lauter kleine Kitzelgefühle, die durch regelmäßige Körpererschütterung sich auslösen: beim Fahren, Schaukeln, Reiten, Tanzen, bei stark rhythmisierter Bewegung überhaupt. Dabei mag im Einzelfalle die Kitzelempfindung deutlich in den Genitalien sich konzentrieren[41]. Wer solche Empfindung verspürt – und genießt, wird »leidenschaftlich« darauf dringen, sie so oft als möglich zu haben. Der vorgeblich entsexualisierte Mensch kommt doch noch zu seiner Lust, wenn auch vielleicht nie zu voller Entspannung. Sexualität ist erlaubt, wenn sie nur nicht zu sehr befriedigt und eben darum als Sexus nicht mehr erkennbar ist. Eine Kultur, die die frühkindliche Sexualität nicht wahrhaben will, läßt folgerichtig vor jedes Eigenheim eine Schaukel montieren; die infantilen Erwachsenen aber »schaukeln« im Grunde ziellos durch die Gegend: das Autofahren als (autoerotischer) Selbstzweck. Was durch eine solche »Kultur« des Vergnügens erreicht wird, ist also im wesentlichen eine Abtrennung der Libido von den ihr naturgemäßen Objekten. Diese objektlose Sexualität wird zur inneren Einstellung: zur Verhaltensdisposition, die bei Gelegenheit auch auf einen »Partner« sich wirft. Sie wird so erst eigentlich lieblos.

Wenn es richtig ist zu sagen, daß unsere Gesellschaft in den letzten Jahrzehnten einen Prozeß der Infantilisierung durchgemacht hat, so ist das ablesbar an einer gewandelten Einstellung zum Fahren und Gefahrenwerden. Bekam Freud noch vorzugsweise Patienten in die Sprechstunde, die – aus sexuellen Hemmungen – in der Eisenbahn unter großer Übelkeit litten, so spielt heute das eigene Fahrzeug auch im Erleben des Neurotikers eine eher positive Rolle. Ich denke an einen jugendlichen Analysanden, der eine verpönte Sexualbetätigung aufgab und »zufällig« selbigen Tags sich ein Moped kaufte[42]. Der Besitz am eigenen Fahrzeug, das Selberlenken mögen in solchen Fällen auch mitspielen. Letzte Motive sind sie nicht, und das heißt: es sind keine Beweg-Gründe, die aus dem Leib kommen. Die neuauflebende Mode des Schaukelstuhls kann hier noch eher auf die Sprünge helfen.

Der moderne Infantilismus verrät sich vollends in bestimmten erotischen Wunschbildern: Baby Doll, Lolita und die leibhaftige Brigitte Bardot verkörpern jenes Kindweib, zu dem der als Jüngling einst frustrierte Mann sich immer noch hingezogen fühlt. Brigitte Bardot zieht dabei sogar eine doppelte Sehnsucht auf sich: Mit Schmollmund und »knabenhaft schlank« um die Hüften stilisiert sie die Gespielin des kleinen Jungen; vollbusig zugleich repräsentiert sie das Mütterliche, das in einer noch früheren Phase sich versagt hat. Die Popularität der sogenannten Sexbomben ist so nicht Widerlegung, sondern Bestätigung des kollektiven Infantilismus. Die Marktforscher haben es begriffen; sie lassen, was Gegner der Psychoanalyse noch bezweifeln, sich ausmünzen. Dabei macht solcher Zweifel die Erkenntnis erst lukrativ.

Konrad Lorenz danken wir den Hinweis darauf, daß Infantilismus auch bei Tieren sich findet. Es ist dies an Reihern beobachtet: »Ehe ein älterer Vogel sich überhaupt zum Hacken nach dem Jungen anschickt, drängt dieser keckernd und flügelschlagend entgegen, versucht ihn am Schnabel zu packen und diesen ›melkend‹ nach unten zu ziehen, wie eben die Kinder es mit dem Schnabel der Eltern tun, wenn sie Futter vorgewürgt bekommen.«[43] Diesen verschwiegenen Sinn der Aggressionsabwehr mögen wir zugleich auch hinter manchem infantilen Gebaren erwachsener Menschen vermuten: überdeutlich sogar an dem Unsicheren, der, um sich zu beruhigen, die Pfeife sich in den Mund steckt und an ihr saugt, ob sie nun angezündet ist oder nicht. So fügt sich erst recht manches allzu kindische Gebaren unter Liebenden bruchlos ins System der repressiven Gesellschaft. Es ist, als wollten sie zueinander sagen: »Gell, du wenigstens tust mir nichts.«

e) Die Uhr als Instrument der Unterdrückung

Ein leibhaftes Wesen sein heißt: gegenüber dem Kosmos in einem »Fließgleichgewicht« sein, beständig Materie in sich aufnehmend und wieder abscheidend[44]. Die entsprechenden Funktionen sind, wie um ihren Vollzug zu gewährleisten, mit *Lust* verbunden. Die geringste, aber gleichsam beständig schwebende Lust begleitet das Atmen, das im allgemeinen ganz »automatisch« geschieht. Die intensivste Lust kann erlebt werden bei der Begattung, die wir, »materialistisch« genug, *auch* verstehen dürfen als jeweils die Abgabe und Aufnahme von Samenflüssigkeit. Es scheint, als sei gerade dafür »die höchste Lust« aufbehalten, weil der entsprechende Vorgang für das Individuum, sofern es eben schon lebt, nicht lebensnotwendig ist. Natürlich bezeichnen wir hier als »intensivste Lust« nur eine anthropologische Möglichkeit, nicht eine allgemein-menschliche Erfahrung. In einer Kultur, die den Geschlechtstrieb nach Kräften niederhält, wird Frigidität, »orgastische Impotenz« (W. REICH), auf jeden Fall bei Menschen sich finden, deren größte Freude es ist, zu essen*. Die »Gaumenlust« versteht sich hier und heute von selbst, während zum Beispiel auf Bali »mit großer Scham« gegessen wird[45] und also ohne rechte Lust. Daran schuld ist dort, um es tiefenpsychologisch zu sagen, eine frühkindliche Frustration: und zwar eine solche *oraler Art*, ja ein orales Trauma: »Eine Mischung von Bananen und Reis wird zu einem kleinen Berg auf des hilflosen Kindes Mund gehäuft und unbarmherzig hineingestoßen, sobald das Kind den Mund öffnet, um zu protestieren.«[46] Der Mensch kann also durch die Manipulierung eines jeden seiner vitalen Antriebe »moralisch« verunsichert werden. Es wäre also zu denken, daß für eine Psychoanalyse auf Bali der Nahrungstrieb dieselbe orientierende Rolle spielen müßte wie für unsere abendländische Psychotherapie der Sexualtrieb.

Wenn es richtig ist, die Lust als eine List der Natur zu verstehen, den Vollzug der Funktionen zu erleichtern, mit denen das Individuum in sich aufnimmt und abscheidet, dann ist es auch nichts Außergewöhnliches oder gar Perverses, wenn Kinder die Darmentleerung ursprünglich als lustvoll empfinden und wenn auch manchem Erwachsenen die Fähigkeit dazu erhalten bleibt. Wenn FREUD im entsprechenden Zusammenhang von einer »erogenen Bedeutung« der Afterzone spricht[47], so bestätigt das wohl seinen umfassenden Begriff von »Sexualität«, zeigt aber auch, woher er kommt: nämlich davon, daß die Lustempfindungen der After- und der Mundzone bei gleichzeitiger Unterdrükkung der genitalen Regungen sich quasi »sexuell« verstärken. Nun ist aber nicht zu übersehen, daß auch der Defäkationstrieb in unserer Kultur einer Unterdrückung anheimfällt. Er kann natürlich nicht total unterdrückt werden, auch nicht der Tendenz nach, wie das beim Sexualtrieb geschieht; doch es genügt, ihn – mit Blick auf die Uhr – zu reglementieren. Die Reglementierung eines Triebes leistet womöglich eine viel wirksamere Unterdrückung des Individuums als eine völlige Triebverpönung. Der an natürlicher Äußerung im Extremfall gänzlich gehinderte Sexualtrieb entweicht in Symptome einer mehr oder weniger verdeckten Ersatzbefriedigung; hier mag eine neue Spontaneität des

* Auf den Zusammenhang von Sexualverdrängung und Überernährung kommen wir im III. Teil, Kapitel B, noch zurück.

Verhaltens sich entwickeln: die vitale Kraft der Person im Ganzen bleibt dann ungebrochen. *Die Reglementierung eines Triebes aber greift an die Wurzeln der Spontaneität;* sie verlangt ja nicht einfach nur die Hemmung bestimmter spontaner Regungen, sondern – zu anderer Zeit, (beim Sexualtrieb auch:) bei einem anderen Partner – deren Vorhandensein, wo sie faktisch fehlen. Nichts Quälenderes als ein Vergnügen, zu dem der Mensch gezwungen wird: die Qualen der Versagung sind daneben noch Wonnen der Vorlust.

Was so an dem Trieb, der sowohl total unterdrückt wie auch »nur« reglementiert werden kann, was also am Geschlechtstrieb unmittelbar einleuchtet, das ist sinngemäß auf den Nahrungstrieb und den Defäkationstrieb zu übertragen. Dann sind sowohl frühe »Essensschwierigkeiten« wie Verdauungsstörungen ohne organische Grundlage leicht begreiflich. Wir verstehen dann auch, weshalb eine ursprüngliche Lust bei der Darmentleerung in unserer Kultur offenbar weithin sich verliert, und zwar, je individuell genommen, weit stärker und viel eher, als durch den völligen Durchbruch der genitalen Sexualität (in der Reifezeit) zu erwarten wäre. Der kulturelle Zwang, Stuhl und auch Harn »zur Unzeit« zu verhalten, nimmt je vom sechsten Lebensjahr an eher noch zu: Es ist für einen Lehrer ein leichtes, sadistische Neigungen dadurch abzureagieren, daß er die Bitte eines Kindes, einen bestimmten Ort aufsuchen zu dürfen, rüde abschlägt. Mit dem Hinweis »In zehn Minuten ist Pause« benutzt er einem sechs- oder siebenjährigen Kind gegenüber deutlich die Uhr als Instrument der Unterdrückung.

Man muß diese Funktion der Uhr in unserer Gesellschaft mit deren Triebstruktur im Zusammenhang sehen. Die »Herrschaft der Uhr« wiederholt sich tagtäglich schon damit, daß viel zu früh für die allermeisten der Mensch aus dem Schlaf gerissen wird – eine Triebfrustration zweifellos. Man wende dagegen nicht ein, daß einer ja nur immer abends »zur rechten Zeit« ins Bett zu gehen brauche, um am nächsten Tag frisch zu sein. Denn so schriebe man dem Menschen den Willen zu, beliebig festsetzen zu können, wann er schlafen wolle und könne. Die Abneigung, »schon« zu schlafen, geht unmittelbar in die Schlafstörung über, ja sie ist – somatologisch verstanden – nur das wache Bewußtsein von dieser. Der vital frustrierte Mensch wird trotz deutlicher Symptome der Abspannung abends unbewußt immer noch etwas erwarten, was ihm der Tag – er weiß selber nicht, wie – schnöde vorenthalten hat. Das heißt, man hat in einer triebverdrängenden Kultur den hier verbreiteten Widerwillen, »rechtzeitig« schlafen zu gehen, als ein »Appetenzverhalten« (WALLACE CRAIG) zu deuten. Hartnäckige Schlaflosigkeit kann der, biologisch gesehen, hohe Preis sein, den ein von Natur aus vitaler Charakter für die gelungene sexuelle Anpassung bezahlt. Die Fälle sind freilich selten, in denen das gequetschte Triebleben dahinter sich aufdeckt. Besonders sinnfällig ist die Krankengeschichte eines 42jährigen Akademikers, bei dem auch das autogene Training nichts fruchtete. J. H. SCHULTZ berichtet, der Mann habe seiner Schlafstörung wegen Hilfe gesucht, aber »im gutverlaufenen Training nur eine allgemeine Ruhigstellung und Erholung« erreicht, ohne seine Einschlafstörung beseitigen zu können. Nach zwei Jahren aber war sie unversehens verschwunden, »als der Kranke, der sich früher als sexuell wenig interessiert und wenig leistungsfähig bezeichnete, neben seiner kühlen Ehefrau eine Liebesbeziehung zu einem sehr sinnlichen Mädchen aufnahm. Der [unbewußte] Triebhunger war infolge tiefer Verdrängung unzugänglich, aber doch so stark in Dauerspannung wirksam, daß die autogene Lösung zum Schlafe nicht gelang.«[48]

Ein solches Beispiel läßt ahnen, in welch mannigfache Not der sexuell Frustrierte gerät: Er leidet womöglich gar nicht sosehr unter dem Triebverzicht als solchem, sofern er ihn nur hinreichend gut verdrängt. Viel mehr und unmittelbar zu schaffen machen ihm die scheinbar unerklärlichen »nervösen Störungen« und der aus ihnen resultierende Leistungsabfall, den es dann durch »verdoppelte Anstrengung« wieder wettzumachen gilt – bis endlich die Erklärung stimmt, die man sich längst zurechtgelegt hat: »Arbeitsüberlastung«. So kämpft der Neurotiker mit seinen Terminen und neurotisiert sich darüber noch mehr, indem er sie keuchend einhält oder mit knapper Verspätung verfehlt. Der Kampf mit der Uhr wäre indessen nicht so abspannend, würde der sexuell frustrierte Mensch nicht unfähig, sich aus seiner unbewußten Dauerspannung zu lösen. Der chronisch Schlaflose, der, körperlich entkräftet, tagsüber im sogenannten Existenzkampf nicht hinreichend seinen Mann steht, ist dafür nur ein besonders einleuchtendes Beispiel.

Mit anderen Worten: Die Uhr könnte das Instrument der Unterdrückung gar nicht sein, das sie in unserer Gesellschaft geworden ist, wenn hier nicht der Mensch durch Triebverzichte immer schon »mit sich selber ins Gedränge käme« und aus dem natürlichen Rhythmus von Spannung und Lösung, Wachsein und Ermüdung herausgeworfen würde. *»Triebverzicht« bedeutet für das Unterbewußtsein ja nicht einen absoluten Verzicht auf Triebbefriedigung, sondern deren Auf-*

schub. Dies bewirkt, daß der Mensch seiner ganzen inneren Einstellung nach mehr in der Zukunft lebt als in der Gegenwart, weil er sich von jener, unklar genug, eine Art von »Erlösung« erwartet. Nie ganz bei sich selbst, erblickt der Mensch im Ablaufen einer Uhr schließlich ein Symbol seines eigenen Lebens. Das ist niederziehend genug und ein Aspekt der Wahrheit obendrein. Aber eben darum fällt es nicht minder der Verdrängung anheim. Vor das Ende, auf das ein jeder unausweichlich zutreibt, werden mit um so ernsterer Miene allerhand »wichtige Termine« geschoben. Die Angst vor dem Tod, die durch Triebverzichte erst völlig unerträglich wird – als der Gedanke, nach einem »ungelebten Leben« sterben zu müssen –, die so panisch gewordene Angst motiviert gleichsam in Rückspiegelung dessen, wovor sie sich ängstigt, eine Art *Freude an Terminen.* Denn dies ist das Tröstliche an jedem Zeitdruck, unter dem wir etwas tun, daß wir bis dahin, wo eine bestimmte Arbeit fertig zu sein hat, keine andere Sorge zu haben brauchen als eben diese. Alle Zeit nach dem Termin ist wie nicht vorhanden, und die Aussicht auf den »letzten Termin« ist verstellt.

So ist noch metaphysisch verständlich, weshalb in einer Kultur der Verdrängung die prototypischen »Verfechter der Ordnung« auf ihren Terminen »herumreiten«, auf äußerste Pünktlichkeit pochen und selbst kleine Nachlässigkeiten in dieser Hinsicht kaum verzeihen. Sie sind stolz darauf, daß es ihnen selber gelingt, »stets auf die Minute pünktlich zu sein«. Wenn es ihnen einmal nicht so gelingt, dann bleiben sie lieber gleich ganz weg, um nicht zuzugeben, daß auch sie sich versäumen können. Dabei ist es verständlich, daß ein in vieler Hinsicht »steril« lebender Mensch auf seine Pünktlichkeit sich etwas zugute hält: sie ist womöglich die einzige Leistung, die er vollbringt. Da so gar nichts Sichtbares mit ihr vollbracht ist, muß sie auch viel stärker hervorgehoben werden als jedes Werk, das sich selbst empfiehlt. Und schließlich auch läßt ein anderer sich vortrefflich tyrannisieren, indem man, auf die Normaluhr deutend, ihm etwa vorwirft, daß er »schon wieder« um drei Minuten sich verspätet habe.

Zwar leuchtet ein, daß in Betrieben, in denen durch einen einzigen Knopfdruck die Maschinen anlaufen, Pünktlichkeit herrschen muß. Die Frage, ob hier der Mensch den Menschen mit Hilfe der Maschine unterdrückt oder ob bereits die Maschine es ist, die den Menschen versklavt, sei hier nur aufgeworfen, aber nicht erörtert. Vielleicht ist eine hochindustrialisierte Arbeitswelt ohne eine repressive soziale Ordnung gar nicht möglich. Vielleicht aber auch hat nur *unsere* Technik nicht (oder noch nicht) den Weg gefunden, den Menschen vom Zeitdruck zu befreien. Eine Technik, die den Menschen hetzt, paßt jedenfalls gut ins Feld einer Gesellschaft, in der kein Mittel versäumt wird, den Mitmenschen zu quälen. Die Stechuhr für die Arbeiter ist jedenfalls dort ein reines Werkzeug der Unterdrückung, wo der Arbeitsgang durch mäßig zu spät Kommende gar nicht gestört würde.* Das Pochen auf Pünktlichkeit wird vollends zur Schikane, wo es – wie in so manchem Amt – zugleich eine Frage des Prestiges ist, ob man zu denen gehört, »die es sich leisten können«, zu spät zu kommen. Absolute Pünktlichkeit ist dann das Ritual derer, die keinen Rang haben.

* Die Stechuhr könnte aber allenthalben den Zwang zur Pünktlichkeit lindern, wenn sie einzig dazu aufgestellt würde, die pro Woche abgeleistete Arbeitszeit zu ermitteln. Der *Spiegel* (in Nr. 23/1969, S. 69) berichtete schon von dem erfolgreichen Versuch in einem Werk, eine gleitende Arbeitszeit einzuführen, die den Langschläfern erlaubt, etwas später zu kommen, wenn sie dafür auch später Feierabend machen.

B.

TRIEBVERDRÄNGUNG ALS MITTEL DER MACHT

a) Die Logik des Unterdrückens

Die Methoden, den Menschen schon von klein auf zu reglementieren und ihn »fügsam« zu machen, haben einen gemeinsamen Nenner: Auf dem Grunde jeder Unterdrückung wirkt die Tendenz, den Menschen in seinem leibhaften Dasein zu verkümmern. Die vitalen Antriebe sind gleichsam die Ohren, an denen ein repressives Ethos den Menschen zieht. Wobei wir mit dem abstrakten Begriff des »Ethos« nur schamhaft umschreiben: die privilegierten Schichten und die Personen, die bewußt darauf ausgehen, die Massen niederzuhalten. Die naiv-obszöne Bemerkung jener französischen Königin, die meinte, der Geschlechtsakt sei doch viel zu schade für die einfachen Leute, artikuliert die Motivation, die alle sogenannte Lust am Herrschen erst weckt: »Der Unterdrückte soll nicht kriegen, was mich selbst erquickt.« Das ist, nach dem, was wir sahen, schon eine Tautologie: Die Verweigerung von Lust oder Behagen ist eines mit der Unterdrückung. Das Programm »Kanonen statt Butter« (Hermann Göring) ist nicht ein Jux des Autoritären, auch nicht bloße ökonomische Notwendigkeit für die Absicht des Krieges; die Verknappung elementarer Freuden liegt vielmehr unmittelbar in der Logik des Unterdrückens. Hoffnungsloses Beginnen, die Unterdrückung eines leibhaften Menschen beim Denken anzusetzen. Was wir »Geist« oder – abwertend – »Ungeist« nennen, kann aufbegehren, solange die Spontaneität einer guten Gesundheit ihm beispringt. Der hart zusammengestauchte Leib aber hat auch das Denken in sich gelähmt. Das Äußerste an geistiger Kühnheit, was er hervorbringt, ist der Gedanke, es werde ihm schon noch gelingen, so »sittlich« sich aufzuführen, wie man von ihm erwartet: um so vom moralischen Druck der Herrschenden sich zu lösen, um unter ihm hinwegzukriechen[49]. Freiheit also durch absolute Unterwerfung, durch den Verzicht auf die Befriedigung spontaner Triebimpulse? An dem Gedanken ist insofern etwas Richtiges, als Unterdrückung durch Triebunterdrückung nur so lange sich durchführen läßt, als überhaupt noch Triebe sich regen. Doch der körperlich schlaff Gewordene hat auch schon aufgehört, im Denken sich aufzusteilen. Er sabotiert die herrschende Ordnung nicht dadurch, daß er ihr gegenüber nun geistig frei würde, sondern dadurch, daß mit ihm überhaupt nichts Rechtes mehr anzufangen ist, jedenfalls nichts außer dem, wozu man ihn stößt. Der vollends Unterdrückte, der Apathische, führt die Unterdrückung selbst ad absurdum. An ihm haben die Unterdrücker zu schleppen.

Der leibhafte Mensch kann nicht unterdrückt werden, ohne in den Ansprüchen seines Leibes selber beschränkt zu werden. *Alle Unterdrückung ist im Grunde Triebunterdrückung.* Die sittlichen Ideale, die man uns predigt, machen das deutlich und dunkel zugleich. Sie zeigen die Weise, in der ein jeder – leibhaft – sich kleinzumachen hat, und nähren die Illusion, er könne sich dadurch erst mächtig erheben. Aber mit jedem sittlichen Aufschwung, zu dem er sich bringt, quält der Mensch sich nur um so tiefer in jene Ordnung, die ihn frustriert. Dieses System zu durchschauen, befähigt uns erst die Tiefenpsychologie. Wir verstehen jetzt auch, weshalb der *Marxismus* als Theorie der Unterdrückung nicht ausreicht und warum die politische Befolgung seiner Lehren aus der repressiven Ordnung nirgends herausgeführt hat. Der Marxist wohl hat aufgehört, die herrschenden Ideale, die – nach Marx – die Macht der noch Herrschenden verschleiern*, völlig ernst zu nehmen. Aber was er dafür nur um so ernster nimmt, das sind die Fetische der Macht: Luxus, Müßiggang und Geld, zusammengefaßt im Begriff des »arbeitslosen Einkommens«, im *Kapital.* Das Kapital, auf das noch Karl Marx alles Ideelle zurückgerechnet hat, war seinerzeit der modernste Fetisch der Macht. Machthaben aber heißt psychologisch: die Angst vor dem Alleinsein durch Druck auf die Umwelt bannen zu können. Wer andere von sich abhängig macht, gewinnt die Beruhigung: Sie werden ihn schon nicht verlassen, solange sie seiner bedürfen (oder: zu bedürfen glauben). Macht ist so eine Sicherung des libidinösen Anspruches unserer vitalen Natur (der von Natur aus stets ungesichert ist). Ins mehr Autistische verschoben – und dahin tendiert alle Macht, weil der gewalttätig Geliebte sich dem Mächtigen entzieht –, autistisch empfunden also, bedeutet Macht den Vorteil eines Lebensgenusses, den die Anderen sich »nicht leisten« können. Mit seiner Auffassung des Kapitals (oder vielmehr der Dividende) als eines »arbeitslosen Einkommens« war Marx diesem Trieb-Grund recht nahe. Die pure

* Siehe unser Marx-Zitat auf Seite 74!

Abneigung zu arbeiten kann aber nicht schon der Grund sein, aus dem selbst die Neureichen ihr Geld nicht mehr hergeben, wenn doch die Mühe, es sich zu bewahren, die Menschen erst recht in Bewegung setzt. Sie sind hier im selben Zwange wie der, der ohne das Polster des Geldes eine Machtposition verteidigt. Macht ist kein Selbstzweck, mag auch ihr tieferer, ihr *vitaler* Sinn dem Mächtigen selber verborgen bleiben. Das vitale Wesen der Macht besteht vielmehr darin, daß durch sie die Triebbedürfnisse eines Menschen gesichert sind, daß aber seine Stellung in der Gesellschaft, von der alle »Sicherheit« herkommt, fortwährend neu behauptet werden muß. Das »Ausüben von Macht« verlagert also die Anstrengung, die begehrten Triebziele zu erreichen, auf die Aufgabe, ihre unausgesetzte Präsenz zu erhalten. Solche Anstrengung *kann* faktische Askese bedeuten. Sie ist erfolgreich aber nur, wo sie der Masse des Volkes wesentliche Triebziele drastisch verknappt.

b) Die Auguren der Macht

Wo die Gesellschaft im ganzen darauf gerichtet ist, bestimmte vitale Antriebe zu unterdrücken, da läuft, soziologisch gesehen, der dabei ausgeübte Druck in doppelter Weise von oben nach unten: Diejenigen, die einigermaßen jede Triebbefriedigung sich kaufen können (soweit sie sich kaufen läßt), unterdrücken die Minderbemittelten – eben, indem sie ihnen den Zugang zu den gleichen Lustquellen verwehren. Zum andern unterdrücken regelmäßig die schon Erwachsenen die Heranwachsenden. So braucht es nicht zu verwundern, wenn immer zugleich soziale Spannungen und Generationskonflikte sich finden. In ihnen personifiziert sich das »sittliche« Drama der Unterdrückung. Es muß - wie jedes Drama – mit verteilten Rollen gespielt werden.

In der repressiven Gesellschaft heißt also »Kind sein« – wie auch »arm sein« – notwendig: unterdrückt sein. Die Eltern exekutieren an ihrem Kind den Geist der Macht schlechthin, indem sie es zu »Reinheit« und »Keuschheit« dressieren. Das geschieht – von seiten der Eltern – ohne Kenntnis des Zusammenhanges; und es pflanzt sich fort, von Generation zu Generation, mit dem »Anschein der erblichen Übertragung« (FREUD[50]). Der kommt eben davon, daß die Kinder, längst ehe sie sprechen lernen, schon die Neurosen der Erwachsenen »induziert« bekommen, um mit C. G. JUNG zu sprechen. Die Auguren der Macht, die *panem et circenses* wohlüberlegt dem Volke dosieren, brauchten nicht einmal mehr unter den Lebenden zu sein. Das System der repressiven Gesellschaft erhielte sich von selbst: kraft des ihm innewohnenden psychosomatischen Mechanismus.

Doch immerhin gesetzt, die heute Führenden in Kabinetten, Kirchen und Konzernen sowie in Massenorganisationen aller Art wüßten über die psychosomatischen Grundlagen ihrer Macht nicht Bescheid, so ahnen sie doch um so deutlicher, was ihre Stellung bedroht. Sie zu erhalten, dienen – im Osten wie im Westen – die jeweils gepflegten Tabus: Denkverbotstafeln. Eines, das offenbar entscheidende Tabu, findet sich hier wie dort: das sexuelle Tabu. Vermutlich ist der Osten noch prüder; die Vergewaltigung »germanischer Frauen« im Jahre 1945 deutet darauf zurück: das Ventil war nötig[51]. – Wenn die libertinistische Phase in Sowjetrußland nach der Oktoberrevolution nur sehr kurz war, so nicht, weil etwa das Keuschheitsgebot der Religion wieder zu Ehren gekommen wäre. Die Abschaffung der kaum errungenen sexuellen Freizügigkeit (deren Pendel vielleicht zu exzessiv ausgeschlagen hatte) geschah, bewußt oder halbbewußt, aus nüchternen machtpolitischen Gründen. »Alle Diktaturen haben die Libertinage verfemt.«[52] Sexuelle Freiheit hat ihre politische Seite wie jede Freiheit, die der Mensch sich nimmt; mehr noch: sie untergräbt die autoritäre Herrschaft an ihrer Wurzel. Der vitalpsychisch Ausgeglichene opfert sich ungern für jene besonderen »Belange« des Staates, die nur die psychischen Projektionen von denen sind, die es auch an seiner Spitze nicht aushalten[53]. Um das Volk manipulieren zu können, vergällen sie ihm die naive Freude am vitalen Dasein, sorgen dafür, daß solche Freude gar nicht erst aufkommt. Die Militärs, die im April 1967 nach einem Putsch in Athen die Macht übernahmen und dabei einige tausend Gegner verhaften ließen, hatten gleich danach nicht viel Wichtigeres zu tun, als ein Verbot der kurzgeschürzten Mode zu dekretieren. Das augenfällig Banale in »geschichtlicher Stunde«, naiver Ausdruck des Lebensneides älterer Herren, hat machtpsychologisch doch seinen Rang. Die Autoritären brauchen den Menschen entsinnlicht und unzufrieden (nur nicht *zu* unzufrieden), um ihn für ihre Zwecke einspannen zu können; für Zwecke, die, dem Einzelnen ursprünglich fremd, ihm doch eine unbestimmte Befriedigung verheißen.

Der unmittelbare Zweck jedes Herrschenden oder jeder herrschenden Gruppe ist das Herrschen selber. Das muß verschleiert werden, da solch ein Zweck sich vereitelt, indem er sich erklärt. Die Herrschenden verschleiern diesen ihren Zweck (noch vor dem eigenen Gewissen), indem sie den Unterworfenen für Triebverzicht und Gehorsam einen Lohn versprechen in ungewisser Zukunft. Ein noch sinngleiches Entgelt verheißt der Islam: »Schönbusige Gespiele, Becher voll Weines« im Paradies[54]. In anderen Erlösungsreligionen sind die Freuden des Jenseits mehr unbestimmt gehalten[55], während für säkularisierte Chiliasmen je eine Generation für die nächste sich zu opfern hat. Das Glück, das in leibhafter Gegenwart nicht mehr zu gewinnen ist, wird von der Zukunft erwartet. Das gilt auch, wo ein hierarchisches Machtgefüge sich aufgelöst hat in lauter Einzelegoismen. Der ehrgeizig Vorwärtsstrebende schiebt nur immer sein Glück vor sich her: Was er je erreicht, es wird ihm belanglos im Erreichen, weil er, kaum arriviert, schon wieder andere über sich sieht, die ihn herauszufordern scheinen, und auch, weil er über ein innerweltliches Ziel sich gar nicht wirklich freuen darf. Freude hieße Verweilen. Im Verweilen aber zeigte das Errungene die letzte Sinnlosigkeit alles Erringens von Lebensgütern *vor den Anderen*. Nur fiktiv ist der so Erfolgreiche glücklich. Er ist »glücklich« im Nachvollzug des Neides, den der Mitmensch für ihn hegt.

Jedes Machtsystem ist den vitalen Antrieben feind. Es wittert in ihnen jene Tiefenschicht menschlichen Wesens, aus der die Spontaneität unseres Denkens und Liebens ent-springt. Der in seinen Antrieben Gebrochene, in seiner Spontaneität Gehemmte, das ist der Mensch, wie ihn die Mächtigen brauchen. Es ist der »angepaßte«, »opferbereite«, der manipulierbare Mensch: er vollzieht die Wertungen, die ins »System« passen, denkt, was man ihm erlaubt, und verdrängt, was er, naiv genug, selber pflichteifrig mit entwertet. Ja, er wird auch nur lieben oder zu lieben glauben, was man ihm vorgibt. Keine Liebe wider ein Verbot. Und auch keine Liebe jenseits der herrschenden Werte. »In einen Mann ohne Geld verliebe ich mich schon gar nicht«, hörte ich eine Siebzehnjährige sagen.

So schließt sich der Kreis. Triebverdrängung macht Liebe unmöglich, da Liebe in ihrer Spontaneität selber schon Aufrichtigkeit ist und unter der Lebenslüge der Verdrängung zerfällt. Einer liebefernen Moral indessen, einer Moral im Klima der Macht, ist Triebverdrängung ein Instrument ihrer Geltung, da sie auf die Freudlosigkeit des Menschen sich stützt, um ihn anzutreiben zur Bewährung für ein fernes unbestimmtes Glück. Alles Glück liegt jenseits leibhafter Gegenwart. Ursprüngliche Liebe darf hier gar nicht aufkommen, weil sie das Mißbehagen bedrohte, das nach FICHTE erklärtermaßen eine wichtige Grundlage der Moral ist[56]. Aus ursprünglicher Menschenliebe könnte am Ende jeder mit jedem sich mitfreuen und darüber versäumen, die

Freuden ihm zu verleiden, die er selbst entbehrt*. Im Verschwinden des Neides fiele eine der Säulen puritanischer Moral.

c) Der repressive Sinn der Strafen

aa) Strafe als Frustration

Alle Unterdrückung ist Triebunterdrückung. Es kann keiner herrschen, der nicht die vitalen Antriebe hart beschneidet; es kann umgekehrt aber auch keiner von anderen Triebverzichte verlangen, der nicht schon eine gewisse Macht über sie hat, das heißt eine Position, die es ihm erlaubt, Befriedigungen zu gewähren und zu versagen. Wer andere dazu bringt, auf Triebbefriedigung zu verzichten, oder wenigstens den »guten Willen« dazu bewirkt, der leistet das nur, indem er unmittelbar noch schlimmere Verzichte androht für den Fall des Ungehorsams. Die äußerste Drohung ist die Drohung absoluter Vereinsamung, völligen Verlassens. Der Leib versteht sie bereits vor jeder verbalen Mahnung. Der kindliche Organismus, der die Nähe und Wärme der Mutter sucht, der sich »geborgen« fühlt bei ihrem Herzschlag, dieser kleine Leib »versteht« unmittelbar, daß Gefahr droht, die Gefahr der Aussetzung, Verstoßung, die das Leben gefährdet, wenn die Mutter von ihm sich zurückzieht, ihm Zärtlichkeiten verweigert oder auch ihn schlägt. Wo solche Frustrationen jeweils prompt auf sexuelle Erregungen folgen (die nach Meinung der Eltern noch gar nicht zu sein haben), da bildet sich ein bedingter Reflex: aus der sexuellen Erregung und ihrer Hemmung zugleich. Das preßt den Grundstock jenes Gewissens, das zuletzt noch selber nach Strafe für sexuelles Empfinden verlangt.

Dies ist, triebpsychologisch, der *Ursinn der Strafe* (sofern sie nicht schon das Leben bedroht): *Entzug einer Befriedigung als »Konsequenz« einer anderen, die nicht sein sollte.* Dabei ist die »erzieherische Wirkung« nur um so größer, je enger das Entzogene in das vitale Selbstgefühl eingeflochten war. »Ohne Abendessen ins Bett« – das ist das Paradigma solcher Erziehung: das Absinken des Blutzuckerspiegels im Hunger konstituiert leibhaft sich als das Phänomen einer »Schuld« – für verbotenes oder unzulängliches Tun. Solche »Erziehung«, richtiger: eine solche *Dressur* durch zeitweiligen Nahrungsentzug, mag so tief auf

* Es wäre nur konsequent, wenn der »Papst der Liebe«, Johannes XXIII., tatsächlich des öfteren gesagt hätte, Christus sei »nicht auf die Welt gekommen, um uns tausend Dinge zu verbieten«. (Das Zitat nach der *Frankfurter Neuen Presse* vom 4. Juni 1963.)

einen Menschen wirken, daß er noch als Erwachsener immerzu ißt, wenn er meint, schuldhaft oder fehlerhaft gehandelt zu haben. (Ein bedingter Reflex!) Die Prügelstrafe wirkt *daneben* noch harmlos: ist sie doch wirkungslos in dem Maße, in dem der »Gezüchtigte« hinter den Schlägen dieselbe Triebhaftigkeit spürt, die man ihm auszuprügeln versucht. Sie wird ihm erst richtig an-geprügelt: Schläge aufs Gesäß vermögen sexuell zu erregen. Seit ROUSSEAUS »Bekenntnissen« ist immerhin den Pädagogen das bewußt, ohne daß selbst diese geschlossen daraus eine Lehre zögen.

Der oberflächliche Sinn der Prügelstrafe ist Schmerzzufügung – am Objekt. Ihr verschwiegener subjektiver Sinn ist die sadistische Befriedigung der verdrängten Libido. Die Selbstentlastung des gestrengen Erziehers bestimmt denn auch Art und Stärke der verabreichten Schläge. Er nennt es, bibelfest, seinen heiligen Zorn. Immer, bei allen Strafen, bezweckt insgeheim der Strafende eine Lust für sich selbst, eine Freude, den Bestraften leiden zu sehen, und sei es auch nur die Genugtuung darüber, daß dieser einen beständigen Mangel leidet: einen Mangel an Triebbefriedigung. Die *Inhaftierung* der »Asozialen« gewährt solche »Genugtuung« einem jeden, der zu den guten Bürgern, also zur strafenden Gesellschaft, sich rechnet. Die Inhaftierung beschränkt den »Freiheitsspielraum«: sie frustriert den Bewegungstrieb und verwehrt, für junge Leute besonders quälend, den Kontakt mit dem andern Geschlecht. Um die Triebunterdrückung perfekt zu machen, verwehrt ein konsequenter Strafvollzug auch die Ersatzhandlung der Onanie: die Fenster in den Zellentüren verdanken nicht zuletzt sich dem Zweck »sittlicher« Überwachung. »In vielen Strafanstalten [in den USA] können die Gefangenen heute noch streng bestraft werden, wenn sie bei der Onanie entdeckt werden.«[57]

Das Einsperren als Absperren von den Frauen bzw. den Männern: Dieser Sinn der Haftstrafen jedenfalls kommt ganz deutlich heraus in der Praxis, selbst zusammen verhaftete Ehepartner zu trennen und lieber einen jeden der beiden in eine Zelle mit Geschlechtsgenossen zu legen. Bestrebungen, den Strafvollzug in dieser Hinsicht zu humanisieren, ziehen folgerichtig nach sich den Zweifel, ob so denn nicht alles Strafen nur noch zur Farce werde. Das »fidele Gefängnis« ist bürgerlichem Rechtsempfinden ein größeres Ärgernis als Folterkammern, in denen die Wärter ihre Häftlinge totprügeln. Der strafende Sinn des Freiheitsentzuges ist in der Tat reduziert, wenn hinter Gittern fast alle die Lebensmöglichkeiten wieder sich finden, die überhaupt dem Menschen das Leben lebenswert machen. Dann lebt es sich auch gut in

Gefangenschaft, erträglicher zumindest, wenn die einzige Beschränkung, die des Bewegungsspielraumes, wohltuend zugleich die Konfliktmöglichkeiten vermindert, in die der triebstarke Mensch sonst immer gerät. Der Vitale, aber geistig nicht allzu Bewegliche müßte es jedenfalls so empfinden. Der »verletzende« Sinn der Gefängnisstrafe wäre für ihn dann einer, den er erst *nach* der Entlassung verspürte: wenn die anderen wie mit Fingern auf ihn deuten. Diesen Zweck, die soziale Deklassierung, zu erreichen, bedürfte es aber gar keiner Freiheitsstrafen; öffentliche Anprangerung genügte.

Man könnte, den sexuellen Sinn der Freiheitsstrafe bestreitend, darauf hinweisen, daß doch – laut Statistik – »unverhältnismäßig mehr Ledige als Verheiratete aus den Strafanstalten entweichen«[58]. Solchen Einwand bedingte das Vorurteil, daß tatsächlich nur, wie »die [herrschende] sittliche Ordnung« es will, in der Einehe der »Verkehr der Geschlechter« sich vollzieht[59]. Wenn aber so mancher freie Bürger, schlimm genug, das Empfinden hat, seine Ehe sei »ein Gefängnis«, dann erklärt es ein logischer Schluß ziemlich platt: Man flieht nicht aus einem Gefängnis – in ein Gefängnis.

Doch immerhin, man mag den sexuellen Sinn der Freiheitsstrafe leugnen, die Eingesperrten selber mögen sich dessen gar nicht bewußt sein; aber dann »weiß« es ihr Körper nur um so besser. Bei manchen Männern erlischt im Gefängnis jegliche Sexualfunktion; ihre Hoden bilden »innerhalb weniger Wochen auf einen vollkommenen Ruhestand [sich] zurück«[60]. Frauen reagieren sogar »schlagartig«: Sowie sie inhaftiert werden, stellen bei den meisten Frauen die Eierstöcke ihre Funktionen ein. STIEVE fand in 85 Prozent der von ihm untersuchten Fälle, daß die Menstruation im Gefängnis ausgeblieben war[61]. Man kann das allgemein mit »psychischen Ursachen«, »Aufregungen« und dergleichen erklären und geht damit doch am triebunterdrückenden Sinn des Einsperrens vorbei. Aufregungen, Schocks, Hoffnung und Verzweiflung, dies alles erlebt der Delinquent doch lange, bevor er hinter Gittern landet. Er reagiert wohl auch durchaus leibhaft darauf, aber noch anders als auf das Eingeschlossenwerden. Das Empfinden, zu Unrecht beschuldigt zu werden, mag Erbrechen auslösen: sichtbares Zeichen eines elementaren Ekels. Eine Frau kann auch eine (unovulatorische) »Schreckblutung« bekommen, wenn sie hört, daß die Polizei nach ihr fahndet. Wenn aber genau an dem Tag, an dem sie eingesperrt wird, ihre Eierstöcke jede Tätigkeit einstellen, dann bedeutet das eben: Der Körper hat die Situation begriffen; er »weiß«, daß nun die Freiheit, sexuell zu verkehren, verwirkt ist.

Die bösen Kinder ohne Essen ins Bett, die kriminellen Erwachsenen ohne die Möglichkeit zu normaler Sexualbetätigung ins Gefängnis[62]: Das sind die härtesten Strafen, die die triebunterdrückende Gesellschaft bereithält für die, die ihrer Ordnung sich nicht fügen*. (Von der Todesstrafe, die das Individuum auslöscht, ist dabei abgesehen.) Die repressive Ordnung ist perfekt, wo die herrschenden Instanzen Triebverzichte *erzwingen* können. Das heißt aber nicht, daß jeder, der die geltenden Strafgesetze verletzt, darum schon einsitzen müßte, soweit nicht Geldstrafen für Vergehen und Übertretungen ausreichen. Nach einer Untersuchung von WALLERSTEIN und WYLE haben in einem repräsentativen Querschnitt der Bevölkerung von New York 91 Prozent der Befragten zugegeben, daß sie nach ihrem 16. Lebensjahr Delikte begangen haben, bei deren Entdeckung sie mit Gefängnis bestraft worden wären[63]. Die Zahl der überwiegend unentdeckten Vergehen war dabei überraschenderweise am höchsten in einer Schicht solidester bürgerlicher Reputation: ein Ergebnis wie zum Hohne derer, die nach Gesetzesbrechern vornehmlich im niederen Volke suchen. Dieses Vorurteil erklärt teilweise bereits die hohe »Dunkelziffer« bei den gehobenen Ständen. Hinzu kommt die vermutlich größere Umsicht der Gebildeten bei allem, was sie »in Angriff« nehmen; ferner: ihr Hang zum Schreibtischdelikt *(white collar crime*[63a]*)* und auch eine gewisse Solidarität der Akademiker, aus deren Reihen Richter und Staatsanwälte sich rekrutieren. Das »Auge des Gesetzes« blickt unterdessen um so eher nach sichtbaren Zeichen der Verwahrlosung, je knapper es im jeweils eigenen Leben ihr entkommen ist.

Die Dunkelziffer der unaufgeklärten Delikte schlechthin mag teilweise auch mit der – immer – zu geringen Schlagkraft der Polizei sich erklären lassen. Die Frage aber ist, ob die repressive Ordnung, um sich zu erhalten, der restlosen Ahndung aller Delikte bedarf. Es genügt, wenn sie – allen sichtbar in den publizierten Gerichtsurteilen – in ausgezeichneten Beispielen die Drohung der Strafe aufrechterhält. Die soziale Ordnung gar käme ins Wanken, wenn alles, was nach unserem Strafgesetzbuch nicht sein dürfte, geahndet würde. Warenhausdiebstähle von Oberstudienräten und Landgerichtsdirektoren werden lieber darum auch außergerichtlich »geregelt«[64]. Die Dunkelziffer beim Diebstahl liegt ohnedies über 60 Prozent[65]. Sie vollends abzubauen, hätte die Wirkung einer sozialen Revolution. Und wenn gar nach den

* Die nicht ausdrücklich (in Gesetzesform) angedrohte Sanktion ist aber womöglich noch härter: die Ächtung, Meidung durch die guten Bürger.

Berechnungen KINSEYS[66] noch nicht einmal 1 Prozent der sogenannten Sittlichkeitsdelikte vor den Richter kommt, dann hätte eine hundertprozentige Verfolgung aller Fälle doch nur Konsequenzen von der Art, daß das Wohnungsbauprogramm durch ein Gefängnisbauprogramm ersetzt werden müßte. Der Standpunkt der Rechtsgleichheit könnte die Aufdeckung möglichst aller Fälle von »Unzucht« uns nahelegen (wenn nicht die Abschaffung einiger Gesetze dasselbe erreichte). Die repressive Ordnung aber erhält sich bereits, wenn sie, ungerecht genug, nur exemplarisch bestraft. »Exemplarisch«, das heißt: in zufällig herausgegriffenen Einzelfällen beispielhaft hart. Um abzuschrecken? Der erklärte Sinn der Strafe jedenfalls ist es, den »Herrschaftsanspruch der Moral- und Rechtsordnung sichtbar [zu] machen«. (So sagt es heute ein namhafter Verfechter des Strafgedankens selber[67].) Das ist etwas weniger als »Abschreckung« – sofern man an »potentielle Verbrecher« denkt, diesen Begriff dabei im Sinne kriminologischer Vorhersagen deutend[86]. Die Strafen schrecken vermutlich nur diejenigen ab, die schon nicht zu Verbrechern werden wollen: *sie schrecken nicht ab von aggressivem Verhalten schlechthin, sondern allenfalls von sozial mißbilligter Aggression.* Sie schrecken nicht ab von der Gewalt, die uns lockt und uns unversehens in ihren Bann zieht – kollektiv, sondern davon, als Verbrecher, die sich losmachen von allen, die Gewalt der Masse zu usurpieren. Die Strafen, die uns brandmarken würden, pferchen uns enger in die Bahn der kollektiven Aggression.

Nun bleibt der Strafe als verlässiger Sinn wohl nur dieser massenpsychologische Zweck, denn ihre abschreckende Wirkung ist ebenso ungewiß, wie ihre Tauglichkeit, zu »bessern«, kaum jemand verspürt. Die Rückfallstatistik der Verbrechen läßt jedenfalls nicht daran glauben, daß einer als besserer Mensch die Strafanstalt wieder verläßt[69]. Die Generalprävention ist nicht minder eine Fiktion oder nahezu Fiktion über einem bißchen Realität, dabei aber der große Vorwand derer, deren Lust es ist, andere hart zu bestrafen (oder bestraft zu sehen). Sofern eine abschreckende Wirkung der Strafe besteht, bleibt sie in Schach gehalten durch das Faktum, daß durch die Strafen dem Kriminellen wieder neue Impulse zufließen[70]. Das »kollektive Unbewußte« (C. G. JUNG) unterscheidet nicht zwischen erlaubter und unerlaubter Gewalt, sowenig wie das vitale Bewußtsein des Einzelnen zwischen Mordankündigung und Todesurteil unterscheidet. Gewalt reizt zur Gewalt, gleich wer sie anwendet. Zumal der Triebverbrecher läßt durch eine gewalttätige Justiz sich eher »inspirieren« als abschrekken, weil Abschreckung eine Art von Überlegung voraussetzt, deren nur fähig ist, wer nicht von übermächtigen abnormen Triebmotiven besessen ist. Der geistig überlegene Verbrecher aber, der alles »eiskalt berechnet«, setzt gerade darauf, daß er nicht erwischt wird. Und wo doch sein strafbedürftiges Unterbewußtsein eben hierauf es anlegt, da ist seine tiefere Absicht nicht die Tat, sondern just die Strafe, die ihn abschrecken sollte. – Wohl mag es so etwas geben wie ein Gefühl, daß einer »sich abgeschreckt fühlt«, Verbotenes zu tun, ohne daß dabei sein Gewissen es ist, das ihn warnt. Die Aussicht, sozial deklassiert zu werden (etwa die Beamteneigenschaft zu verlieren), wird stärker abschrekken als jede Freiheitsstrafe. Strafen sitzt man ab, aber auf dem Verlust des Berufes bleibt man sitzen. Da außerdem Angst vor Strafe und Strafbedürfnis im Milieu unserer Sittlichkeit eigentümlich sich mischen, wäre die Behauptung, die Kriminalstrafen vor allem seien es, die abschreckten, Böses zu tun, zumindest eine ideologische Übertreibung. Man müßte schon den Verlust besonderer Rechte und Lebenssicherungen – weit über die »Maßregeln« des Strafgesetzbuches hinaus – in den Begriff der Strafe mit hineindenken. Nun treffen aber gerade die wirtschaftlichen Folgen einer Bestrafung die Familienangehörigen nicht selten stärker als den Verurteilten selbst[71]. In nichts kommt der repressive Sinn der Strafen deutlicher zum Vorschein als in dieser ihrer »blinden« Auswirkung. Doch welchen abschreckenden Sinn können sie da noch haben, wenn faktisch durch sie bestraft werden kann, wer nicht einmal rein kausal das geringste »verschuldet« hat?

Die Frage kann als rhetorische Frage stehenbleiben. Es wäre ein Irrtum zu meinen, daß die repressive Ordnung der abschreckenden Wirkung ihrer Kriminalstrafen bedarf. Sie bedarf, um sich zu erhalten, notwendig nur der Fiktion dieser Abschreckung. Es kommt hier nämlich nicht darauf an, Verbrechen überhaupt zu verhindern. Sie »einzudämmen«, mag angehen. Der tiefenpsychologisch aufgeklärte Kriminologe weiß, daß unsere Gesellschaft »das Verbrechen, das sie bekämpft, allererst erzeugt und daß sie es erzeugt, um es bekämpfen zu können« (Reiwald[72]). Die repressive Ordnung zerfiele, wenn niemand mehr straffällig würde: wenn die *Atmosphäre der Angst* sich verflüchtigte. Der Mörder ist hier so wichtig wie der Henker. Daher der Ruf nach der Todesstrafe in einem Land, in dem die Mordzahlen durchaus nicht steigen[73]. Das sicherste Mittel, die Kriminalität zu erhalten, ist – neben Strafverschärfung – aber immer noch die Methode, neue Straftatbestände zu schaffen.

Der vagen Bedeutung der Abschreckung entspricht im Volk eine ebenso vage Kenntnis des Rechts. Wir bemerken, daß weithin die Prozeßberichte in den Zeitungen sich besonderer Beliebtheit erfreuen[74]. Das genügt, um die repressive Ordnung gewissermaßen geistig zu stützen. Im übrigen aber bedarf diese Ordnung nicht nur keines genauen Unrechtsbewußtseins im Volk; ein treffsicheres Rechtsgefühl täte ihr sogar Abbruch. Die Verschüchterung durch die Justiz ist nur um so größer, je weniger der Einzelne gegen Überraschungen durch sie gefeit ist. (Die Anwendung des Kuppeleiparagraphen auf Brauteltern, in deren Haus der künftige Schwiegersohn übernachtet – BGH Str. 4, S. 24 ff. –, enthält durchaus ein solches »Überraschungsmoment«.) Nicht auf ein Gefühl, rechtlich zu handeln, kommt es im Grunde in der herrschenden Ordnung an, sondern einzig darauf, den repressiven Kräften hier zu *gehorchen*. Ein offener Fürsprecher dieser Ordnung muß folgerichtig das Verbrechen als Ungehorsam definieren: als Ungehorsam gegenüber dem Staat[75]. Der Staat aber ist, historisch gesehen, die abstrakte Instanz, in der der Herrschaftswille einer Gruppe – oder auch eines Einzelnen – sich zu objektivieren vermag. Wie Stein geworden und drohend gewinnt dieser repressive Wille Gestalt: in den Zuchthäusern und Gefängnissen. Das wird vom Volk auch dunkel geahnt. Anders wäre es nicht begreiflich, daß bei spontanen revolutionären Erhebungen diese Zwingburgen der Macht erstürmt und die Gefangenen freigelassen werden. So geschah es nicht nur 1789 in Paris, sondern auch im Februar 1917 in Petrograd[76].

Das Verbrechen als Ungehorsam gegenüber dem Staat – dieser Gedanke BINDINGS findet vor neueren Strafrechtstheoretikern keine Gnade[77]; aber man muß ihn doch nehmen als das, was er, gegen seine eigene Absicht womöglich, ist: eine Interpretation der Strafjustiz im Obrigkeitsstaat. Jede Strafrechtstheorie, selbst die progressivste, ist schließlich eine Theorie der faktischen Strafrechtspflege, weil Strafe selber ein kulturhistorisches Faktum ist, weil es sie nicht immer und überall gab[78], jedenfalls nicht in der uns heute gewordenen Form, und weil es sie vermutlich auch nicht für alle Zeiten geben wird. Daß so mancher Straftatbestand, der zum Schutze unserer »Sittlichkeit« geschaffen wurde, schon in dem einen oder anderen Nachbarland fehlt, ist allgemein bekannt. Es kann aber – auf einer anderen Stufe der Kultur – selbst unser Kapitalverbrechen, der Mord, ein ehrengeachtetes Mittel sein, sich gesellschaftliche Vorrechte zu erwerben[79]. Es können schließlich überhaupt jene Handlungen, die wir als »Delikte« verstehen, in manchen »primitiven« Kulturen (wie der der früheren Grönländer[80]) ausgesprochene Randerscheinungen sein: selten genug und nicht »wert«, durch großangelegte Strafaktionen in den Brennpunkt der Gesellschaft gerückt zu werden. Bei uns beobachten wir ein periodisches An- und Abschwellen der Gesamtkriminalität innerhalb weniger Jahrzehnte. (Das wird uns später – im V. Teil – noch eingehend beschäftigen.) Dessenungeachtet gilt für unsere Spätkultur, was RUDOLF VON IHERING schon vor hundert Jahren bemerkt hat: daß die Geschichte des Strafrechts nichts anderes ist als die Geschichte seiner Abschaffung[81]. Eine Theorie der Strafe, die die Notwendigkeit des Strafens wie selbstverständlich voraussetzt, steht niemals auf anthropologischem Grund: Sie ist – mit all ihren Verbesserungsvorschlägen – selber ein Agens der historischen Entwicklung der Strafe.

»Schuld als Ungehorsam gegen den Staat« oder doch das Gesetz – der Gedanke steht gleichsam unausgesprochen hinter der Rechtsprechung des alten *Reichsgerichts*, das einen Irrtum im Sachverhalt durchaus strafmildernd anrechnen konnte, nicht aber Unkenntnis des Gesetzes. »Unwissenheit schützt vor Strafe nicht.« (Das ist noch heute ein geflügeltes Wort.) Diese Praxis hat der *Bundesgerichtshof* nur halbwegs gemildert durch die Erwägung, ob ein »Verbotsirrtum« selber verschuldet ist oder nicht. (Vgl. BGHSt 2, 204.) Mit anderen Worten: Das konkrete Verhältnis zum Mitmenschen (beim Diebstahl etwa die Frage, ob etwas ihm gehört oder mir) ist immer noch zweitrangig neben der Beziehung eines jeden zum Gesetz – und damit zum Staat. – Bezeichnend auch ist die bis heute allgemein vertretene Begründung der Strafbarkeit des sogenannten untauglichen Versuchs: in ihm zeige sich, wenn er gleich kein Rechtsgut gefährde, doch eine unerträgliche Auflehnung gegen die Rechtsordnung. (Auch BGHSt 11, 324.)

Das Verbrechen als Ungehorsam – keine »moderne« Strafrechtstheorie braucht sich dem Gedanken überlegen zu fühlen, sofern sie selber an einem *Schuldbegriff* festhält, der unterstellt, daß einer »schuldig« wird, indem er völlig frei sich gegen das Recht entscheidet[82], also *ungehorsam* ist gegen das geltende Recht – oder auch das Naturrecht. Der Gedanke ans Naturrecht steht hier immer schon bereit einzuspringen, wenn anders der konkrete Rechtsirrtum die Schlüssigkeit des Schuldgedankens durchkreuzte. Dabei kann »Schuld« eine naturrechtliche Kategorie gar nicht sein, wenn akausale Entscheidungsfreiheit nicht im Vermögen unserer (kontingenten) Natur liegt. Der *Vorwurf* der Schuld (selbst gegenüber dem Affekttäter) wälzt nur noch einen Stein auf eben den, den die naturwidrig herrschende Moral schon in sein asoziales Verhalten hineingetrieben hat. Die herrschende Ordnung setzt sich selber wieder ins Recht, indem sie ihre Opfer zu »Schuldigen« stempelt. Die Idee der Willensfreiheit, nach der der Mensch, der »schuldig wird«, ebensogut auch *anders* hätte handeln können, dient dabei als weltanschaulicher Köder[83]. Sie schmeichelt dem Selbstbewußtsein dessen, der nicht anders konnte.

bb) Die Chancen für ein reines Maßnahmerecht

Die gerade Konsequenz aus solchen Einsichten ist die Forderung, die Strafen überhaupt abzuschaffen und das Strafrecht durch ein reines Maßnahmerecht zu ersetzen. Ein Maßnahmerecht orientierte sich nicht am fiktiven Begriff der Schuld, sondern an der abschätzbaren sozialen Gefährlichkeit eines Täters[84]. Nun wird gegen solche Erwägungen gerne eingewandt, daß es schon nicht möglich sei, den Schuldbegriff im Strafrecht fallenzulassen, ohne den Menschen, der vom rechten Wege abkommt, erst recht in Unfreiheit zu stürzen. Denn ganz dem Urteil der Psychiater preisgegeben, könnte schon eine Bagatellsache ihm lebenslängliche Heilanstalt eintragen, wenn später niemand mehr ihm eine Besserung attestiert[85]. Der Einwand trifft – aber nur auf der Basis der hier und heute herrschenden Moral. Wenn erst dem Menschen von klein auf gestattet würde, mit seiner angeborenen Natur in Einklang zu leben, bedürfte es jenes Zwanges nicht mehr, den *Straf*gesetze konkretisieren. Allein Sittlichkeitsverbrecher könnten dann so rar werden wie die Schwarzhändler in einer Periode der Prosperität. Es müßte einer schon körperlich sehr verunstaltet sein oder auch schwachsinnig, wenn er noch durch Hinterlist oder Gewalt zu seinem »Sexualziel« zu kommen suchte. Vor allem aber: Der Durchschnittsbürger, der heute elementare sinnliche Neigungen in sich zu verstauen hat, brauchte nicht mehr in destruktiven, asozialen Akten seinen vitalen Unmut darüber auszuleben. (Dabei ist völlig nebensächlich, ob konkrete destruktive Akte heute jeweils als Rechtsbruch verstanden werden oder nicht. Der Haß auf den Mitmenschen findet – und erfindet – legale Formen, ihn zu schädigen.) Schließlich: Wo nichts Natürliches mehr als schimpflich gilt, hat keiner es nötig, ein geheimes Schuldgefühl für verschwiegene Laster durch Sühne für ein scheinbar sinnloses Vergehen oder Verbrechen wieder loszuwerden. Den Verbrecher aus Strafbedürfnis jedenfalls wird es nicht mehr geben, wenn ein jeder dazu erzogen ist, sich in seiner Triebnatur zu bejahen.

Der Einwand, ein Maßnahmerecht machte den Menschen erst vollends unfrei, wäre freilich auch gegenstandslos, wenn, mit NOWAKOWSKI gesprochen, »dem Täter nach Inhalt und Maß keine größere Gefährlichkeit angelastet werden darf, als er in der Tat bestätigt hat«.[86] Das Kriterium der sozialen Gefährlichkeit wäre dann aber nur eine Zutat zum Schuldprinzip: seine Einschränkung, doch nichts wesenhaft Neues. Der Geruch, bloß gemilderte Strafe zu sein, hängt denn auch allen Schutzmaßnahmen, die im Sinne der *défense sociale* (in Frankreich zum Beispiel) getroffen werden, immer noch an. Einweisung in eine Heilanstalt auf Geheiß des Gerichts, das gilt dem heute verbreiteten Rechtsgefühl als eine humanere Strafe, als eine Strafe, die nur die schlimmsten Folgen sozialer Deklassierung vermeidet. Dem entspricht auch die *vollkommene* Einschließung eines Täters in eine Heilanstalt, wie sie bei Anwendung des Paragraphen 51, Abs. 1 StGB (volle Unzurechnungsfähigkeit) auch praktiziert werden kann. Es gibt Freiheit oder totale Einschließung – kein Drittes, nicht etwa auch die Möglichkeit, neben gerichtlich angeordneter psychiatrischer Behandlung frei den erlernten Beruf weiter auszuüben. Die mancherorts eingerichteten Nachtkliniken für psychisch Gestörte böten hierfür ein sinnvolles Modell, jedenfalls für den nicht gemeingefährlichen Täter. Wo dergleichen in der Diskussion um ein Maßnahmerecht überhaupt auftaucht, geht es aber nicht ohne die Beteuerung, daß die Maßnahmen eines reinen Maßnahmerechts »für den Rechtsbrecher ebenfalls in reichlichem Maße mit Unannehmlichkeiten« verbunden wären[87]. Das ist – von EDUARD NAEGELI – zwar mehr zur Beschwichtigung reaktionärer Geister gesprochen, zeigt aber nur hinwiederum: Das bis heute propagierte Maßnahmerecht versteht sich als eine Art Strafrecht, nicht als etwas grundlegend anderes.

Der Gedanke der *Resozialisierung* ist noch lange nicht ausgereift. Man denkt, der asozial Gewordene müsse an die bestehende Gesellschaft, koste es was es wolle, angepaßt werden. Die Gesellschaft hat sich dabei, wie MERGEN sagt, »zum Maßstab erhoben«[88], während sie selber am Ende das ursprüngliche Maß des Menschen verfehlt. Man denkt, der böse Asoziale bedürfe »resozialisierender Behandlung« auch deshalb, um nach seiner zwangsweisen Absonderung in die Gesellschaft wieder zurückzufinden. Während doch eher umgekehrt die Gesellschaft der Guten und Gerechten einer »Behandlung« bedürfte, um den an ihrer falschen Moral und Rechtsordnung Gescheiterten ohne Vorbehalt wieder aufzunehmen (sofern er nicht gerade unberechenbarer Gewaltakte fähig erscheint). Resozialisierung müßte nicht allein erst auf eine Rückkehr in die Gesellschaft vorbereiten, sondern von vornherein die sozialen Bindungen des Gestrauchelten weiterbestehen lassen, sie allenfalls »ruhen« lassen, so wie sie eben während eines Krankenhausaufenthaltes ruhen.

Das klingt utopisch nur in den Ohren derer, die auf einen Wandel der bestehenden Sitten nicht mehr zu hoffen wagen oder selber halsstarrig sich ihm verschließen. Die Abschaffung des Strafrechts kann nur schrittweise mit moralischer Evolution Hand in Hand gehen.

cc) Der affektive Sinn des Strafens

Eine andere Apologie der Strafe sieht offen und deutlich in ihr »ein Mittel zur Wiederherstellung und Bewährung der sittlichen und rechtlichen Ordnung«[89]. ARTHUR KAUFMANN, der das entwickelt, ist unter Berufung auf KANT und JESCHECK vollends konsequent im Sinne der Talion, wenn er sagt, der Schuldige *verdiene* Strafe auch dann, »wenn sie kriminalpolitisch zwecklos erscheint. Ohne dieses Äquivalent [der Strafe eben] würde die gesellschaftliche Ordnung aus dem Gleichgewicht geraten und der Anständige in seiner rechtlich-moralischen Gesinnung geschwächt.«[89] Aber was heißt das tiefenpsychologisch anderes, als daß der »Anständige« auf dem Boden der herrschenden Sitte mit seinen Verdrängungen es nur aushält, wenn er zugleich die Genugtuung hat, daß andere, die sich weniger Hemmungen auferlegen, dafür mit einem empfindlichen Übel, mit Strafe also, bedroht und gequält werden. Der leibhaft frustrierte Mensch gleicht sich selber innerlich aus, indem er seiner gedrückten Libido das Ventil der Aggression öffnet: entweder, indem er »verbrecherisch«, das heißt: auf eigene Faust die »sittliche Ordnung« gefährdet oder gar Gewaltakte verübt, oder indem er sich deutlich als ein Teil jenes »Volkes« empfindet, in dessen Namen die Schöffengerichte bestrafen. So ergibt sich, daß der »Anständige« geradezu des Gesetzesbrechers bedarf, nicht nur, um im Unterschiede zu ihm den Begriff seiner eigenen Rechtschaffenheit zu gewinnen, sondern schon, um im Verbrecher ein Ziel der *legalen* Abreaktion verdrängter Affekte zu haben. Es ist – nach ALEXANDER-STAUB – geradezu ein »diagnostisches Merkmal starker, unverarbeiteter asozialer Tendenzen, wenn sich jemand allzueifrig in den Dienst des Sühnegedankens stellt.«[90] Wenn es morgen keine Verbrecher mehr gäbe, die heute noch Selbstgerechten selber müßten dann zu Verbrechern werden. Doch dann wären die Verbrecher von morgen, psychologisch gesehen, keine andern als die von heute: Die Verbrecher und ihre Verfolger kommen jederzeit darin überein, daß in ihren Taten ein oft lange angestauter Drang zur Aggression sich entlädt. In tiefenpsychologischer Betrachtung ist der Unterschied nicht so groß, ob einer den Anderen Übles antut oder ob er im Namen des Volkes oder einer »Idee der Gerechtigkeit« Böses mit dem Übel der Strafe vergilt.

Wenn ARTHUR KAUFMANN darauf beharrt, »Vergeltung« im Sinne des Strafrechts sei etwas anderes als Rache[91], so wäre es einfach zu sagen, er biete damit ein schönes Beispiel für das, was in der Sprache der Psychoanalyse »Rationalisierung« heißt: ein intellektuelles Verharmlosen oder Verschleiern entscheidender Trieb-Motive. Doch behält KAUFMANN in einem ironischen Sinne recht: Im Klima einer Moral, die das Verbrechen beständig erst provoziert und hervortreibt, ist Strafe eben *mehr* als bloße Rache. Sie ist je schon ein neuer Anfang der Aggression, ja oft nur ein Angriff auf Minderheiten und sozial Vernachlässigte, die »schuldig« werden müssen, um angegriffen werden zu können. (»Ihr laßt den Armen schuldig werden ...«) Zugleich entlastet der öffentlich zum Schuldigen Gewordene jene besonderen Menschen, die ebenso sichtbar »Verantwortung tragen«, von ihrer Mit-Verantwortung für die bestehende soziale Ordnung und für ihre Heuchelei, mit der sie Unterdrückung durch Triebunterdrückung praktizieren. So halten denn – in mehrfacher Hinsicht – Schuldsprüche, Strafen und Verbrechen gleichermaßen die repressive Gesellschaft in ihrem Gleichgewicht. »Strafrecht und Kriminalität bedingen sich gegenseitig.«[92] PAUL REIWALD, dem wir hier wieder folgen, zieht daraus die Konsequenz, daß wir »einer Psychologie der strafenden Gesellschaft bedürfen«. Deren Ideologie, die Strafrechtstheorie in vielerlei Gestalt, fiele dann aber außerhalb des Rahmens jeder Wissenschaftlichkeit.

d) Zwang und Sanktionen überhaupt

»Alle Unterdrückung ist Triebunterdrückung.« Man wende dagegen nicht ein, es gebe doch genug Unterdrückung von Wünschen und Ansprüchen, die fern jeder Triebhaftigkeit erwüchsen. So etwa, wenn ein Vater seinem Sprößling die Lektüre von Kriminalromanen »untersage«. Solch ein Sohn, den es nach »mörderischer« Lektüre *verlangt*, wird zweifellos unterdrückt. Was in ihm unterdrückt wird, ist auch kein biotischer Trieb, aber doch ein Verlangen, das aus ursprünglichen Triebimpulsen sich bildet: aus Triebimpulsen, die in der ihnen gemäßen Weise keine Befriedigung finden. Der nervliche Kitzel, den das »innere« Mitleben mit Gangstern, Mördern und Ganoven vermittelt, ist ein Ersatz der sinnlichen Lust, die vollends nicht sein soll[93]. Erst ein Erzieher, der den Kindern die Befriedigung ursprünglicher Triebe nicht verwiese und *zugleich* die Möglichkeit von Ersatzbefriedigungen beschnitte, dürfte für sich in Anspruch nehmen, nicht zu unterdrücken, sondern nur zu lenken. Aber im allgemeinen unterdrückt doch der, der Ersatzbefriedigungen verweigert, den Sexualtrieb nicht minder: Er unterdrückt ihn sogar viel konsequenter, da er ihm jede Ausweichmöglichkeit entzieht[94].

Dies ist sinngemäß auf die Welt der Erwachsenen zu übertragen. Die

Rolle der unmündigen Kinder übernehmen hier die mittleren und niederen Stände. In einer Gesellschaft freilich, in der nicht mehr so deutlich eine privilegierte Oberschicht die niederen Stände unterdrückt, wo vielmehr die Willkür der »Oberen« zu einem guten Teil ins soziale System eingegangen ist, in die *»herrschende* Ordnung«, da unterdrückt jeweils wechselseitig einer den anderen[95]. Hier kann schließlich die »soziale Rolle« schlechthin durch die *Sanktionen* definiert werden, die denjenigen treffen, der die rollenspezifischen Verbote verletzt: Soziale Rollen sind – nach DAHRENDORF – »ein Zwang, der auf den Einzelnen ausgeübt wird – mag dieser als Fessel seiner privaten Wünsche oder als ein Halt, der ihm Sicherheit gibt, erlebt werden.«[96] Bestraft denn nicht unsere Gesellschaft den Mann, der mit Männern sexuellen Verkehr hat, den Ehemann, der Ehebruch begeht, den Familienvater, der seine Familie im Stich läßt, den Buchhalter, der Gelder veruntreut, den Lehrer, der seine Schüler halbtot prügelt usw.? Grund genug, die sozialen Rollen gleich durch die Sanktionen zu definieren, durch die der Einzelne in sie geschnürt ist. Der Gedanke, daß etwa die Rolle des Lehrers auch positiv bestimmt werden könnte durch seine Aufgabe, den Schülern Wissen und Fertigkeiten zu vermitteln, darf in den Hintergrund treten. Die bestehende Ordnung ist nicht danach. Sie inspiriert gerade noch den Gedanken, daß es auch positive Sanktionen gibt: Belohnungen für Wohlverhalten, erfüllte Pflicht usw., die jedermann anhalten, »nicht aus der Rolle zu fallen«. Titel, Rang und soziales Ansehen bilden das Korsett einer »menschlichen Würde«, einer »Rolle«, die sonst immer nur mühsam der eigenen Triebnatur abgetrotzt werden müßte. (Hinter der bieder gespielten »sozialen Rolle« kann der Gewitzigte freilich sie auch verbergen.) DAHRENDORF meint zwar, die positiven Sanktionen vermöchten »schwerlich den Druck zu erklären«, dem der Mensch als Träger sozialer Rollen »in jedem Moment seiner Existenz« sich ausgesetzt findet[97]. Man sollte aber denken, daß in einer Konkurrenzgesellschaft, in der das Prestige gilt, auch Beförderungen, Auszeichnungen, Gehaltserhöhungen und öffentliche Belobigungen (Orden) die wirksamsten Mittel sind, die Leute bei der Stange zu halten, wirksamere jedenfalls als die Androhung von Strafen und Nachteilen. Diese sind – gerade auch für den, der sich bloß »nicht erwischen lassen« möchte – nur der jeweils kaum einkalkulierte Unfall des sozialen (oder versteckt asozialen) Verhaltens.

Wir finden Bestätigung durch ein pädagogisches Experiment: »Sechs Monate lang wurde in einer Klasse bei sonst normalem Unterricht ausschließlich Bestätigung und Anerkennung erteilt, Ergebnis: stetiger Anstieg der Leistungen. In einer zweiten (parallelen) Klasse wurde nur getadelt, Ergebnis: nach zwei Monaten steiler Anstieg der Leistungen, nach vier Monaten Stillstand, nach sechs Monaten leichtes Absinken. In einer dritten Klasse gab es weder Lob noch Tadel, die Schüler wurden im unklaren gelassen, Ergebnis: zuerst pendelnde Leistungen, dann ständige Verschlechterung. In einer vierten Klasse wurde ›demokratische Freiheit‹ gewährt, jede Kontrolle unterblieb, Ergebnis: rapider Abstieg.«[98]

Das Ergebnis darf nicht kurzschlüssig anthropologisch gedeutet werden. Der pädagogische Versuch selber schon hat seinen Stellenwert in dem Konkurrenzsystem, das unser aller Denken umfängt. Das Resultat besagt darum nichts über die ganz andere, »fünfte« Möglichkeit, beim Schüler primär das Interesse, die Liebe zur Sache zu wecken und dann erst Leistungen von ihm zu erwarten, die freilich auf ihre Richtigkeit hin überprüft sein wollen. Wenn der Lehrer dabei Freude oder Enttäuschung nicht verbürge, so wäre das immer noch etwas anderes als »pädagogisch« zielstrebiges Loben und Tadeln, das auf »Leistung« drängt. In den vier Schulklassen ging es, genau besehen, viermal nur um die Leistung, die unmittelbar ein Wille zur Leistung bewirkt. Der Versuch war deutlich bestimmt von der Absicht, diejenige Form der *Sanktion* zu ermitteln, die den Leistungswillen am besten provoziert. Und das ist eben nicht die Strafe, sondern die Belobigung.

Häufiges Lob anstelle von Tadel ist aber noch gar kein Kriterium einer nicht-repressiven Erziehung. Nach einer Untersuchung von Lippitt und White in amerikanischen Jugendklubs ist es gerade der autoritäre Führer, der – im Unterschied zum »demokratischen« und zum »laissez faire«-Führer – mit Lob und Anerkennung am allerwenigsten geizt[99]. Zugleich aber ließ sich feststellen, daß auf den mehr inaktiven Laissez-faire-Chef die jeweils gleiche Gruppe junger Leute am stärksten mit Fragen um Belehrung reagierte. Also: Das Sachinteresse war besonders ausgeprägt bei geringstem persönlichem Druck, bei wenig »Kommando« und einem Minimum an positiver und negativer Sanktion. (Dabei wäre sogar noch einschränkend zu betonen, daß natürlich auch bei dieser Untersuchung nur »Kinder« unserer repressiven Kultur zur Verfügung standen.)

Eine Soziologie, die vorweg die negativen Sanktionen analysiert, diese viel leichter auch den sozialen Rollen zuzuordnen versteht[100], ist selber ganz im Banne des repressiven Geistes jener Gesellschaft, zu der Abstand zu gewinnen ihr Beruf wäre. Dies, daß die »Rolle«, im

Doppelsinn von Schauspielerei und Prestige ursprünglich eine feudalistische Kategorie, durch Begriffe der Untertanenmoral erklärt wird: eben durch Zwang, Verbot, Sanktion, charakterisiert noch den bürgerlichen Geist, der alle sozialen Schichten moralistisch zu überformen trachtet*. Die Soziologie, die so negativ – nach spezifischen Zwängen und Strafen – die sozialen Rollen gegeneinander abhebt, ist, ihren besseren Absichten zum Trotz, selber noch ein *Phänomen* der repressiven Gesellschaft; das heißt: sie reflektiert keine andere als diese. Nun wäre ihr das noch nicht anzukreiden, soweit sie nur selber es wüßte: wenn sie nicht ihre quasi »wertfreien« Kategorien aus dem Ethos eben jener Gesellschaft bezöge, für die sie dann – o Wunder – auch passen. Sie passen so haargenau, als sei mit ihnen das Wesen von Gesellschaft überhaupt schon getroffen, als könnten nicht andernorts: in zeitlich und räumlich fernen Kulturen, ganz andere soziologische Begriffe ähnlich kulturbedingt sich entwickeln lassen. In der Reflexion des Faktischen ist, dessenungeachtet, so unreflektierte Soziologie der Gesellschaftskritik verwandt; verwandt und entgegengesetzt, sofern diese nach vorn weist: weil alle Kritik der bestehenden Ordnung insofern (auch mit diesem Buch) immer schon zu spät kommt, als ihre Reflexionen einem bereits begonnenen sozialen Wandel sich anhängen. Kulturkritik, die verändern will, ist immer schon eines mit einer faktischen Bewegungslinie der Kultur: Wir ahnen, daß morgen viele so leben werden, wie wir heute denken, wenn auch heute noch die Gesellschaft einen jeden verpönt, der im Leben oder im Denken über die Stränge schlägt.

---

* Wir sprachen davon schon im I. Teil, Kapitel D, Abschnitt a: »Die objektive Heuchelei«.

III. TEIL

DIE VERKÜMMERUNG DER SPONTANEITÄT

A.

DIE SPONTANEN SEXUALIMPULSE

a) Welche Eheform ist natürlich?

aa) Der ethnologische Aspekt

Von Wohlangepaßten befragt, worin die Unterdrückung der Sexualität denn hier und heute bestehe, ist zu erwidern: erstens in der Verpönung und Unterdrückung jeder anderen als der rein genitalen, also auf Fortpflanzung gerichteten Sexualbetätigung, zum anderen in der Festlegung des Individuums auf einen einzigen Sexualpartner, eben den angetrauten Gatten. Beides bedeutet eine Hemmung spontaner sexueller Impulse, sowie diese »ungeregelt« sich melden: etwa als frühkindlicher sexueller Spieltrieb, als präkoitales Spiel oder im Begehren eines anderen als des Gatten. Beides aber, die Einschränkung auf die Genitalität wie die auf die Ehe, bedeutet zugleich auch eine *Entsexualisierung der Sexualität*[1]. Der Geschlechtstrieb wird allmählich überhaupt sich zurücknehmen, wenn er fortwährend verprellt wird in Situationen, in denen er spürt: Er soll nicht sein. Er kann dann aber nicht wieder mit einem Male sich regen, wenn er sozial erwünscht ist. Wohl ist es möglich, daß der Trieb auf einen einzigen Partner sich festlegt – wenn das der erste und einzige Partner bleibt und der diese Zu-neigung auch erwidert. Diese Vorbedingung strenger ehelicher Treue hat KIERKEGAARD gesehen: Die eheliche Liebe könne die einzige sein, wenn es die erste Liebe sei[2]. Doch psychologisch völlig ernst genommen, würde das bedeuten, daß einer seine eigene Mutter heiratet. Aber gerade der, der diese erste »Liebesbeziehung«, die Beziehung zur Mutter, nicht in ihrer ursprünglichen Ausschließlichkeit aufzugeben vermag, ist später der Kontaktunfähige: der Mann oder die Frau, die eine wirkliche Bindung zu einem Partner des andern Geschlechts nicht herstellen können und eben darum womöglich promiskuitiv werden: treulos aus übergroßer Treue (zur Mutter).

Ist so die Idee einer absoluten Treue tiefenpsychologisch ad absurdum geführt, so braucht das eine soziologische Rechtfertigung der monogamen Ehe nicht zu berühren. Man könnte, wie das P. WILHELM SCHMIDT auch getan hat[3], darauf hinweisen, daß ja allüberall ungefähr gleich viele Buben und Mädchen geboren werden, und folgern, daß darum schon von Natur aus die Einehe die »vernünftigste« Form der Ehe sein müsse. Dabei ist nur übersehen, daß die Natur selber auch es so eingerichtet hat, daß die Mädchen viel eher geschlechtsreif werden, so daß »auf n heiratsfähige Männer n + x heiratsfähige Mädchen kommen, noch ganz abgesehen von der ebenso natürlichen Sterblichkeit der Männer unter riskanten Lebensbedingungen«[4]. Diese beiden Argumente, die ARNOLD GEHLEN Schmidt entgegenhält, sind zu ergänzen durch ein drittes und viertes, die wir ALBERT SCHWEITZER verdanken[5]: zuerst durch die Erkenntnis, daß überall dort, wo es keine Milchkühe gibt und auch keine Ziegen, die Polygamie sich bewährt. Da dort viel länger gestillt werden muß, da zu geringe Muttermilch auch nicht durch eine andere Milch ergänzt werden kann, ist es unumgänglich, daß die Mutter nach der Geburt des Kindes sich ihm ausschließlich widmet. In Äquatorialafrika zum Beispiel tut sie das volle drei Jahre lang; während dieser Zeit ist die Frau nur noch Mutter und nicht mehr Gattin oder Mitarbeiterin des Mannes. In diesen Eigenschaften kann eine Nebenfrau sie vertreten. Dies und der Umstand, daß in der perfekten polygamen Ordnung es »keine unversorgten Witwen und keine verlassenen Waisen« gibt (denn »der nächste Verwandte erbt die Frau des Verstorbenen und muß sie und ihre Kinder erhalten«)[5a], sind wohl die entscheidenden Gründe, aus denen das Christentum in Afrika längst nicht im selben Maße vordringt wie der Islam[6]. Es sind die Gründe, die Männer und Frauen gleichermaßen bestimmen, an der Polygamie festzuhalten. Die leicht auszudenkende Sorge der Männer, wo sie im anderen Falle mit ihrem Bedürfnis nach Abwechslung blieben, kann noch kein entscheidendes Motiv sein. Denn das setzte bei jenen Völkern die Erfahrung der Monogamie voraus, und zwar die Erfahrung einer Monogamie, die mehr ist als bloße Familienstruktur. Man darf aber nicht übersehen, daß die Ehe bei den sogenannten Primitiven nicht in erster Linie der Einschränkung der geschlechtlichen Betätigung dient. »Die archaische Ehe räumt zwar ein sexuelles Privileg der Partner ein, aber sie ordnet keineswegs den Gesamtbereich der Geschlechtsbeziehungen, die allerdings auch nicht formlos gelassen werden, deren Regulierung aber nicht allein von der Ehe aus erfolgt, sondern von *anderen* Sozialtatsachen her, von denen die wichtigsten die jeweils gültigen Stammes- und Verwandtschaftsstrukturen sind.« (GEHLEN[7]) Erst wo die Ehe, zumal die monogame Ehe, zum Instrument wird, die Sexualität überhaupt einzudämmen, da wird die Ehe zum Problem in einer Weise, daß dabei die Frage anklingen kann, in welcher Form der Ehe die spontanen sexuellen Impulse am wenigsten verkümmern. Einer solchen Fragegesinnung bietet die Polygamie immer noch als die »vernünftigste« und zweifellos auch als die natürlichste Form der Ehe sich an, wobei als unterstützendes Argument wirken darf, daß weitaus die meisten primitiven Gesellschaften auf der polygamen Ehe beruhen[8]. Wer umgekehrt – im Einklang mit der nun herrschenden Moral – darauf ausgeht zu fragen, wie die Sexualität am wirksamsten zu beschränken sei, der muß die streng durchgeführte Monogamie nicht nur bejahen aus dem Grund, weil die eifersüchtig sich überwachenden Gatten einander selbst kräftig beschränken, sondern auch, weil das sexuelle Monopol der Ehe den Unverheirateten (zumal den »überzähligen« Mädchen und den Kriegerwitwen) jedes Recht auf Sexualbetätigung verwehrt. Es ist ein Triumph der Gegner der »fleischlichen Lust«, wenn ganze Bevölkerungskreise »moralisch« von ihr ausgeschlossen werden. (Dazu muß angemerkt werden, daß die Keuschheitsforderung der katholischen Kirche darüber noch hinausgeht und auch in die Ehe eingreift. So sagt – unter Berufung auf das Konzil von Trient – Papst Pius XII.: »Gott verpflichtet die Ehegatten zur Enthaltung, wenn ihre Verbindung nach den Regeln der Natur nicht vollzogen werden kann.«[9] Dabei bedeutet »Natur« nicht die Ursprünglichkeit des Triebes, sondern den aus ihm herausgelesenen »Zweck«.)

bb) Aufschluß durch die Abstammungslehre?

Nun bleibt den Feinden der Sexualität das bestechende Verfahren, Sexualverdrängung und kulturellen Fortschritt einander zuzuordnen. Aber das stimmt, wie schon ausgeführt*, nur für unsere abendländische Kultur, und auch für diese nur in historischer Sicht. Unsere gesamte bisherige Kulturentwicklung war ja eine Kulturentwicklung im Wildwuchs, eine Kulturgeschichte, der gegenüber der Mensch immer noch ausgeliefert war wie einem Schicksal, wie einer Macht, von der er im Grunde nichts weiß. Aber er wußte nur zu wenig Bescheid über sich selbst. Der Mensch, der sich über sich selber aufklärt und deshalb auch eine tiefere Einsicht gewinnt ins Wesen der Kultur, wird erkennen, daß

* in der Einleitung. (Siehe Seite 19!)

die Entwicklung zu einem höheren Kulturniveau nicht notwendig eines ist mit Entsexualisierung. Soweit kultureller Fortschritt gleichbedeutend ist mit einer Selbstdomestikation des Menschen, gleichbedeutend schon damit, daß er seßhaft wird und häuslich, geht diese Entwicklung mit seiner Sexualisierung Hand in Hand: Die sexuelle Ansprechbarkeit steigt, der Eros wird zum letzten Abenteuer in einer scheinbar gefahrlosen Welt. Des weiteren vermehren sich die Jahre, in denen das Individuum fortpflanzungsfähig ist. Offenbar durch die fortschreitende Verbesserung von Ernährung und Hygiene wird nicht nur das Pubertätsalter herabgesetzt, bei den Frauen immerhin tritt heute auch die Menopause um rund vier Jahre später ein als noch vor hundert Jahren[10].

Über die sexualisierende Wirkung der Domestikation belehrt uns die Verhaltensforschung: Eingefangene Wildtiere werden »sexueller« in dem doppelten Sinne, daß einmal ihre Fruchtbarkeit steigt (wofür Veränderungen in den Hoden, Ovarien und Uteri maßgebend sind), daß zum andern aber auch ihre Brunftzeiten sich auflösen und zu einer Dauerbrunft sich runden[11]. Dies, die Chronifizierung der sexuellen »Ansprechbarkeit« (Appetenz), ist nur die augenfälligste Übereinstimmung im Sexualverhalten von Mensch und Haustier. Es wäre darum voreilig, den Menschen als das von Natur aus brunftlose Tier zu bezeichnen; er ist ein »domestiziertes Wesen« (Herre). Allerdings fehlt eine Brunft auch bei den übrigen höheren Primaten, schon dann, wenn sie in Freiheit leben. Also: Unter diesem Aspekt seiner Sexualisierung kommt der Mensch mit den *noch nicht domestizierten* Menschenaffen überein[12]. Oder sollte es bei diesen Ansätze zu einer Selbstdomestikation geben? Gleichviel, jene Übereinstimmung schon könnte uns darauf bringen, die Frage nach der natürlichen Eheform des Menschen durch ein Studium der höheren Primaten zu klären.

Das Problem wäre rasch gelöst, hielten wir einzig uns an die Anthropoiden, jene Affen also, die schon ihrer Intelligenz nach uns am nächsten stehen: Schimpansen, Gorillas und Orang-Utans leben in polygamen Familien, die jeweils von einem Mann geführt werden[13]. Hätte der Mensch in den Menschenaffen unmittelbar seine Ahnen, so fände er bei ihnen auch schon die Form der Familie, die für ihn selber die ursprüngliche ist. Wenn wir aber bedenken, »daß die Trennung der Menschenaffen und der ältesten Hominiden sehr früh, bereits im Tertiär, erfolgt sein muß, daß also die menschliche Sonderevolution sehr weit zurückreicht«, dann werden wir – mit Portmann – »die Möglichkeit in Betracht ziehen, daß auch die Gruppen der niederen

Affen vielleicht bedeutsame Züge der ursprünglichen Prähominiden zeigen könnten, während Gorilla, Orang und Schimpanse möglicherweise auch in ihrer Sozialform Sonderentwicklungen darstellen.«[14] Die niederen Affen jedoch haben ganz verschiedene Familienformen: Die Gibbons leben monogam, Meerkatzen und Paviane in »größeren Verbänden, in denen sich mehrere Harems zusammenfinden«, die südamerikanischen Spinnenaffen leben in polygamen Großfamilien, die im allgemeinen »aus zwei erwachsenen Männchen, vier reifen Weibchen und bis zu sechs Kindern« bestehen. Daneben gibt es bei ihnen – wie auch bei den Spinnenaffen – Männerhorden, die aus älteren Männern und noch nicht vollreifen Männern bestehen[14]. Alles in allem keine Bilanz für die Monogamie. Die darwinistischen Eideshelfer der Monogamie müßten beweisen, daß im Gibbon und nur in ihm ein Ansatz zum Menschen sich findet. Eine These freilich, die angesichts der Vielzahl von Eheformen beim Menschen selber wenig sinnvoll erschiene.

Nun ist aber unsere Fragestellung verbogen, wenn wir so tun, als sei die Frage »Welche Eheform ist dem Menschen natürlich?« gleichbedeutend der anderen: »Welche Eheform hatten die Prähominiden?« Was bei den Vorläufern des heutigen Menschen natürlich und angemessen war, braucht es für diesen nicht mehr zu sein. Stammesgeschichte und Verhaltensforschung können uns über den Menschen belehren nur insoweit, als zwischen ihm und anderen Lebewesen in jeweils derselben Hinsicht Übereinstimmung besteht. Von der Stammesgeschichte vollends Aufschluß über die Natur des Menschen zu erwarten, das bedarf des romantischen Vorurteils, nach dem allemal das Uranfängliche das Wahre und Natürliche ist – und nicht nur zu seiner Zeit.

Man braucht, um diesen Irrtum zu vermeiden, nicht in den entgegengesetzten zu verfallen und meinen, beim Menschen gebe es so etwas wie »natürliche Lebensformen« überhaupt nicht oder vielmehr: eine jede bei Menschen gefundene Ordnung sei »natürlich«, weil der Mensch eben von Natur ein Kulturwesen sei*. In diesem Sinne nennt Adolf Portmann jede soziale Gestaltung beim Menschen »natürlich«, mit der fast tautologischen Einschränkung, daß »sie eine Gesellschaft zu formen vermag«[14]. Doch immerhin gesetzt, es gibt beim Menschen eine *Schwankungsbreite des Natürlichen*, einen Spielraum »normaler« Sozialstrukturen, dann ist dieser doch wohl nicht ganz so

---

* Mit dieser besonders von Arnold Gehlen vertretenen These setzen wir uns später – gegen Ende des IV. Teils – noch einmal auseinander.

breit wie alles Faktische überhaupt. Es ist eine Grenze des Natürlichen zu sehen, die alles ausklammert, was in irgendeiner Weise gegen das Leben geht und wider die Gesundheit. Eine moralische Ordnung, die einen Großteil der von ihr Umschlossenen süchtig, krank oder aggressiv reizbar macht, fällt dann eben außerhalb des Rahmens ursprünglicher Natürlichkeit. Die PORTMANNsche Bestimmung der Natürlichkeit einer Lebensform (»natürlich« sei, was »eine Gesellschaft zu formen vermag«) ist zu ergänzen: Natürlich ist eine Form des Zusammenlebens nicht schon, wenn sie gemeinschaftsbildend ist, sondern erst dann, wenn die in ihrem Geiste gebildete Gemeinschaft nicht bereits von Anfang an den Keim der Selbstauflösung in sich trägt. Ein Ethos, das sich selber nur durchsetzt um den Preis pathologischer und aggressiver, kurzum: lebensbedrohender Tendenzen, kann auch im Ganzen der Gesellschaft, für die es gilt, nicht von Bestand sein: Es treibt auf die Katastrophen zu, die der begrenzten und individuellen Destruktion ein dramatisches Ende setzen, weil sie den privaten Haß in sich einschmelzen. Auch wo die geltende Ordnung aus jeder ihrer Katastrophen scheinbar wiederersteht wie der Phönix aus der Asche, da ist sie in Wahrheit doch durch das Geschehene widerlegt. Sind die Kriege das Pendant unserer sittlichen Ordnung, dann ist diese in dem Geist, in dem sie sich entwirft, gar nicht vorhanden, sondern nur in der Form einer Ideologie: in der Form der Lüge von der Natürlichkeit und Realisierbarkeit der *geforderten* Moral. Tatsächlich aber gelingt es nur einem verschwindenden Prozentsatz der Bevölkerung, im Einklang mit der offiziell proklamierten Sitte zu leben. Die vom Kinsey-Team befragten zwölftausend Männer haben faktisch sogar zu 95 Prozent entsprechende Strafgesetze verletzt, die – in den USA – vorehelichen Verkehr, Ehebruch, Homosexualität, Verkehr mit Prostituierten und Sodomie verbieten[15]. Dabei fehlt noch eine Zahl, die angäbe, wie viele von den 5 Prozent Gesetzestreuen ihr Wohlverhalten durch Onanie balancieren. Wir werden einige der »Ausnahmen« und »Lücken« im monogamen Ethos später – im IV. Teil – noch näher untersuchen.

cc) Sehnsüchte über das Gewohnte hinaus

Soviel einstweilen ist schon gewiß: Die strenge Monogamie, die nur den Verkehr mit dem einen Gatten erlaubt, kann nicht die natürliche Lebensform der Menschen sein. Praktisch ist die monogame Moral in unserer Gesellschaft so durchlöchert, daß eher ihre strikte Einhaltung als die Ausnahme zu bezeichnen ist. Das Argument, die biologisch widersinnigen Normen seien notwendig, »um die Sitten und Gewohnheiten zu stützen«[16], schwebt da ganz im luftleeren Raum. SCHELSKY, der es verwendet, räumt selber ein, daß eine Sitte nur dann »vollwirksam« ist, das heißt disziplinierend und regulierend für das Leben des Einzelnen, wenn mindestens 75 Prozent der Betroffenen sich danach richten[17]. Doch selbst gesetzt, ein jeder respektierte die sexuellen Tabus, aber der eine oder andere wünschte insgeheim sie zum Teufel, so rechtfertigte das auch Zweifel am Sinn dieser Verbote. Schon dies, daß innerhalb einer ostentativ monogamen Kultur Männer und Frauen auftreten (z. B. Campanella, Morgan, Bachofen, Engels, Ellen Key), die andere Eheformen *erdenken* oder für natürlicher halten als eben die eine, die hier als »natürlich« gilt, schon dies spricht gegen deren Natürlichkeit. Es spricht zumindest dagegen, daß die monogame Ehe auch für diejenigen Menschen, die abweichende Wünsche haben, das Naturgemäße ist. (Unter diesem Gesichtspunkt allein wäre aber für fast drei Viertel aller amerikanischen Ehemänner die monogame Ehe eine Institution, die ihnen im Grunde gar nicht entspricht; denn nach dem Terman-Report [1938] hatten »72 Prozent der verheirateten männlichen Untersuchungspersonen angegeben, sich eine Gelegenheit zu außerehelichem Verkehr zu wünschen.«[18])

Was mir natürlich ist und gemäß, auch noch: was mit meiner Natur sich verträgt, über das denke ich nicht sehnsüchtig mich hinaus (auch nicht in der Form einer urgeschichtlichen These). Das ist eine tiefenpsychologische Einsicht. Tiefenpsychologischem Verständnis ist ja kein noch so »spaßhafter Gedanke«, kein Traum, kein Wachtraum oder Wunsch und auch keine Halluzination (im Rausch etwa) ohne tieferen Sinn. Zwar drückt in solchen Dingen, die handfeste Naivität als »dummes Zeug« von sich abtut, nicht unmittelbar die Wahrheit über die Natur des Menschen sich aus. Sondern: was hierin sich äußert, hält zusammen mit einer die menschliche Natur verleugnenden Ordnung die *Balance der Wahrheit.* Die erotischen Omnipotenzphantasien des Gehemmten, der in Wachträumen als Don Juan sich erscheint, sind nicht schon die wahre Natur des Menschen, sondern nur das verlängerte Drehmoment der Gehirnsinnlichkeit, hinter dem ein »moralisch« zusammengestauchter Körper zu kurz kommt. Noch der gelebte Don-Juanismus ist nicht die wahre Natur eines Menschen, sofern »orgastische Impotenz« (W. REICH) sie ermöglicht. Der scheinbar gewissenlos die Partner wechselnde Herzensbrecher ist dann selber noch ein Opfer der sexualfeindlichen Moral: sein in der Entwicklung zu spät emanzipiertes

Gewissen ist nicht zu einer vollen Bejahung der Lust mehr gereift. Eben darum, weil er nie bei einem Partner gänzlich sich »löst«, gelten alle möglichen Partner ihm gleichviel – oder gleich wenig. Er ist promiskuitiv aus Gleichgültigkeit – gegenüber dem Sexus. Was ihm Befriedigung verschafft, ist primär die unsinnliche Freude am Erobern: ein Gefühl der Macht.

Promiskuität, sexuelle Bindungslosigkeit ist sowenig die wahre Natur des Menschen, wie bestimmte Perversionen es sind. Hier gilt wiederum Analoges vom Wunsch und »Gedanken« wie von dessen Erfüllung. Die »Wahrheit« perverser Gedanken ist keine andere als die der praktizierten Perversion selber: diese ist Reaktion, Gegen-Halt gegen eine aus dem Naturganzen gelöste, im ursprünglichen Sinne halt-los gewordene menschliche »Natur«. (Nur liegt die »Haltlosigkeit« hier im Ursprung woanders als da, wo die Moralisten sie hinsehen wollen.)

b) Sexuelle Freiheit und eheliche Bindung

Nun reden wir dauernd von zagen Wünschen und forcierten Aktionen, die einander entsprechen, so als gebe es nicht auch verbotene sexuelle Wünsche, die viel zielstrebiger und darum ungebrochen hervorkommen und sich auch realisieren, und das nicht nur bei Männern[19]. Selbst Frauen können »in Faschingslaune« recht erstaunliche Wünsche äußern, erstaunlich im Verhältnis zu dem, was sie sonst immer »bejahen«. Doch solche »Faschingslaunen«, die mit dem Argument der »Stimmung« sich schützen, sind in ihrer Wahllosigkeit nur ein Pendant zur strengen monogamen Ordnung, die jede »unerlaubte« Regung niederzukämpfen verlangt. Wer das ganze Jahr über so manches spontane Begehren in sich zu verstauen hat, aber noch unbekümmert genug auf den Fasching sich freut, der »nimmt« sich da womöglich, wen er gar nicht begehrt. Und ist so noch einmal der Geprellte.

Sexuelle Wahllosigkeit, »moralisch« unerlaubte Wünsche, dito Perversionen, Zoten, wilde sexuelle Träume[20] – dies alles sind Äußerungen einer demontierten, dauernd zielgehemmten Sexualität: versprengte Reste eines Triebes, der in die ihm angebotene Form sich nicht fügt. Die tagsüber verdrängten sexuellen Wünsche steigen auf im Traum oder, noch tiefer verdrängt, in einem quasi unbestimmten Unmut gegenüber dem Menschen, der den Druck der Gesellschaft auf die eigene Spontaneität verkörpert. Die Ehegatten, die – bei bewußter Bejahung der

Monogamie – sich ineinander verhassen, ohne selber recht zu wissen wieso, leben faktisch die Widerlegung des von ihnen hochgehaltenen Ideals. Die Gründe, deretwegen sie sich streiten, figurieren die Triebspannung, unter der ein jeder von ihnen leidet. Das Unterbewußtsein arrangiert Kräche, die auf einen Bruch zutreiben, der das Gewissen immunisiert gegen den Vorwurf, nicht treu sein zu können. Mit dem Gatten überworfen oder gar von ihm geschieden, empfindet der überzeugt Monogame die Abwechslung, zu der es ihn drängt, schon nicht mehr als die »Untreue«, die er sonst – und gerade bei anderen – darin erblickt. Er verliert lieber den Partner als sein Ideal der Partnerschaft.

Oft genug vertreten gerade promiskuitiv Lebende mit besonderem Nachdruck das hohe Ideal der ehelichen Liebe und Treue. Umgekehrt werden Ehemänner, die ihren Frauen herzlich anhangen, nicht selten zu leidenschaftlichen Fürsprechern einer sexuellen Freiheit, die sie meist nur vom Hörensagen her kennen. So bringt gar mancher die doppelte Sehnsucht nach Freiheit und Bindung in sich selber zum Ausgleich: sei es, daß er nur lebt, was er verabscheut, sei es, daß er in um so radikalerer Weise fordert, was auch nur halbwegs zu leben ihm mißlingt. Leben und Denken, Moral und Wirklichkeit ergänzen dann jedesmal sich zu einer – brüchigen – Einheit: zu dem, was der Mensch seiner natürlichen Bestimmung nach sowohl leben wie denken müßte.

Die reale Dialektik von Freiheit und Bindung wird von den Ideologen der repressiven Ordnung nur immer von der einen Seite genommen: Wahre Freiheit, so heißt es, sei nur möglich in entschiedener Bindung[21]. Das ist nun gerade so richtig, wie es zugleich falsch ist. Es ist auch eine verlässige Bindung nur möglich, wo die Freiheit des Einzelnen, einschließlich seiner erotischen Freiheit, von niemandem beschränkt wird. Bindungslosigkeit hat verschiedene Gesichter: die offene Weigerung, sich zu binden, ist eines; das Pochen auf absolute Bindung ein anderes. Man wird, im Grunde bindungslos, ahnen, daß eine jede Bindung sich aushöhlt, wenn man als eine absolut verlässige, als eine ausschließliche sie fordert. Man fordert ja Ausschließlichkeit, weil die strikte Abwehr anderer Kontakte aus einer Bindung nicht notwendig sich ergibt. Wäre es so, man brauchte die erotische Freiheit zumindest demjenigen nicht zu verpönen, der dem Gatten zutiefst sich verbunden weiß. Mit dem Verlust dieser Freiheit aber verliert sich die Freiheit, einem Partner überhaupt sich zu geben. Wer häufig an sich halten muß, wo es ihn drängt, aus sich herauszugehen, nimmt die Gewohnheit an, sich in sich selber zu verkapseln. Wer auf Treue pocht, zerstört so beim Anderen schon die Wurzel der Treue. Das heißt, er zerstört die Freiheit zu einer Bindung, die über andre Begegnungen hinweg sich *durchhält*[22] und als verlässig erweist. Die beschnittene Spontaneität rächt sich an ihrem Zensor, indem sie auch von ihm sich zurücknimmt. Das Resultat ist – günstigstenfalls – Langeweile, Öde im wechselseitigen Umgang: anstelle gelebter Treue das Ethos des Aufeinanderhockens.

c) Strenge und gelockerte Monogamie

Das Problem der spontanen sexuellen Regungen hat MARGARET MEAD klar umrissen. Sie bemerkt: »Das Bedürfnis nach kulturellen Formen, in denen spontane Sexualimpulse zufriedenstellend ausgedrückt werden können, dient als Prüfstein für jede menschliche Gesellschaft.«[23] Sie vermutet, daß darum »die Männer so oft als das fortschreitende Element in der menschlichen Gesellschaft angesehen« werden. Wenn wir dieser bloßen Vermutung mit einer Erklärung beispringen, dann wäre zu sagen, daß eben der Mann nach dem Willen der herrschenden Moral seine Libido ganz und ausschließlich auf einen einzigen Menschen zu »richten« hat, während für die Frau, sofern sie nur Mutter ist, eine solche Beschränkung nicht besteht*. Hinzu kommt nun freilich in unserer Kultur auch die immer noch nicht überwundene wirtschaftliche Abhängigkeit der Frau vom Mann, die die Frau viel strenger darauf sehen läßt, daß nur im Rahmen der Ehe Sexuelles sich abspielt. In der Papua-Kultur liegt umgekehrt das wirtschaftliche Interesse auf seiten des Mannes, da dort nur die Frauen arbeiten und somit über die elementaren Grundlagen menschlicher Existenz verfügen. Aber hier wie dort ist es, grob gesprochen, nicht gelungen, die sexuellen Bedürfnisse und das Bedürfnis nach Nahrung zusammen mit dem Wunsch nach sozialer Anerkennung bei beiden Geschlechtern miteinander in Einklang zu bringen. Die Sexualfrage offenbar haben die Papua gelöst. Die unverheirateten Männer »dürfen mit beinahe allen unverheirateten Mädchen im Dorf verkehren und auch mit einigen verheirateten Frauen, wie mit der Ehefrau des älteren Bruders, aber ihr größtes Problem ist: ›Wer sorgt für mein Essen?‹«[24]

Man wird verallgemeinernd sagen dürfen: Wo die Nahrungsfrage, das Problem der sozialen Sicherheit überhaupt, und das Sexualproblem nicht gleichermaßen gelöst sind, wird es notwendig Spannungen geben zwischen den Geschlechtern, Spannungen, die, aufsummiert zum Kul-

* Wir kommen darauf noch ausführlicher zu sprechen.

turganzen, die Moral selber in Bewegung halten. »Die Ehetragödie des Einzelnen ist der Schauplatz, auf dem das Kollektiv das Problem des mann-weiblichen Beziehungswandels zum Austrag bringt, eines Problems, das kollektiv bedeutsam und wirkend ist auch jenseits der Ehekonflikte des Einzelnen.« (ERICH NEUMANN[25]) *Das Problem »Ehe« ist in vieler Hinsicht das Kernproblem der Gesellschaft.*

In einer Gesellschaft, die, unglücklich genug, die soziale Sicherheit der Frau vom sexuellen Bedürfnis des Mannes abhängig macht, wird es weder an Frauen fehlen, die betont ehrbar darauf ausgehen, ihren Charme sich ausmünzen zu lassen, noch an Männern, die eine möglichst attraktive Gattin sich einkaufen wollen. Die Berechnenden beiderlei Geschlechts sind hier im Recht: angepaßt an die Ordnung, in der alles seinen Preis hat. Anders jene, die Lust suchen jenseits von gesellschaftlicher und finanzieller Verpflichtung. Die Verachtung aller rechtschaffen Lustlosen ist ihnen gewiß. Der moralische Vorwurf, den sie noch von manchen Psychoanalytikern hören, lautet: »sexuelle Zuchtlosigkeit und Unzucht«[26]. Die Blindheit für den repressiven Sinn strenger »Zucht« ermöglicht ein solches Verdikt – noch bei denen, die sich selber zur Aufklärung rechnen, weil sie Psychologie treiben. (Als ob die psychoanalytische Technik nicht ebensoleicht in den Dienst der Repression träte.) Man ist aufgeklärt genug, nicht gegen die Sexualität zu sein, aber man beklagt im Einzelfalle »Verwahrlosungserscheinungen«, »Verantwortungslosigkeit«, »Bindungslosigkeit« und »Enthemmung«[27] wie nur je ein Moralist – ohne zu sehen, daß die triebunterdrückende Moral nur jeden auf eine andere Weise lädiert. Die Streiter gegen »verantwortungslose Sexualität« haben wohl nichts gegen die Sinnlichkeit, aber sie gesellen sich unbewußt dem Moralisten, der sie durch Konflikte zu dämpfen sucht und damit dem, was er für einen »Verfall der Sitten« ansieht, entgegenwirkt.

Wohin aber geht der Wandel unserer sexuellen Sitten, oder wohin hätte er klüglich zu gehen? Geht er dahin, daß in einer einzigen Promiskuität am Ende aller familiärer Zusammenhalt zum Schaden der Kinder sich auflöst und Staat und Gesellschaft zerfallen? Aus tiefenpsychologischen Erwägungen dürfen wir optimistischer sein als jene, die in jeder »Lockerung der Sitten« schon die Kultur selber bedroht sehen, uneingedenk der Tatsache, daß es auch eine *Kultur des Geschlechtlichen* gibt, die nur mit einer Kultur *gegen* das Geschlechtliche sich nicht recht verträgt. Die Vorstellung, daß jenseits von Sexualverdrängung das nackte Chaos lauert[28], verdankt sich selber der Qual der

Verdrängung. Sie verdankt, als Schreckensbild aufgerichtet, sich dem frustrierten Bedürfnis, vergleichbar den Fleisch- und Kuchengebirgen, die der Hungernde phantasierend sich ausmalt. Sollte es daher je zu allgemeinen Exzessen im Geschlechtlichen kommen, so könnte es sich dabei nur um eine Übergangsphase handeln, die einem gesunden Verhältnis zur eigenen Körperlichkeit endlich Platz machte. Schließlich, wer hat je davon gehört, daß bei den schon als »unsittlich« verschrieenen zeitgenössischen Schweden derartige Sittenskandale sich aufschwemmten, wie sie bei uns zulande oder in Italien, in England oder selbst in Frankreich immer wieder den Zeitungsleser erregen? Wobei freilich – mit Karl Kraus – zu berücksichtigen ist, daß der Skandal immer erst anfängt, wenn die Polizei ihm ein Ende macht[29].

Unsere kulturmorphologische Betrachtungsweise muß uns davon abhalten, auf Schweden als auf ein Vorbild zu deuten. Der auch dort noch nicht verschwundene Alkoholismus der Männer[30] zeigt an, daß das Verhältnis zur Vitalität dort doch nicht ganz ungebrochen ist[31]. Auch trifft zum Teil offenbar noch etwas anderes auf die schwedischen Verhältnisse zu, etwas, was wir ebensogut als »amerikanisch« bezeichnen: daß zwar ein Partnerwechsel, auch ein Wechsel des Ehepartners, ziemlich leicht gemacht ist[32]; dafür aber fällt, dem je gegenwärtigen Partner zuliebe, jede gewesene Beziehung rigoros der Verdrängung anheim. Dem entspricht in den USA bereits ein neues sittliches Bewußtsein: »So finden es die Amerikaner nicht anstößig, in einem Jahr zu drei verschiedenen Mädchen zu sagen: ›Du bist die einzige, die ich je geliebt habe.‹ Das Mädchen, das voranging, wird allein durch die Tatsache, daß man nun eine andere liebt, zu einem ungeliebten ...«[33] In einer Kultur, in der »Liebe« immer sowohl ausschließlichen Besitz des Anderen wie ausschließliche Hingabe an ihn bedeutet, da kann das auch gar nicht anders sein; da leistet gerade die so »vollkommene Liebe« die Verdrängung des jeweils Gewesenen: Im Mitvollzug der Eifersucht des neuen Partners begeht der völlig Hingegebene Verrat an allem, »was vorher war«[34]. Denn die Eifersucht zielt ja, radikal genug, auch auf die »vergangenen Lieben«. Sie verlangt zumindest ihre Entwertung. In der Entwertung alles Früheren restauriert noch der Schürzenjäger seine »sittliche Unschuld«. Ein solcherart geschichts- und gesichtsloser Mensch wähnt sich nahtlos im Einklang mit der monogamen Geschlechtsmoral, und in gewisser Weise ist er es auch, aber um den Preis, daß er einen Teil seiner eigenen Personalität von sich abtut oder doch ignoriert. Denn unser Personsein verdanken wir nicht uns selber allein; es ist entstanden aus realen mitmenschlichen Bezügen[35]. Wir können von einem

Anderen uns nicht trennen, so als wäre nichts gewesen, ohne nicht dabei unser eigenes Wesen, das aus dem Gewesenen besteht, uns zu verdunkeln. Der im sogenannten Privaten geschichtslose Mensch ist, wie aufgeklärt er auch immer tut, der im tiefsten über sich selber unaufgeklärte Mensch.

Wer also glaubt, aus aufklärerischem Impuls gerade die Ehescheidung erleichtern zu sollen, muß achtgeben, daß er dabei nicht an einen Punkt kommt, an dem er mit seinem eigenen Ideal in Konflikt ist. MARGARET MEAD, die nicht im Verdacht steht, reaktionär zu sein, weist darauf hin, daß da, wo die Ehen leicht geschieden werden können, »jeder zufällige Flirt sofort einen bedrohlichen Charakter annimmt«. »Wo es die Freiheit gibt, sich scheiden zu lassen, da gibt es weniger Freiheit sowohl für irgendeine flüchtige Beziehung als auch für eine leidenschaftliche außereheliche Liebe jeglicher Art.«[36] Wer hier sich verliebt, »obschon« er verheiratet ist, muß das insgeheim in sich abwürgen – oder er muß seine Ehe sprengen.

OTTO FLAKE meinte wohl auch, Amerika habe »die erotische Frage noch nicht gelöst«[37], aber er sah in dem amerikanischen System doch »etwas Sauberes, Offenes«: In Amerika halte man »es mit dem Heiraten, wie der Mann mit seinem geldverdienenden Handwerk, fällt man aus dem Sattel, so steigt man in einen anderen wieder auf, so lange, bis man im richtigen sitzt«[38]. »Das Experimentieren, die Gefährtenwahl ist freigegeben, das Risiko in Rechnung gestellt, man ist nicht starr, nicht vor lauter Abstraktion konservativ. Man kommt mit der Institution der Ehe aus.«[39]

Jeder Satz impliziert hier schon die Widerlegung seiner selbst: Das Nacheinander ist freigegeben – oder: Die Polygamie ist im Nacheinander verschleiert. Man kommt mit der Institution der Ehe aus – mit der Institution zweifellos, aber auf die Länge offenbar nicht mit dem Partner. Doch man steigt in einen anderen Ehesattel wieder auf, so lange, bis man im richtigen sitzt – denn auf dem letzten wird man wohl sitzen bleiben, wenn man inzwischen älter und kälter und auch voneinander abhängiger geworden ist. Man darf dann glauben, daß es der richtige sei. Der jeweilige Glaube an den »richtigen Partner« wie die ebenso jeweilige Enttäuschung, ihn wieder doch nicht gefunden zu haben, sind die beständig sich abwechselnden Überzeugungen dessen, der sich selber in seinen Möglichkeiten nicht überblickt. So ganz aufgehen im Glauben an den Einzigen und Richtigen, den er gefunden habe, wie immer wieder in der Verzweiflung darüber, daß er sich in ihm doch getäuscht habe, das kann nur der Mensch, der sein Selbstbewußtsein rigoros auf den gegenwärtigen Augenblick hin abblendet, um ganz und gar sich selber als treu zu *erscheinen*. Er ist der im eigentlichen Sinne Untreue, der Mensch ohne Gedächtnis.

d) Die Ehe als Sakrament oder Vertrag

Man darf darüber streiten, ob es sittlicher ist, sich lieber öfter scheiden zu lassen, dafür aber immer treu zu sein, oder ob es umgekehrt die bessere Ordnung ist, wenn die Ehen ein Leben lang halten, ohne daß sie das Monopol auf die Sexualität haben. Das monogame *Ideal*, das immer beides zugleich verlangt: Dauer und Ausschließlichkeit, führt so oder so sich ad absurdum. Aufs Ganze der Gesellschaft geblickt, geht überwiegend das eine auf Kosten des anderen. Die vitale Praxis ist die Ehe als Lebensbund ohne »Treue« oder sexuelle Ausschließlichkeit ohne Dauer (wenn nicht überhaupt Entsexualisierung). Die alte patriarchalische Ehe war die Gewißheit der Unauflöslichkeit mit der Fiktion der Treue, die moderne, quasi »amerikanische« Ehe ist die Gewißheit der Ausschließlichkeit mit der Fiktion der Dauer. Das »Ja« zur beschwörenden Formel des Pfarrers »... bis daß der Tod euch scheidet« ist bloß noch Zeremonie oder Ausdruck der Naivität junger Leute, die noch nicht wissen, was in einer Bindung der Faktor Zeit ist.

Früher, bei geringerer Lebenserwartung, hat allerdings auch der Tod die Ehen rascher geschieden. Auch aus diesem Grunde natürlich stellte sich die Monogamie noch nicht als ein so zugespitztes Lebensproblem wie heute[39a]. Zumal der Mann, der eine Frau im Kindbett verlor, bekam sittlich unangefochten Gelegenheit, seine polygame Natur im Nacheinander zu entfalten. Es ist eine traurige Paradoxie strenger bürgerlicher Moral, daß der Tod (der Anderen) sie bisweilen lebbarer macht. Skrupellose Gesinnung mag dem sogar nachhelfen: »Scheidung auf italienisch.« (Ein Filmtitel ist zum geflügelten Wort geworden.) Was da in Einzelfällen dramatisch die Pistole besorgt, in kühleren Breiten tun es die Richter. Dabei kommt es, trotz gesetzlicher und höchstrichterlicher Bremsen, zu erklecklichen Raten. Selbst in der sekundär christianisierten Bundesrepublik Deutschland wird gegenwärtig jede zehnte Ehe geschieden[40]. In sogenannten tonangebenden Kreisen sieht es fast danach aus, als gehe die sittliche Evolution von der Ehe als Lebensbund zur Ehe auf Zeit. Was wir als typisch amerikanisch empfinden, ist nur das monogame Ethos im fortgeschrittenen Stadium seiner Säkularisierung. Mit der Freiheit, eine unerträgliche Ehe zu lösen, wurde die Ehe selber noch um einiges weniger erträglich. Die Forderung der ehelichen Treue ist erst jetzt absolutgesetzt; den »Ehebrecher« erwartet die Sanktion der Scheidung. Der Mensch hat nun die Wahl zwischen zwei Verzichten: zwischen dem Verzicht auf Geborgenheit (in der Ehe) und dem Verzicht auf freies sexuelles Erleben. Die ungebrochene Natur, die beides verlangt, wird womöglich doppelt frustriert: vereinsamt und eingeengt. Die Ehe auf Widerruf treibt so erst Neurosen hervor.

Die Neurotisierung des Menschen in der säkularisierten Gesellschaft ist so aber nicht Ausdruck des Glaubensverlustes, den die geistlichen Herren beklagen, sondern eine Wirkung des nun starr gewordenen Tabus. Der »sittliche« Druck der Gesellschaft, des Staates, hat sich verstärkt. Für Beamte und Berufssoldaten in Westdeutschland gilt Ehebruch als ein »Dienstvergehen«, das den, der Pech hat und aufkommt, die Stellung kostet oder doch beruflich benachteiligt[41]. Das neue »Rechtsgefühl«, das hierauf sich gründet, treibt im Einzelfalle zum Selbstmord[42] und läßt vermutlich in vielen Fällen mit Selbstmordgedanken spielen. Die neurotisierenden Spannungen haben sich verschärft – inmitten einer »pluralistischen Gesellschaft«. Der öffentliche Druck schlägt zurück aufs Milieu der Familie. Die deutsche Soldatenfrau, die Frau des Beamten bekommt ein Mittel an die Hand, den ungetreuen Gatten an die Kandare zu nehmen. Gleichviel, ob sie je davon Gebrauch macht: die von der Justiz gebotene Möglichkeit schon untergräbt das Vertrauen.

Das säkularisierte Tabu schneidet unmittelbar ins Leben. Einen entschiedenen Atheisten schon hörte ich auftrumpfend sagen, sexuelle Untreue zu verzeihen, das komme für ihn nicht in Frage; das überlasse er den »charakterlosen Christen«. Ein wenig mehr von solcher »Charakterlosigkeit«, und wir stünden immerhin besser miteinander und zu uns selbst. Erich Neumann hat es vorurteilslos gesehen: »Solange und soweit es das Sakrament der Ehe gibt, gibt es keine Neurose am Eheproblem, sondern Ehebruch und Sünde, Strafe und Verzeihung.«[43] Religiöse Normen kalkulieren ihre Übertretung mit ein und sind aus diesem Grunde liberaler als ihre säkularisierte Entsprechung. Der »Sünder« wird viel weniger unterdrückt als der »sexuell Unangepaßte«, den die Verwandten, »gute Freunde« aller Art, Disziplinargewaltige und Sozialmediziner sich zurechtbiegen. Wird das Sakrament der Ehe weniger ernst genommen, ist die Ehe gar nur noch ein juristischer Vertrag, dann müssen notwendig die Ehegatten an die »sittliche Norm« viel strenger angepaßt werden. Das hat, vom Standpunkt ihrer

Apologeten, seinen guten Grund: Ist die monogame Ehe der sakramentalen Stütze beraubt, dann verwandelt sich die geringste »Eheverfehlung« in ein handfestes »Argument« gegen die Monogamie selber. Die Institutionen einer religiösen Moral überhaupt sind mit den Methoden einer wissenschaftlichen Ethik nicht mehr zu unterfangen, und dies schon deswegen nicht, weil religiöse Ethik einer anthropologischen Rechtfertigung gar nicht bedarf. Religiöse Moral ist gegenüber einer anthropologisch orientierten Moral sogar in einer doppelt vorteilhaften Position: weil jeder Verstoß gegen ihre Normen sie als Moral nicht nur nicht in Frage stellt, sondern als religiöse Moral erst eigentlich ins Recht setzt; als religiöse Moral, das heißt als eine Moral, die schon die Gnadenmittel bereithält, um auszugleichen, was ihren Geboten sich nicht fügt. Eine religiöse Moral, die den Menschen leichtfiele, hätte aufgehört, eine zu sein. Sie wäre selbst schon die natürliche Moral, die nur mit »moralinfreier« Religion[44] sich vertrüge, das heißt mit einer, die nicht unerfüllbare Forderungen stellt, um den Menschen mit sich selber zu entzweien.

So gesehen, ist religiöse Moral doch mehr als eine bloße »Überprägnanz« oder »Überdetermination« der faktischen Verhaltensmuster in einer Kultur, wie manche Soziologen es deuten[45], wobei sie, »wertfrei« eingestellt, keiner Moral vor einer anderen den Vorzug zu geben vermögen. Wäre das christliche Ehesakrament nichts als eine »Überdetermination« der zum Schutze der monogamen Ehe errichteten Verbote, wir müßten uns wundern, weshalb Ehebrüche und Eheverfehlungen heute doch stärker dramatisiert werden als noch zu einer Zeit, da weitaus mehr Leute zur Kirche gingen[46]. Es scheint, als sei erst jetzt das christliche Ethos »überprägnant« – wo der christliche Glaube schwindet. Wenn es darum einen Sinn hat, von moralischer Überprägnanz oder Überdetermination durch religiöse Vorstellungen zu sprechen, dann ist es eine Überprägnanz der sozialen Institutionen, nicht eine der Lebensweise. Das Festhalten an der unauflöslichen Ehe verträgt sich durchaus mit erotischer Freiheit, während umgekehrt das Pochen auf »Treue« den Bestand der Familien gefährdet.

Wer ist *sittlicher:* der Mann, der einer jeden der Frauen, mit denen er nacheinander verheiratet ist, im Sinne der Ausschließlichkeit »treu« ist, oder einer, der an seiner Ehe schon auch mit Rücksicht auf die Kinder ganz selbstverständlich festhält: über alle »Seitensprünge« hinweg. Müßige Frage, sofern mit ihr nur zweierlei Sittlichkeit skizziert ist. Aber es ist doch eine sinnvolle Frage, sofern auf die *Stabilität* der Ehen geblickt wird. Der Gesichtspunkt sei nicht minder subjektiv? Nun denn, so ist doch noch zu fragen, was von Natur aus die Ehe eigentlich ist: eine Sexualgemeinschaft oder eine Fortpflanzungs- und Erziehungsgemeinschaft? Da es zur Befriedigung des Geschlechtstriebes keiner festen Bindung bedarf, ist die Ausbildung einer affektiven Bindung zwischen den Sexualpartnern vermutlich angelegt auf die gemeinsame Aufzucht des Nachwuchses. Da aber die Menschenkinder, zumal in einer hochentwickelten technischen Kultur, viel länger elterlicher Fürsorge bedürfen, als es vergleichsweise bei Tieren der Fall ist, wird in die humane Ehe immer auch ein Moment des Juridischen eingehen: sie hielte sonst wohl nicht lange über die biotisch bedingten »Gefühle« hinaus. »Nach drei, vier oder fünf Jahren versagt die Ehe, insofern sie die Befriedigung der sexuellen Bedürfnisse versprochen hat.«[47] Freud der das feststellt, sieht allerdings die Ursache in den empfängnisverhütenden Mitteln; sie verkümmerten den sexuellen Genuß. – Wie nun dies letztere sicher niemand bestreitet, so ist auch nichts damit erklärt. Die Frage ist, wieso diese Mittel, die doch *jederzeit* das Empfinden abschwächen, erst nach ein paar Jahren so störend sich auswirken. Das Argument dürfte zudem heute durch die »Antibabypille« (treuherziger: die Wunschkindpille) sich entkräften.

Als erste, rohe Antwort auf die Frage, weshalb das Begehren in der Ehe nachläßt, wäre zu sagen: daß da, wo die sexuelle Hingabe »Pflicht« ist, der Eifer, sie zu leisten, erlahmt. Wer zur Begattung immer bereitsteht, ja de iure sich bereithalten muß, der braucht nicht immer aufs neue verführt oder umworben zu werden. Die Spannung (der Erwartung) läßt nach und kann auch durch neckisch gespieltes Verführen sich nicht mehr erneuern. Das jederzeit Verfügbare verliert seinen »Reiz«. Es wird uns auch viel zu vertraut, um noch unsere Neugier zu locken. Dies alles steckt hinter der halbvergessenen Weisheit, die, gar nicht so weltfremd, die Ehe zum »Grab der Liebe« erklärt. (Wobei nur, etwas eng, »Liebe« gleichgesetzt ist mit Begehren.)

Was immer die näheren Gründe sind, Freuds Beobachtung läßt sich weithin repetieren. Nach drei, vier oder fünf Jahren, meint er, sei es soweit. Das sprichwörtliche »verflixte siebte Jahr« markiert vielleicht eine Grenze, jenseits deren die Gatten mehr willentlich aneinander festhalten müssen. Das mag aber um so leichter gelingen, je weniger sie gegen eine Empfindung des Eingesperrtseins ankämpfen müssen. Man wird – wohlwollend – einwenden, daß das wechselseitige Gewähren erotischer Freiheit eine gewisse Einsicht und Reife voraussetze, an deren Fehlen sogenannte »Kameradschaftsehen« denn auch häufig scheiterten. Der Einwand trifft – für eine Kultur der Konkurrenz, in der Prestige als ein Wert gilt und Eifersucht als ein »Zeichen der Liebe«, weil vorbehaltlos zu lieben mißlingt. Ein völlig anderes soziales Klima ließe eine Ehe-Problematik gar nicht aufkommen, die hier jeweils mit vollem geistigen Einsatz verkraftet werden muß. Manche sogenannten Primitiven haben darum ein Problem »gelöst«, das nur uns sich stellt. MARGARET MEAD berichtet von den Samoanern: »Voreheliche und außereheliche Angelegenheiten wurden so leicht genommen, daß sie die dauerhaften Geschlechtsbeziehungen zwischen verheirateten Paaren nicht störten.«[48] Was einem so doch »ungestörten« Eheleben in unserer eigenen Kultur noch im Wege steht, heute mehr denn je, das ist das den meisten unbewußte Denken in der Kategorie des Besitzens, auch und gerade im Verhältnis zu Menschen: da kommt es dann als »Eifersucht« heraus. Wenn also das christliche Sakrament der Ehe die monogame Ordnung moralisch »überdeterminiert«, dann ursprünglich nicht deswegen, weil – heute – fast ein jeder bei uns die monogame Ehe für das »an sich Vernünftigste« hält, sondern weil im Rahmen einer auf Besitz abgestellten Kultur eine jede Ehe von vornherein streng gegen andere Familien sich abgrenzen muß. Wo der Besitz an Gütern gleichbedeutend ist mit dem Besitz der Familie an den Gütern, da wird schon aus Gründen des Erbrechts jeder außereheliche Verkehr verboten[49], gleichviel, ob es sich dabei um monogame oder polygame Verhältnisse handelt. In der Monogamie mag die Tendenz zur Kumulierung des Besitzes nur ihre optimale Erfüllung finden. Ihr trägt aber (heute) auch das Bestreben Rechnung, die Zahl der Kinder niedrig zu halten. Wo vollends Kinder unerwünscht sind, wird die Ehe – im Extremfall – in der Auffassung der Eheschließenden selber zu einem Vertrag zwischen »zwei Personen verschiedenen Geschlechts zum lebenswierigen wechselseitigen Besitz [!] ihrer Geschlechtseigenschaften« (KANT[50]). Wo immer in solcher Weise das sexuelle Begehren (oder was davon bleibt) vertraglich kanalisiert ist, da gilt alle moralische Bemühung zuletzt weniger dem Gatten als der Ehe als solcher. In Akten moralischer Anstrengung wendet erst recht ein jeder vom Andern sich ab: in eben der *Selbst*anforderung der Treue. – TACITUS, der seinen römischen Landsleuten die eheliche Treue der Germanen gar nicht genug rühmen konnte, ließ immerhin einfließen, sie, die germanischen Gatten, hingen wohl mehr an der Institution der Ehe als je aneinander[51]: eine Konsequenz, die jederzeit annehmen muß, wer auf strenge Monogamie besonderen Wert legt.

e) Die Spannungen in der Ehe

Es ist kein Wunder, daß in streng monogamer Ehe das Begehren nachläßt. Verwunderlich ist nur die Erklärung, die man nicht selten dafür zu hören bekommt; so oder ähnlich: »Seit es in meiner Ehe solche Spannungen gibt, habe ich keine Freude mehr am Verkehr.« Aber woher die Spannungen? »Wir streiten ums Geld.« / »Wir können uns überhaupt nicht mehr einigen.« / »Mein Mann – meine Frau – will immer das Gegenteil von dem, was ich will.« War denn das immer so? »Nein, anfangs verstanden wir uns glänzend.« – Das ist ein Dialog, wie jeder ihn führen kann, dem halbwegs die Leute Vertrauen entgegenbringen. Der innerlich Bedrückte erschließt sich ihm, wer weiß, in einer sogenannten vorgerückten Stunde oder als wildfremder Mensch in einer Bahn. Es redet aus ihm heraus: weil der innere Druck übergroß ist.

Die ehelichen »Spannungen« wären es also, die das Begehren vermindern, Spannungen, die, rätselhaft genug, aus heiterem Himmel über uns sich senkten? Könnte es nicht umgekehrt so sein, daß ein kaum merkliches Nachlassen des Begehrens – in der Gleichförmigkeit des Gewohnten – allererst jene Spannungen schafft, in denen spürbar einer auf den anderen »bös« wird[52]? »Bist du mir bös?« das ist denn auch eine der häufigsten Fragen, die biedere deutsche Paare einander stellen[53]: blind dafür, daß sie nur ihre vitale Unzufriedenheit aneinander entladen. Wo, in zwanghafter Treue, das Begehren nachläßt, kann die Lust nicht hausen. Die Droge müßte noch erfunden werden, die uns in den Stand setzte, tief befriedigt zu werden, wo wir oberflächlich begehren.

Verminderte sexuelle Befriedigung als eigentliches Motiv der »rätselhaften« Spannungen in der Ehe: das Motiv muß gerade so unbewußt bleiben, daß die Spannungen dem zensierenden Bewußtsein, dem Über-Ich, ganz »unerklärlich« bleiben. Das Gewissen, das an der herrschenden Moral sich festsaugt, bringt das eigene Wesen mit ihr in Einklang, indem es einfach das, was nicht dazu paßt, ignoriert. So sind denn – laut »Meinungsumfrage« – 89 Prozent der Männer (in der Bundesrepublik Deutschland) mit ihrer Ehe »zufrieden«[54]. Das ist nun allerdings die Meinung, die der Angepaßte ostentativ vor sich herschiebt. Nach meinen Erfahrungen muß man einen solchen Mann aber sehr lange und sozusagen sehr gut kennen, bis er einem – oft unvermutet – eröffnet, er hätte besser überhaupt nicht geheiratet, oder: er wünsche sich eine Beziehung zu dieser oder jener anderen Frau. Dabei ist immer noch ungewiß, ob der Betreffende bei nächster Gelegenheit an sein Geständnis noch erinnert sein möchte. Ehebrecher schweigen ohnehin hartnäckig sich aus; man muß schon auf äußerst vertrautem Fuße mit ihnen stehen, um von ihnen bestätigt zu bekommen, was man durch bösen Klatsch längst über sie weiß.

Nun sind die Leute, wenn man sie so hört, mit ihren Ehen ja nicht bloß »zufrieden«; sie sagen – und betonen es: »Unsere Ehe ist sehr glücklich.« Noch dem Psychoanalytiker wird dergleichen beteuert. Und er kennt sich dann aus: Was eigens betont werden muß, ist alles andere als in Ordnung[55]. Man achte auch einmal darauf, was man so gemeinhin unter einer »guten«, einer »glücklichen« Ehe versteht: »Neulich ist mein Mann mit dem Bügeleisen auf mich losgegangen«, sagte mir eine Frau, »aber sonst führen wir eine sehr gute Ehe.« Angesichts solcher Geständnisse: Was wollen »Umfragen in die Intimsphäre« da noch ausrichten? Die »Meinungen«, die sie abfragen, füttern die Rechenmaschinen, aber sie nähren nicht die Einsicht in die Triebstruktur der Gesellschaft und in das Verhältnis des Einzelnen zu den »Werten«, die er lauthals bejaht, aber vielleicht insgeheim ablehnt. In Fragen der sogenannten Intimsphäre hat der Mensch eben auch eine intime Meinung – neben einer anderen. Die andere, das ist die Ideologie der herrschenden Ordnung, die er nachplappert: Ja, man sei mit seiner Ehe zufrieden; man streite sich schon mal; aber das müsse doch auch sein, das gehöre dazu; es sei ja wohl ein »schlechtes Zeichen«, wenn es in einer Ehe keinen Streit gebe; oder: das sei »langweilig«. So arrangiert sich der Volksmund mit dem Faktischen, ganz im Gegensatz zu den bewußten Fürsprechern der herrschenden Moral, die ganz genau wissen, was die streng monogame Ehe verlangt: die *Aufopferung des eigenen Lebens*[56]. Was nicht ohne Schmerzen abgeht: »Ehestand ist Wehestand.«[57] Das ist nun ein Realismus, den wir gar nicht überbieten können. Ideologisch an derlei Predigt ist nur die verschwiegene Meinung, es sei die streng monogame Ordnung eben ein unabwendbares Schicksal, »gottgewollt«, und es müßten die in ihr wachsenden Spannungen in Gottes Namen ertragen werden, wenn es nicht gleich gelingt, sie »ins Schöpferische« zu wenden, wie ein besonders »aufbauender« Ethiker es empfiehlt[58]. (Er verrät allerdings nicht, wie man das macht.)

Die Ehe stellt – so ein anderer Gewährsmann – »gewaltige Anforderungen«: »an Geduld, Nachsicht, Anpassung, Opferbereitschaft und Selbstlosigkeit«[59]. Das Wesentliche ist die *Anpassung*, eben die Anpassung an die monogame Ordnung. Geduld üben, Nachsicht haben muß da ein jeder nur jeweils mit dem Anderen, dem seinerseits diese »Einordnung« nicht recht gelingt. Nachsicht mit sich selber, ein Akzeptieren der eigenen Triebnatur, wäre sträflich. Gegenüber sich selbst heißt es unnachsichtig sein, also selbstlos, opferbereit[60]. – Nun läßt freilich die eigene Natur nicht so rücksichtslos sich betrügen. Unterschwellig sammelt sich ein Unmut über den Verzicht, den der ostentativ gute Wille bejaht. Unterschwellig wächst ein Haß auf eben den, an den wir »opferbereit« uns geben. Die vitale, leibhafte Natur läßt nicht durch »sittliche Forderungen« sich verzaubern: sie zerfällt, überfordert, nur in den bewußten Willen, »selbstlos« zu sein, und den unbewußten Haß auf jeden, der das tatsächlich von uns erwartet. Unser Haß auf den Andern, das ist nur die andere Seite unserer »Strenge« zu uns selbst: unserer Weigerung, uns anzunehmen in der vitalen, bewegten, immer dem Neuen zugewandten Natur.

Denn was heißt das: »... das eigene Leben [auf dem Altar der Ehe] zu opfern«? Doch nichts anderes, als das »menschliche Verlangen nach Abwechslung« (Comfort[61]) in einer wesentlichen Hinsicht in sich zu unterdrücken. Wenn es ein Wesenszug des Menschen – und nicht erst des Menschen – ist, in allem, was er tut, begehrt und genießt, die Abwechslung zu wollen, dann hätte er ein seltsam gebrochenes Wesen, wenn dies für alle seine Lebensäußerungen gälte, allein für sein sexuelles Begehren nicht. Sonst, in allem, dürfte er dem Slogan gehorchen: »Öfter mal was Neues.« Auf die Sexualität bezogen aber klänge es frivol? Sicherlich! Aber nur, wenn die Ruhelosigkeit, die stete Unzufriedenheit mit dem je Erreichten durch beständigen Partnerwechsel sich erst komplettierte, und gerade, weil die Rastlosigkeit in vielen Lebensbereichen nur der Reflex der »Treue« ist, zu der man sich zwingt. Die junge Frau, die alljährlich ihre Möbel umstellt (obschon sie »nebenbei« noch berufstätig ist), der Mann in den besten Jahren, der immerzu verreisen möchte, und noch einige mehr, sie signalisieren nur das Unbehagen an der Enge eines dabei laut gepriesenen Ehelebens.

f) Gibt es doch Monogame von Natur?

Die mit Comfort geteilte Überzeugung, der Mensch als Geschlechtswesen wolle die Abwechslung und er brauche sie auch, finden wir nun immerhin eingeschränkt durch Thesen, die Willhart S. Schlegel vertritt. Schlegel hat – über konstitutionsbiologische Daten – gefunden, daß die Haltbarkeit der Ehen zunimmt, je stärker der Mann und die

Frau im Sinne des Geschlechtergegensatzes polarisiert sind. Der ausgeprägt »andromorphe Mann«, gewissermaßen der männliche Mann, sei »von Natur aus treu«: durch sein »monomanes Haften und Perseverieren«[62]. Anders gewendet: Bindung und sexuelle Treue sind »nicht in einer sittlichen Willensleistung begründet, sondern naturgegeben und konstitutionsbedingt«[63]. SCHLEGEL weist folgerichtig die Meinung (vieler Soziologen und Psychoanalytiker) zurück, ohne »die Bremse von Sitte und Norm« würden alle gesunden Männer und auch ein Teil der Frauen »mit möglichst vielen Partnern Sexualverkehr haben«[64].

Die Zurückweisung dieses Vorurteils geschieht zu Recht, aber mit problematischer Begründung. Was konstitutionsbiologisch sich aufmacht – mit Messungen am Knochengerüst –, hat doch einen moralischen Rück-Halt. Zwischen den »möglichst Vielen«, die die Erfolgsmoral den träumenden (und denkenden) Hirnen eingibt, und der »Einen und Einzigen«, die die herrschende Ordnung erlaubt, gibt es wohl noch ein Mittleres – auch und gerade beim gesunden andromorphen Mann. Aber davon ist bei SCHLEGEL nicht die Rede; sowenig wie bei den Sittenrichtern, die nur überhaupt in Extremen denken: jenseits von »Zucht und Ordnung« kommt für sie gleich das »Chaos«; nur keine andere Ordnung. Das moralische Vorurteil formt noch die Thesen des Konstitutionsbiologen: er setzt Bindungsfähigkeit und Treue gleich sexueller Ausschließlichkeit, spricht jedenfalls ganz in ihrem Sinne von jener. (So als gebe es nicht auch erotische *Bindung*, die trotz anderer Kontakte sich hält.) Die herrschende Sittlichkeit färbt zu leicht die Argumente dessen, der an ihr sich stößt. Oder sie läßt ihn aufs krasse Gegenteil pochen: »Sittliche Willensleistung« ist nicht, wie SCHLEGEL suggeriert, die einzige Alternative zu »naturgegeben und konstitutionsbedingt«. Auch »kulturbedingt« ist es nicht. Was es meines Erachtens erst noch zu bestimmen gilt, das ist vielmehr: *die Abwandlung des Naturgegebenen und Typusbedingten durch den Einfluß der jeweils herrschenden Moral.* Das bedeutet durchaus die Anerkennung der Entdeckungen SCHLEGELS, aber manches Fragezeichen hinter seine anthropologischen Schlüsse. Solange konstitutionsbiologische Untersuchungen *nur innerhalb der eigenen Kultur* reihenweise Körperbau und Charakter miteinander vergleichen, sind solche Forschungen ohne anthropologischen Rang. Es ist nicht auszuschließen, daß es schon angeborene Unterschiede gibt in der Fähigkeit, *jedweder* Moral, sofern sie nur gilt, sich anzupassen. Wie sollte gerade die Anpassungsfähigkeit, die Neigung zum passiven Übernehmen des eben Geltenden, nicht auch ihren »tieferen« Grund haben: in einer Trägheit oder Müdigkeit des Somas.

Schlegel betont die relativ geringe Kontaktfähigkeit des andromorphen Mannes. Die Beobachtung selber sei wieder gar nicht bestritten. Aber daß fehlende Kontaktfähigkeit in sexuelle Treue sich umbiegt, in ein Festhalten »an dem einmal gewonnenen Sexualpartner«[65], das gilt womöglich auch nur unterm Druck einer Moral, deren sexuelle Tabus nur ein Schuß Leichtsinn durchbricht. Man braucht hier, um seiner menschlichen Natur gemäß zu leben, jene Leichtfüßigkeit, die nicht jedermanns angeborene Natur ist. Es ist nicht einem jeden gegeben, »nicht an die Folgen zu denken«, an die Sanktionen der Gesellschaft, die aus den Augen des Neiders zumal über die Einhaltung ihrer Normen wacht. So bildet die »innere Festigkeit« (Schlegel[66]) des andromorphen Mannes sich aus: durch bittere Frustrationen gepreßt.

Schlegels Behauptung, bestimmte Konstitutionstypen seien »von Natur aus treu«, ist für unsere moralkritische Fragestellung aber auch wertlos, da nicht angegeben ist, an welchem Zeitraum überhaupt hier Treue sich bemißt: ob an ein paar Jahren nur oder an einem langen Leben zu zweit. Im psychologischen Sinne »treu«, »bindungsfähig« ist vielleicht schon ein Mann, der zwei, drei Jahre lang nur eine einzige Frau begehrt. Und er ist auch sehr beständig – im Unterschied zu einem, der alle drei Wochen eine andere »nimmt«. Ich kenne einen jungen Mann, der vermutlich nicht zu Unrecht sich rühmt, er habe schon über hundert Frauen »gehabt«. Man darf füglich zweifeln, ob solche Rekordsucht ihm angeboren ist. Wir zweifeln: weil nicht Sinnlichkeit dazu treibt, sondern ein ins Erotische umgebogener Ehrgeiz. Angeboren ist dergleichen sowenig oder sosehr wie lebenslange strenge »Treue«, in die wohl der eine oder andere, anpassungsfähig, sich findet.

Natürliche Unterschiede der Beständigkeit gibt es ohne Frage, aber es gibt sie in jeder anderen Hinsicht auch, nicht nur bei sexuellen Kontakten. (Das wird auch von Schlegel nicht übersehen[67].) Für unsere kritische Prüfung der geltenden Geschlechtsmoral ist einzig entscheidend, ob eine lebenslange – über Jahrzehnte gehende – »strenge« Monogamie ohne Schaden fürs Zusammenleben sich durchhalten läßt. Denn daß solches möglich, ja natürlich sei, das ist die Ideologie der herrschenden Ordnung, wenn auch einige ihrer Apologeten klüglich den daraus entstehenden Zank selber noch für gut und nützlich ausgeben.

g) Die gesteuerte Entsexualisierung

In streng monogamer Ehe ohne Spannungen zu leben, scheint – auf die Dauer jedenfalls – unmöglich. Das schließt nicht aus, sondern vielmehr ein, daß sexuelle »Untreue« in der herrschenden sittlichen Ordnung den ehelichen Zwist zumeist noch verschärft. Der Druck der Gesellschaft, der diese Ordnung aufrechterhält, wühlt selber dann noch die Zerwürfnisse mit hervor, für die ein jeder, der sie nur heftig genug durchlebt, sich obendrein »schuldig« fühlt; es sei denn, er suchte – projektiv – alle Schuld nur beim Andern. Es muß nicht so sein. Vollends dort – man denke an Samoa[68] –, wo die hier und heute gefeierte »Treue« kein sittlicher Wert ist, wird der eheliche Friede durch außereheliche Beziehungen gar nicht gestört. *Haß und Eifersucht als Konsequenz eines »Ehebruches« setzt ein darauf angelegtes Ethos voraus.* Das Problem der sexuellen Spontanimpulse ist so nicht notwendig eines mit dem Problem der »monogamen« Ehe. Wo die beiden Probleme zusammengedacht werden, ist ihre »Lösung« kaum anders zu denken als so, wie vermutlich die Mehrheit in unserer Gesellschaft es anstellt: durch Verdrängung, durch Zurückstauen spontaner Impulse, eine »Bemühung«, die mit der Zeit habituell wird und über orale Regression oder beständig abgeführte Aggressivität das Individuum sogar wieder psychisch ins Gleichgewicht bringt, in ein Gleichgewicht, in dem es subjektiv sich vielleicht durchaus wohl fühlt. Im ganzen bedeutet diese »Lösung« eine *Entsexualisierung* des Menschen, auch innerhalb der Ehe. Wenn Saller schätzt, »daß das Begehren zwischen Mann und Frau nur in rund der Hälfte der Ehen erhalten bleibt«[69], dann deutet das schon in diese Richtung. Wenn gar Kinsey entdeckt, daß es Männer gibt – und auch Frauen –, »deren sexuelle Anpassungsfähigkeit in der Ehe durch außereheliche Erlebnisse zweifellos gefördert wurde«[70], so ist das indirekt eine Bestätigung. Qualitativ bestimmen aber läßt sich das mit »Entsexualisierung« Gemeinte nur durch tiefenpsychologische Erkundigung. So berichtet Oswald Schwarz[71] aus seiner psychoanalytischen Praxis von Männern, die unmittelbar nach dem Verkehr mit ihrer Frau einem Bedürfnis zu onanieren nicht widerstehen können, und von Männern – und Frauen –, die während des ehelichen Verkehrs an andere, von ihnen begehrte Personen dächten. Schwarz, der im übrigen leidenschaftliche Worte für die Monogamie findet[72], stellt fest, daß überraschend viele Ehen durch solche Praktiken sich kümmerlich am Leben hielten[73]: Resultat einer »Feld-Forschung«, die durch den Kinsey-Report wiederum statistische Grundlagen hat[74].

Es ist hier noch abgesehen von den – vielleicht selteneren – Fällen, in denen ein Mann oder eine Frau im Laufe der Ehe erst eine neurotische Impotenz beziehungsweise Frigidität entwickeln, so, als wollten sie damit signalisieren: »Ich hab' genug, ich will hier heraus.«[75] Solche neurotische Impotenz oder Frigidität, die erst nach einigen Ehejahren sich einstellt, ist wohl zu unterscheiden von einer, die gleich zu Anfang jeden befriedigenden Verkehr ausschließt. Deren psychoanalytische Erhellung mag im Einzelfalle »Motive« aufdecken, deren Wurzeln bis in die frühe Kindheit zurückreichen. Was dabei aber mit Begriffen wie »Vaterbindung«, »Mutterbindung«, »Ödipuskomplex« und »Minderwertigkeitsgefühl" klassifiziert wird, das ist jedesmal nur die Zurückstauchung der Sexualität in immer wieder andere Formen der soziosexuellen Verbiegung. Der psychoanalytische Begriffsapparat erfaßt so immer nur Epiphänomene des einen Übels: der von der Gesellschaft – über die Erzieher – praktizierten Unterdrückung der Triebnatur[76]. Wer immerhin zwanzig Jahre seines Lebens verbracht hat mit dem ihm vermittelten Eindruck, daß sexuelle Dinge irgendwie schlecht, schmutzig oder sündig seien, wer oft genug bedeutet bekam, daß Zärtlichkeiten etwas »Weichliches« seien, kindisch, ein Zeichen von »Lebensuntüchtigkeit« – ein so »belehrter« Mensch kann nicht auf einmal in der Hochzeitsnacht das rechte Verhältnis zur Sexualität haben. »Männliche« Tolpatschigkeit und Brutalität, Frigidität auf seiten der Frau, das sind die sinnfälligsten Früchte einer Erziehung, deren kulturelle Leitbilder den Gegensinn zur Sinnlichkeit markieren. Die herrschende Moral sagt zwar nicht, daß die Sexualität rundweg schlecht sei, nur vor und außerhalb der Ehe, da sei sie »zu verwerfen«. Der Leib, der danach sich zu richten hätte, macht diese Unterscheidung aber nicht mit. Es bilden reflexartige Hemmungen sich aus oder eben nicht, nicht Hemmungen für einige Zeit, die das Jawort bei der Trauung zauberisch lösen könnte. Im Leib des »keuschen Mädchens« entstehen Reflexe der Abwehr gegen mögliche Geschlechtspartner überhaupt: Muskelkontraktionen, die schließlich noch beim angetrauten Gatten den – nunmehr erlaubten – Verkehr verhindern oder doch erschweren. Die »lockeren Mädchen« – sie sind es neurovegetativ – kennen solche Schwierigkeiten nicht. An der Spontaneität des Begehrens zerbröselt der Unterschied zwischen erlaubtem und unerlaubtem Begehren, entweder unter Preisgabe der Moral, die ihn vorspiegelt, oder um den Preis der Entsexualisierung.

Nun kann man es tröstlich finden, daß die jungen Leute, die »unberührt« in die Ehe gehen, heute auszusterben scheinen[77]. Aber damit ist nichts gewonnen, sofern es darum geht, daß der Mensch von seinem ersten sexuellen Erlebnis nicht enttäuscht werde. Die deprimierende »Entdeckung«, daß es mit der Sexualität »im Grunde nichts ist«, macht einer jetzt nur etwas früher als kurz nach der Trauung, wenn nach wie vor die frühkindliche Sexualität unterdrückt wird, und vor allem, wenn die Säuglinge kaum noch gestillt werden[78]. Die mangelnde Reifung des sinnlichen Empfindens, die dadurch verschuldet wird, kann nicht durch den Reiz des Verbotenen kompensiert werden. Wo der voreheliche Verkehr das Odium des Anrüchigen verliert, müßten zugleich auch die Triebansprüche des Kindes »besser verstanden« werden; nur dann wäre für die psychische – und moralische – Entwicklung des Einzelnen etwas davon zu erhoffen. Wenn junge Männer ein sogenanntes ungehemmtes Sexualleben führen und doch dabei dem Alkohol verfallen, so ist das kein Grund, sie zur Keuschheit zurückzupfeifen. Es ist ein Beweis dafür, daß ihre Sinnlichkeit, in früher Kindheit blokkiert, sich gar nicht richtig entfaltet hat. Der vitalpsychisch Unausgereifte (der immer auch unfähig ist, sich zu binden) wird spätestens nach den Flitterwochen das »Ehejoch« als ein stetes Problem verspüren. Aber die Problematik kommt nicht nur aus ihm allein. Der Zwang zu ausschließlichem Verkehr mit dem Gatten, was man bewußt und willentlich ohne Mühe bejaht, mag unterbewußt auch beim weniger Infantilen eine Gegenwehr provozieren, die »undefinierbare Konflikte« hervorruft. Der Sinn solcher Gegenwehr ist eine geheime Abneigung gegen die Ehe als solche, insofern auf ihr der Druck der Gesellschaft lastet, weniger eine Abneigung gegen den bestimmten Partner. Von Psychoanalytikern wird an solche Fälle nicht selten eine ethische Kategorie herangebracht, die Kategorie der *Verantwortung*, die zwar dem Analysanden wenig hilft, sich über sich selber klarzuwerden, die ihm aber nachhilft, sich an die Gesellschaft anzupassen. Für unsere sozialpsychologische und ethische Untersuchung ist eine so moralistische Psychoanalyse selber ein aufschlußreiches Phänomen. Was soll man davon halten, daß ein Psychotherapeut immerhin selber es ausspricht, einer seiner Patienten habe bemerkt, »daß es der Analytiker war, der ihn zwang [!], im Sinne seiner männlichen Verantwortlichkeit zu handeln« (nämlich gegenüber einer Frau, die ein Kind von ihm erwartete)[79]. Ein Psychologe, dessen Beruf es ist, den Phänomenen auf den Grund zu gehen und als Fakten ernst zu nehmen, sollte nicht ungeduldig werden, wenn die Gefühle einmal nicht gleich so verlaufen, wie die Gesellschaft sie haben möchte. Vermutlich trägt eben der Geist einer ungeduldigen, unduldsamen Gesellschaft mit Schuld daran, daß Menschen aus ihr zu fliehen trachten: in »verantwortungslose Sinnlichkeit« und »Bindungslosigkeit«. Ein Psychologe, der solchen Konsequenzen – analytisch – von Berufs wegen auf den Grund zu gehen hat, tut gut daran, den Appell ans »Verantwortungsgefühl«, ans Gewissen, einem geistlichen Berater zu überlassen. Der ist immerhin milde auf jeden möglichen »Rückfall« gefaßt: als auf das »Straucheln« der mit sich selber ringenden Seele. Wo »Verantwortung« aber als Erfolg einer Behandlung verpaßt wird, da gibt es nicht einmal mehr die Freiheit eines inneren Widerwillens.

Wenn etwa gesagt wird, ein (neurotisch) impotenter junger Mann scheue die Verantwortung, die aus einer Ehe und auch schon aus dem Beischlaf als einer *Ehe en miniature* (O. SCHWARZ) sich ergebe[80], so stellen sich uns mehrere sozialpsychologische Fragen. *Einmal,* ob als »Verantwortungsscheu« beim also Neurotischen nicht lediglich offen herauskommt, was allgemein ein relativ »kühles«, wenig »hautnahes« soziales Klima immer schon ausmacht, aber durch eine willentlich forcierte Haltung der »Verantwortung« überdeckt werden soll. Ursprüngliche Liebe, die so frei »fließt«, weil kein geheimer Gegenwille sie hemmt, bedarf keinerlei Stützung durch die Besinnung auf eine »Verantwortung«, die aus ihr sich ergebe. *(Des weiteren:)* Könnte es nicht gerade so sein, daß der Neurotiker als ein Hypersensibler den sozialen Zwang zu ausdrücklicher Verantwortung nur besonders quälend verspürt, aber zugleich auch deutlich genug empfindet, daß solcher Zwang immer nur bei denen ansetzen kann, die ihm in spontaner Liebe den Arm reichen? So operiert schon die Erziehung: »Wenn du mich liebhast, dann tust du, was ich dir sage.« Dem Rekurs auf die Liebe folgt die Drohung auf dem Fuß. Wer will schon für »lieblos« gelten, wer aber auch in allem sich fügen: ein Dilemma, dem nur recht ungebärdige Naturen sich entziehen, mit der bewußt oder halbbewußt gezogenen Konsequenz, dann eben mit Liebesbeweisen zu geizen. Der Neurotiker aber leidet unter dem Paradox der herrschenden Moral, die den Einzelnen ermuntert zu lieben, damit er zur »Verantwortung« gezwungen werden kann, da sie ihm nicht soviel Spontaneität erlaubt, als nötig wäre, um auf allen moralischen Zwang zu verzichten. *(Schließlich:)* Wenn gesagt wird, der Neurotiker habe kein Verhältnis zur Zeit, weil er nur dem Augenblick lebe, nur im Jetzt genießen wolle[81], so setzt in Wahrheit doch ausdrückliche Verantwortungsscheu eine Reflexion auf die noch ausstehende Lebenszeit voraus. Ein Mensch, der, jeweils ganz in seinen gegenwärtigen Pflichten verfangen, sich selber in seinen Möglichkeiten gar nicht mehr überblickt, mag demgegenüber viel leichter eine Verantwortung übernehmen, von der er noch nicht einmal ahnt, daß sie ihn morgen drücken wird. Wer hinwiederum – soweit im Einklang mit dem herrschenden Ethos – sich just verliebt und *darum* den Entschluß faßt zu heiraten, mag unversehens davor bangen, daß die gleiche spontane Regung, die er eben vielleicht nicht einmal zum ersten Male an sich erfährt, sich sozusagen »Rechtens« von nun an nicht mehr bei ihm einstellen darf. Dies wäre geradezu der Zukunftsaspekt ein und derselben Neurose, die die Psychoanalyse unter dem Gesichtswinkel verdrängter (vergangener) Eindrücke betrachtet. Der jeweilige Zukunftsaspekt erweitert aber schon die individualpsychologische Betrachtung zur sozialpsychologischen, denn in der noch ungelebten Zeit werden wir einander berühren; geschehene Begegnungen verschließt, verstaut, verarbeitet oder verdrängt ein jeder still in sich selbst. Auf das Eheproblem angewandt, heißt die zugespitzteste Frage also: Was als »verantwortungsscheu« am anscheinend Ehescheuen moniert werden kann, wieweit ist das am Ende nur eine Scheu, von nun an alle spontanen sexuellen Regungen in sich zu unterdrücken?

Wenn der impotente junge Ehemann gleichzeitig oder noch just zuvor bei Prostituierten sich voll potent zeigt, dann wird die psychologische Exploration vielleicht noch das eine oder andere Motiv finden; aber die (den Psychologen) geläufige Rede, ein solcher Mann wünsche eben »keinen persönlichen Kontakt«[82], ist doch zu oberflächlich (wenn nicht sogar, ontologisch gesehen, falsch). Man muß fragen, ob nicht der verspürte moralische Zwang, kraft spontaner Liebe nur eine einzige Partnerwahl im Leben zu treffen, nicht allererst das mit hervorbringt, was dann wie eine Aufspaltung des einen Eros in »himmlische und irdische Liebe« erscheint. So kann einer meinen, er habe sogenannte seelische Treue mit »körperlicher Untreue« verbunden, da er das, was ihm jeweils dafür gilt, in seinem realen Leben voneinander getrennt hält. Aber er verkennt damit nur die eine Natur des Menschen, nicht anders als der Analytiker, der ihn auf der Basis dieser Verkennung analysiert und seinen Verkehr mit Prostituierten schlechthin als »seelenlos« bezeichnet.

Wohl mag die individualpsychologische und vergangenheitsbezogene Analyse bei polygamen Männern auch eine starke Mutterbindung entdecken[83]; aber das ist unserer Fragestellung nicht entgegen. Es wäre denkbar, daß das Festhalten an der Mutter nur eine verschwiegene List polygamer Tendenzen überhaupt ist, eine List, darüber – eben in der Beziehung zur Mutter – doch einen leibhaft fundierten sympathetischen Halt zu bewahren, den eine Gattin angesichts solcher Neigungen bestimmt nicht gewährte. Es wäre eine interessante Frage, ob bei solchen Männern die Mutterbindung sich ablöst, wenn sie einer entsprechend verständnisvollen Frau sich verbinden. – Das ist freilich ausgeschlossen in dem Fall, wo die Mutterbindung eines Mannes so stark erotisch »gefärbt« ist, wie man sagt, daß er dadurch unbewußt gegen alle Frauen sonst sich sträubt. Wird er emotional damit abgedrängt ins Homosexuelle, so kann dies seinem Gewissen doch verdeckt bleiben in der Jagd nach Frauen, denen tunlichst alles »Mütterliche« fehlt: dirnenhaften Wesen. Nicht zu übersehen ist aber dabei, daß »starke erotische Färbung« einer Beziehung, auch einer Beziehung zur Mutter mithin, in unserem kulturellen Klima immer schon eine Fixierung bedeutet, eine Fixierung gemäß dem monogamen Ideal. *Innerhalb einer Gesellschaft ist noch die Abweichung von der Norm, ja gerade auch der Protest gegen sie, von den hier geltenden Normen geprägt.* Nur da, wo *allgemein* das monogame Ideal introjiziert ist, kann die starke Mutterbindung eines Mannes ihn für jedwede andere Bindung an Frauen untauglich machen, ja womöglich sogar spontane Zuwendung zu einer Frau bei ihm unterbinden. Dann mag seine erotische Spontaneität in entschiedene Homoerotik entweichen.

h) Impotenz und Frigidität durch die Ehe?

Wir sprechen nun schon eine ganze Weile unversehens wieder nur vom Mann und dessen Spontanimpulsen. Von Frauen ist in solchem Zusammenhang überhaupt selten die Rede. Da die Frauen »sexuell« sind (im weiteren Sinne) nicht nur im Verhältnis zum Mann, sondern auch im Verhältnis zu ihren Kindern, fällt Frigidität bei ihnen auch nicht so sehr ins Gewicht: das heißt, sie verkümmert nicht im selben Maße die Vitalität der Frau, sofern sie nur Mutter ist, wie orgastische Impotenz das Wesen des Mannes verdüstert. Des weiteren verstehen es die Frauen auch vielfach, ihre Form der Impotenz, die Frigidität, dem Gatten anzulasten, der es ›nicht verstünde, sie zu wecken‹. Was so als besondere »weibliche Schläue« sich ausnimmt, hat aber doch einen soliden biologischen Grund: die Rezeptivität, die, um mit MARGARET MEAD zu sprechen, von der Frau soviel weniger verlangt als vom Mann, »lediglich ein Nachgeben und ein Entspannen des ganzen Körpers und nichts von der spezifischen Bereitschaft und dem nachdrücklichen Begehren, das vom Mann verlangt wird«[84]. »Zweifellos tut der Mann, der gelernt hat, seine Sexualität auf verschiedene mechanische

Arten anzureizen, um sich mit einer Frau zu paaren, die er im Moment nicht begehrt, seiner Natur viel mehr Gewalt an, als die Frau, die den Mann nur anzunehmen braucht, der ihr zwar in vieler Hinsicht angenehm ist, den sie aber vielleicht nicht aktiv begehrt.«[84] Die doppelte Klage der Frauen, die jetzt schon aus deutschen Frauenzeitschriften ertönt, die Männer wollten nicht treu sein und sie seien im sogenannten Eheleben »zu müde«, ist durchaus erklärlich. Ein Mann, der »unerlaubtes« Begehren in sich unterdrückt, unterdrückt damit den Trieb überhaupt. Immer gelingen, wie schon FREUD bemerkt, »die extremen Beeinflussungen [des Triebes] leichter noch als die Mäßigungen«[85]. Der ursprünglich vielstrahlig ausgreifende Trieb, dessen Regungen immer spontan sind, ist nicht auf erlaubte Regungen hin zu fixieren, ohne daß die Spontaneität darüber erlahmt. MITSCHERLICH berichtet von einem Patienten, der seine don-juaneske Lebensweise aufgab – und »dann eine Abnahme seiner Potenz in der Ehe sich nicht verheimlichen« konnte[86]. Wenn der neurotische Don Juan auch nur durch »Eroberungen« ersetzt, was er an Tiefe der Befriedigung jeweils verfehlt, so macht doch der Neurotiker in Zwangstreue eine Erfahrung, die so billig ist, daß ein jeder sie haben kann: die Entdeckung, daß der Geschlechtstrieb seiner Reglementierung durch ein »Schwinden der Potenz« sich entzieht.

Der Psychoanalytiker ist hier wieder ein »Feld-Anthropologe«[87]; seine intime Kenntnis des einzelnen Falles erklärt die Not von Millionen. MITSCHERLICH zieht ein Fazit und findet, an der christlich-bürgerlichen Ehe hafte neben dem Glück, das sie durchaus vermitteln könne, »ein so unermeßliches Quantum von Leid, von Mißverständnissen und Mißlingen«, daß es kaum glaubhaft erscheine, sie als eine endgültige soziale Institution aufzufassen[88]. Der Tiefenpsychologe betont die für eine Ehe grundlegende, ja »zentrale Rolle einer glückenden Sexualbeziehung«[89]. Aber wie sollte dieses »Glück« gerade in Zwangstreue sich erhalten? Den Männern bleibt die polygame Natur ihrer Frauen zwar zumeist wohltuend verborgen, wenn sie auch mit Eifersucht die Kinder verfolgen, die die Gattin umhegt. Den Frauen aber kommt die »Unzuverlässigkeit« eines Mannes oft jäh zum Bewußtsein. Die Frau, sofern sie nicht gleichsam »viele Gesichter« hat, hat im allgemeinen nur die Wahl zwischen einem Gatten, der sozusagen redlich und guten Willens der monogamen Ehe sich anbequemt, und einem, dessen Sinnlichkeit nicht vor der Zeit erlahmt. Durch den naiven Rat eines VAN DE VELDE, die Männer sollten doch *in* der Ehe den Don Juan sich zum Vorbild nehmen[90], schimmert die Wahrheit listig hindurch.

Van de Veldes nähere Empfehlung, die Form der »Vergattung«, wie er es nennt, zu variieren, bedeutet keine Lösung des sexuellen Problems in strenger Monogamie. Die erotische Abstumpfung wird durch sogenannte gewagte Positionen nicht verhindert, sondern nur hinausgezögert[91]. Wer einfach willentlich dem ausbiegen möchte, der gleicht dem Manne, der beschließt, begeistert zu sein. Wer mahnt, doch durch Klugheit und »Bemühung« das Begehren in der Ehe sich zu erhalten, tut so, als hätten wir's in der Hand zu entscheiden, was uns ansprechen soll und was nicht. Wo immer derselbe Reiz uns berührt und bewirkt, daß unsere Ansprechbarkeit für ihn nach einem Höhepunkt wieder abflaut, da greift zuletzt der »gute Wille« ins Leere. Es ist dies die natürliche Folge strenger monogamer »Pflicht«. In der hämischen Rede von den Casanovas, die es »nötig hätten«, immer neue Reize sich zuzuführen[92], ist das nur ideologisch verschleiert. Umgekehrt wird ein Schuh draus: Man muß sehen, daß der zu ehelicher Treue verpflichtete Mann beständig erotische Reize, die ihn »treffen«, in sich zu verstauen hat. Das Ende der Flitterwochen markiert bisweilen schon den Beginn solcher »Bemühung«.

Was aber hat es auf sich mit den »armen Casanovas«, die das Wechsels bedürften, um nicht zu versagen? Wie kommt es dazu, daß schon das Bedürfnis nach Abwechslung als mangelhaftes sexuelles Bedürfnis verbucht wird? Da solche Urteile nicht im Schwimmbad, sondern am Schreibtisch entstehen, darf je ad hominem vermutet werden: Der längst »friedlich« gewordene Stubengelehrte blickt mitleidig auf jene, die noch anders leben als er; den Grund seiner eigenen Sittsamkeit projiziert er als »Schwäche« auf sie zurück. Dabei verkennt er *die moralistische Wurzel des eigentlichen Don-Juanismus:* das anerzogene schlechte Gewissen bei sexueller Betätigung überhaupt, das jede tiefe Befriedigung verhindert und so erst ein oberflächliches Springen von Frau zu Frau ermöglicht. Mit einer angeborenen Schwäche der Potenz, wie die Moralisten uns suggerieren, hat das gar nichts zu tun. Es handelt sich um ein Faktum unserer Kultur: Sittenapostel und Herzensbrecher haben in ihr einen festen Platz. Der junge gesunde Mann aber, der »besten Willens« ins monogame Ethos sich preßt, versucht die Quadratur des Zirkels: er hat wohl nicht nötig, sexuelle Reize sich zuzuführen. Er wird, wenn er nur durch die Straße geht, schon gereizt genug. Sollte ein Mädchen ihm zulächeln, so hätte er fast von Rechts wegen ein möglichst finsteres Gesicht aufzusetzen: *principiis obsta*[93]*!* Wer es ernst meint mit ehelicher Treue, wird gegen »unerwünschte« Reize sich einzig immunisieren, indem er von den Erregungen, die sie auslösen, beharrlich sich ablenkt. Das wird zum bedingten Reflex: Man erregt sich wohl noch, aber nur über die »Herausforderung«, die man jetzt »unverschämt« findet – angesichts der inzwischen geschwundenen Potenz. Das moralistisch gebrochene Verhältnis zum Sexus bleibt nicht ohne physiologische Konsequenz[94]. Aus »Erektionsangst« (FREUD) wird Impotenz. Aber dies ist der Zweck jener Übung, die man *Askese* nennt: auf sexuelle Reize nicht mehr rein sexuell zu reagieren. Erst hilft sich einer damit, bei Frauen, die ihn erregen, sofort nach Mängeln zu suchen: bald erregt ihn so leicht keine mehr – oder nicht eindeutig genug. Das Ressentiment, die Entwertung des Reizvollen, rächt sich an dem, der es nicht mehr erträgt. Die Frau, die, allzu hellsichtig für die Fehler der anderen Frauen, ihren Mann beflissen darauf aufmerksam macht, leistet immer nur der Entsexualisierung ihrer eigenen Ehe Vorschub. (Natürlich auch dann, wenn der Mann mit Trotz reagiert.) Wenn sie gar tyrannisch den »ihren« dazu anhält, sich nicht mehr nach anderen umzudrehen, so verschüchtert sie vollends bei ihm das Begehren, durch das sie selber für ihn attraktiv ist.

Der Verdacht, es müßten gerade die Triebschwachen durch immer neue Reize sich aufpulvern, findet freilich Nahrung durch den sprichwörtlichen alternden Mann, der sich in ein junges Ding vergafft. Mag sein, daß dem sogenannten Johannistrieb eine derart therapeutische »Absicht« innewohnt, halb bewußt, versteht sich. Wahrscheinlicher ist, daß die jähe Erkenntnis eines bislang ungelebten Lebens nur Hemmungen abwirft, die in langen Jahren des beruflichen Aufstiegs erworben wurden. Doch immerhin gesetzt, es wollte einer durch junge Mädchen sich »verjüngen« – GOETHE schrieb sich das zu[95] –, so ist das doch nicht seiner angeborenen Vitalität anzulasten. Und bei dem, der *vor der Zeit* impotent wurde, müßte man wissen, ob er nicht außer Haus, wenn er nur dürfte, noch durchaus vital wäre (oder es sogar ist). Zu sagen, eine gesunde Geschlechtskraft bedürfe gar keiner Reize, zumindest keiner neuen, also keiner, die reizen wie die »alten«, als diese noch neu waren – eine solche Behauptung tut so, als sei der Geschlechtstrieb das *perpetuum mobile*, das ganz aus sich selber rollt. (Vermutlich hat der Traum vom Perpetuum mobile in solchen Lebens-Wünschen seinen Grund.) Während wir sonst heute ganz genau wissen, daß alles Leben, jede Lebensfunktion – vom Blutkreislauf bis zur Verdauung – steter Reize bedarf, um gesund zu bleiben[96], tun manche just so, als sei die Sexualität nichts weiter als ein Mechanismus, der sich pflichtgemäß an- und abstellen läßt. *Die Spiritualisten in der Ethik mechanisieren den Leib.*

Verlust der sexuellen Spontaneität macht, im Extremfall, den Mann zeugungsunfähig, zumindest bei der Partnerin, von der er – »neurotisch impotent« – unterbewußt sich zurückzieht. Die Frage ist, ob dem auf seiten der Frau eine »Empfängnisunfähigkeit« bei Frigidität entspricht. Dabei kommt allerdings nur eine Frigidität in Betracht, die wir als sekundäre Frigidität, das heißt als sexuelle Abstumpfung in langen Jahren »ehelicher Pflicht«, von einer primären Frigidität, die *absolutes* orgastisches Unvermögen bedeutet, tunlichst abheben. Nur diese primäre Frigidität wird indessen von den üblichen Verhaltensumfragen erfaßt: da zeigt sich dann unter den je länger verheirateten Frauen eine leichte Abnahme der absolut empfindungslosen. Bei mindestens einem Fünftel *total* unbefriedigten Frauen im ersten Ehejahr und noch weit mehr »halb« und selten befriedigten[97] ist die sekundäre Frigidität aber wohl auch von sekundärer Bedeutung – sofern es bei dem ganzen Fragenkreis nur um die Frau geht. Verständnis für die sexuellen Schwierigkeiten des Mannes kann indessen nur eine Frau haben, die über das pubertäre Problem der baren Orgasmusfähigkeit längst hinaus ist und – gleich dem Manne – schon dem unausweichlichen Schwinden ihrer eigenen sexuellen Intensität in strenger Monogamie konfrontiert ist. Die niemals volle Befriedigung verspürten, brauchen natürlich über ein Nachlassen der erotischen Spannung in der Ehe nicht sich beklagen. Das Wissen um die eigene Not macht diese zunächst erst noch quälend. Vielleicht müssen die Frauen in einer Übergangsphase der moralischen Evolution noch ein Leiden dadurch auf sich nehmen, daß sie »wissender« werden, um für ein volles Verständnis des Mannes die Voraussetzung der Gleichartigkeit ihrer eigenen Situation mitzubringen. Erst dann wäre allen Ernstes verliebten Paaren der Rat zu erteilen, den GOETHE, noch übermütig, gegeben hat:

> Du junger Mann, du junge Frau
> Lebt nicht zu treu, nicht zu genau
> In enger Ehe.[97a]

Noch aber wissen weder die Frauen noch gar die Männer, die Mann und Frau für so grundverschieden halten, als gehörten sie gar nicht zusammen, recht wenig von den verdeckt-polygamen Zügen der Frau. Vollends über einen Zusammenhang von sekundärer Frigidität der Frau und Empfängnisunfähigkeit wissen wir so gut wie nichts. HERMANN STIEVE hat positiv zwar nachgewiesen, daß die Konzeptionsfähigkeit bei starker emotionaler Bewegung der Frau besonders groß ist, wobei – dies gegen KNAUS – sogar zweitrangig ist, an welchem Tag der Periode die Begattung erfolgt. Es wird von STIEVE als »zum mindesten äußerst wahrscheinlich bezeichnet ..., daß der Geschlechtsverkehr selbst und besonders der Orgasmus einen fördernden Reiz auf die Follikelreifung beim Menschen ausüben kann.«[98] Sogenannte starke »seelische Erregung«, die immer eine Erregung des zentralen Nervensystems ist, wirkte dann über die Hypophyse anregend auf die Eierstöcke zurück.

Im Alltag der Ehe flacht die Erregungskurve sich ab. Da mögen sich sogar Antikörper gegen das Sperma des Mannes bilden, die eine Befruchtung verhindern. »Viele erfahrene Ärzte raten deshalb Frauen, die nur schwer empfangen, längere Zeit, d. h. mindestens 6–8 Wochen abstinent zu leben.«[98] Wenn ein wechselseitiges Nachlassen des Begehrens nach einigen Ehejahren auch bei der Frau zunächst zu »orgastischer Impotenz« (W. REICH) führt und wir dies nicht einfach nur psychologisch »motiviert« sehen, sondern somatologisch ernst nehmen, dann wäre ein Zusammenhang von Frigidität und Empfängnisunfähigkeit doch leicht zu erschließen. Diese logische Vermutung wäre indessen nicht abzuwehren durch den Hinweis, daß selbst vergewaltigte Frauen oftmals empfangen hätten; denn jene »Antikörper«, die wir bei sekundärer Frigidität unterstellen, dürften auch nur *allmählich* sich bilden, wenn sie doch später erst nach sechswöchiger Enthaltsamkeit wieder fehlen. Ganz abgesehen davon reagiert eine Frau, die vergewaltigt wird, gar nicht notwendig frigide, dann nämlich nicht, wenn sie unterbewußt bereit war, vergewaltigt zu werden. IGOR A. CARUSO[99] skizziert aus seiner psychoanalytischen Praxis zwei derartige Fälle: 1. den einer dreiunddreißigjährigen Frau, die, 1945 von zwei Männern vergewaltigt, dabei den Orgasmus empfand, obschon sie ihrem Gatten gegenüber »öfters frigid« gewesen war. 2. Eine sechsundzwanzigjährige Frau, die unterbewußt die Situation der Vergewaltigung mit »arrangiert« hatte, war »immer frigid«. – In den Ausnahmesituationen der Kriege zeigt sich vielleicht überhaupt, daß, sexualpsychologisch gesehen, die Frauen den Männern im Grunde ähnlicher sind, als man für gewöhnlich wahrhaben will*. Das Goethe-Wort »Nach Freiheit strebt der Mann, das Weib nach Sitte« ist der prägnante Ausdruck des Vorurteils, das Mann und Frau als so verschieden bezeichnet, wie sie in der alten patriarchalischen Ordnung vollends auch leben mußten. Das hat sich inzwischen etwas geändert; wie, werden wir noch sehen.

i) Die Prostitution: Rechenfehler der herrschenden Moral

Wenn wir immer wieder auf die Explorationen der Psychoanalytiker uns stützen, so tun wir das natürlich auch, um einen Mangel an

* Auf die sexuelle Enthemmung der Frauen im Kriege kommen wir im V. Teil erst noch zu sprechen.

eigener Erkundigung zu überbrücken. Das Bedenken, daß wir so aber auf »Krankengut« uns stützten, verdankt sich indessen einem Hochmut gegenüber denen, die, ohne es zu wissen, Opfer der triebverdrängenden Moral sind. An den oft zufällig zum Analytiker geschickten und dort explorierten Neurotikern kommt nur wieder heraus, woran fast ein jeder in dieser Kultur zu leiden hat. Fast ein jeder: Wer glaubt, daß gerade nur er als einer von wenigen Mühe hat, der streng monogamen Ordnung sich anzubequemen, oder wer seine eigenen Schwierigkeiten dabei gar nicht wahrnimmt, weil sie längst sich ihm »somatisiert« haben, etwa in einem wie schicksalhaft empfundenen Asthma, oder wer als »leidenschaftlicher« Raucher, als Vieltrinker, als »Säufer« oder Eßsüchtiger die Bahn der oralen »Regression« beschreitet – kurzum, wer aus diesem oder jenem Grunde nicht sieht, warum ihm die sexuelle Anpassung »leichtfällt«, den dürfen wir an ein »objektiveres« Phänomen erinnern, an eines, in dem die allgemeine Schwierigkeit sich geradezu sozial institutionalisiert: in der Klasse der Prostituierten. Wenn wir uns vor Augen halten, daß in der Bundesrepublik Deutschland »mindestens 200 000 Mädchen und Frauen, teils gewerbsmäßig, teils gelegentlich als Prostituierte« leben[100], dann erscheint das wie ein Rechenfehler der geltenden Moral. Zwar sind in dieser Zahl auch gelegentliche Dirnen mit enthalten, aber wer zu diesen zählt, ist noch im Einzelfall schwer zu bestimmen. Die Mädchen, die immer wieder von einem anderen Mann eine Weile sich aushalten lassen, zählen die noch dazu oder nicht? Die Frage ist nicht leichter entschieden, wenn wir für diese Mädchen einen neuen Terminus prägen. (Die Soziologen nennen sie h.w.G.-Personen: Personen mit häufig wechselndem Geschlechtsverkehr.) Das heute so breite Zerfließen der Prostitution steht sicher auch hinter der Schätzung Östereichs[101], der meint, in der Bundesrepublik treibe jeder 25. Bewohner »öffentliche Unzucht«. Middendorff hält das für übertrieben[101]. Indessen, wenn wir auch nur an Zahlen uns halten, die die »klassische« Prostitution betreffen – zum Beispiel in den USA: »mindestens« eine halbe Million[102] –, dann ist schon abzuschätzen, wie verbreitet der Verkehr mit Dirnen sein muß, denn immerhin müssen diese ja auf ihre Kosten kommen. Eine jede von ihnen kann pro Nacht etwa 20 bis 30 Kunden haben[103]. Indirekte Bestätigung ist es, wenn Kinsey[104] – für die USA zumindest – feststellt, daß 69 Prozent der weißen Männer zu irgendeiner Zeit Erlebnisse mit weiblichen Prostituierten haben. Die daraus stammende »Gesamt-Triebbefriedigung der gesamten männlichen Bevölkerung« wird von Kinsey zwar nur mit 3,5 bis 4 Prozent angegeben[105];

die entsprechende Zahl für den ehelichen Geschlechtsverkehr wird aber auf nicht mehr als 45,9 Prozent veranschlagt[106]. Daraus ergibt sich, daß rund die Hälfte der Orgasmen aller Männer verbotenen oder doch moralisch verpönten Quellen entstammt[107].

Es kann dahingestellt bleiben, wieweit die Ermittlungen KINSEYS verläßlich sind; im Riesenheer der Dirnen jedenfalls kommt als eine soziologische Größe heraus, was an der herrschenden Sexualmoral überhaupt verkehrt ist, verkehrt – im Verhältnis zur Natur des Menschen. Man kann anders nicht schließen, es sei denn, man wäre dreist genug, das Dirnenwesen ein in jedem Falle positives Phänomen zu nennen. Schon das Argument, daß man die Prostitution als »das kleinere Übel« im Interesse der monogamen Ehe in Kauf nehmen müsse[108], kommt in Konflikt mit dem anerkannten Grundsatz, nach dem der Zweck die Mittel niemals heiligt. Die Verfechter der freien Liebe wie etwa ELLEN KEY waren aus diesem Grunde stets in einer moralisch starken Position.

j) Auf dem Weg zur Gruppenehe?

Nun glaube ich nicht, daß die Entwicklung auf völlig freie sexuelle Beziehungen hintreibt. Die freie Liebe, gerade auch die freie neben-eheliche Liebe, wird überall da auf Widerstand stoßen, wo – absichtsvoll oder nicht – eine Ehe durch sie bedroht ist. In einer Gesellschaft, in der jeder noch so flüchtige erotische Kontakt vom Motiv des Prestiges durchsetzt ist, ist nicht zu besorgen, es könnten sozusagen samoanische Verhältnisse einreißen und also nebeneheliche Verhältnisse allgemein leichtgenommen werden. Immer wird, wer hier mit einem Verheirateten anbändelt, auch »sehen wollen«, ob er den Gatten des Partners nicht ausstechen kann. Diejenigen Frauen und Mädchen, die nie ein anderes Feld für ihren Ehrgeiz gefunden haben, werden dabei sogar stets darauf ausgehen, die Ehe ihres Freundes »zu sprengen«. Da man dies allgemein weiß oder mindestens ahnt, wird zwar die nebeneheliche freie Liebe deswegen nicht völlig verschwinden, aber sie wird nicht das Ziel sein, auf das hin die Moral sich entwickelt – unter der Voraussetzung, daß der Ehrgeiz in ihr ein bestimmender Faktor bleibt[109]. Bleibt er es aber, weil schon die Wirtschaftsordnung es so verlangt (oder zumindest: solange sie es verlangt), dann könnte die Sexualmoral, sofern sie sich »lockert«, nur auf eine Institution hin abzielen, in der der Einzelne (und gerade: *die* Einzelne) zwar um die Geborgenheit in der Familie nicht mehr zu bangen brauchte, in der er (vor allem: er) aber doch unter den psychischen Ermüdungserscheinungen[110] der monogamen Ehe auch nicht mehr so sehr zu leiden hätte. Eine solche Institution wäre die *Gruppenehe*, die schon bei einigen sogenannten Primitiven sich findet, wenn auch selten[111]. Es gibt Anzeichen, die dafür sprechen, daß sie leicht die Familienform einer Spätkultur werden könnte[112]. (Immerhin kommt ja die Monogamie ebenso bei einigen »Primitiven« vor.)

Wenn bestimmte »Warnungen« nicht aufgebauscht sind, dann greift gegenwärtig zumal in den USA und dort gerade in gutbürgerlichen Kreisen die Neigung um sich, die Frauen auszutauschen – oder sollen wir, im Hinblick auf die Gleichberechtigung der Geschlechter, eher sagen: die Frauen *und* die Männer auszutauschen? Die namentlich von Michael Leigh geschilderten Zustände haben zwar zum Teil promiskuitiven Charakter, doch scheinen sich auch regelrechte Freundschaften zwischen einzelnen Ehepaaren herauszubilden[113]. Nebenbei fällt auf, daß Paare, die nach dem Vorbild der Heiratsanzeigen in erotischer Absicht inserieren, um andere »gleichgesinnte« Paare zu finden. dabei gelegentlich ausdrücklich versichern, sie hätten »keine rassischen Vorurteile«[114]. Die Rassenfanatiker offenbar rekrutieren sich nicht aus den Kreisen der »Sexfreunde«. Was indirekt wieder bestätigt, daß unausgelebte Sexualimpulse zu Aggressivität, ja Mordlust sich aufsammeln und in nationalen, rassischen oder religiösen »Feinden« sich selber noch ihr Objekt schaffen, wenn nicht schon die feste Tradition eines »Erbfeindes« besteht.

Man wende hier nicht ein, daß schließlich selbst einige SS-Männer in Auschwitz sich nicht gescheut hätten, intime Beziehungen mit Jüdinnen anzuknüpfen[115]. Es ist doch ein Unterschied, ob Menschen verschiedener Rasse oder Religion gesellschaftlich miteinander verkehren, so zwanglos, daß es sexuellen Verkehr im Einzelfalle nicht ausschließt, oder ob da einer die Jüdinnen »hernimmt«, um sie als Angehörige der ihm verhaßten »Rasse« erst recht zu erniedrigen. Das quasi-politische Ziel einer solchen Demütigung – durch eben das, was sonst auch der Liebesakt heißt – ist triebpsychologisch indessen ganz nebensächlich. Der berüchtigte Aufruf an die sowjetischen Soldaten des Jahres 1945 (ob er nun von Ehrenburg stammt oder nicht) kann hier durchaus als Paradigma dienen: »Brecht den Stolz der germanischen Frauen!« Dem Philister aller Länder ist es im Grunde gleich, an welchen Minderheiten oder Todfeinden er sich austobt; Hauptsache, er darf ungestraft den »gezügelten« Trieb endlich ausleben und dabei noch im Widerstand seines Opfers spüren, daß er sich im Kampfe befindet – im Kampf für die gute Sache. Gerade dies, daß die Frau, die er vergewaltigt, darunter leidet, entlastet sein aggressives Gewissen: Der losgelassene Spießer tut leichthin zum Schaden anderer alles das, was bei gegenseitigem Einvernehmen ihm als ein Ausbund des Bösen und des sittlichen Niederganges erscheint. Zählen wir aber die Ausnahmesituationen, in denen auf einmal alles erlaubt ist, zu den Institutionen unserer Kultur, dann kommen selbst käufliche Liebe und Frauentausch in ein anderes Licht: als *friedliche*, wenn auch leicht »seelenlose« Formen, dem gequetschten Trieb etwas Spiel-Raum zu geben.

Sofern der Austausch der Gatten auf jeweils bestimmte Paare beschränkt ist, besteht die Tendenz zur Gruppenehe. Schon ein Reflex auf diese Entwicklung überhaupt war in der Bundesrepublik Deutschland der Regierungsentwurf eines Strafgesetzbuches von 1962[116]. Im Unterschied zum geltenden Strafrecht, nach dem bei Ehegattenkuppelei – gemäß § 227, Abs. 2 StGB – nur der Mann bestraft werden kann, »mit Zuchthaus bis zu fünf Jahren«, sah der Gesetzentwurf auch eine Bestrafung der Ehefrau vor. Die beigefügte Begründung betont, die »bedeutsame Änderung« beruhe »auf Erfahrungen der gerichtlichen Praxis aus jüngster Vergangenheit«. Sie zeigten, »daß bei sexuellen Ausschreitungen der Austausch der Geschlechtspartner unter Ehepaaren im Zunehmen begriffen ist«. Vorgänge dieser Art seien »in besonderem Maße verwerflich und, wenn sie gehäuft vorkommen, geeignet, nicht nur die einzelne betroffene Ehe zu zerstören, sondern auch Ehe und Familie als Grundlagen der Gesellschaftsordnung im ganzen zu gefährden.« Zusammen mit der im gleichen Strafrechtsentwurf betriebenen Verdoppelung der Höchststrafe für Ehebruch[117] zeigte sich so die – inzwischen wieder eingedämmte – Bestrebung, Ausbrüche aus der monogamen Ordnung konsequenter zu verfolgen. Da dies im einen Falle unter ausdrücklichem Hinweis auf die jüngsten Erfahrungen der gerichtlichen Praxis geschah, so bestätigt sich damit nur, was unter anderen WALTER RATHENAU bemerkt: daß man von der Härte der Strafen in einem Volk niemals auf entsprechende Sittlichkeit schließen darf, sondern immer nur umgekehrt auf ein durch die Strafen in Schach zu haltendes Leben, das von der im Strafgesetz enthaltenen Norm bereits abweicht[118].

Nun könnte, statt den Zerfall der Ehe zu bewirken, Frauentausch auch ihre Erweiterung bringen: die Erweiterung der Ehe zur Gruppenehe. Ethisch bemerkenswert ist aber schon die Feststellung KINSEYS, »daß die meisten Ehemänner, die außereheliche Betätigung ihrer Frauen bejahten oder anregten, es in dem ehrlichen Vorsatz taten, ihnen die Gelegenheit zu zusätzlicher sexueller Befriedigung zu verschaffen«[119]. Solche Gesinnung, sofern sie um sich griffe, könnte dem Partnerwechsel eine ihm gemäße Moral geben, ein Ethos der Freizügigkeit, das dauerhafte Bindungen fördert: weil die, die einander Freiheit geben, sich eben dadurch – in Dankbarkeit – aneinander binden. Umgekehrt stemmt ein jeder von dem, der für ihn den moralischen Druck der Gesellschaft verkörpert, unterbewußt sich ab.

Eine neue Moral müßte nicht in allem das Gegenteil preisen von dem, was heute noch gilt. Eine neue Moral im Verhältnis zur herrschenden wäre schon eine, die diese von ihren inneren Widersprüchen befreit. Zum Beispiel von dem Grund-Widerspruch, daß der Mensch, um die sexuelle Anpassung nur zu wollen, über seine Triebnatur sich belügen muß, aber doch gegenüber jedermann möglichst aufrichtig sein soll. Wohl kann ethisch hier noch abgestuft werden: so daß die Forderung der Aufrichtigkeit nur um so strenger gilt, je enger das Band des Vertrauens ist, das uns mit Anderen (schon) verbindet[120]. Doch wo intuitiv ein – berechtigtes – Mißtrauen uns warnt, kann kein Anlauf des Willens die Neigung zur Lüge überwinden. Es ist ein Paradox der herrschenden sittlichen Ordnung, daß gerade diejenigen, die erklärtermaßen die »engste Bindung« eingegangen sind, die Ehegatten, oft am meisten voreinander verschweigen, ja daß oft die Frauen ihre Männer ermuntern, zu lügen oder sich zu verstellen: »So genau« wolle man von »ihm« gar nicht alles wissen. Von Psychologen sogar wird es als eine besondere Form des Sadismus gewertet, wenn der Mann seiner engsten Vertrauten von seinen sonstigen »Erlebnissen« erzählt[121]. Diese Wertung mag im Einzelfalle stimmen – eben auf der Basis der herrschenden Moral, die für die Liebe die Illusion der Ausschließlichkeit hochhält, aber doch die Forderung der Aufrichtigkeit nicht fallenläßt.

In dieser einen Hinsicht jedenfalls sind die Sexfreunde auch schon nach heutigen Moralbegriffen moralischer – als wir, die wir mit ihnen leben: Sie sind aufrichtiger zueinander, sie *betrügen* sich nicht, wenn »betrügen« meint: daß Menschen, die miteinander leben, wesentliche Dinge voreinander verschweigen. Auch in anderer Weise ist ihr Lebensstil durchaus musterhaft: Sie leben – und empfinden es selber so – viel ruhiger, ausgeglichener und friedfertiger als ihre sexuell angepaßten Nachbarn und Arbeitskollegen, die nur in Gedanken anderen Frauen sich nähern, dafür Intrigen spinnen, der Klatschsucht frönen und feiertags – höchster Genuß! – sich betrinken und grölen[122]. (Die Sexfreunde machen sich wenig aus Alkohol[123].)

Wenn moralische Veränderungen überhaupt, auf lange Sicht gesehen, neue soziale Institutionen schaffen, dann könnte der um sich greifende Partnertausch zuletzt die Gruppenehe formieren. Die kulturgeschichtliche Möglichkeit aufzeigen heißt noch nicht sie propagieren. Die Frage bleibt, ob jemals im Rahmen einer Institution spontane Sexualimpulse angemessen sich ausdrücken lassen. Eine jäh aufkeimende Neigung, die nicht die Bedingung des Partnertausches erfüllt, wäre in einer Gruppenehe zu verdrängen wie je. Es wäre nur denkbar, daß dort, wo nicht der moralische Zwang herrscht, stets nur ein und denselben Menschen – spontan? – zu begehren, auch viel seltener Triebimpulse sich anstauen und dann hervorquellen in jener Verliebtheit, die jedesmal gleich die Ehen bedroht. Die Mitglieder der amerikanischen Sexklubs haben wohl zu Recht die Empfindung, in ihren Reihen ›viele Scheidungen vermieden zu haben‹[124]. Denn gerade die starr – in Zwangstreue – festgehaltene Bindung trocknet womöglich so sehr noch aus, daß ein kleiner »Funke« von irgendwoher genügt, um sie mit einem Mal »auffliegen« zu lassen. Der eifersüchtige Gatte hat insofern schon recht, daß er dem anderen auch nicht den harmlosesten Flirt gestattet: es könnte »ernst« werden und die Ehe zerstören. Was der brennend Eifersüchtige nur dabei übersieht, das ist, daß er durch eben seine Eifersucht selber das Auseinanderbrechen der Ehe schon vorbereitet. Ein guter Teil der heute die Ehen bedrohenden – und scheidenden – spontanen Neigungen verdankt im Grunde sich einer allzu starr gewordenen Ehemoral. Das »Chaos«, das die Moralisten befürchten, herrscht also eher jetzt als nach einer möglichen Lockerung dieser Moral. Kluge Frauen wissen, daß es, um einen Mann an sich zu binden, oft schon genügt, ihm nur das Gefühl der Freiheit nicht zu nehmen. Was allerdings das Schwinden des Begehrens nicht ausschließt. Es wäre nur zu fragen, ob nicht zumindest »vorzeitige« eheliche Untreue aus einem Unmut kommt: darüber, daß man als Ehegatte in unserer Gesellschaft gedrängt ist, sich wie eine Sache vom Andern besitzen zu lassen. Aus solchem dauernden Mißmut heraus mag einer dann wahllos, ohne gerichtete Neigung, jede sich bietende Gelegenheit zu einem »Seitensprung« aufgreifen. Sexuelle Freiheit zeigte sich folgerichtig gerade auch darin, daß der triebstarke Mensch nicht beständig sich vorzusehen brauchte. Freiheit bedeutet das Freisein von jedem Zwang, auch dem Zwang, im Sinne einer *fun morality*[125] unbedingt »mitmachen« zu müssen.

k) Die sexuelle Gleichberechtigung der Frau

Wohin die Entwicklung geht, ist offen. Eine Entspannung im Verhältnis zwischen Mann und Frau wird es nur geben, wenn sowohl die Männer als auch die Frauen vollends aufhören, eine doppelte Moral anzuwenden, die da den Mann als Helden und Eroberer feiert, wo sie die Frau als »liederlich« verwirft oder als ein Opfer männlicher Sinnenlust beklagt. Das liegt – heute zumindest – nicht mehr allein an den Männern. Die Frauen selber bestehen darauf, verachtet zu werden, wenn moralische Zerknirschung über den vermeintlichen »Fehltritt« ein Mittel ist, die Ordnung zu stärken, in der allein ihnen Sicherheit verbürgt scheint. Die provozierte Beteuerung des Mannes, daß er sie doch keineswegs verachte – als Beteuerung freilich Verachtung genug –, erscheint der subjektiv »Gefallenen« als eine besondere List des Verführers, sie noch im Denken zu verderben, wie wenn es mit dem Tun nicht schon genug wäre. Die Süße des schlechten Gewissens läßt sich so leicht keine rauben, die, frigide genug, allen Reiz aus der Übertretung des Verbotenen zieht.

Die sexuelle Gleichberechtigung der Frau ist so nicht einfach ein Geschenk, das den Frauen von den Männern gegeben werden könnte wie das politische Wahlrecht, ein Doktorhut oder der gleiche Stundenlohn. Damit die Frau als Geschlechtswesen das gleiche Recht bekommt wie der Mann, muß sie in sich selber einen Wandel der Gesinnung vollziehen. Sie muß aufhören, sich in der Rolle eines Opfers zu gefallen, das männlicher Gier und Lüsternheit sich ausgesetzt findet. Positiv gewendet und mit SIMONE DE BEAUVOIR gesprochen: Die sexuell Gleichberechtigte, das ist die Frau, die zugibt, »daß zwischen ihm und ihr eine Gegenseitigkeit des Verlangens und des Genusses besteht«[126]. Das heißt nicht, daß die Frau nun dem Manne es abnehmen sollte zu werben. Das könnte sie gar nicht. Denn die Frau wirbt ohnehin. Sie wirbt, indem sie lockt und männliche Werbung provoziert. Sie muß das nur zugeben und fürs erste überhaupt einsehen.

Das ist freilich schöner gesagt als befolgt. Wir dürfen nicht dabei stehenbleiben, Grundsätze einer neuen Moral in dem Ton vorzutragen, in dem die alten Verbote sich Achtung ertrotzen. »Es ist unmöglich, aus der bloßen Vorstellung oder Propaganda von ›Werten‹ das Verhalten einer Gesellschaft zu ändern, man muß auch die Institutionen dazuliefern.«[127] Ein neues Sexualethos kann nicht von dem guten Willen geleistet werden, den das alte beansprucht, und auch nicht aus lauter Einsicht erwachsen: da doch die »sittliche Einsicht« der meisten nur Fügung ins Faktische ist. Das sexuelle Verhalten ist eng geknüpft an die Werte, nach denen im Ganzen einer Gesellschaft jedwedes Verhalten sich ausrichtet. Mag auch so mancher der heute bejahten Werte erst der Triebunterdrückung entstammen; die Befreiung des Sexus findet doch in ihm eine Hemmung. Solange Prestige und Erfolg, wie gezeigt*, die obersten Werte sind, die nicht so bald sich entwerten, ist noch die Bereitschaft zur Sinnenlust von ihnen geprägt. Das Streben nach sozialem Ansehen schließt einen Vergleich mit dem Anspruch auf Freude. Das Mädchen, das seinen Zukünftigen nach dessen beruflichen Chancen sich aussucht, verzichtet damit nicht schon (oder eigentlich: nicht mehr) auf die »Freuden der Sinne«. Wenn dennoch die junge Dame, die »eine gute Partie zu machen« sucht, im Zweifelsfalle eher heiratet, anstatt auf eine noch günstigere Gelegenheit zu warten, so entscheidet dabei allein der Gedanke ans soziale Prestige. Lust gibt es auch außerhalb der Ehe. Aber »Frau« zu werden bedeutet eine schier unerläßliche soziale Aufwertung der Person. Vielleicht allein die Akademikerin, die ihr Studium erfolgreich beendet hat, braucht aus *diesem* Grunde nicht mehr zu heiraten. (Das gilt zumindest für Länder wie Schweden, in denen es bald mehr weibliche als männliche Lehrer, Ärzte und Richter gibt.) Die Ärztin jedenfalls ist eine Respektsperson, ob mit oder ohne Mann – und auch mit einem Mann, der sozial weit unter ihr steht. Sonst immer gilt die Frau gerade so viel, als ihr Gatte Rang, Geld oder Einfluß hat. Unter diesem Aspekt in der Tat könnte die berufliche Aufwertung der Frau, wie SIMONE DE BEAUVOIR es auch meinte[128], das Verhältnis der Geschlechter zueinander entspannen. Die Frau, die es zu etwas bringt, hört auf, alles Glück und allen Segen allein vom Mann zu erwarten. Nur: Solange der Mann seine Frau nicht beruflich als ebenbürtig bejaht, wo sie es tatsächlich ist, da wird *zwischen den beiden* die Konkurrenz erst beginnen. Und auch da, wo die Frau – suffragettenhaft – die Männer schlechthin übertrumpfen möchte. Der Sklavenaufstand der Frau wird die Männer noch Nerven kosten.

Wir sagen, die Frau habe es hier und heute noch nötig zu heiraten, nur um in der Gesellschaft etwas zu sein. Die Gesellschaft, die einen jeden, ob er will oder nicht, hin zur Ehe drängt, ködert mit Prestige aber auch den Mann, damit er sich eine Frau nimmt. Bestimmte Positionen werden mit Vorrang an Männer vergeben, die verheiratet sind. Der Zwang zur Ehe setzt früh genug ein: Die über 25 Jahre alten deutschen Nachwuchswissenschaftler bekommen ein Oxford-Stipendium nur, wenn sie verheiratet sind. In den USA, die unter 36 Präsidenten nur einen Junggesellen hatten (James Buchanan), macht der Angestellte Karriere nur in dem Maße, in dem seine Frau einen gewinnenden Eindruck macht und zu repräsentieren versteht. Geschieden zu sein ist ein Handikap. Jedoch »der schlimmste Status von allen ist der eines Junggesellen über sechsunddreißig Jahre.«[129] Man sieht, daß selbst da, wo vorgeblich pure Leistung entscheidet, beruflich nichts so erfolgreich macht wie

* Im Kapitel B (»Das Konkurrenzsystem«) des I. Teils.

Erfolg in der Liebe. Und umgekehrt. Der Erfolg stützt den Erfolg: ein Kartenhaus.

Die bloße Einsicht in diese Dialektik hilft freilich nicht viel. Daraus für sich selber die Folgerung der Ehelosigkeit zu ziehen, wäre vorschnell gedacht, jedenfalls wenn doch der Wunsch nach Kindern besteht. Die Deklassierung des unehelichen Kindes, das nach deutschem Zivilrecht mit seinem Vater lange Zeit nicht als verwandt galt[130], wirkt als eine weitere Reuse zur Ehe. Der Eheunwillige verspürt indessen noch elementareren Zwang: Ihm droht, je älter er wird, um so sicherer totale Vereinsamung inmitten einer Welt von Ehepaaren. Ohne »bessere Hälfte« lädt niemand ihn gerne ein, sei es, weil man ihn als latente Bedrohung empfindet, sei es, weil er vom vielen Alleinsein schon so verschroben geworden ist, daß er die Atmosphäre um sich her vergiftet. Der Ehelose antizipiert dann im Mannesalter bereits das Schicksal der deutlichen Mehrheit aller Verwitweten, die, in Altersheime bugsiert oder sonst von ihren Kindern gemieden, ein Leben außerhalb der Familie fristet. Im Zeichen des absolutgesetzten Ideals der monogamen Ehe vollzieht sich der Abbau der Familie zur Kleinfamilie[131].

Es wäre verfehlt, eine Gesundung der Ehen einfach von der beruflichen Aufwertung der Frau zu erwarten. Wo bleiben auch die Kinder, wenn die Mütter von Berufs wegen verhindert sind, sich um sie noch zu kümmern? Und wo bleibt, wie gesagt, der Mann, wenn die Gattin, karrierebeflissen, beruflich ihn aussticht? Natürlich hinter ihr zurück. Aber wenn die berufstätige Frau es darauf anlegt, dann setzt sie den Mann nur auf eine andere Art unter Druck als jene, die von der Küche aus ihren Gatten antreibt. Die fortschrittlich Gesinnten, die die Frau zum Amtmann befördern, um zu Hause Ruhe vor ihr zu haben, geraten vom Regen in die Traufe. Die einzige Alternative zum Prestigedenken der Frau ist auch nicht jene innige Liebe, die beim Mann auf die »inneren Werte« sieht, die doch nur den beruflichen Erfolg garantieren sollen, sondern: *eine gesunde Sinnlichkeit*. Denn was sind das für »innere Werte«, auf die schon die Mädchen so lauern? Ein biederer Lebensernst, Zielstrebigkeit und Pflichtgefühl, die unmittelbar in berufliches Vorwärtskommen sich umschlagen; dazu jene Aufgeschlossenheit für alles Schöne, Wahre und Gute, die mehr schafft als eine Illumination des Alltags. Sie verbürgt, daß die angeborene Ruhelosigkeit der Triebe in sogenannten harmlosen Freuden sich auslebt. Der Einzelne mag den Sinn seines Lebens in eben den Werten erblicken, die Tradition und Erziehung ihm vorgesetzt haben. Aber das hindert ihn nicht, diese Werte so instrumental zu gebrauchen, wie sie ihrem Wesen nach sind: als Mittel, die jeweils Anderen bei der Stange zu halten, sie abzuhalten von allem, was sie »sittlich gefährden« könnte und so davon abbringen, in Erfolg und Prestige ein Genüge zu finden.

Einzige Alternative also zum Prestigedenken jeder Art: ein unbefangenes Verhältnis zu jener Sinnlichkeit, die die Prestigegesellschaft verpönt. Nur Menschen, die einander hierin bejahen, können miteinander leben, ohne daß einer vor dem andern sich aufplustert: eine Grundbedingung der Liebe. Sich gegenseitig in seiner Triebnatur annehmen heißt: sich wechselseitig gutheißen in voller Leiblichkeit – ohne Ansprüche darüber hinaus, ohne die Erwartung von »Werten«, die außerhalb leibhafter Gegenwart keinen Ort haben. Moralische Forderungen, wo die Herzlichkeit streikt, Appelle ans Pflichtgefühl, wo das Mitgefühl lahmt, sie greifen ins Leere oder sie erregen erst recht den Widerwillen, der alles umwirft, wenn dadurch mehr überbrückt werden soll als physische Müdigkeit. Wer eine uneheliche Mutter ermahnt, doch um Himmels willen Verantwortung zu übernehmen und das Kind zu »akzeptieren«, statt es beispielsweise fortzugeben in ein Heim, der kommt mit seinem Appell schon zu spät und rät zur falschen »Entscheidung«. Ein Kind, gegen das die Mutter sich sträubt, wird das immer zu spüren bekommen – noch durch alle willentlichen Freundlichkeiten hindurch. (In einem SOS-Kinderdorf wäre es dann besser aufgehoben.) Daß eine Mutter ihr Kind nicht annimmt, kommt gerade nicht von einem Mangel an dem Gewissen, das die sinnenfeindlichen Erzieher uns schärften. *Es ist vielmehr ein Zeichen von Unsinnlichkeit, wenn die leibhafte Beziehung Mutter – Säugling mißlingt.* Man kann nicht erwarten, daß die auf Prestige getrimmte junge Dame ein Kind akzeptiert, das nicht – wie in der Ehe – das eigene Prestige noch erhöht, sondern in den Augen der Umwelt deklassiert. Nun aber auf die ledige Mutter den Vorwurf der Pflichtvergessenheit, der Verantwortungslosigkeit zu werfen, wenn sie das Kind nicht behält, ist Heuchelei im Munde derer, die jene Deklassierung vollziehen. Es ist Heuchelei oder Unwissenheit oder beides. Das moralische Verdikt hat zur Voraussetzung, daß der Ab-Urteilende über den Verurteilten nicht genügend Bescheid weiß.

> Wenn jeder alles von dem Andern wüßte,
> Es würde jeder gern und leicht verzeihen.
> Es gäbe keinen Stolz mehr, keinen Hochmut.
>
> Hafis

Das abfällige moralische Urteil ist, wo es sich gehäuft findet, bezeichnend für eine Gesellschaft, die im ganzen noch unaufgeklärt ist über sich selbst wie über die allgemeine Natur des Menschen. Der

Sittenrichter wie der von ihm Deklassierte kommen hier überein in derselben Form der Verkennung. Anders könnte nicht dieser vom guten Bürger sich erst dorthin drängen lassen, wo er richtig am Pranger steht. Anders auch könnte derjenige, der sittlich verurteilt, nicht blind dafür sein, daß nur der Neid auf den Anderen, der sich »auslebt«, ihm seine Entrüstung auslöst und hochtreibt.

Die Entrüstung über eine junge Mutter, die ihr (uneheliches) Kind nicht »annimmt«, ist zumindest objektive Heuchelei auch bei denen, die selber als Erzieher über Empfängnisverhütung nicht unterrichten und die nicht einsehen wollen, daß die Gesellschaft, die von Schülern noch keinen Nachwuchs haben möchte, darum doch deren Generationsfähigkeit nicht fortzaubern kann. Die dafür blind sind, sehen im unehelichen Kind ein Zeichen »sittlichen Versagens«. Der Anteil der herrschenden Moral an eben dem, was sie tadeln, bleibt unberücksichtigt. Ich denke an jenen (gar nicht so seltenen) Impotenten aus »Erziehung«, der – gleich so manchem Homosexuellen – ein Mädchen durch seine »Anständigkeit« besticht und so zur Gattin gewinnt. Verheiratet, sind sie dann alle beide die Geprellten. Solchen Zusammenhängen aber gehen die Moralisten lieber nicht nach.

l) Die Freiheit der Frau und das Wohl des Kindes

Jede Bestrebung, die herrschende Sexualmoral zu lockern, trifft auf das »Bedenken«, ob damit nicht den Frauen, die das gar nicht wollten, ein bitteres Unrecht geschehe[132]. Das sexuelle Desinteresse der Frau: ein patriarchalisches Argument, eigens dazu erdacht, um es den Frauen einzureden. Die kapriziösen »Launen« der Frau, die der Frustrierung sich verdanken, wurden ehedem auch konsequent als »typisch weiblich« bezeichnet. Das Vorurteil vermied Konflikte. Sobald die Frau verheiratet war, konnte sie aber, wenn sie nur wollte, ihre fehlende Gleichberechtigung mit Geschick kompensieren. Betrog sie den Gatten, dann war das eher noch dazu angetan, ihre Stellung ihm gegenüber zu verstärken: sie setzte ihm Hörner auf, das heißt, sie gab ihn der Lächerlichkeit preis, einer Lächerlichkeit, die womöglich noch zunahm, wenn er, einem besonderen Ehrbegriff verpflichtet, sich wegen ihr duellierte. Die Waffe, mit der der verhöhnte Mann gegen die Frau hätte zurückschlagen können, die Ehescheidung, nahm er aus religiösen Gründen nicht gern in die Hand. *Der verheiratete Mann war nicht gleichberechtigt.* Die jungen Herren nutzten allein das »moralische Recht«, das

Mädchen sitzenzulassen, das sie verführt hatten*. Sie hielten es für unzumutbar, eine Frau zu ehelichen, die schon vor der Hochzeit einem Manne sich hingegeben hatte – und wenn sie selber dieser eine Mann waren. Das war nicht nur Heuchelei. Man mußte damit rechnen, daß eine Frau, die so zur Unzeit »schwach« geworden war, auch bei einem anderen Mann »sich vergessen« konnte; und dann wäre der Ehemann der Blamierte. Man dachte realistisch über die Beteuerung »ewiger Liebe«.

Ich weiß über die Motive unserer Großväter so gut Bescheid, seitdem einige Südländer mir ihre Einstellung zur Ehe erklärt haben. Vergessen wir nicht: Das meiste von dem, was wir hier im Präteritum schildern, ist in einigen südlicheren Ländern noch blühende Gegenwart. In Italien herrschte noch bis vor kurzem, bis zum Dezember 1969, eine so extrem patriarchalische Ordnung, wie sie unser eigenes Recht seit der Gründung des Deutschen Reiches (1871) niemals zugelassen hätte: Der Ehebruch einer italienischen Frau galt als ein strafbares Vergehen, der des Mannes hingegen nicht, es sei denn, er erfolgte unter besonders ärgerniserregenden Umständen[134].

In der alten patriarchalischen Ordnung gab es – gibt es –, im Bewußtsein der Betroffenen, kein Sexualproblem. Die Frau war zumeist wenig oder gar nicht »geweckt« und hatte ein ebenso geringes Interesse an einer Änderung ihrer sexuellen Rolle. Der Mann aber nahm für sich die sexuelle Freiheit in Anspruch, deren Fehlen die Frau noch nicht einmal beklagte: weil sie eine solche Freiheit gar nicht vermißte – oder sich heimlich nahm. Der Kampf für die Emanzipation der Frau kam folgerichtig in die Hände der prüden Suffragetten, nicht in die der Vamps[135]. Diese lebten ja – wie Wucherer, Hochstapler und Militaristen – auf Kosten der bestehenden Gesellschaft und hatten gar keine Veranlassung, sie zu ändern oder sich ihr gegenüber zu rechtfertigen. Die Suffragetten aber verlangten nicht sexuelle Freiheit auch für sich selbst, sondern, konkurrenzbeflissen, ihre »Gleichberechtigung«: gleiche Aufstiegschancen im Beruf. Sie wähnten, die Frau werde sexuell eben dadurch befreit, daß auch der Mann seine Freiheit noch verliert.**

---

* Dieses »moralische Recht« spielte hinüber ins Juristische: Noch im Jahre 1942 verweigerte das Oberkommando der [deutschen] Kriegsmarine einem aktiven Soldaten die Heiratsgenehmigung, weil die Braut bereits in anderen Umständen war[133].

** Wunderliche Blüte des weltweiten Kampfes um Gleichberechtigung der Frau: »Der Republikaner Bob Bass will im Parlament von Texas eine Gesetzesvorlage einbringen, nach der Ehefrauen das Recht erhalten sollen, auf Freundinnen ihrer Männer zu schießen, wenn sie diese in flagranti mit dem Gemahl ertappen. Die texanischen Ehemänner haben seit langem das Recht, in vergleichbarer Situation von der Schußwaffe Gebrauch zu machen.« (AP-Meldung nach der *Süddeutschen Zeitung* vom 13. Januar 1967.)

Und doch war das Vorrecht des Mannes auf sexuelle Freizügigkeit niemals viel mehr als ein vermeintliches. Es war kaum mehr als das Recht, auf solche Freiheit notfalls auch pochen zu dürfen, das Recht vor allem, zu Dirnen zu gehen; wobei emotionelle Ansprüche fast regelmäßig enttäuscht wurden. Der Mann aber, der ohne Skrupel mit der Frau eines andern sich einließ, mußte, um im Vollgefühl solchen Vorrechts zu bleiben, naiv genug glauben, seine eigene Frau werde zu ähnlicher Heimlichkeit sich niemals bereit finden. Das weithin erloschene Vorrecht des Mannes war so auch weitgehend eines mit männlicher Naivität und Eitelkeit: das Vorrecht, jeweils nur an sich selber »die Hörner« nicht wahrnehmen zu brauchen, die man von anderen aufgesetzt bekam. Mit ihnen eines Sinnes betrog man sich selbst.

Selbstbetrug mit allen Zeichen der Naivität ist nicht bloß Dummheit. Es ist der geglückte Versuch, überspannte moralische Forderungen mit dem Leben zu verbinden. Der Mann, der noch allein für seine Familie aufkommt, hegt den begreiflichen Wunsch, nicht auch für einen Nachwuchs sorgen zu brauchen, den er nicht selbst gezeugt hat. Der Wunsch gerinnt zur Forderung an die Gattin: Der Mann fordert von ihr eine »Treue«, die er für sich selber ablehnt. Im Blick auf die Nachkommenschaft ist er damit im Recht. Er will sichergehen, daß er auch der Vater ist, der er sein soll. Ein Rest von Zweifel bleibt ihm freilich immer, wo er die Frau nicht beständig um sich weiß. Aber er tröstet sich dann vielleicht mit der Erwägung, daß leibliche Vaterschaft eben immer etwas höchst Ungewisses sei: *pater semper incertus.* Der Code civil hat in Artikel 312, realistisch genug, dieses Moment der Ungewißheit in sein Eherecht selber eingeschmolzen: »Das in der Ehe geborene Kind hat zum Vater – den Ehemann[136].« »Die Vaterschaft beruht überhaupt nur auf der Überzeugung; ich bin überzeugt, und also bin ich Vater«, sagt GOETHE[137]. Die Ungewißheit, die davon sich abschattet, trägt mit dazu bei, daß Ehebruch, wo er doch entdeckt wird, von Männern zumeist noch weniger leicht verziehen wird als von Frauen[138]. Das hat nun freilich auch einen Grund, der in der Physis des Mannes verankert ist. Eine Frau kann gelassener sein bei sogenannter Untreue des Mannes: ihre Kopulationsfähigkeit ist nicht an die Bedingung des Begehrens geknüpft. Gerade der Mann, der im Gleichmaß ehelicher »Pflicht« seine Spontaneität gegenüber der Gattin verliert, fühlt ahnungsvoll dem Manne, der sie neu begehrt, sich unterlegen. Er muß eifersüchtig werden und »energisch« auf Treue pochen, wenn Eifersucht immer auch anzeigt: die »Angst vor dem Vergleich« (MAX FRISCH[139]). Man spricht auch von »männlichem Stolz«. Er ist um so begreiflicher bei einem Manne, der schon vom Berufsleben her gewohnt ist, in Kategorien des Erfolges zu denken. So kann einer seine Frau noch mit Eifersucht quälen, wenn er selber längst nichts mehr für sie empfindet[140]. Natürlich will er auch nicht, daß die Frau von einem anderen Manne empfängt.

Eigentümlich genug scheint der Gedanke an »unerwünschten Nachwuchs« bei jenen Männern, die ihre Frauen austauschen, gar kein Problem aufzuwerfen. LEIGH jedenfalls registriert keine solche Besorgnis. Und hätte er so etwas überhört, es wäre bei denen, die »mitmachten«, ja kein wirksames Gegenmotiv gewesen. Die modernen Methoden der Empfängnisverhütung erklären das nicht genug. Zu erwägen bleibt auch die geringe Eitelkeit des sinnenfrohen Menschen*, der nicht so leicht auf den Gedanken kommt, das eigene Erbgut müsse unbedingt besser sein als das eines Freundes. Dem Sinnenhaften fehlt der egozentrische Zwang, Kinder nur als sein »eigenes Fleisch und Blut« lieben zu können (ob sie es nun wirklich sind oder nicht). Die Mitglieder der Sexklubs tragen freilich auch das finanzielle Risiko eines ungeplanten Nachwuchses alle im gleichen Maße. So fällt vollends auch noch diese Seite einer möglichen egoistischen Hemmung, das sexuelle Tabu der Ehe zu übertreten. (Das ist freilich an die weitere Bedingung geknüpft, daß nicht »Wohlmeinende« daraus erst den Skandal werden lassen, der ihrer sittlichen Überzeugung gemäß eben hierin zu liegen hat, daß sexuelle Aktivität nicht an den Rahmen bestehender Ehen sich hält. Das Kinsey-Team hat in allen sozialen Schichten Familien gefunden, bei denen – mit vollem Einverständnis beider Gatten – Kinder aus nebenehelichen Beziehungen stammen. Das könne so lange gutgehen – »solange die Tatsache den Nachbarn und dem Gesetz verborgen bleibt.«[140a])

Die »Sorge um das Wohl des Kindes« ist kein stichhaltiges Argument zugunsten strenger Monogamie. Am wenigsten im Munde eines Mannes. Einer Mutter muß zugebilligt werden, es gehe ihr bei aller Sorge um das eigene Versorgtsein (die in der bestehenden sozialen Ordnung durchaus begründet ist) immer auch noch um das Wohl ihrer Kinder[141]. Das Argument entfällt, wo »Vater Staat« im Falle der Scheidung alle Sorgen den Frauen abnimmt, die Kinder aber ihnen beläßt. In solch einem Staat: in der Sowjetunion sind es denn auch »fast immer die Frauen, die die Scheidung verlangen«[142]. Da wohl nicht anzunehmen ist, die Natur des Weibes sei einige Grad östlicher

* Man vergleiche hierzu Seite 65!

Länge schon grundlegend anders als hier, so spiegelt das eher ein Licht zurück auf die Tränen, die hierzulande Frauen vergießen, wenn der Mann die Scheidung begehrt oder auch nur, wie man sagt, »die Ehe gefährdet«. Wo immer der Mann aber die Frau beschwört, doch »mit Rücksicht auf unsere Kinder« jedes erotische Abenteuer zu meiden, da provoziert er geradezu den Verdacht, die Kinder nur vorzuschieben, um der Frau eben die Freiheit zu verwehren, die er sich selber insgeheim wünscht, wenn nicht sogar nimmt. Immer pochen ja gerade diejenigen am heftigsten auf Treue – bei ihrem Partner, die in sich selber ganz entgegengesetzte Neigungen verspüren und ihnen womöglich auch nachgeben[143]. Am Anderen läßt sich vortrefflich bekämpfen, was das eigene Gewissen beschwert.

Wir sprachen beiläufig von »Vater Staat«, der im Osten, aber auch zum Beispiel in Schweden, die alleinstehenden Mütter aufs beste versorgt. Hieran heftet sich ein geläufiger Einwand gegen freiere sexuelle Sitten, nämlich daß dort, wo sie herrschten, die finanzielle Sorge für den Nachwuchs von der freien Verantwortung des Mannes auf die Fürsorge des Staates notwendig sich übertrage. Geringere persönliche Freiheit also und ein Plus an staatlichem Zwang als Folge freierer Sitten? Der Einwand läßt außer Betracht, daß schon hier und heute der frei fluktuierende, nie gänzlich einzufangende Trieb oft nur durch juristischen Zwang in sogenannte freie Verantwortung für Frau und Kinder sich umsetzt: durch verengte Möglichkeiten der Ehescheidung, durch Unterhaltsverpflichtungen aller Art – selbst gegenüber angeheirateten Verwandten. (Daß nach dem Bürgerlichen Gesetzbuch der Mann *und* die Frau solche Verpflichtungen haben, ist soziologisch einstweilen kaum von Bedeutung, da zumeist nur der Mann es ist, der einer Ganztagsbeschäftigung nachgeht. Der Fall der reichen Braut ist außerdem selten: man sieht auf »Parität«.) Alles in allem nähme die stärkere Fürsorge von »Vater Staat« den ohnehin wirkenden Zwang nur aus der Sphäre der Justiz hinüber in die der Verwaltung. Dabei würden in strittigen Fällen allerdings die Verwaltungsgerichte bemüht; auch dies zur Entlastung der ordentlichen Gerichte. Der insgesamt wirksame Druck von oben verlagerte sich: von der – im Extremfall – durch Strafe erzwungenen Unterhaltsleistung zur Duldung staatlicher Kontrolle als Gegenleistung für öffentliche Daseinsvorsorge. Aber die Summe des ausgeübten Druckes bliebe konstant – sofern nicht doch in einer sinnenfrohen Gesellschaft ein jeder unmittelbar für den Anderen einspringt, da der leibhafte Mensch, wenn er die volle »Anschauung« fremder Leibhaftigkeit gewinnt, seinem Nächsten viel tiefer verbunden ist. –

Auch die Gefahr uferlos häufiger Ehescheidungen brauchte sich nicht zu erfüllen: weil in einem Ethos sexueller Freizügigkeit niemand es nötig hätte, seine polygamen Neigungen im harten Nacheinander noch vor sich selbst zu verbergen. Wo dies aber noch der Fall ist, da spielt überraschend das vorher lauthals gepriesene »Wohl des Kindes« eine untergeordnete Rolle. Man darf allerdings sagen: Zum Glück für das Kind, weil Kinder selbst bei einem mäßig verbitterten Elternteil noch besser gedeihen als im Spannungsfeld zweier fortgesetzt sich befehdender Gatten.

Die »Sorge um das Wohl des Kindes« ist nach meinen Beobachtungen die geläufige Rede derer, die ihre Kinder hart, ja oft geradezu schikanös behandeln und schon aus geringem Anlaß verprügeln. Das ist kein Zufall. Ist die ostentative Sorge um das Wohl des Kindes den Eltern nur ein Vorwand, sich gegenseitig zu unterdrücken, so wird ihr vitaler Unmut darüber auch am schwächsten Teil der Familie sich austoben: am Kind. Das Wohl des Kindes ist bei ihnen in harter Hand.

Psychologisch ist es nur zu verständlich, daß gerade die gestrengen Wächter von »Zucht und Ordnung«, von »Zucht« im Sinne von Züchtigung, einer Lockerung der sexuellen Sitten sich widersetzen. Nicht die geheiligte Ordnung ist es, um die sie im Innersten bangen, sondern die hier noch gewährte Möglichkeit, spontane sexuelle Impulse, die sie nicht zeigen wollen, durch Schimpfen und Zuschlagen auszuleben. Die längst zum Sadismus verbogene Libido der Sittenstrengen wehrt sich gegen die Zumutung, auf eine gerade, direkte Weise sich zu äußern. Sie »schämte« sich dessen, das heißt: sie fände darin keinen Genuß. Sinnlicher Genuß bleibt ihr an die Bedingung geknüpft, daß ein Anderer darunter leidet. Ein Prototyp solcher Gesinnung, nichts anderes, war jener berüchtigte Dippold, ein Hauslehrer, der seine Zöglinge mitten in der Nacht zu wecken pflegte, um sie zu verprügeln, weil sie eine »Selbstverfehlung« begangen hätten[144]. Es ist aber auch kein Zufall, daß es die nämlichen sind in unseren Parlamenten, die für harte, drakonische Strafen eintreten (für die Todesstrafe und Prügelstrafen) und die auf eine strengere Sittengesetzgebung (auf »verstärkten Jugendschutz«, eine »saubere Leinwand« und ähnliches) hinzuwirken versuchen. Die Strafen stützen die »Sittlichkeit«, um die es hier geht, aber noch mehr den Sittenrichter in seinem inneren Gleichgewicht. Er tobt sich aus – im Kampf für die gute Sache.

m) Die »Wahrheit der Gefühle«

Der von klein auf frustrierte Mensch gewinnt so etwas wie Lust allein, indem er andere quält oder indem er sich selber quälen läßt. Sadismus und Masochismus sind Phänomene einer im tiefsten entsexualisierten Gesellschaft. Dem widerspricht es nicht, daß hier die sexuell Exzessiven Flagellantismus und noch ganz anderes praktizieren, auch nicht, daß schon die sogenannte normale sexuelle Betätigung sadomasochistisch verschoben sein kann. Wer, längst zur Grausamkeit gedrängt durch eine triebunterdrückende Erziehung, doch eines Tages noch über die sexuellen Tabus sich hinwegsetzt, der ändert damit nicht schon die erworbene Fehlhaltung: *Der (nur) willentlich befreite Sexus kriecht in die Windungen eines deformierten Gefühls.* Der Sadismus der forsch Emanzipierten diskreditiert dann erst recht den verpönten Trieb, der den deutlich Verklemmten gemäß nur in der Ehe und auch dort nur zum Zwecke der Fortpflanzung sich regen sollte. Der Mensch kommt von reiner Unlust zunächst nur zu lustvoller Qual.

In einer Zeit des Übergangs von einer moralischen Ordnung in eine andere erscheint es immer so, als könne es nur die alte Ordnung geben oder gar keine, als bestehe nur die Wahl zwischen der Ordnung, die schon brüchig geworden ist, und der Auflösung der Gesellschaft ins Chaos. Der Anschein muß entstehen, nicht nur, weil jede bestehende moralische Ordnung den Anspruch erhebt, als die allein richtige oder gar als »die natürliche« und »gottgewollte« zu gelten[145]. Der Eindruck muß auch zwangsläufig entstehen, weil in allem, was *auflösend* wirkt, insofern ein ordnungsfeindlicher Impuls sich auslebt. Mag immerhin später aus solchen Auflösungen heraus eine neue Ordnung sich bilden, die Kräfte, die zu einer neuen Ordnung drängen, können das wirksam nur, wenn sie für eine Weile wenigstens – bewußt oder unbewußt – sich ordnungsfeindlich gebärden. Denn darin liegt das verpflichtende Moment jeder faktischen Ordnung auch für den, der sie für unsinnig hält: daß er – bewußt – um des Zusammenhalts der Gesellschaft willen oder – unreflektiert – im Gebundensein an Andere die bestehende Form des Zusammenlebens kaum zu verändern wagt. Wo immer er seinen besseren Einsichten gemäß es dennoch tut, kommt er um ein Schuldgefühl nicht herum.

Auf unser gegenwärtiges Problem angewendet heißt das: Wer durch mannigfachste Bezüge der bestehenden Gesellschaft sich einverwoben fühlt, der wird nicht für eine neue Ordnung eintreten, in der gar manche seiner Beziehungen sich auflösen müßte, weil der Partner oder

Kollege, wer weiß, den gleichen Weg nicht (oder noch nicht) mitginge. Zumal der in seiner Gesellschaft arrivierte Mensch wird eher noch entschieden und »überzeugt« an der bestehenden Ordnung festhalten und dafür den Kräften, die aus ihm selber heraus zerstörend auf diese Ordnung einwirken, unkontrolliert Auslauf gewähren. Eher wird so ein Mensch, der nicht zunächst hinreichend im Denken sich freimacht, für die natürlichsten und spontansten Regungen sich schuldig fühlen *wollen*, als den Halt zu verlieren an einer Ordnung, an deren Stelle er sich eine andere gar nicht zu *denken* wagt. Ich entsinne mich des Entsetzens, das im Gesicht eines Bekannten sich malte, als ich – auf seine verzweifelten Selbstanklagen wegen eines Ehebruches (»im Rückfall«) – ihn fragte, ob er noch nie auf den Gedanken gekommen sei, daß er als Mensch und Mann durchaus in Ordnung ist und daß vielleicht in unserer Gesellschaft etwas nicht stimmt. Es ist womöglich schwerer, im Denken statt im Leben über die Stränge zu schlagen. Es verlangt, von Idealen, die einen scheinbaren Halt gewähren, sich zu trennen.

Das geradezu verpflichtende Ideal der herrschenden »sittlichen Ordnung«, das ist der Mensch, der »aus Liebe« heiratet und dem Gatten für alle Zeit in unwandelbarer und doch spontaner Liebe »treu ergeben« bleibt; dabei soll die Liebe, wie einst in den Flitterwochen, jedes Begehren Anderer völlig ausschließen. Gegenüber der alten patriarchalischen Ordnung der Ehe tritt dieses Ideal der »Liebesehe« immer noch mit dem Anspruch auf, fortschrittlich zu sein. Was daran sogar einmal revolutionär war, ist indessen selber bereits historisch. Die Idee der Liebesheirat, wie sie gegen höfische Interessen HEBBELS Bernauerin verfocht, hatte ein deutlich klassenkämpferisches Profil: Die jungen adeligen Herren sollten ihre bürgerlichen Freundinnen nicht mehr sitzen lassen – wenn sie diese doch liebten. Mit der Frage »Liebst du mich?« kämpft freilich noch heutigentags die kleine Angestellte um den Mann in gehobener Position. Man pocht auf die »Wahrheit des Gefühls«. Wo aber die Gefühle der Grund sind, auf dem alles steht, da dürfen die Gefühle sich nicht wandeln. Bitterster Vorwurf des »enttäuschten« Partners: »Du bist so verändert«, »Du bist nicht mehr der alte.«

War es ehedem die gediegene moralische Erwartung, daß die Eheleute »zueinander stehen« sollten, was immer auch geschehe – in den äußeren Lebensumständen wie im Herzen eines jeden der beiden, so schließt die »fortschrittlichere« Ehemoral jede innere Wandlung, jedes mögliche Nachlassen des zu Anfang völlig spontanen Begehrens überhaupt aus. Verlangte die alte Ehemoral vom Einzelnen oft nicht mehr, als daß er gegen eine gewandelte Neigung die Lebensgemeinschaft mit dem Gatten bewahrte, zumindest dem Scheine nach, so treibt heute die Gesellschaft dem Menschen solche »Unaufrichtigkeit« gründlich aus, indem sie ihn dazu anhält, sich selbst zu belügen. Die verheißungsvolle Freiheit der Liebesehe führt – über die Jahre hinweg – in vielen Fällen doch nur dazu, daß einer sich einredet, er liebe wie am ersten Tag, wo er es längst nicht mehr tut. Die innere Unfreiheit des Menschen nimmt zu, wo er gedrängt wird, aus der Freiheit eines momentanen (spontanen) Gefühls heraus über sein gesamtes zukünftiges Leben zu verfügen. Dann unterdrückt ihn später die Gesellschaft im Namen seines verklungenen Gefühls. Es ist vermutlich die Grundformel aller den Menschen verklemmenden Ideale, daß sie den Faktor Zeit nicht gelten lassen.

Setzen wir, um das Gesagte zu verdeutlichen, dem so auf die Freiheit der Liebe pochenden Eheideal ein ganz anderes kontrapunktisch entgegen: die Kinderheirat der Orientalen. Bringen wir beides zusammen: einen »unglücklich« verheirateten Europäer, der einst aus sogenannter Liebe geheiratet hat; daneben einen Orientalen, der auch mit seiner Frau nicht zufrieden ist – wer von den beiden ist, in seiner je gegenwärtigen Situation, wirklich freier? Müßige Frage. Leichter läßt sich wohl sagen, wer von ihnen unzufriedener ist: zweifellos der, der noch sich den Vorwurf glaubt machen zu müssen, daß er dereinst bei seiner Wahl so sehr sich geirrt habe. Dabei ist noch ganz übersehen, daß der Einzelne in seiner sogenannten freien Partnerwahl »aus Liebe« nicht frei ist von den jeweils herrschenden Vorstellungen von dem, wie ein Partner »zu sein hat«. Der junge Europäer und Amerikaner, der sich in ein Mädchen verliebt, das aussieht wie Brigitte Bardot oder Jayne Mansfield, genießt wohl die Freiheit, eine solche Neigung ernst nehmen zu können. Die dabei zutage tretende Übereinstimmung »seines Geschmacks« mit dem von Millionen anderer junger Männer legt er sich selber nicht als Unfreiheit aus. Er wundert sich allenfalls, daß andere auch so denken und fühlen wie er, aber er wundert sich nicht in der umgekehrten Richtung. Für uns bleibt das Beunruhigende, daß der Mensch noch mit seinen spontansten Regungen dem Willen der Gesellschaft (mit Hegel: dem objektiven Geist) gehorcht. Die Frage, die wir hier stehenlassen, lautet: ob das Gefühl der Freiheit der eigenen Person am Ende nichts weiter ist als eine Verschleierung ihrer Abhängigkeit von der Gesellschaft im ganzen.

Nehmen wir den Begriff der Freiheit – jenseits des Streits um den Indeterminismus – ethisch in der Bedeutung, daß der Mensch im Einklang steht mit seiner Natur, daß er seiner Natur gemäß lebt und auch leben darf, so ändert sich der Aspekt. Der Freieste ist dann der Mensch, dessen Denken und Wollen mit seinen Antrieben übereinstimmt: der im tiefsten ausgeglichene Mensch. Ein solcher Mensch, der sich selbst akzeptiert – im Unterschied zu dem, der mit sich und der Welt zerfallen ist –, ein so mit sich selber *einiger* Mensch ist auch der im eigentlichen Sinne *liebende:* er ist nicht beständig hin und her gerissen zwischen Neigung und Abneigung, Vertrauen und Mißtrauen im Verhältnis zu Anderen. Ein solcher »Mensch« kann natürlich nicht durch willentliche Entschließung in sich selber hervorgebracht werden. Er setzt eine moralische Ordnung voraus, in der nicht einer den andern in seinen ursprünglichen Antrieben zu verkümmern trachtet. Geschieht aber dies, dann ist jede mitmenschliche Beziehung und gerade auch jede eheliche Bindung notwendig ambivalent. Wer einerseits die Geborgenheit beim Ehepartner nicht missen möchte, andererseits aber darunter leidet, daß er dieser Geborgenheit zuliebe (er sagt: dem Partner zuliebe) neu aufkeimende Neigungen zu unterdrücken hat, der wird den Partner mit zunehmend »gemischten Gefühlen« betrachten. Jede Geste der Zärtlichkeit wird er zwiespältig aufnehmen: freudig bewegt über die Neigung, die in ihr sich ausdrückt, zugleich aber abwehrend verkrampft vor dem dahinter verspürten Anspruch auf ausschließlichen »Besitz« an seiner Person. Es ist kein Wunder, daß hier, in einer Kultur, in der noch mit den zartesten Waffen ein jeder um Macht über den Anderen kämpft, selbst ein Tiefenpsychologe[146] die Ambivalenz der Gefühle zum Regelfall jeder mitmenschlichen Bindung erklärt. Die Ambivalenz der Empfindungen ist hier gleichsam die je ins eigene Innere gedrückte Vielstrahligkeit unseres ursprünglichen Liebesvermögens. Entweder die sozialen Institutionen sind offen oder geräumig genug, um spontane Neigungen sich ausdrücken zu lassen, oder der Einzelne wird dem Partner gegenüber »ambivalent« in seinen Gefühlen. *Offenheit der Lebensformen – oder Ambivalenz der Gefühle.* Alles andere ist Quadratur des Kreises.

Ist dies schon Tollheit, hat es doch Methode – bis in die Gesetze hinein. Dem Gesetzgeber, der die Ehe zu schützen vorgibt, gilt Ehebruch als der »absolute Scheidungsgrund«, den er in Österreich und in der Schweiz aber immer noch mit Strafe bedroht für den Fall, daß der »beleidigte Ehegatte« sie dem anderen an den Hals wünscht. Wenn alljährlich auch nur wenige Ehebrecher darum verurteilt werden[147], so ist doch die »sittenbildende Kraft« einer solchen Strafjustiz unverkennbar: Die Konflikte, mit denen wir – einem frommen Wunsche gemäß[148] – alle leben sollen, sind in dieser Rechtsordnung präformiert. Diese »Ordnung«, die gar manchen buchstäblich krank macht, ist, mit BADER und MIDDENDORFF gesprochen[149], schon selbst pathologisch. In ihr spiegelt sich der Geist einer Gesellschaft, der es nur darum geht, das leibhafte Individuum zu zerstoßen und dafür die Infamie, die es besorgt, noch zu steifen. Das »Antragsdelikt« des Ehebruches bedarf eines Rachsüchtigen, um zum Delikt erst zu werden, sofern dieser nicht, ungleich häufiger, sich damit »begnügt«, mit einer Anzeige zu drohen und so – legal – zu erpressen. Der Terror durch das Recht, das dem Hassenden beispringt, ist nirgends so groß wie da, wo die sozialen Institutionen für wichtiger gelten als die, die in ihnen leben.

Die monogame Ehe war nicht die starre Institution, die sie heute ist, solange allgemein der Mann und erst recht die Frau im religiösen Glauben des Partners die Unauflöslichkeit der Ehe verbürgt fand. Da diese Sicherheit weithin fehlt, wird die monogame Lebensform erst zum drückenden Zwang. Einige der Konsequenzen der ehelichen Zwangstreue haben wir aufgezeigt: Nachlassen des Begehrens, »unerklärliche« innere Unrast, Zank, Streitsucht und verlogenes Gefühl. Die Konsequenzen aufzuzeigen mag den Vorwurf eintragen, man wirke daran, die Ehe als »Keimzelle des Staates« zu untergraben. So als ob eine Diagnose die Krankheit, die sie feststellt, erst hervorriefe.

Nun sei zwar eingeräumt, daß soziologische Feststellungen auf die Gesellschaft selbst zurückwirken, sobald sie publiziert werden. Es ist aber damit noch nichts über die Richtung gesagt, in der sie wirken, das heißt, ob sie das Festgestellte verstärken oder Gegenkräfte provozieren. Es ist keineswegs ausgemacht, daß Aufklärung über die bald sprichwörtliche »Krise der Ehe«[150] noch in der Beseitigung der monogamen Eheform endet, wenn die eigentlichen Gründe ihrer Krise dabei nicht verschwiegen werden. Es ist zu fragen, ob es mehr dem Bestand einer Ehe förderlich ist, wenn zwei Menschen im Glauben an die Wahrheit ihrer Gefühle sich verbinden, oder wenn sie sich zusammentun im vollen Bewußtsein der Wandelbarkeit der Gefühle? Könnte nicht in einer auf Einsicht gegründeten Ehe, in einer auf Einsicht in die Natur des Menschen gegründeten Ehe, noch das gegenwärtig trennende Gefühl ein Material der Verbindung abgeben, insofern, als *gemeinsame* Einsicht in ein Trennendes doch verbindet[151]? In einer solchen Ehe freilich wären dann nicht mehr die beiden Partner im gefühlsethischen Sinne »ein Herz und eine Seele«, sie hätten sich nicht einfach »gefunden«, um *ein Leben* zusammen zu führen, sondern immer noch *zwei Leben* blieben es, die hier miteinander verbunden wären. Nicht daß das Ich stirbt, sondern daß es am Du zum Ich erst eigentlich wird, machte dann die »wahre Ehe« aus (um gleich BOVET[152] das anspruchsvolle Wort zu gebrauchen). Es handelte sich dabei aber nicht um jene »Kameradschaftsehe«, in der man aus bloßer Gewöhnung beisammenbleibt und einander gewähren läßt, sobald man sich »nichts mehr zu sagen hat«. Es handelte sich vielmehr um ein wechselseitiges Verhältnis vollen Verstehens, das den Andern auch noch in *den* Regungen seines Wesens mit umgreift, die nach den Regeln einer triebfeindlichen Moral ein jeder vor dem Andern und zuletzt noch vor sich selber zu verbergen hat. Solch umfassendes Verstehen aber wäre der unmittelbare Ausdruck ursprünglicher Liebe.

Man wird zumindest einwenden, daß eine Ehe, die in diesem Sinne von Liebe erfüllt wäre, bei beiden Partnern eine nicht unbedeutende geistige Kraft voraussetze. Nun ist solche Kraft wohl vonnöten in einer Gesellschaft, in der eine breite Strömung der Eifersucht und des Strebens nach Macht über Andere einen jeden erfaßt. Hier festzubleiben kann nur einigen wenigen gelingen. Aber wenn erst einmal, durch entsprechende Vorbilder ermutigt und unterstützt durch ein gesundes Recht, ein durchgreifender Wandel der Moral sich anbahnte, dann würde, hier mitzukommen, längst nicht mehr die geistige Anstrengung kosten, die heute oft nur dazu ausreicht, daß einer weiß: Er müßte eigentlich doch ganz anders leben. Sexuelle Freiheit gefährdet die Ehen nur dort, wo jede erotische Bindung, jede engere Bindung überhaupt, einen Totalitätsanspruch stellt: durch die Ideologie der Ausschließlichkeit »wahrer Liebe«. Der natürliche erotische Reiz, der neu auf uns wirkt, hat von sich aus nicht die Tendenz, andere Bindungen (die Bindung an die Gattin, an Eltern, Geschwister, Kinder und Freunde) zu annullieren. *Die herrschende sittliche Ordnung selber ist es, die einen Abbruch erzwingt, wo konflikthaft die Liebe zu zwei Personen sich zerrt.* Aber schon daß die Liebe, wo sie vielstrahlig ist, einen Konflikt schafft, ist eine Wirkung der Moral, die, kapitalistisch geprägt, die Liebe wie eine Summe nimmt, die sich teile, sobald sie zweien oder mehreren sich mitteilt. Der allgemeine Glaube an den Irrtum macht diesen selber zu einer Realität, die das Leben erschwert. So sind wir genötigt, dem herrschenden Ethos entgegenzudenken, um ein Empfinden zu erlernen, das ohne Denken sich bildet, wo die Gesellschaft nicht einen jeden in seiner Triebnatur unterdrückt.

Wo ein Mensch das herrschende Ethos bewußt von sich abweist, da leistet er dies wohl in Akten geistiger Durchdringung*, die (bloße)

»Geistigkeit« seiner Abwehr resultiert aber auch daraus, daß er genötigt ist, beständig gegen seine besseren Einsichten zu leben. Denn er lebt ja mit Anderen, die nicht mit ihm mitgehen. Wer weiß, daß sein Verhältnis zum Ehepartner ganz anders zentriert ist als in dem, was einer landläufigen Meinung gemäß der Kern der »ehelichen Treue« ist, der steht so für seine Person doch wieder vor dem Problem der Zwangstreue, das er im Denken längst überwunden hat. Was soll er tun, da er nur die Wahl hat zwischen einer willentlichen »Treue«, die seine Beziehung zum Partner neurotisiert, und einer »Eheverfehlung«, die die wechselseitige Bindung erst recht gefährdet, wenn der moralistisch gesinnte Partner mit Scheidung droht? Es ist glatte Anmaßung, in einem solchen Falle moralisch irgend etwas zu raten. Einer reinen Familienethik mag es als nützlich erscheinen, pflichtgemäß leere Treue zu üben, um den Zusammenhalt der Familie zu gewährleisten, wo zunehmend die »Spannungen« der Gatten die häusliche Atmosphäre bestimmen. Einer Kollektivethik wird dies zumindest problematisch, da sie zu berücksichtigen hat, daß individuell angestaute Triebimpulse auch zu kollektiver Entladung drängen[153]. Insofern ist das Problem der monogamen Ehe das Kernproblem unserer Gesellschaft.

* Man halte dagegen nicht den unreflektierten Zyniker, der lauthals »alle Moral« für Unsinn erklärt, dabei aber oft nur die herrschende Moral in einigen ihrer Züge um so reiner *verkörpert*, etwa in der Wertschätzung des persönlichen Ehrgeizes. (Vgl. im I. Teil den Abschnitt f: »Erfolg und Macht«!)

B.

DIE UNTERDRÜCKUNG DES BEWEGUNGSTRIEBES

a) Die Lähmung der ursprünglichen Aktivität

Eine Psychologie, die verdrängte sexuelle Regungen aufdeckt, muß notwendig auf Widerstand stoßen in einer Gesellschaft, der sexueller Verzicht als höchster sittlicher Wert gilt. SIGMUND FREUD kam so beim guten Bürger in den Geruch, ein Anwalt des Bösen zu sein. Dieses Odium hat die Psychoanalyse jetzt weithin verloren, nicht, weil die Sitten schon so sich gelockert hätten, sondern vielmehr, weil die Nachfolger FREUDS in bald geschlossener Front die Sache der Verdrängung betreiben. FREUDS »Sexualismus« wird »überwunden«. Aber es bestätigt dies nur noch einmal seine Einsicht in die Macht der Tabus.

Man spricht jetzt vom Geltungstrieb (ADLER), von dem die Neurosen kämen, vom Schuldbewußtsein schlechthin oder von einem Christus-Komplex (CARUSO) als der Wurzel allen Übels, ebenso vom Verlust der Religiosität (FRANKL), von ungenügender Individuation (JUNG), mangelnder Produktivität (FROMM) oder von übersteigertem, »ungesundem« Konkurrenzstreben (HORNEY), so als gebe es auch normales und gesundes. Wer so oder ähnlich argumentiert, vermag wohl vom Geschlechtstrieb oft abzulenken, aber er befindet sich, vermeintlich von den Ursachen der Neurosen sprechend, schon meist mitten bei ihren Symptomen und Folgen. Man übersieht, daß der Sexualität der Platz der zentralen Thematik der Neurosen gar nicht streitig zu machen ist, wenn man die Ebene vitaler Antriebe verläßt. Nur wer anerkennt, daß in der Verdrängung des Geschlechtstriebes (oder doch des »Geschlechtsappetits") *ein Stück* Verdrängung der eigenen Leiblichkeit geschieht, vermag sinnvoll – auf selber Stufe der Betrachtung – den »Sexualismus« der engeren Freud-Schule zu einer allgemeinen Trieblehre zu ergänzen. Die noch gleiche Perspektive der Betrachtung ist dabei die biologische als der Blick auf die Grundlagen jedweder geistigen Bildung oder Mißbildung einer Person. Der Mensch ist, biologisch gesehen, nicht bloß ein Geschlechtswesen, nicht bloß drängend nach sexueller Betätigung; er hat, sofern er nur gesund ist, auch einen ursprünglichen Drang, seine Glieder zu bewegen. Sexualität und Motorik *zusammen* bilden die produktive Komponente unserer leibhaften Existenz. (Die rezeptive repräsentiert der Nahrungstrieb.) Das zeigt sich, wie so manches, am deutlichsten am schon Pathologischen: Schwäche der Libido und der Muskulatur sind (neben dem Fehlen der Scham- und Achselbehaarung) konstante Folgen einer Hypophysenvorderlappen-Insuffizienz, die in den meisten, den leichteren, Fällen noch mit Fettsucht – oder Eßsucht? – einhergeht[154]. Dabei wirkt der Mangel an Sexualhormonen unmittelbar im Muskelstoffwechsel sich aus[155]: die körperliche Leistungsfähigkeit sinkt. Auch die geistige Spannkraft läßt nach. Der innersekretorisch gedrosselte Organismus erlahmt in seiner Lebendigkeit überhaupt. So erläutert sich physiologisch die These Freuds, daß die Triebe »letzte Ursache aller Aktivität« sind[156].

Es gibt wohl überhaupt keinen vitalen Antrieb, den der Mensch ohne Schaden für seine körperliche und geistige Gesundheit einfach unbefriedigt lassen könnte oder den er – im öden Einerlei und durch Genußgifte – ungestraft sich verkümmern dürfte. So wie ein unbefriedigter Geschlechtstrieb »neurotische Störungen« auslöst, so bewirkt auch mangelnde körperliche Bewegung nicht bloß »körperliche« Schäden. Wenn Leib und Seele im Grunde eins sind und nur zwei Aspekte dieses »Einen«, dann leidet nie der Leib oder »die« Seele allein; immer schon ist körperliches Leiden der sichtbare (tastbare usw.) Teil eines »umfassenderen Leidens«, und ebenso ist seelischer Schmerz der Aspekt, unter dem dieses Leiden in der Selbstreflexion uns bewußt wird – längst ehe es greifbar den Körper deformiert.

Als eine Folge der Sexualverdrängung nannten wir das Aufkommen aggressiver Tendenzen (von Freud fälschlich als »Aggressionstrieb« bezeichnet*). Ebenso mag ein aus »Bequemlichkeit« oder aus Gründen des Sozialprestiges (Auto!) zurückgestauter Bewegungsdrang in Aggressivität – im Sitzen – sich austoben. Der Mensch »sublimierte« so beide Male ins biologisch wie ethisch Negative zugleich. Bios und Ethos sind untrennbar in axiologischer Betrachtung. Da aber »Wert« alles heißen kann, was unser Verhältnis zum Sein stärkt und befestigt[157], so bestätigt sich der (»holistische«) Gedanke der *einen Welt*[158]. Nur einem cartesianischen Geist, der verschiedene »Seinsschichten« vonein-

* Mit der von Konrad Lorenz wieder aufgewerteten Theorie eines ursprünglichen Aggressionstriebes setzen wir uns im IV. Teil noch auseinander.

ander abgehoben sieht, zerfällt die leibhafte Existenz des Menschen in den Antagonismus von Trieb und Geist.

Die Einheit der eigentlich aktiven biotischen Triebe (Sexualität, Motorik) läßt sich noch einmal aufzeigen am Leitfaden des FREUDschen Begriffes der »oralen Regression«. Der vermeintliche »Rückschritt« in die Phase frühester Kindheit, der in Wahrheit zumeist nur ein Steckenbleiben ist, hat nicht bloß eine erotische Seite. Die allgemeine Bewegungsarmut des »modernen« Europäers und Amerikaners rundet das Bild eines kollektiven Infantilismus: Die Beine haben – im Zeichen der Motorisierung – nur noch wenig zu tun; sie strampeln wie einst. Der vollkommene Genuß des oral »Regredierten« aber ist die Verbindung von Sitzen und Trinken mit passivem Schauen und Hören: beim Fernsehen. Es ist schon phylogenetische Regression: Polypen gleich sitzen allabendlich Millionen angewurzelt auf dem Grunde der Nacht. Die Taucherglocke der Television flimmert lustig vor einem jeden. Und er bewegt sich. Aber nur die Fangarme kreisen zur unausgesetzten Versorgung des Mundes.

Es muß in diesem Zusammenhang interessieren, daß auf dem IV. Kongreß der Deutschen Gesellschaft für Psychotherapie und Tiefenpsychologie (Wiesbaden 1962) ein Diskussionsteilnehmer es deutlich aussprach, daß »die orale Befriedigung bei den Fettsüchtigen eine Ersatzbefriedigung« ist. So Dr. F. BAUMEYER, Berlin, der fortfuhr: »Dann würde eine Therapie ja auch nur einen Erfolg versprechen, wenn es gelingt, diese anderen Gebiete zu mobilisieren, für die die Ersatzbefriedigung steht.«[159] Zielt ein vermehrtes Eßbedürfnis aber auf Ersatzbefriedigung, so liegt es im Dunstkreis unserer »Sittlichkeit« nahe zu fragen, ob die zu ersetzende Triebbefriedigung nicht wieder vor allen die des Sexualtriebes ist. Auf eine entsprechende Frage von A. MITSCHERLICH, Heidelberg, bestätigte Dr. H. FREYBERGER, Hamburg, daß er noch bei jeder fettsüchtigen Frau Frigidität gefunden habe[160]. Soweit es sich um fettsüchtige Kinder handelt, ist bei deren gesteigertem Eß- oder Naschbedürfnis – mit MITSCHERLICH – freilich zuallererst an ein im sozialen Kontakt (mit den Erwachsenen) früh erlerntes Verhaltensschema zu denken[161]. Im Referat der Herren H. FREYBERGER und K. STRUBE wurde aber auch das *reduzierte Bewegungsbedürfnis* als ein die Fettsucht fördernder Faktor gewürdigt. Neben der begreiflichen Abneigung des Adipösen, sein erhöhtes Gewicht viel herumzuschleppen, kamen verschwiegenere Motive zur Sprache, nämlich: »völlige Verwischung von Aktivität und Aggressivität mit passiv-erwartenden Zügen«[162].

b) Gibt es eine Moral der Bewegungsaskese?

Man könnte meinen, die Verdrängung des ursprünglichen Bewegungsdranges des Menschen in unserer Kultur sei doch mit der Sexualverdrängung psychologisch nicht auf eine Stufe zu stellen. Man könnte so denken, indem man sich darauf besänne, daß es doch im Unterschied zu den Sexualtabus keine moralischen Vorschriften gebe, die uns das Laufen verwehrten oder doch erheblich beschränkten. Sei nicht, so wäre zu argumentieren, der Mensch immer noch völlig frei, seinem Bewegungsdrang zu folgen oder nicht? Eine Frustration dieses Triebes könne also nicht vorliegen, wenn Frustration – mit MITSCHERLICH – »unfreiwillige Entbehrung« bedeutet[163].

Was hat es auf sich mit der »Freiwilligkeit« in der Unterdrückung des Bewegungsdranges? Zunächst werden wir, wenn wir rundum uns umhören, erfahren, daß kaum jemand an so etwas wie einen »Bewegungstrieb« je gedacht hat. Man hat sich längst angewöhnt, die gelegentliche motorische Unruhe, die man verspürt, als »Nervosität« aufzufassen, und man nimmt wohl auch schon Tabletten dagegen. Wo ein Bewegungstrieb an anderen merkbar wird, weil sie ihn ausleben, da wird er womöglich als schrullenhaft, vielleicht auch als ein Zeichen sportlicher Gesinnung empfunden, auf keinen Fall aber als etwas ursprünglich Natürliches. Wohl, man sagt auch schon, die Kinder sollten sich austoben; aber man zwängt sie doch sonntags ins Auto und rügt ihre »Unartigkeit«, wenn sie nicht stillsitzen.

Wer körperliche Bewegung bei anderen doch wenigstens noch als »sportlich« zu bewundern vermag, entzieht durch ebensolche Bewunderung sich selber aber jedem Anreiz, dem »Sportler« es gleichzutun. »Sport« ist eine Freizeitbeschäftigung neben anderen, die einen speziellen Ehrgeiz verlangt. Wer es so ansieht (und im Blick auf Leistungssportler auch so sehen muß*), der mag sich darin bestärkt finden, seinem eigenen Ehrgeiz auf gänzlich andere Weise zu genügen. Wer indessen selber Sport treibt, beschränkt sich häufig auf eine einzige Sportart, die den Körper einseitig trainiert. Und man trainiert zwangsläufig nur während weniger Stunden in der Woche und holt sonst gar noch das Bier in der übernächsten Straße per Auto. Man schuldet das seinem »Prestige«. Es sei dahingestellt, ob Prestigedenken, Entwicklung der Technik und Verdrängung der Leibhaftigkeit notwendig zusammengehören. Die Neigung, sein Prestige durch »den Wagen« zu dokumen-

* Man vergleiche im I. Teil die Seiten 54/55!

tieren, kommt aber ausgezeichnet der Verkümmerung eines elementaren körperlichen Triebes, eben des Bewegungstriebes, entgegen.

Die Frage, um die es uns geht, wie frei der Einzelne ist im Verhältnis zu seinem eigenen Bewegungstrieb, hat sich unversehens schon hinreichend negativ beantwortet. Wer ganz eingesponnen ist ins Netz unserer Kultur, hat wohl nicht die Freiheit, an ihm zu zerren. Etwa aus gesundheitlichen Gründen zu Fuß ins Büro zu kommen statt im eigenen Wagen, das wird jenes Prestigedenken verwehren, das einer nicht aus sich selber hat. Es ist, hegelisch gesprochen, der objektive Geist der Gesellschaft, der so sich ausformt, daß einer den andern darin bestärkt: Im eigenen Wagen fahren ist vornehm. Es war ja ehedem das Privileg der Fürsten und Freien. Es mag heute zwar unter denen, die den historischen Zusammenhang nicht überblicken, den einen oder anderen Nachzügler geben, der noch zu Fuß geht, obwohl er – wie er womöglich schon andeutet – ein Auto »sich durchaus leisten könnte«. Der Kollege, der zu ihm sagt: »Ohne Auto ist man doch ein halber Mensch!«, übt einen durchaus »moralischen« Druck auf ihn aus, nicht aus der Reihe zu tanzen. Es gibt sehr wohl so etwas wie ein Ethos des technischen, leib-fernen Menschen, das auf keine andere Weise sich durchsetzt als jedes andere Ethos auch: durch Verpönung oder Verspottung derer, die ihm zuwiderhandeln. Schließlich auch hat ein jedes Ethos seine realen Vorbilder und Tugendbolde. Über einen berühmten zeitgenössischen Dichter konnten wir lesen: ». . . körperliche Bewegung vermied er, er war fast nur im Wagen unterwegs.«[164] Der Anschein, es gebe keine Moral, die den Bewegungstrieb abwertet, kommt höchstens von daher, daß es (zumindest heute) kein entsprechendes Verbot gibt, das obendrein religiös formuliert wäre. Das besagt aber nichts gegen die Vorbildlichkeit der Abneigung zu laufen. Sie gilt soviel wie eine »innerweltliche« Norm. Diese verschwiegene Moral der Bewegungsaskese schließt zudem mit der herrschenden Geschlechtsmoral zur Unterdrückung aller Aktivität sich zusammen. (Man verwechsle nicht Unrast mit Aktivität!)

Der Gedanke einer religiösen Unterdrückung des Bewegungstriebes ist nicht die Ausgeburt eines Denkens, dem schlechthin alles möglich erscheint. So etwas hat es gegeben. Als die Puritaner um die Mitte des 17. Jahrhunderts in England zur Macht kamen, da verboten sie an »Tagen der allgemeinen Demut«, die sie anstelle der Festtage eingeführt hatten, jedes »unnötige Umhergehen auf den Feldern, in der Börse und anderen Orten«[165]. Wenn ein solches Verbot mit den sexuellen Tabus zusammen besteht, ja diese erst sinnvoll ergänzt, dann wirft das auch ein Licht zurück auf den Sinn der Sexualverpönung: die Hemmung des Menschen in seiner Spontaneität. Der antriebsarme, affektlahme, sexuell und motorisch »sistierte« Mensch ist das versteckte Leitbild einer Erziehung, die ansetzt, den idealen Untertanen zu schaffen. Der Mensch wird – buchstäblich – leibhaft niedergehalten. Es ist so kein Zufall, daß Turnvereine – neben den Burschenschaften – die Keimzellen des Widerstandes gegen die autoritäre Gewalt wurden: Der Mensch, der sich auf seinen Leib wieder besinnt und ihn betätigt, entzieht sich willentlich der Unterdrückung, die immer auch nur an seinem leibhaften Dasein sich festkrallen kann. Nur der körperlich befreite Mensch ist auch frei im Geist.

Das *Machtethos* kann zwar durchaus und erst recht die Illusion einer geistigen Freiheit vermitteln: indem es dem Einzelnen suggeriert, daß »Geist« nur in harter, »zuchtvoller« Entgegensetzung zum Körper sich bilde. Wer daran glaubt, mag wähnen, schon »geistig« zu werden, wenn er nur hinreichend viel verdrängt. Was aber in Wahrheit dabei erreicht wird, das ist die Entfremdung des Bewußtseins vom Körper, aus dem es lebt. Mag jungen Menschen auch der »gute Rat« erteilt werden, sie sollten doch Sport treiben, um den Geschlechtstrieb zu zügeln: die *konsequent* prüde Erziehung schafft – auch wider Willen – den Stubenhocker, den bleichen Bücherwurm, dessen Vitalität (unter Einschluß der Geschlechtskraft) schon aus Mangel an frischer Luft und Bewegung sich reduziert[166]. Die Lähmung des Bewegungstriebes kann (und muß zu einem gewissen Grade) mit einer die Sexualität verdammenden Erziehung einhergehen. So stellt denn auch in unseren Tagen eine puritanisch erzogene Schriftstellerin rückblickend fest: »Ich wußte mit meinem Körper nichts anzufangen, nicht einmal Schwimmen oder Radfahren hatte ich gelernt.«[167] Es wird dies staunend, wie ein unbeabsichtigtes Ergebnis der prüden Erziehung, vermerkt. Das Kind, dem beigebracht wurde, sexuelle Regungen als sündhaft zu empfinden, wird im allgemeinen auch andere Ansprüche des Körpers ignorieren. Oder anders gesprochen: Die sexualfeindliche Moral kann ganz ernst genommen nur werden, indem man ihre generell leibfeindliche Tendenz in sich aufnimmt. Die Befreiung des Leibes durch den Sport ist umgekehrt ein Ansatz zu seiner Resexualisierung. Die heute belächelten Bürger der Zeit vor dem Ersten Weltkrieg waren so gesehen im Recht, wenn sie über radfahrende Mädchen sich aufregten. Sie ahnten den Niedergang der bürgerlichen Moral weit voraus.

IV. TEIL

DIE UNMITTELBAREN KONSEQUENZEN DER SEXUALVERDRÄNGUNG

A.

GEHIRNSINNLICHKEIT

a) Sexualverdrängung und Sexualisierung

Es ist leicht, das Faktum der Sexualverdrängung in unserer heutigen Kultur zu leugnen. Man kann das; aber man versteht dann Gesetzgebung und Rechtsprechung nicht mehr als ein Moment der Kultur[1]. Man kann es und bleibt dann eine Erklärung schuldig für die gewaltige Erotisierung des Alltags in Werbung und Mode, für den »Erfolg« des Sexus in Film und Roman, in den Illustrierten und ähnlichen Massenmedien. Die moralistischen Kritiker der Gesellschaft stehen ratlos davor und sagen, der Mensch unserer Tage sei eben »vom Sexus besessen«[2]. Aber *Besessenheit ist ein Symptom des Mangels.* Wenn überhaupt in unserem Verhältnis zur eigenen Triebnatur sich neuerdings etwas geändert hat, dann waren es die Erscheinungsformen dieser einen Besessenheit, die jederzeit auf mangelnde oder fehlende sexuelle Befriedigung deutet. Insgesamt aber sind wir heute – in Deutschland zumindest – prüder als noch vor zwanzig Jahren. Es gibt dafür verräterische Zeichen, vom – gesetzlich erzwungenen – Verschwinden der Präservative aus den Automaten der Drogerien über neuartige »Verwaltungsmaßnahmen« gegen die Prostituierten bis hin zu der – verfassungswidrigen – Sonderjustiz in manchen Betrieben, die »kameradschaftlich« die Einhaltung sittlicher Normen erzwingt. (Sich nicht erwischen zu lassen bleibt dabei freilich »11. Gebot«.) Dazwischen liegen so spontane Aktionen wie das Auswechseln der Schilder bei nahezu allen Ärzten für Haut- und Geschlechtskrankheiten. Sie firmieren fast überall nur noch als »Hautarzt«.

Das sind »Wandlungen«, die jedermann selber beobachten konnte, wenn er nicht an der Sexualität das Faktum ihrer Verpönung vorab verdrängt hat. Selbst Bikini und Mini-Rock beweisen alles andere, als daß wir sexuell nun »freier« geworden wären. Mit den Augen vielleicht sind wir freier geworden, mit den Ohren keinesfalls. Zwischen den beiden Weltkriegen noch waren Schlager und Chansons im Durchschnitt »anzüglicher« als jetzt. Selbst Karl Valentins »Alte Rittersleut'« wagt der Rundfunk heute nur noch in sittlich »gereinigter« Fassung zu senden. Was auf Band oder in Büchern in intellektuellen Kreisen kursiert, sind Provokationen einer Minderheit – für eine Minderheit, also nicht einmal Provokationen. Die relativ hohen Auflagen eines Henry Miller oder Günter Grass widersprechen dem nur scheinbar, da nur eine Minderheit der Bevölkerung mit Büchern überhaupt lebt[3]. Funk und Fernsehen und selbst die Illustrierten wagten solche Texte kaum anzubieten: aus einer nicht ganz unberechtigten Rücksicht auf die Kinder, die schließlich mit einer abnormen oder ekelerregenden Sexualität nicht konfrontiert werden sollten, solange sie bei sich selber keine gesunde Sinnlichkeit entwickeln. Erlaubte man aber diese, dann verlöre das Obszöne noch seinen Reiz. Die geheime Lust an Schlüpfrigkeiten gedeiht im Dunstkreis der Frustration. Darum ist es auch nicht die Pornographie, sondern das Wort, das Erkenntnis vermittelt, das den guten Bürger am stärksten erbittert.

Was bedeutet es da, daß wir »freiere Augen« haben? Doch nur Voyeurismus, solange sexuelle Freiheit milde als Utopie gilt oder als Schreckensbild denen, die dabei an eine Konkurrenz denken, der sie sich nimmer gewachsen fühlten. Dem Voyeurismus vornehmlich der Männer, der durch Verzichte erzwungenen Schaulust, entspricht heute ein Exhibitionismus vergleichbarer Stärke, aus dem manche Frauen einen besonderen Sadismus gewinnen: eine Lust, die Männer, die »Stielaugen« bekommen, vergeblich »zappeln« zu sehen. Voyeurismus und Exhibitionismus sind nur die Kehrseite eines im Grunde doch puritanischen Lebens. Tiefenpsychologisch enttäuscht von jeder »neuen Freiheit der Sinne«, bestätigt sich uns die Bemerkung ADORNOS, daß die vielberedete Befreiung der Sexualität »bloßer Schein« ist[4]. Ein Schein, den die repressiven Kräfte gerade brauchen, um die Schraube des Verzichts nur noch fester zu ziehen.

Das lüsterne Interesse der Massen an erotischer Literatur bestätigt, daß die meisten von dem, was sie da so ergötzt, im eigenen Leben doch nicht genug haben. Die moralische Entrüstung, mit der schon die Illustrierten ihre Pin-up-Bilder garnieren, besagt gar nichts dagegen. Die Redakteure wissen, wie es der Leser goutiert. Die »moralische« Entrüstung über das plakatierte »Obszöne« ist beim biederen Bürger nur um so größer, je weiter er von einem wirklichen Verständnis des Phänomens entfernt ist. Dann spricht durch seine Entrüstung das herrschende Ethos selber sich aus: ambivalent sowohl als Lust, vom Sexuellen zu reden, als auch in der Abwertung der Weise, in der es sich zeigt.

Nun ist solche Abwertung nicht ganz ohne Recht. Das »Obszöne«, so spüren wir, ist nicht ein natürlicher Ausdruck des Sexus, es ist die ins Verdrängungsethos umgebrochene Form seiner Erscheinung. Wobei das Phänomen des »Obszönen« auch lediglich im Betrachter sich bilden mag, der überall die »Sünde« wittert, weil er sie insgeheim sucht. Das Obszöne ist – subjektiv oder objektiv – je ein Zeichen dafür, daß die Sexualität in einer Gemeinschaft nicht einfach ein Lebensbereich ist unter anderen, sondern eine Sonderstellung erlangt hat, die ihrer Verpönung erst sich verdankt. Auf dem Boden der Sexualverdrängung kann so eine ganze *Kultur* erblühen, deren tieferer Sinn aber die erotische Überhöhung des lustlosen Lebens ist: fast unsere gesamte Romanliteratur wie die Welt der Oper und Operette sind solcher Lebensersatz. »Überhöhung des Alltags«: Im Glauben an eine eigene Welt der Kunst – über den Niederungen des Alltags – kann so auch die Freude am Obszönen sich exkulpieren. Es ist das Verdienst von LUDWIG MARCUSE[5], gezeigt zu haben, daß das »Obszöne« in der Kunst kein anderes ist als das Obszöne sonst. Die Rechtfertigung obszöner Kunst ist redlicherweise nur möglich als eine Rechtfertigung des Obszönen schlechthin. Man mag obszöne Phänomene beklagen – und als Symptome sind sie beklagenswert –, aber man muß wissen, was sie psychologisch bedeuten: In ihnen protestiert der Sexualtrieb selber gegen seine Verleumdung. Aber er zeigt sich dabei in einer Form der Verzerrung.

Es ist also kein Widerspruch, wenn hier und heute die einen sagen, die Sexualität werde unterdrückt, und wenn wieder andere sich über die zunehmende Sexualisierung des Lebens beklagen[6]. Beides sind nur zwei Seiten derselben »Kultur«. Noch die Empörung auf der einen oder der anderen Seite reiht sich ein in den dialektischen Prozeß, wenn sie für den Gesamtzusammenhang blind ist. Der sexualistische Eifer eines HENRY MILLER hat so keinen anderen Stellenwert als der Zorn irgendeines Tugendwächters vom gleichen Temperament. Stimmen sie schließlich gar noch in der Qualität des Wortschatzes überein, mit dem sie das Geschlechtliche belegen, dann erzielen sie zum Teil auch dieselbe Wirkung. Der »moderne Abraham a Santa Clara« im Bunde mit dem sexualistischen Romancier: Mit ihren verbalen Schweinigeleien sorgen sie beide gleichermaßen für jenen Ekel, dessen der brave Bürger bedarf, um es mit seinen Verdrängungen doch wieder auszuhalten. Dies vollends sollte den wissenschaftlichen Ethiker davon abhalten, sich auf der Seite des einen oder des anderen zu entrüsten.

Ähnlich vordergründig ist auch die Entrüstung über die »geheimen

Verführer« in der Werbung, um den Buchtitel von PACKARD zu benutzen. Soweit hier eine Sorge um die Volksgesundheit sich ausspricht angesichts der Bemühungen der Marktforschung, den Alkohol- und Tabakkonsum zu heben, hat man natürlich allen Grund, sich zu erregen. Aber dergleichen steht – auch bei PACKARD selber – ziemlich im Hintergrund. PACKARD sieht »das schwerste Verbrechen, das viele Triebmanipulatoren begehen«, in dem »Versuch, in unsere geheimsten Gedanken einzudringen«[7]. Eine überraschende Wendung, da doch die Marktforscher zur Ausleuchtung der Käuferpsyche sich auf einen repräsentativen Querschnitt stützen. Überraschend, daß wir »unsere geheimsten Gedanken« am Ende alle miteinander gemein haben. Da aber klugerweise jene Gedanken, die keine sind, von den Marktforschern nicht publiziert werden – sie verdürben sonst ihren Auftraggebern das Geschäft –, so ist außer diesen paar Illusionslosen niemand, der für ›unser Geheimstes‹ sich interessieren könnte. Und jene Psychologen und Manager selber interessiert vor allem der Umsatz. So bekommt die Entrüstung über die »geheimen Verführer« etwas leicht Groteskes – oder sie bezieht ihre innere Logik nicht minder von der Sorge ums Geld. Denn darüber, daß die Leute soviel verdrängt haben, geht offenbar nicht die Klage, wenn »unsere geheimsten Gedanken« doch im dunkeln bleiben sollen. Man beklagt ganz allgemein die Folgen eines Zustandes, den man aufrechtzuerhalten wünscht. Die moralisch eingefärbte Entrüstung über die geheimen Verführer tut so, als werde der in seinem Unterbewußtsein belauschte Konsument eben dadurch in seiner Seele geschädigt, daß man seinen verklemmten Neigungen ein Ventil öffnet, für das er blechen muß.

So kritisch beleuchtet, gibt PACKARDS Buch in dem Kapitel »Der sexuelle Beiklang« erstaunliche Hinweise auf eine schier allgemeine sexuelle Frustration (ergänzt durch die Verbreitung der »Oralregression«, wie sie das Kapitel »Zurück zur Mutterbrust ...« indirekt bestätigt). Dergleichen, so meine ich, ist möglich nur auf der Basis einer kollektiven Verdrängung des Geschlechts*appetits*, die den nicht ausläßt, der die sexuelle Lust konsumiert. Nur auf der Basis einer so allgemeinen Verdrängung auch erklärt sich das lüsterne Interesse am Leben der Playboys und Filmstars, das eigentümlich aus Neid und Verachtung sich mischt. Nicht eine scharfe Zensur der auflagestarken Blätter, die uns solchen »Stoff« liefern, könnte nachhaltig die Gemüter davon abziehen, sondern nur eine Erziehung zu einer natürlichen, ungebrochenen Sinnlichkeit, die dieser die Sonderstellung im Leben nimmt, die von der Tabuierung gerade herkommt. Wenn ein und derselbe Film sowohl »für Jugend verboten« als auch »für Erwachsene empfohlen« werden kann, dann bestätigt das die »ableitende« Funktion erotisch angewärmter Kulturgüter überhaupt. Nur eben könnte von Ableitung, Abreaktion durch bloßes Zuschauen noch nicht die Rede sein, solange der Mensch im Sinne der Sexualverdrängung noch nicht genügend »gefestigt« ist. So hat die Praxis, als ein »harmloses Vergnügen« den Erwachsenen zu empfehlen, was man den Jugendlichen als »sittengefährdend« verbietet, durchaus ihre Logik. Man könnte, solche Praxis zu rechtfertigen, wieder sagen, daß die geistig-sittliche Entwicklung der jungen Leute eben mit ihrer körperlichen Reifung nicht Schritt halte. Aber was besagt das anderes, als *daß die Triebe ursprünglicher sind als ihre Hemmung?* (Wie sollte das nicht auch entwicklungspsychologisch sich bestätigen?)

b) Triebbefriedigung oder Sexualisierung?

»Hemmung eines Triebes« bedeutet jederzeit nur, daß der Trieb in seinen *unmittelbaren Äußerungen* gehemmt wird: er wird unterdrückt. Der so unterdrückte Trieb aber bahnt sich einen Ausweg – nach dem Gesetz nicht unbedingt des geringsten, jedenfalls aber eines je geringeren Widerstandes (im Verhältnis zur Hemmung). Eines etwas geringeren Widerstandes: um in seiner ursprünglichen Qualität nach Kräften sich zu bewahren. Nur der vollends verpönte Trieb entweicht in Formen, die ihn in seiner Ursprünglichkeit verschleiern. Der von der »sittlich« sein wollenden Person radikal entwertete Sexualtrieb, dessen Andrang sie ignoriert, rächt sich an ihr selber, indem er ihr Denken vergiftet: »sexualisiert«. Es ist, von tiefenpsychologischer Betrachtung her, eine Frage an die Ethik, ob sie für »Gehirnsinnlichkeit«[8] sich entscheiden will oder für ein Annehmen des Geschlechtstriebes in seiner Spontaneität.

Was wir hier aufzeigen, darf der im Tabu Befangene an einem Trieb sich verdeutlichen, über den nachzudenken er nicht gehemmt ist: am Trieb zur Nahrungsaufnahme. Da mag deutlich werden, daß ein Trieb, dem die Befriedigung entweder weitgehend versagt ist oder auf eine einförmige, nur quantitative »Sättigung« beschränkt wird, das bewußte und unterbewußte Leben der gesamten Person erfaßt. Frühere Kriegsgefangene bestätigen das: eine gewaltige »Kulinarisierung« des Gefühlsleben, ein Denken in Hungerkategorien gleichsam als Folge des Hungers. Das berühmte »Thema Nr. 1« der Soldatenzeit, also die Sexualität, sei ganz in den Hintergrund getreten[9]. Eine Bestätigung anderer Art ist der Ramadan, die einmonatige »Fastenzeit« der Mohammedaner, wo es von Sonnenaufgang bis Sonnenuntergang verboten ist, auch nur einen Bissen zu sich zu nehmen: In gewaltigen Orgien des Essens feiern da nachts die vom Tage Entkräfteten ihren Fasching des Gaumens. (Sofern sie, begütert genug, in der alten feudalen Ordnung es sich nicht sogar leisten konnten, den Tag zu verschlafen.)

Die Parallelen sind klar. Wenn es eines Beleges für die Sexualverdrängung in unserer Kultur noch bedarf, in der um sich greifenden »Fettsucht«[10] ist er augenfällig gegeben: als Konsequenz einer geradezu epidemischen »oralen Regression« (FREUD). Psychosomatisch orientierte Ärzte haben außerdem festgestellt, daß unter der Obhut überbesorgter Mütter fettsüchtige Kinder »gedeihen«. Diesen – auch im Verhältnis zum Gatten – »dominierenden« Frauen gehe es sichtlich darum, die Kinder »so lange als möglich in ihrer Abhängigkeit zu behalten«[11], sie also in ihrem Reifungsprozeß zu hemmen. Sie dürften folgerichtig dabei spontane Regungen sexueller Natur, jene frühen Vorzeichen des Erwachsenwerdens, besonders konsequent unterdrükken. So wäre denn auch entwicklungspsychologisch der Zusammenhang von Sexualverdrängung und Fettsucht bestätigt.

Von *kollektiver* Verdrängung des Sexualtriebes in unserer Kultur zu sprechen ist uns nur möglich, wenn wir »Verdrängung der Sexualität« in jenem Doppelsinne verstehen, den wir schon andeuteten: vollsinnige Verdrängung des verpönten Triebes und Verdrängung nur seines intentionalen und sympathetischen Sinnes*. Im einen wie im anderen Falle fühlt der »Verdrängende« sich erst ganz als Mensch (so wie *er* den »Menschen« versteht), wenn es ihm, auf jeweils seine Weise, gelingt, »Herr zu sein« über den bösen Trieb: In Askese wie im Exzeß erscheinen die vitalen Antriebe überhaupt als verfügbar geworden und manipulierbar. Der Geist, der in reiner Reflexion selber in nichts verflösse, wenn ihm nichts bliebe, worauf zu reflektieren er noch vermöchte – eben solcher »Geist« empfindet sich als Macht im Verhältnis zur »tierischen Natur«, auch in der eigenen Person. Aber diese »Macht« ist eine scheinbare; sie verkennt, daß jeder Trieb, der »verdrängt« wird, sich verschwiegene Wege sucht, sich dennoch zu entäußern.

---

* Was nach dieser noch übrigbleibt, ist *objektlose Sexualität*. (Vgl. Seite 98!)

B.

KRANKHEIT ALS AUSWEG

a) Die Leibhaftigkeit unserer Konflikte

Gehirnsinnlichkeit ist so unmittelbar mit der Unterdrückung einer sexuellen Regung gegeben, daß es voreilig wäre, in ihr eine *Folgeerscheinung* solcher Unterdrückung zu sehen. Gehirnsinnlichkeit ist unmittelbar die *Kehrseite* der Unterdrückung der Sexualität. Die nicht zur Lösung kommende Triebspannung »meldet« sich in nicht enden wollenden erotischen Phantasien, in der Neigung zu »sittlicher« Entrüstung oder zu Zoten, allgemein: in einer verringerten Schwelle für sexuelle Reize. Diese, die verringerte Reizschwelle, ist es, die den Kämpfer für Scham und Züchtigkeit bisweilen doch dem Gelächter preisgibt: da er sich schon entrüstet über Fotos und Kleidermoden, vor denen außer ihm kaum jemand etwas »Kitzliges« empfindet. Solchem Spotte entgeht, wer mitsamt dem Trieb die ihn begleitenden Wunschvorstellungen unterdrückt. Hierzu bedarf es wohl einer gewissen Übung: einer Askese, die eine Umpolung der »sittlich« relevanten nervösen Reflexe erzielt.

Wem es gelingt, auch noch die »schmutzigen Gedanken« zu verdrängen, die in ihrer Hartnäckigkeit gerade dem unausgelebten Trieb sich verdanken, der hat freilich damit seine Menschennatur noch immer nicht nach dem Bilde geformt, das ihm vorschwebt: das Bild eines zugleich »reinen und keuschen« wie »freudigen« Menschen. Mit der Freude wird es hapern, sei es, daß der Triebkonflikt, verkleidet, in anderen Lebensbereichen sich fortsetzt, sei es, daß der Triebkonflikt sich »somatisiert«[11a]. Dies letztere heißt: Die Spannung zwischen (erlebtem) Trieb und »moralischem« Willen sinkt ab ins vital Unbewußte, ins willentlich nicht bestimmbare Leibgeschehen. Die Chronifizierung eines Konflikts allein bewirkt sicher noch nicht sein »Absinken« ins rein Somatische; ausschlaggebend ist wohl, daß ein ebenso *permanentes Unbehagen* am Konflikt diesen ins somatisch Unbewußte verschiebt. Was dabei dem Psychologen noch als »Neurose« sich darstellt, sind, mit

ADORNO gesprochen, »Resultate des Konflikts, in dem der Trieb geschlagen wird«[12]. Der Triebkonflikt selber, der als »Lebensproblem« bewußt werden kann, ist eine leibhafte Spannung: die »nervöse« Spannung zwischen dem Bedürfnis nach voller orgastischer Lösung und der vitalen Angst, zur »Strafe« dafür vereinsamt, ja vernichtet zu werden. In der Angst vor Vereinsamung »weiß« der Körper um die Macht der Gesellschaft, die einem jeden, der auf sexueller Freiheit besteht, den Brotkorb höher zu hängen vermag. Der Konflikt der sexuellen Strebungen mit dem Nahrungstrieb darf zumindest als Paradigma für Triebkonflikte überhaupt genommen werden. Das vitale Unbewußte, das je seine ersten Erfahrungen im Verhältnis zur – nährenden – Mutter macht, versteht aber immer noch die Gefahr, verlassen, vereinsamt zu werden, als drohenden Nahrungsentzug. *Triebkonflikte jedenfalls sind Spannungen zwischen den Ansprüchen vitaler Triebe (oder auch von Triebkomponenten), die natürlicherweise sich gar nicht zerren, aber in der repressiven Gesellschaft in einen Gegensatz kommen**. Die Ideologie der Unterdrückung macht daraus einen Konflikt zwischen sittlichem Wollen und Triebhaftigkeit schlechthin. Daß dies eine fromme Lüge ist, zeigt sich am besten darin, daß hier und heute den oral Aggressiven und den anal Fixierten** die soziale Anpassung noch am ehesten gelingt – schon weil sie dazu keiner oralen oder analen *Regression* mehr bedürfen, wenn sie in der entsprechenden Phase einst steckengeblieben sind.

Besteht der chronische Konflikt eines Menschen, der mit seiner Triebnatur hadert, immer noch darin, daß es ihm – bei faktischer Abstinenz – nicht gelingen will, »unzüchtige« Gedanken zu vermeiden, dann ist es leicht zu denken, daß *an die Stelle* der verpönten Vorstellung ein organisches Symptom tritt, wenn der Konflikt sich »somatisiert«. So sieht es FREUD: daß »die Triebbesetzung der verdrängten Vorstellung in die Innervation des Symptoms umgesetzt« wird[13]. Damit aber ist bereits viel mehr gesagt, als die psychoanalytische Praxis bestätigt. Diese zeigt nur, daß eine »moralisch« mißbilligte Vorstellung aus dem Bewußtsein verschwindet, während *gleichzeitig* ein körperliches Symptom entsteht, und umgekehrt: daß ein Symptom verschwindet, wenn die verdrängte Vorstellung wieder bewußt wird. Die Deutung, die FREUD gibt, läuft geradezu darauf hinaus, daß anstelle einer sexuellen

---

* Denn alle Unterdrückung ist Triebunterdrückung. Vgl. im II. Teil das Kapitel B!

** Siehe noch in diesem IV. Teil im Kapitel F den Abschnitt über das »Idol der ›sittlichen Freiheit‹«.

Vorstellung ein Organ sich »sexualisiert«: FREUD sagt es wörtlich: Die »Organe benehmen sich dabei wie Ersatzgenitalien«[14].

Diese Deutung befriedigt nicht, weil sie nicht Deutung genug ist. Sie läßt offen, warum im konkreten Falle gerade dieses und kein anderes Organ zum »Ersatzgenitale« wird. Dennoch, so unbefriedigend auch einem Arzt die FREUDsche These erscheint[15], den philosophischen Kritiker befriedigt sie in einer bestimmten Hinsicht sogar weit mehr als die Erklärung der neueren Psychosomatik, die besagt, am Beginn einer funktionellen organischen Störung stehe eine »spezifische Konfliktsituation«[16]. Was hieran, ontologisch gesehen, »stört«, das ist der nicht einmal verschwiegene Gedanke, daß ein je bestimmter *seelischer* Konflikt, daß also »Seelisches« die Ursache eines abnormen Körpergeschehens bilde. Der von VIKTOR VON WEIZSÄCKER und auch von MITSCHERLICH schon einmal verworfene Leib-Seele-Dualismus[17] bricht hier immer noch durch: erst recht in der uns allen heute geläufigen Rede von den »psychogenen Krankheiten«. (Man denkt dabei vor allem an Magen- und Zwölffingerdarm-Geschwüre, an Asthma bronchiale, Herzneurosen und juvenile Hypertonie.)

Im Begriff der »Erregung«, der auf Seelisches und Körperliches gleichermaßen sich anwenden ließ, war – so MITSCHERLICH[18] – ein »Schlüsselbegriff« gefunden, der das dualistische Schema entbehrlich machen sollte. Erregung ist beides: Angst *und* Herzklopfen. Die Angst ist nicht die Ursache des Herzklopfens, sondern *im* Herzklopfen ist der leibhafte Mensch geängstigt. Oder, sofern das Bewußtsein für die Angst konstitutiv ist: Im Herzklopfen wird eine bestimmte nervöse Erregung als Angst *erlebt*. Analoges gilt für die Scham: Sie ist nicht die Ursache des Errötens, sondern: »im Erröten ist die Scham gegeben«[19]. Die Betonung, daß es dabei jedesmal um eine leib-seelische »Gesamtsituation« sich handle, war – gegenüber dem dualistischen Vorurteil – eine immerhin notwendige begriffliche Klammer um jene beiden Aspekte, die man Leib und Seele nennt. Wenn aber MITSCHERLICH neuerdings von einem »psychosomatischen Simultangeschehen« spricht[20], so setzt er – terminologisch zumindest – die Philosophie des Leib-Seele-Dualismus auf eine fast »parallelistische« Weise fort.

Für die Deutung des konkreten Falles bleibt es beim Primat des Psychischen. MITSCHERLICH sagt im Hinblick auf eine frigide, also genital empfindungslose Frau, »die Phantasie, ein Mann zu sein ..., ein Glied zu besitzen«, könne »am weiblichen Genitale die natürliche Erregbarkeit auslöschen«[21]. Also, wohlgemerkt, ein bloßes Wunschbild vermöchte demnach den Körper zu steuern (oder auch fehlzusteuern): ein noch magischer Gedanke wie nach dem Modell, daß der Glaube Berge versetze. Die Phantasie als Störungsquelle, als Grund und Ausgang eines Gebrechens: eine solche Annahme setzt bei unzähligen Patienten zugleich eine geradezu geniale Produktivität voraus, eine Eigenständigkeit der Wunschvorstellungen, die aber – kraft prästabilierter Harmonie – in ebenso ungezählten Fällen immer wieder die gleichen wären. Wie sich die neurotischen Wunsch- und Wahnbilder gleichen: Penisneid und Kastrationsfurcht allenthalben. Da über so geheimste Wünsche und Nöte aber kaum jemand mit andern sich ausspricht (außer, selten genug, beim Analytiker), so müßten wir für das Vorkommen immer wieder derselben »psychischen Ursachen« vegetativer Störungen geradezu telepathische Kräfte vermuten. Wäre es da nicht einfacher zu denken, daß die kollektiv am Menschen verübte Triebunterdrückung eine ihr gemäße Bewußtseinslage allererst schafft; eine Bewußtseinslage, deren konkrete Phänomene als psychische Ursachen körperlicher Fehlfunktionen dann erst mißdeutet werden können? Sehen wir die Triebunterdrückung unbefangen als die Wurzel allen vegetativen Übels, dann haben wir die *leibhafte Existenz* gar nicht nach einer leiblichen und einer geistigen Seite hin unterschieden. *Der Kausalzusammenhang ist dann nicht einer zwischen Leib und Seele, sondern zwischen gesellschaftlicher Unterdrückung und leibhafter Existenz des Einzelnen.* So den Leib-Seele-Dualismus zu vermeiden, setzt aber voraus, daß Unterdrückung überhaupt in ihrem somatischen Aspekt – als Triebunterdrückung – erkannt wird und daß umgekehrt Triebverzichte als die negative Antwort auf Unterdrückung überhaupt entzaubert sind*. Diese, vitalethisch gesehen, negative Antwort ist aber immer zugleich schon eine »vegetative Antwort«[22], die gelinde oder grob pathologische Züge anzunehmen vermag.

Nun soll niemand sagen, das Leib-Seele-Problem gehe den Arzt gar nichts an, er habe es hier so genau nicht zu nehmen. Hauptsache, er heile, lindere, helfe. Die Frage aber ist, auf Grund welchen Menschenbildes er heilt, wohin, in welches menschliche Sein er verhilft: in eines, das zuletzt doch immer noch am Leib–Seele-Gegensatz sich ausrichtet, oder in eines, das dem Einzelnen erlaubt, einig mit sich selber zu werden, einig auch mit seinen Trieben und Affekten.

Das Problem, wie Leib und Seele in der Organneurose zusammenhängen, muß ewig ungelöst bleiben, wenn die Neurotisierung eines Charakters rein aus »psychischen« Eindrücken und Beziehungen heraus

* Vgl. den II. Teil bei Anmerkung 49.

verständlich gemacht wird und nicht als die Konsequenz einer von früh auf am leibhaften Menschen verübten Triebunterdrückung. (Dem trägt FREUDS Theorie der »Ersatzgenitalien« immerhin Rechnung.) Ist Triebhemmung aber ein somatischer Vorgang, der durch die triebfeindliche Kultur mehr oder weniger handgreiflich erzwungen wird, dann ist die Rede vom psychophysischen *Gesamt*geschehen ebenso irreführend wie die von den »psychisch bedingten« Störungen des Organismus. Im Prinzip ist es möglich, etwa den inneren Konflikt eines Magenkranken »in einer Terminologie von Neuronenerregungen zu beschreiben«[23]. HANS SCHAEFER, mit dem wir hier formulieren, vermutet allerdings, daß auch dann, wenn die Physiologie schon soweit wäre, »mindestens« die Denkökonomie uns noch daran hinderte, so zu verfahren. Der Unterschied zwischen einer solchen Beschreibung und einer verstehend-psychologischen entspräche etwa dem zwischen einer Konstitutionsformel für $C_6H_{12}O_6$ und dem Wort »Zucker«. Die Rede von den Konfliktsituationen am Beginn einer sogenannten »psychosomatischen Krankheit« ist darum ebensowenig »falsch« wie der Begriff »Zucker«, mit dem wir im Alltag uns verständigen. Und so wie ein Koch es nicht nötig hat, Chemie zu treiben, sowenig braucht ein Psychotherapeut ein abnormes Sozialverhalten oder eine organische Funktionsstörung auf neurophysiologische Daten zurückzurechnen. Aber er tut – als Wissenschaftler – doch gut daran, sich gelegentlich daran zu erinnern, daß er, wo immer er von seelischen Konflikten und psychosomatischen Störungen spricht und solche Störungen beschreibt, jedesmal ein ganz bestimmtes Triebschicksal gegeben hat. Solche gelegentliche »Erinnerung« kann den Analytiker (wie auch den Ethiker) um so eher davor bewahren, insgeheim einen Menschen abzuwerten, bei dem eine psychologisch *verstehbare* organische Störung sich zeigt. Das heißt: Ich verstehe einen Menschen, der an einer Organneurose leidet, sogar besser, wenn ich seine Krankheit nicht nur psychologisch verstehe und als »Signal« einer bestimmten Konfliktlage. Psychologisches Verstehen, und gebe es sich noch so »verständig«, impliziert immer eine Charakterbewertung. »Moralinfreies« psychologisches Verstehen ist selber ein nie zu erreichendes moralisches Ideal, das dem Bemühen, dem Andern nie unrecht zu tun, sich ja erst verdankt. Begreife ich aber ein soziales Fehlverhalten und eine Organneurose als ein körperliches Geschehen, das von einer Triebhemmung herrührt, dann komme ich gar nicht in Versuchung, den Andern moralisch zu bewerten und abzuwerten. Er mag ein noch so stiernackiger Fettsüchtiger sein, ein mimosenhaft empfindlicher Magenkranker, ein rechthaberischer Hypertoniker – ich sehe in ihm doch *das Opfer einer den Leib verstümmelnden, weil leibfeindlichen Moral**. Indem wir in solcher Weise »somatologischer« denken, gewinnen wir zugleich der Psychologie und der Ethik den Horizont der Gesellschaft zurück, den sie bei den Griechen noch hatten. Uns interessiert dann ethisch weniger der Charakter des Einzelnen als die Beschaffenheit der Gesellschaft im ganzen, im Hinblick darauf, welche Charaktere sie hervorbringt.

Der »Charakter« der Gesellschaft, der Kulturgemeinschaft überhaupt, in der der Einzelne lebt, ist in dessen Triebkonflikten wieder gegenwärtig: Die unvereinbaren Forderungen der herrschenden Moral kommen geradezu in seinem Körper zum Austrag. Wird die »innere«, die neurophysiologische Spannung zu groß, so manifestiert sie sich in Krankheit; wobei »Krankheit« nichts anderes bedeutet als die nun sichtbar und deutlich lebens-hemmend gewordene Störung, die immer schon eine Störung im Somatischen war, sofern wir menschliches Dasein in seiner Leibhaftigkeit umschlossen finden. Der Begriff der »Somatisierung« des Konflikts ist damit eigentlich schon überflüssig geworden. (Es könnte De-zerebralisierung heißen.) Wenn das Empfinden einer Konfliktsituation, die immer eine je subjektive ist, zum Beispiel durch einen leicht erhöhten Muskeltonus sich abzeichnet oder durch ein Ansteigen des Blutdrucks über den Normalwert, dann ist es nur eine Frage des Grades oder der Nachhaltigkeit, ob wir von (vorübergehenden) Erregungszuständen sprechen oder von Krankheit[24]. Der noch nicht als krank erklärte und noch nicht sich krank fühlende Neurotiker gleicht mit seinem nervösen System einem Balancekünstler, der über sich ein weitausladendes Gestänge in der Schwebe hält, das herabstürzend ihn notwendig verletzt. Das angestrengte Halten der Balance aber ist in jedem Falle schon ein körperliches Geschehen. Man muß vielleicht in solcher Weise bildkräftig es sich einmal veranschaulichen – und das »Rätsel« der Somatisierung schwindet dahin. Spielt alles sich innerhalb des einen leibhaften Daseins ab, das nach »Leib« und »Seele« gar nicht zu unterscheiden ist, dann ist schon die Rede von der Leib-Seele-Einheit ein irreführender Begriff. Er suggeriert die Notwendigkeit einer Unterdrückung leibhafter Impulse durch eine »Seele«, in der die

* In solcher Betrachtung vollends relativiert sich der Wert rein tiefenpsychologischer Formeln wie »Ödipuskomplex«, »Mutterbindung« und »Penisneid«, während einige andere, zum Beispiel der Begriff der »Kastrationsfurcht«, erst einen zugespitzten Sinn bekommen. Das *Zurückschrecken* des ganzen Körpers vor einer drohenden Verstümmelung muß hier nachempfunden werden. (Zur Mutterbindung siehe im III. Teil, Kapital A, den Abschnitt g: »Die gesteuerte Entsexualisierung«.)

repressive Moral verinnerlicht ist. Denn die Unterscheidung von Leib und Seele – mitsamt dem Indeterminismus, der sie voraussetzt – ist ja nichts anderes als die Ideologie der Triebunterdrückung. Was wir »Seele« im Gegensinne zum Körper nennen, das sind nur die chronifizierten Deformationen des Leibgeschehens, die der permanente Druck einer leibfeindlichen Moral zustande bringt[25].

b) Die Vielfalt psychosomatischer Störungen

Wir sagten, die Widersprüche der herrschenden Moral würden im Körper des Einzelnen zu einer nervösen Spannung. Er erlebt sie als Konflikt. Wird der Konflikt unerträglich, so fällt er der Verdrängung anheim: das heißt, er taucht *vollends* ein ins körperlich Unbewußte. Eine andere, zweite Möglichkeit der »Somatisierung«, um den Begriff mit Vorbehalt zu verwenden, ist die, daß eine Aufhebung des Konflikts leibhaft unmißverständlich sich andeutet, wobei die vielleicht recht massive »Aufhebung« gar nicht mehr bewußt erlebt wird. Zum Beispiel: Eine sexuell frustrierte Frau bekommt von Zeit zu Zeit »Anfälle«, bei denen sie Bewegungen wie beim Coitus vollführt und stöhnt, und nach denen sie sich an nichts mehr erinnern kann. Der »Sinn« der Bewußtlosigkeit ist klar: Das strenge moralische Wachbewußtsein (das Über-Ich, würde FREUD sagen) hebt sich selber auf, schaltet sich ab, um nicht den Zusammenbruch seines Ich-Ideals zu erleben. Das moralische Bewußtsein hält seine Ansprüche aufrecht um den Preis, daß es sich selber aufgibt. Eine jungvermählte Frau konnte die Wohnung nicht mehr verlassen, weil sie bei jedem Ausgang ohnmächtig auf der Straße zusammenbrach. In der Analyse sagte sie später immerhin soviel: »Ich hatte, seitdem ich verheiratet war, das Gefühl: Jetzt darfst du keinen anderen Männern mehr gefallen.« Der unterdrückte Triebwunsch, der auf der Straße immer wieder durchbrach, wurde in der Ohnmacht erstickt.

Die beiden Beispiele[26] differieren. Während im ersten Falle die Sexualität schlechthin verdrängt ist, ist es im zweiten eine Neigung zur Polygamie und (als Instrument dazu) zum Exhibitionismus. Im einen Falle verschleiert die Ohnmacht die unbewußt ersehnte Triebbefriedigung, im andern nur den Wunsch nach Freiheit in der Wahl des Partners. Gemeinsam ist die Verschleierung durch Ohnmacht. Ohnmacht ist nicht gleich Ohnmacht. Dem traditionellen Denkschema entspräche es zu sagen, sie »bedeute« psychisch in jedem der beiden Fälle etwas anderes. Aber sie *ist* auch – körperlich – in jedem Falle etwas anderes. Bei der einen Patientin ist sie Bestandteil eines den Coitus vertretenden Bewegungssturmes, bei der andern ein reines Sich-fallen-Lassen. Die Verschiedenheit so ähnlicher Fälle macht am ehesten verständlich, weshalb die Neurosen insgesamt nach Symptom und Konfliktsituation zum Teil sehr stark voneinander abweichen, und warum es nicht nur ein einziges »typisch neurotisches Symptom« gibt.

Wir sprachen von einem Bewegungssturm, der die beim Coitus vollführten Bewegungen »nachahmt«. Wir finden dieses Phänomen jetzt wieder häufiger im Zuschauerraum bei Beat-Konzerten: konvulsivisch zuckende und kreischende Mädchen, deren Gesichter orgastisch verzerrt sind. Oberflächliche Betrachter ohne historisches Wissen mögen das für das »Allermodernste« halten, womöglich für ein Zeichen jenes »Sittenverfalls«, durch dessen hartnäckiges Ausbleiben gerade die Hysterie in ihren mannigfachen Erscheinungsformen immer noch möglich – und nötig – wird. Der im Mittelalter so häufige Veitstanz hatte ganz ebenso die (physiologische) Funktion, die verpönte sexuelle Rhythmik zu kopieren und zu ersetzen. – Der hysterische Anfall leistet diesen Ersatz, weil der darein »Gefallene« über den sexuellen Sinn seines Verhaltens im unklaren bleibt oder überhaupt vollends ohnmächtig wird.

Ist es der »Sinn« einer neurotischen Ohnmacht überhaupt, die moralische Selbstzensur auszuschalten, so wird in einem Asthmaanfall eine unbewußte oder uneingestandene Angst körperlich dramatisch durchlebt. Dabei ist, ontologisch zurechtgerückt, die spastisch arrangierte *Enge* der Luftwege nicht der »symbolische Ausdruck« einer unterbewußten Angst[27], sondern die physische Enge beim Asthmaanfall *ist* diese Angst, nur eine Angst, die ohne ein klares Bewußtsein sich vollzieht. Ebenso ist ein Magengeschwür strenggenommen nicht »Ausdruck« eines psychischen Konflikts, der durch die Tendenzen »Ehrgeiz« und »infantiles Liebesverlangen« gekennzeichnet ist[28], sondern das Ulcus ist die Folge einer Funktionsstörung des Magens, und diese *ist* der Konflikt, freilich in der Form, die er ohne Beteiligung des Bewußtseins gewinnt. Worauf es meines Erachtens ankommt, das ist zu sehen, daß in sogenannten seelischen Konflikten stets die leibhafte Existenz des Menschen zwischen unvereinbaren Ansprüchen gezerrt ist. Wäre es nicht der Leib, an dem das alles geschieht, was »uns bewegt«, uns »an die Nieren geht«, uns »Nerven kostet« oder »an unseren Nerven zerrt«, es wäre nicht einsichtig, wieso ein Mensch aus schwerer Krankheit »wie verwandelt« hervorgeht – so, daß mit der Genesung die Lösung eines Konfliktes da ist[29]. Wenn das vorkommt, ohne daß unterdessen bewußt an der Lösung des Konfliktes weitergearbeitet wurde, dann kann das nur bedeuten, daß der am vitalen Dasein entstandene (aber nur »psychisch« erlebte) Konflikt somatisch: durch den Prozeß der Krankheit, gelöst wurde. Da Triebkonflikte ihrem Wesen nach unlösbar sind, so sagen wir aber vorsichtiger: Der Konflikt wurde durch die Krankheit *beseitigt*. Die Vorsicht rechtfertigt sich in den Fällen, in denen die Krankheit immer wiederkehrt oder chronisch wird, wo also eine »Lösung« des Konflikts nicht von Genesung zu erhalten ist, sondern nur vom andauernden Prozeß der Krankheit selber. Wenn etwa bei einem Mann die Anpassung an die monogame Ordnung erst gelingt, wenn jene Krankheit bei ihm ausbricht, an der er noch sterben soll, dann besagt das genug über die Art von »Lösung«, die die Krankheit bringt.

c) Krankheit als Lebensschicksal

Die »Lösung«, die chronische Krankheit für einen Triebkonflikt anbietet, besteht einfach darin, daß der Wunsch, geborgen zu sein und gepflegt zu werden, so überhandnimmt, daß er alle anderen »Wünsche« tilgt. Die Spannung zwischen den Triebwünschen und der Angst vor Vereinsamung bei ihrer Erfüllung ist beseitigt: Der auf die Fürsorge der Anderen Angewiesene hat nichts mehr zu wünschen. Und er wünscht auch nichts mehr, jedenfalls nichts als zu leben und wieder gesund zu werden. Der Triebkonflikt besteht nicht mehr; der Mensch ist »zufrieden«. Bei einer Besserung des Befindens mag der alte Triebkonflikt wieder aufleben; aber er selber ist es, der eine nachfolgende Wiederverschlechterung provoziert. Unheilbar krank geworden, nimmt das vitale Dasein sich vollends zurück in die Sorge um die eigene Fortexistenz. Franz Kafka, dem es selbst so erschien, als habe sich seine Tuberkulose aus den Schwierigkeiten vor einer geplanten Ehe entwikkelt (»Mein Kopf hat sich hinter meinem Rücken mit meiner Lunge verabredet«[30]), Kafka, der zeitlebens die Ehe als eine Bedrohung empfand, als eine Bedrohung seiner schriftstellerischen Existenz[31] – in seinem Todesjahr ist er wie umgewandelt. Da findet ihn sein Freund Max Brod mit einem Male »auf dem richtigen Weg« [nämlich dem Weg zur Ehe] und »mit seiner Lebensgefährtin wahrhaft glücklich«[32]. Brod: »Ich fand ein Idyll, endlich sah ich meinen Freund in guter Stimmung, sein körperliches Befinden hatte sich allerdings verschlechtert.«[32]

Ein tiefenpsychologisch aufgeklärter Biograph würde so behaglich sich nicht wundern. Er weiß, »daß der ›Charakter‹, die Stimmung, die körperliche Verfassung und Reaktionsweise *zusammen gesehen* werden« müssen[33]. Ein Glück, ein Idyll, zu dem eine schlechte körperliche Verfassung gehört, ist dann eben kein Glück – vom Standpunkt des Arztes und auch nicht im Sinne einer Ethik, der die vitalen Werte Grund und Voraussetzung jeder höheren Wertentfaltung sind[34]. Die Ehe, in der zwei Menschen buchstäblich aneinander erkranken und auch krank bleiben müssen, um es beieinander »auszuhalten«, eine solche Ehe widerlegt sich schon als die sinnvolle Lebensform – für diese beiden. Nun war Kafka gewiß schon krank, als er der ihm gemäßen Frau begegnete. Aber nach BROD zu sagen, er habe eben so lange warten müssen, bis er »die Richtige« fand, ist richtig und in naiver Weise falsch zugleich. Wer lange sucht, um den ihm gemäßen Partner zu finden, der wandelt sich schon, indessen er sucht, und hat, da er »ihn« findet, zuletzt einen anderen Menschen gefunden als den, den er ausging zu suchen. Ein Kafka hat sich wandeln müssen, um zu der Frau, die er zuletzt fand, zu passen. Diese notwendige Wandlung aber impliziert seine Krankheit.

Es ist kein bloßer Zufall, wenn »Zufriedenheit«, Glücksgefühl und die Verschlimmerung eines Leidens vom selben Zeitpunkt datieren. Wenn die leibhafte Person ein Ganzes ist, dann besteht hier ein Zusammenhang. Ein Mensch erkrankt, da er vollends ernst macht mit seinen sittlichen Idealen[35]. Wieso? Weil unsere »sittlichen Ideale« selber ihrem Wesen nach krankmachend sind: leibfeindlich, destruktiv. Der Mensch vermag *mit* ihnen nur zu leben, indem er insgeheim oder offen an ihnen vorbeilebt. Er ramponiert sich entweder seinen Idealismus oder seine Gesundheit. Natur- und triebfeindliche Ideale mit der eigenen Natur zu versöhnen mag nur denen gelingen, die gar nicht genug vitale Kraft haben, um im Sinne ihrer strengen Ideale »schwach« werden zu können.

Triebkonflikte sind ihrem Wesen nach unlösbar – das ist unmittelbar einsichtig an dem Grund-Konflikt des Menschen in unserer Kultur: an seinem Konflikt zwischen Triebanspruch und der (Selbst-)Anforderung der Keuschheit. Die Vielfalt der neurotischen Konflikte gibt nur Variationen dieses einen Themas. Wir kennen keine Krankengeschichte der psychosomatischen Medizin, in der nicht in der einen oder anderen Form die unterdrückte Sexualität eine Rolle spielte[36]. Das Moment liegt nicht stets an der Oberfläche. Es gibt, wie gesagt, auch jene andere

Form der Verdrängung, bei der die tabuierten Triebwünsche unmittelbar in ein »Konversionssymptom« (FREUD) sich umsetzen, ohne daß die Not des Leibes dabei als Konflikt bewußt würde. Es gibt endlich sogar als Folge von Krankheit, Erschöpfung und Überarbeitung eine Angstneurose, »die zwar keine sexuelle Ätiologie, aber doch einen sexuellen Mechanismus erkennen läßt« (FREUD[37]).

Auffällig ist, daß der Neurotiker regelmäßig in der Kindheit eine besonders strenge, auf »Reinheit« pochende Erziehung genossen hat. Da der puritanische Erzieher immer zugleich ein unzärtlicher, wenig anschmiegsamer Mensch ist (aus Gründen, die wir schon aufgezeigt haben*), ist es natürlich ebenso richtig zu sagen, daß der Neurotiker mit einem *Defizit an Liebe* erzogen wurde. Beides, die Triebunterdrükkung und die emotionale Vernachlässigung, ist aber nur ein je verschiedener Aspekt derselben Repression. Wer den Sinn der Erziehung – aus eigenen Hemmungen heraus – nur in äußerster Beschränkung der »Sinnlichkeit« erblickt, der muß auch die Neigung des Kindes, sich bei ihm anzuschmiegen, vielfach frustrieren. Sofern er eine solche Neigung nicht überhaupt erstickt. Die autoritäre Erziehung duldet keine »Verbrüderung« mit dem Zögling, die diesen im gleichen vitalen Dasein bestätigt.

Da die Gesellschaft jede »ungeregelte« Erotik, jedes Begehren vor und außerhalb der Ehe zu unterdrücken weiß, kann der Einzelne, der dadurch leibhaft sich gepreßt fühlt, für solche Not auch nicht auf Anteilnahme rechnen. Sowie er jedoch den Konflikt, der als solcher schon nicht sein darf, leibhaft dramatisch auslebt, ist er jeden Mitgefühls gewiß. Wer »wollte« da nicht immer wieder krank werden? Der Konflikt, der zwischen dem Trieb und dem Druck der Gesellschaft sich spannt, ist in Krankheit »beruhigt«, weil das Symptom, das Gebrechen ihn ausdrückt. Sonst immer muß er verschwiegen werden: Der Mensch ist in dem, worin er am gründlichsten leidet, auch am eisigsten mit sich allein. Der Grund seines Mißmuts, seiner Unrast, seines Lebensüberdrusses ist ihm selber dabei verborgen. Er weiß nur – und spricht es auch aus: »Ich bin so allein.« Die Krankheit, in der der Triebkonflikt sich drastisch darstellt, hebt die Vereinsamung wieder auf: ein weiteres – unbewußtes – Motiv für den chronisch Kranken, nicht gesund werden zu wollen, auch wenn kein eigentlich unheilbares Leiden besteht. In der Organkrankheit hat der leibhaft von seinen Mitmenschen separierte Mensch ein Mittel bekommen, die Anderen an seinem Körper zu inter-

* im II. Teil, Kapitel A, in dem Abschnitt c: »Problematische Kinderliebe«.

essieren. Seine Vereinsamung ist so gemildert. Sie ist gemildert auch durch die quasi psychische Struktur des Krankseins in der Organneurose: Der Kranke gewinnt gleichsam ein Ich-Du-Verhältnis zum erkrankten Organ. Er beobachtet, pflegt, beargwöhnt es. Er »liebt« es, soweit lieben heißt: daß die Gedanken um den geliebten Gegenstand kreisen. Er liebt, so befremdlich es klingen mag, sich selber in dem erkrankten Organ durchaus libidinös. Der moralistisch auf sich selber zurückgeworfene Mensch entwickelt in der Organkrankheit am eigenen Körper geradezu eine aufgerauhte Stelle, eine Stelle intensivster Empfindung, die die Intensität orgastischer Lust, die eine »Empfindung« des ganzen Körpers ist, durch eine lokal vertiefte Empfindung ersetzt. Aber sie ersetzt sie nur durch ein Wundwerden. Lust und Schmerz unterscheiden sich dann nicht mehr.

Der psychologische Begriff dafür heißt *Masochismus*. Er setzt, wie alle Begriffe der Psychologie, den Dualismus von Leib und Seele voraus. Dieser Dualismus aber ist die typische Selbstauffassung des Leidenden, jenes Menschen, der sich im Selbsterleben polarisiert; er ist sich gleichsam doppelt gegeben: im schmerzenden Organ und im leidenden Bewußtsein. Der gesunde, vitale, vollblütige Mensch dagegen spürt nicht, daß er überhaupt einen Leib »hat«, er weiß nichts von seinem Herzen, seinem Magen, seiner Galle. Er ist mit sich selber einig vom Kopf bis zur großen Zehe.

d) Geisteskrankheiten als Folge von Triebunterdrückung

Krankheit ist Zerfall. Es liegt aber in ihr auch die Chance für eine neue Integration. Ein ängstlicher, geduckter, ständig um die Meinung der Anderen besorgter Mensch mag unversehens aus schwerer Krankheit gelassener hervorgehen. Die Begegnung mit dem Tode hat ihn gleichgültiger gemacht gegen das Urteil der Umwelt. Im sicheren Empfinden, daß übergroße Nachgiebigkeit gegenüber ihren sittlichen Forderungen uns zuletzt nur körperlich zerstört, kann alle Menschenfurcht mit einem Male uns lächerlich werden. Das ist ein erlebtes Faktum. Es ist aber eine Einsicht, die anders als durch körperliches Leiden kaum zu gewinnen ist. Das bedeutet noch kein Lob des Leidens. Doch in einer Gesellschaft, die nur krankmachend ihre sittlichen Ideale durchsetzt, kann Krankheit das Mittel sein, von der Krankheit des Idealismus den Geist zu kurieren. So gesehen ist die Organneurose immer schon der geglückte Versuch des Leibes, den Kopf zumindest vor Schaden zu bewahren. In jenen Prozessen, die wir fälschlich »Geisteskrankheiten« nennen, scheint dieser Versuch mißlungen[37a].

»Geisteskrankheiten sind Gehirnkrankheiten.« Von diesem Lehrsatz des Psychiaters GRIESINGER hat die psychosomatische Medizin sich abzusetzen gesucht[38]. Das war berechtigt, soweit mit ihm sich die Zumutung aussprach, Geisteskrankheiten als etwas rein »Endogenes« zu deuten, als etwas, was aus den Organismen hervorbräche ohne jede Nötigung von außen. Der alte Materialismus in der Medizin ließ ja die Frage nach den gesellschaftlichen Bedingungen bestimmter Krankheiten gar nicht zu. Er war insofern die perfekte, weil zur Wissenschaft gewordene Verdrängung der Naturwidrigkeit unserer Moral. Die reine Gegenposition der Psychologie aber verdrängt sie nicht minder, wenn sie »seelische Konflikte« als Grund und Ausgang von Krankheiten annimmt. In der »seelischen Ursache« krankhafter Erscheinungen ist der leibfeindliche Charakter des sittlichen Zwanges, der jedesmal noch dahintersteht, verdeckt. Geisteskrankheiten sind Gehirnkrankheiten – in jedem Falle: ob es sich um einen angeborenen zerebralen Defekt handelt oder ob der Druck der Gesellschaft derart »störend« in das vitale Dasein des Menschen eingreift. Geisteskrankheiten sind Krankheiten des Körpers schon insofern, als der Mensch nicht außerhalb seines Leibes erkranken kann. Die geläufige Rede, wonach auch nur »die Seele« oder »der Geist« erkranken könne, ist entweder bloße Metapher, also nicht weiter ernst gemeint, oder aber ein irreführender Mythos[39]: ein vorwissenschaftlicher Glaube, der nur eben für eine ganze Richtung der Psychologie konstitutiv ist. Das ist eine Psychologie, die dem Menschen beharrlich einredet, er selber sei es, der seine »inneren Konflikte« (KAREN HORNEY) aus sich entwickle, zwangsläufig oder nicht, aber jedenfalls ohne zwingenden Druck von außen. Der Neurotiker sei eben seelisch nicht stark genug, auf die Welt, wie sie nun einmal sei und fortwährend sich wandle, sich einzustellen: »um wieder angepaßt zu sein« (C. G. JUNG). Was hierin – wir formulierten dicht an K. HORNEY und C. G. JUNG[40] – sich ausdrückt, ist ein versteckter Schuldvorwurf gegenüber dem Menschen, der doch nur in Konflikte gerät, weil die von der Gesellschaft geforderten Tugenden, wie NIETZSCHE sagt, ihm ›nicht auf den Leib passen‹[41]. Der überforderte Leib erkrankt.

Wenn wir dies auch auf die »Geisteskrankheiten« beziehen, so haben wir dafür gute ethnologische Gründe. Wir finden die sogenannten Geisteskrankheiten wie die Neurosen wohl verbreitet in unserer eigenen triebverdrängenden Kultur, desgleichen in triebfeindlichen »Primitiv«-Kulturen; doch sie fehlen in einer Gesellschaft, in der die sozio-sexuelle Entwicklung des Menschen durch keinerlei einschneidende Tabus gehemmt ist. So registrierte MALINOWSKI »Zwangshandlungen, nervöse Ticks und verschiedene Formen der Besessenheit« wohl bei den prüden Amphlett-Insulanern, aber gar nicht bei den sinnenfrohen Trobriandern, die ihnen rassisch vollkommen gleichen[42]: ein Ergebnis ganz parallel den entsprechenden Feststellungen über Vorkommen und Fehlen sexueller Perversionen und der Jugendkriminalität*. Die alte Psychiatrie ist hier so irregeleitet nicht, wenn sie abnormes Sexualverhalten, kriminelle Neigungen und Psychosen in einen Topf wirft. KINSEY, der ihr das vorhält[43], hat im Blick auf das Individuum natürlich recht: Man kann pervers sein oder wahnsinnig oder kriminell, ohne notwendig das andere noch dazu sein zu müssen. Aber die Psychiater bekommen entgegen ihrer Absicht wieder recht in völkerkundlicher Perspektive. Was je individuell sogar sich ausschließen mag, so, als sei zum Beispiel die Neurose »das Negativ der Perversion« (FREUD[44]), das schließt im Ganzen der Gesellschaft sich wieder zusammen zum Bild einer einzigen *sozio-sexuellen Störung*, die nur in typische Erscheinungsbilder zerfällt.

MALINOWSKI berichtet von jenen Inseln der Südsee, daß dort die Menschen selber zwei Kategorien von Geisteskrankheiten unterschieden: *nagowa* und *gwayluwa*, ersteres dem Kretinismus oder der Idiotie entsprechend unter Einschluß aller Sprachstörungen, das zweite im allgemeinen Sinne von Manie gebraucht »und alle jene einschließend, die von Zeit zu Zeit Anfälle von Gewalttätigkeit und abnormem Verhalten haben«[45]. Als Einteilungsprinzip dieser »Eingeborenenpathologie« (MALINOWSKI) erscheint demnach der Unterschied zwischen Sprechen und Tun; eine grobe Systematik, die unserer jeweils »ganzheitlichen« nicht in jeder Hinsicht unterlegen sein muß. Sprechen und Tun beziehen den Menschen auf seine Umwelt. Eine Einteilung der Geisteskrankheiten, welche diese beiden Umweltkontakte des Menschen zum Ausgangspunkt nimmt, verrät eine Ahnung des Wesens der sogenannten geistig Abnormen: ihrer Isolation, ihres Herausfallens aus der Gemeinschaft, letztlich aus der Welt – sofern »Welt« durch die Gemeinschaft vermittelt ist. Wenn Geisteskrankheiten und Neurosen gehäuft gerade in sexualfeindlichen Kulturen sich finden, dann bestätigt das umgekehrt auch die ethische Bedeutung einer freien sexuellen

---

* Wir kommen hierauf zurück, auf die Perversionen noch in diesem IV. Teil, auf die Jugendkriminalität im V. Teil, Kapitel B, Abschnitt d.

Entwicklung. Der um Leibkontakte betrogene Mensch isoliert sich auch »geistig«: in seinem Vorstellungsleben und in seinem sozialen Empfinden. Geisteskrankheiten, soweit sie der Druck der Gesellschaft erzwingt, sind jeweils zerebrale Wirkungen eines »sittlich« vereinsamten Leibes.

»In jeder großen Trennung liegt ein Keim von Wahnsinn«, sagt GOETHE[46]. Der Wahnkranke im engeren Sinne ist nicht »geisteskrank«, wenn darunter verstanden werden müßte, daß sein Geist nicht mehr funktionierte; er »funktioniert« nur in einer Weise, die seine Umwelt nicht mitvollzieht. Der Wahnkranke ist auch nicht »geisteskrank«, wenn er demnach vom geistig Gesunden sich wesentlich dadurch unterschiede, daß sein Denken der Wirklichkeit nicht gerecht wird. Die kollektiv in einem Irrtum Befangenen erleben sich selber gegenseitig gar nicht als geisteskrank – und sind es also nicht. Sie stützen sich wechselseitig in ihrem Wahn und bleiben gesund, weil keiner von ihnen durch Vereinsamung leidet. Sie sind »wahnsinnig« allenfalls vom Standpunkt einer Kulturpathologie. Umgekehrt mag ein Denker, der der Natur der Dinge viel näher ist als irgend jemand sonst, in sich Symptome einer Geisteskrankheit entwickeln, wenn er über das, was er sieht und erkennt, mit einer verblendeten Umwelt sich nicht mehr verständigen kann. Die eigenmächtige Abweichung von kollektiven Wahnvorstellungen qualifiziert unter Umständen ebenso fürs Irrenhaus wie der Wahn auf eigene Faust. Wer als geisteskrank zu gelten hat, ist auch eine Frage des Geistes der Zeit. Mittelalterliche Fürsten hatten Belohnungen ausgesetzt für die Erfindung eines perpetuum mobile. Ein Ingenieur, der um 1940 herum daran arbeitete, wurde in eine Anstalt verbracht: wie zur Strafe dafür, daß er seinen Kollegen emotional um einige Jahrhunderte zurück war. Als Dorfschmied wäre ihm vermutlich gar nichts geschehen. Der Mann wirkte im übrigen völlig normal; er war auch arbeitsfähig, nur eben als magisches Naturell in einer immerhin technisch aufgeklärten Welt »verspätet«. Er wurde aber gerade darum Irrenärzten übergeben, die in ihrer Mehrheit selber noch völlig magische Vorstellungen haben von einem »Zusammenwirken von Leib und Seele« und damit auch von den Ursachen der Geisteskrankheiten und Neurosen. Der kollektive Wahn, wonach der leibhafte Mensch aus Leib und Seele bestehe (wobei nur letztere als unsterblich gedacht werden darf), dieser Wahn dünkt sich dem Magier überlegen, der seinen Traum vom ewigen Leben in eine Maschine zu projizieren sucht, die ewig aus sich selber kreiste. Therapeutische Gesinnung und isolierter Wahn sind hier einander gut: in ihrer verdeckten

Ewigkeitssehnsucht bedingt von einer Moral, die den Menschen daran hindert, in leibhafter Gegenwart sich zu erfüllen.

Malinowski, auf dessen Kulturenvergleich wir uns beriefen, hat – als medizinischer Laie – nicht zwischen Neurosen und Geisteskrankheiten unterschieden. Wenn auch (mit ihm selber) bedauert werden mag, daß so das »Problem der Neurose und der Geisteskrankheiten«[47] vom Ethnologischen her keine detaillierte Behandlung erfuhr, so ist doch das summarische Ergebnis bedeutsam genug: *Es können in einer Gesellschaft, die namentlich die Sexualität der jungen Menschen nicht einschränkt, Erscheinungen durchaus fehlen, um die in unserer eigenen Kultur Psychiatrie und Psychoanalyse sich kümmern.* Die faktische Konkurrenz dieser beiden therapeutischen Disziplinen zeigt aber bereits auf die Problematik, abnormes Sozialverhalten fallweise als psychotisch oder als neurotisch zu klassifizieren. Wo immer man an solche Scheidung sich hält, da ist zugleich die Einheit der Medizin als Wissenschaft gefährdet, und das heißt, auf unsere Frage zugeschnitten: Es kommt gar nicht zu einer einheitlichen Weise des Verständnisses des an Triebkonflikten leidenden Menschen.

Wenn wir, hinreichend aufgeklärt durch Freud und Malinowski, den Grund allen sogenannten seelischen Leidens in sittlicher Überforderung sehen, dann impliziert ein tiefenpsychologisches Verständnis von Psychosen immer auch schon eine Frage an die Ethik. Da in einer nicht-repressiven Gesellschaft psychotische Erscheinungen fehlen, wird die Ethik sich nicht darauf hinausreden können, es seien die Geisteskranken unter uns eben bedauernswerte Geschöpfe, Menschen zwar, denen man »helfen« müsse, deren »Unglück« aber in keiner Weise sich verhüten lasse. Nach dieser durchaus verbreiteten Vorstellung hat der sogenannte Geisteskranke auf gar keine andere Weise »Pech« wie der von Geburt an körperlich oder auch zerebral Verkrüppelte. Wer indessen die fließenden Übergänge wahrnimmt zwischen den leichten Neurosen, den massiveren Ticks und den schwer psychotischen Gebrechen, dem ist der seelisch oder geistig Kranke im Dunstkreis einer lebensfeindlichen Moral nicht einfach der Unglücksrabe, den der Zufall hervorbringt, sondern jeweils das perfekte Opfer einer auch das Denken und Fühlen vergiftenden »Sittlichkeit«. Wenn hieran etwas rein physiologisch zu erklären ist, dann ist es das, was auf der Hand liegt: daß eben nicht jeder Organismus den selben Grad der Triebunterdrückung erträgt. Die triebstarke Natur, die nicht früh genug zu Verlogenheit und Heimlichkeit »erzogen« wird, dürfte am ehesten »geistig«

erkranken. Wobei ihre Krankheit dann eine Störung des Gehirns ist, die durch Stoffwechselveränderungen sich auch nachweisen läßt[48]. Dies braucht uns nicht zu verwundern, da doch alles, was krankmacht, am leibhaften Menschen geschieht.

Ein Mensch, der das Mißverhältnis zwischen dem, was sittlich von ihm gefordert ist, und dem, was sein Körper zu entbehren vermag, nicht aushält, der aber zugleich auch die »objektive Heuchelei«* nicht erträgt, ein solcher Mensch wird am Ende die Wahrheit sagen in einer Form, die niemand außer ihm selber versteht. Wir erkennen daran schon den »normalen« ironischen Kopf: Er sagt allen Leuten, was er über sie denkt, aber er sagt es doch so, daß niemand so leicht ernstlich ihm böse wird. Dieser selbst oft nur zu verletzliche Mensch – dann nach KRETSCHMER[49] eine Spielart des Schizothymen –, dieser »Feinsinnige« zeigt sich vergröbert im scheinbar völlig unlogischen Schizophrenen, der keinen verständlichen Satz mehr hervorbringt. Das »wirre Zeug«, das der redet, kann aber doch von einem Analytiker bisweilen entschlüsselt werden und verrät dann womöglich so »Verständliches« wie einen Todeswunsch gegen bestimmte Personen[50]. Neben der – kriminellen – Möglichkeit, solche Gedanken in die Tat umzusetzen, neben der zweiten, der neurotischen Reaktion, sie zu verdrängen, und jenem dritten, scheinbar gesunden Weg, einen entsprechenden »Witz« anzubringen, gibt es also noch eine vierte »Möglichkeit«: Unerlaubtes auf eine unverständliche, also irre Weise zu sagen. Wenn hierin das gedrückte Ich eine Entlastung erfährt, dann muß es aber selber so »irre« sein, daß es ihm mit seiner Äußerung bei sich selber noch völlig ernst ist. Der ausgesprochene Wahngedanke ist das Gegenteil des Witzes, aber auch der Verdrängung. Der Kranke hat dabei das Bewußtsein eines tabuierten Gedankens, aber nicht mehr die sprachliche Form, sich über ihn zu verständigen.

Wir hatten hier nur abgestellt auf eine bestimmte wahnbildende Schizophrenie. Damit sei ein Beispiel gegeben für das ethische Verständnis einer Psychose. Wer im übrigen, tiefenpsychologisch gewitzigt, psychiatrische Krankengeschichten liest, findet genügend Belege dafür, daß die Geisteskrankheiten dieselbe »moralische« Wurzel haben wie die Neurosen, als die sie bei den Psychoanalytikern diagnostiziert werden[51]. Die »brennende aggressive Erotik«, die KRETSCHMER an einem Schizoiden bemerkt[52], paßte jedenfalls besser in eine psychoanalytische Anamnese, wenn sie nicht schon im quasi normalen Gefühlsleben des

* Man vergleiche im I. Teil, Kapitel D, den gleichnamigen Abschnitt a.

durchschnittlichen Kinogängers ihre kulturelle Rechtfertigung fände. Ein geheimer Triebwunsch freilich macht nicht notwendig krank. Es kommt dabei sicher nicht nur auf die Stärke des Triebes an, sondern auch auf die unterschiedliche Fähigkeit, die von der Gesellschaft gewiesenen Wege der Ersatzbefriedigung zu beschreiten. Unser psychotisch erkrankter Mitmensch scheint mehr für eine Kultur geschaffen, die nicht so hohe Anforderungen stellt, Schein und Sein, Traum und Wirklichkeit auseinanderzuhalten – weil die Menschen es dort nicht so nötig hätten zu »träumen«. Das ist vielleicht wörtlich zu nehmen. Malinowski ist aufgefallen, daß die Trobriander selten unaufgefordert ihre Träume erzählen, weil sie »offensichtlich wenig träumen« und ihren Träumen keine besondere Bedeutung beimessen[53]. Anders der Mensch in unserer eigenen Kultur. Unsere Träume sind Projektionen einer ungestillten Hoffnung, ob sie nun in jedem Falle einen Wunsch »erfüllen«, wie Freud es annahm[54], oder nicht. Unsere verstohlene Hoffnung geht auf eine Gesellschaft, in der der Mensch nicht mehr ein »Schlachtfeld« sein muß, nicht mehr zerrissen zwischen Triebanspruch und sittlicher Forderung. Der Schizophrene wäre demnach nicht der gespaltene Mensch, sondern der, der an der Spaltung leidet: an unserer wahnhaften Spaltung des leibhaften Menschen in Leib und Seele und an der ebenso fiktiven Spaltung dieser einen Welt in Ideal und »bloße Wirklichkeit«. Im Leiden des Geisteskranken wäre der Irrtum dieses kollektiven Wahns bezeichnet.

C.

DER RAUSCH ALS »LÖSUNG«

Um die Behauptung zu stützen, es gebe schon lange keine »echte Sexualnot« mehr, werden gerne auch jene Zahlen des Kinsey-Reports bemüht, die man aus Angst um die geltenden Normen zugleich auch lieber nicht veröffentlicht sähe. Aber da sie nun veröffentlicht sind, was hindert es die Gegner der Aufklärung, sich ihrer zu bedienen? Etwa in dem Tone: So schlimm sei es doch gar nicht mit der Verdrängung; die Zahlen bewiesen es. – Aber was beweist schon irgendeine Zahl, nach der etwa ein bestimmter Prozentsatz von Frauen nicht mehr unberührt in die Ehe geht? Was besagt so eine Zahl über die herrschende Moral, was anderes als eben dies, daß es sich nach ihr nicht leben läßt? Es besagt aber noch lange nicht, daß eine neue, vernünftigere Moral sich durchgesetzt hätte. So mancher, der in der Statistik auf die Seite der Tabuverletzer rechnet, leidet heimlich qualvoll unter Schuldgefühlen, weil er doch immer wieder »schwach« werde, und ist so weit davon entfernt, die seiner angeborenen Natur gemäße und förderliche Häufigkeit der orgastischen Lösung zu finden. Alkohol und Rauschgifte mögen in vielen Fällen hier etwas aushelfen oder nachhelfen: Mittel, deren zunehmende Verbreitung unter Jugendlichen eben jenen als ein weiteres Symptom der »Verwahrlosung« gilt, denen die eigentliche Ursache das große Tabu ist. GOETHE war nahe daran, den Zusammenhang aufzudecken: »Es ist«, wie er ahnte, »eine Forderung der Natur, daß der Mensch mitunter betäubt werde, ohne zu schlafen; daher der Genuß im Tabakrauchen, Branntweintrinken, Opiaten.«[55] ›Betäubt werden, ohne zu schlafen‹: es ist dies auch die bündigste Bestimmung des Orgasmus. Der Rausch, den wir toxisch erzeugen, bringt uns »spielend« in einen ähnlichen Zustand wie den, den zu erleben Erziehung und Sitte nachhaltig uns erschweren.

Da wir gewohnt sind zu denken, daß einer trinke, um seine Sorgen zu vergessen, hat auch der Gedanke, daß Triebkonflikte im Rausch zu einer »Lösung«, einer Entkrampfung kommen, nichts Sensationelles. Und doch ist das, was so als bloße Folgerung aus dem Selbstverständlichen sich empfiehlt, umgekehrt die Erklärung von diesem. Wenn im Rausch, in jenem Zustand, der den Orgasmus kopiert, Konflikte, Ängste, Nöte überhaupt sich »lösen«, dann deutet das zurück auf die psychische Verfassung der Menschen, die dafür bestimmt scheinen, unausgesetzt in Konflikte zu geraten: Der vitalpsychisch frustrierte Mensch unserer Kultur dramatisiert den *einen* Grundkonflikt seines Lebens in den mannigfachsten Varianten der Verzweiflung. Sorge ums Geld – ohne zwingende Not; Bangen um Anerkennung – mit dem Wunsch, einen andern zu überflügeln; Streit – durch Eifersucht, Neid und Neugier: das sind Symptome einer *tief*gegründeten, das heißt im Somatischen wurzelnden Unzufriedenheit. Der Mensch, der die Ursache nicht kennt, sondern allenfalls ahnt, sucht »Trost« und »Vergessen« im Rausch – und berührt eben damit die Wurzel seines Leidens. Er leidet leibhaft. Das Mittel, das ihm Erleichterung verschafft, braucht darum nicht übersinnlichen Ursprungs zu sein. Die Lust, sich zu betrinken, ist nur verständlich aus einem frustrierten physischen Bedürfnis, eben aus dem Bedürfnis nach orgastischer Entspannung[56]. Genüsse werden nicht willentlich erfunden. Niemand könnte die Erzeugung von Übelkeit in den Rang eines Genusses erheben und eine Genußsitte darauf gründen. Jedes Genußgift wirkt auf der Basis einer unausgeschöpften physiologischen Möglichkeit.

Man wende dagegen nicht ein, daß nicht selten die Sucht des Trinkens mit dem »Laster des Geschlechtsgenusses« gepaart sei. Die offenbar vielen, die sexuell sich nicht »lösen« können, ohne daß der Alkohol ihnen hilft, bestätigen gerade das Gesagte: daß der Rausch den Orgasmus, wenn auch unvollkommen, ersetzt. Im Hintergrund der Neigung, die »Genüsse« miteinander zu kombinieren, stecken Frigidität und orgastische Impotenz: Folgen einer den Trieb verdammenden Erziehung von klein auf. Wer gelernt hat, jede sexuell-sinnliche Regung in sich moralisch zu verdächtigen, der bedarf wohl eines Mittels, das ihm das schlechte Gewissen betäubt. Der Exzeß, der Wein und Weib fröhlich mischt, entpuppt sich als ein verzweifelter Ausbruch derer, denen nicht ganz wohl ist in ihrer Haut und die sich insgeheim ihrer schämen.

Man könnte nun auch sagen (und hat es schon gesagt), der Alkoholismus sei nichts als ein Produkt der Gewohnheit, der hierzulande eben bestehenden »Sitten«[56a]. Der junge Mensch »probiere« eines Tages den Alkohol, weil man ihn dazu verleite, und da sei es kein Wunder, wenn das Trinken beim einen oder anderen zur Sucht werde. So plausibel die

Erklärung ist, so wenig ist durch sie erklärt. Daß der Einzelne sich das Trinken erst angewöhnt, besagt nichts über die Beweggründe seines Leibes, der allgemeinen Gewohnheit sich anzuschließen. Und selbst gesetzt, es hätte einer kein anderes Motiv als eben dies, ein trinkfester Kerl zu werden, um mit den Anderen auch in diesem Punkte mithalten zu können, so wäre ihm doch damit schon ein Trieb-Motiv vorgegeben, das er bewußt und willentlich gar nicht mehr zu vollziehen braucht. Der Geist der Gesellschaft, der die »Trinksitte« hervorbringt, hat längst ihm die Entscheidung abgenommen, welche Quelle der Lust für ihn die bestimmende werden soll. Für das, was dieser »Geist« verpönt, für eine gesunde Sinnlichkeit, liegen institutionell die Surrogate bereit. Die Psychoanalyse begeht, soziologisch gesehen, den »Fehler«, daß sie beim Einzelnen viel zu gründlich Motive entschleiert, die die Gesellschaft längst institutionalisiert hat. Die neurotischen Motive des Einzelnen sind nur die individuell modifizierten Normen der herrschenden Moral, modifiziert durch die Härte, mit der sie gerade *ihn*, den unverwechselbar Einzelnen, drücken.

Im Geltungsbereich einer bestimmten Moral hat alles seine logische Ordnung, und mag das auch, von einem anderen Ethos her gewertet, die reine Unordnung sein. Es ist sicher kein Zufall, daß die unbekümmerten »Sexfreunde« in den USA aus Alkohol sich nichts machen, ja bisweilen ihn streng verpönen[57]. Man kann darin noch einen bewußten Rousseauismus erblicken; eine ethnologische Parallele legt den Zusammenhang vollends bloß: Die Zunis, die Pueblo-Indianer Nord-Mexikos, lehnen nicht nur jeden Alkohol instinktiv ab, sie haben eine ebenso entschiedene Abneigung gegen Keuschheit als Lebensprinzip[58]. So sinnenfroh sie auch sind, ein »marktorientierter« Versuch, bei ihnen den Schnaps einzuführen, schlug fehl. Die über 300 000 Alkoholsüchtigen in der Bundesrepublik Deutschland, »die nach Jahren exzessiven Trinkens jede Selbstkontrolle verloren haben«[59], sind demgegenüber ein ganzes Heer von Opfern unserer sinnenfeindlichen Moral. Wenn – nach den Ermittlungen der Weltgesundheitsorganisation – zugleich etwa sieben Millionen Westdeutsche mehr trinken, als ihrer Gesundheit zuträglich ist, dann ist damit die destruktive Wirkung unserer »Sitten« eindrucksvoll statuiert. Mag immerhin der eine oder andere hierzulande jede Lust, die ihm erreichbar scheint, »genießen«; die Lust, die die Gesundheit untergräbt, hört auf, eine zu sein. Die Statistik, die einen im Kern kranken Volkskörper entdeckt, zeigt damit auf, was es mit der Lust des Einzelnen auf sich hat. Die Grundtendenz unserer Moral, die Wendung gegen den Leib, die Verketzerung der Lust, wird durch die Genußgifte nur verstärkt. Was für den Augenblick Erleichterung verschafft, aber nicht befriedigt, legt den Keim zur Selbstzerstörung, weil das Mittel, das betäubt, nicht mehr abgesetzt werden darf, soll nicht die ganze Misere herauskommen. Mit bloßer »Entwöhnung« ist nichts getan. Wird nicht zugleich der Mensch zu *größerer* Genußfähigkeit erzogen, so vertauscht er nur die Sucht mit der Neurose, die schon drohend am Beginn seiner Sucht gestanden hat. Die Gleichsetzung von Genuß und Sucht[60] verleumdet die Sinnlichkeit durch die Folgen, die ihre Unterdrückung hervorbringt. Der Einzelne kann nur genießen oder süchtig werden – und krank, nicht beides zugleich, weil die ursprüngliche Lust ihre vitalen Gezeiten hat. Die Sucht zieht sich hin. »Genußsucht« ist das Laster derer, die nicht genug bekommen, weil ihnen ursprünglich etwas fehlt.

Es wäre scheinaufgeklärter Moralismus, den elementaren Mangel, der in den Süchten sich kundtut, jeweils einer »falschen inneren Einstellung« anzulasten: so als könne der Mensch emotional sich justieren wie eine Maschine. Nicht minder wirklichkeitsfremd aber ist es, von der bloßen Einsicht in die Schädlichkeit der Genußgifte auf breiter Front heroischen Verzicht zu erwarten. Sozialpsychologen, die dem »Verzicht aus Einsicht« das Wort reden, verkennen selber nicht, daß die Veröffentlichung des *Terry-Reports* (über Lungenkrebs und Rauchen) den steigenden Zigarettenkonsum nachhaltig gar nicht beeinflussen konnte[60a]. Doch, von seiner bloßen Wünschbarkeit einmal abgesehen, steht durchaus dahin, ob der generelle *Verzicht* auf Genußgifte überhaupt wünschenswert ist – solange die freie Entfaltung sexueller Triebe versagt ist. Im Klima einer lebensfeindlichen Moral darf die – relativ – lebenerhaltende Rolle der Süchte nicht übersehen werden. Wenn morgen mit einem Schlage die Tabakindustrie stillstünde, ohne daß noch der »Eigenbau« florierte, die Kurve der Selbstmorde würde vermutlich sprunghaft emporschnellen. Einsicht und guter Wille mögen hie und da noch genügen, permanenten Verzicht auf Genußgifte zu fördern: soweit klar geprägte Lebensangst dabei mit im Spiel ist. Aber die Depressionen, die bei sonst unverändertem Leben entstehen, ziehen den Menschen so vollends zu Boden, daß weder »Einsicht« noch »guter Wille« sich aus ihm noch erhebt. Der Mensch kommt in Gefahr, sich völlig aufzugeben. Rückfall in die Sucht erscheint dann als ein kleineres Übel.

D.

SEXUELLE ABNORMITÄTEN

a) Begriff und Verbreitung der Perversionen

Eine sehr naheliegende Konsequenz der Sexualverdrängung haben wir bis jetzt übersehen: das Ausweichen des Triebes in Bahnen, die seine Ausreifung zu entschiedener Heterosexualität erschweren, wenn nicht sogar verhindern. Solche »Abweichungen« als Folge der Unterdrückung der auf Fortpflanzung gerichteten Sexualität wird nun aber gerade von denen, die die sexuelle Unterdrückung verkörpern, als »verabscheuungswürdige Perversion« jeweils dem Gewissen ihrer Opfer angelastet. Die repressive Ethik kann scheinbar sich dabei noch auf FREUD berufen, der Masturbation, Homosexualität und auch Inzest unmittelbar aus einer ursprünglichen Uferlosigkeit des Triebes hervorgehen sieht: als »polymorph pervers« gilt ihm ja die Libido des Säuglings. Wer also sexuell pervers wird, von dem ist es nach FREUD viel zutreffender zu sagen, er sei es *geblieben*[61]. Einer betont liberalen Richtung der Tiefenpsychologie und Sexualforschung gilt folgerichtig nur ein Verhalten als Perversion, das immer zwanghaft und ausschließlich sich einstellt, wo keine andere sexuelle Betätigung zu befriedigen vermag. In extremer Zuspitzung dieser schon von FREUD[62] vertretenen These erscheinen noch Sodomie und Nekrophilie als normale Formen sexueller Aktivität, wenn nur daneben häufig genug auch ein anderes Verhalten zur orgastischen Lösung führt. (So vertritt es allen Ernstes ALBERT ELLIS[63].)

Solch liberalem Verständnis entgeht, daß ein Naturtrieb in einer ihm mißgesinnten Gesellschaft notwendig ein anderes Schicksal erleidet als dort, wo die Menschen ihn akzeptieren. »Abnormes Sexualverhalten« kann zwar abnorm auch nur sein in den Augen des Spießers, der zwanghaft die erotischen Ausdrucksmöglichkeiten sich verknappt hat (und also oral-genitale Kontakte bereits als »Perversitäten« vermeidet[64]). Aber es kann auch das Ergebnis einer von klein auf erlittenen Frustration sein. (Wir brachten dafür in der Einleitung schon ein Beispiel.) Ein pauschal »wertfreies« Verständnis von Triebanomalien sanktioniert so versehentlich das Faktum der Triebunterdrückung, dem zumindest ein Teil des »Anomalen« sich verdankt. Wer dabei arglos auf FREUD sich beruft, nimmt den Sexualtrieb in statu nascendi als etwas Fertiges, ohne die Möglichkeit seiner Ausreifung überhaupt zu erwägen. FREUDS Entdeckung der infantilen Sexualität berührt aber gar nicht die Vermutung, daß der nicht-reglementierte, in seiner natürlichen Entwicklung un-gehemmte Geschlechtstrieb zu vollsinnlicher Heterosexualität sich entfaltet, sofern nur nicht – selten genug – ein ausgesprochen androgyner Körper das verwehrt. FREUD selber, der insbesondere zur Erklärung der Homosexualität gern mit Begriffen wie Ödipuskomplex und Mutterbindung operierte, hat später durch einen seiner Schüler, durch WILHELM FLIESS, sich darauf aufmerksam machen lassen, daß homosexuelle Betätigung auch ein Resultat der Erschwerung heterosexueller Kontakte sein kann[65]. Die Häufigkeit der Homosexualität und auch der Onanie straft alle diejenigen Lügen, die eine Sexualnot heute schlankweg leugnen.

Hinsichtlich der Verbreitung der Onanie gibt es, unter Psychologen zumindest, heute kaum noch Illusionen[66]. Auf die Frage indessen, wie häufig denn nun homosexuelles Verhalten sich finde, gibt es vielleicht nur eine richtige Antwort: Immer häufiger, als wir denken. Nach KINSEY haben »mindestens 37 Prozent der männlichen Bevölkerung [der USA] irgendwelche homosexuellen Erlebnisse zwischen Pubertät und Greisenalter«[67]. Die Zahl ist erstaunlich genug; sie dürfte als Mindestzahl stimmen, da KINSEY seine Untersuchung unter veränderten Bedingungen wiederholt hat und dabei zu dem Ergebnis gekommen ist, daß allenfalls eine Verschiebung nach oben – und zwar bis zu 5 Prozent – als möglich anzunehmen ist.

Wenn Zweifel an KINSEYS Ergebnissen berechtigt sind, dann jedenfalls nicht solche, hinter denen der Wunsch steht, sie für Übertreibungen zu halten. Solange auf der Sexualität ein mächtiges Tabu lastet, ist nicht zu besorgen, die Befragten könnten sozusagen aus Jux sich Varianten der Triebbefriedigung zuschreiben, die sie nur vom Hörensagen her kennen. Wenn der Sozialforscher überraschende Auskünfte erhält, dann verdankt er das seinem Geschick, eine Atmosphäre des Vertrauens zwischen sich und dem Befragten zu schaffen, nicht der Überredung zu einer Art geistigem Fasching. Der Befragende muß spüren lassen, daß er nichts verurteilen könnte, was überhaupt geschieht. Wenn dennoch, wie das Kinsey-Team mitteilt[68], die Antworten vielfach nur zögernd und bagatellisierend kamen, dann ist Grund zu der Annahme, daß eher zuwenig als zuviel zugegeben wurde. KINSEY selbst registriert denn auch *aus den Reihen der Befragten* nur einen einzigen Vorbehalt gegen die Resultate, der sinngemäß in der Feststellung gipfelt: Man habe gar nicht alles gesagt. Und das bezog sich mit größter Wahrscheinlichkeit zumeist auf geleugneten Ehebruch, ein in den USA besonders tabuiertes Verhalten[69].

Im ganzen ist der Eindruck, den der Kinsey-Report vom überwiegenden Sexualverhalten vermittelt, immer noch moralisch zu »schön«, um vollends wahr zu sein. Je strenger im Einzelfalle das Tabu, desto unzuverlässiger das Resultat der Befragung. Über Homosexualität werden wir noch einigermaßen verläßliche Auskünfte bekommen: Angesichts der allgemeinen Homosexualisierung unserer Gesellschaft (so ADORNO[70]), angesichts der – in Europa – erfolgreichen Bestrebungen, Homosexualität straffrei ausgehen zu lassen, ist die Hemmung nicht mehr so stark, diese Abweichung von der Norm in geheimer Umfrage zu »gestehen«. Weniger unbefangen spricht es sich über Inzest, das vermutlich älteste und strengste Tabu der Menschheit überhaupt. KINSEY kann – auf Grund seiner Untersuchungen – nicht glauben, daß Inzest so häufig sei, wie einige Psychoanalytiker es behaupten[71]. Er hätte sich – in Kenntnis einiger Analysen – wundern können, weshalb die Patienten selten schon im ersten analytischen Gespräch damit herausrücken. Wer, selber sittsam genug, vom Volke isoliert in seiner Villa wohnt, mag nur Tabuverletzungen für möglich halten, die er von sich selber her kennt. Der Verfasser, der als Untermieter in vielerlei Milieu so manches ganz zufällig erfahren hat oder auch anvertraut bekam[72], teilt nicht die gutherzige Meinung, daß bald nur so selten Blutsverwandte sexuell miteinander verkehrten, wie Gerichtsverfahren deswegen anhängig sind[73]. Wer die Berichte darüber liest, darf ohnehin sich wundern, weshalb dergleichen immer nur in den untersten Schichten vorkommt. Daß Höhergestellte aus solchem Anlaß kaum je vor Gericht erscheinen, könnte entweder daran liegen, daß es bei ihnen tatsächlich viel »sittsamer« zugeht, oder daran, daß sie ihre Familienstreitigkeiten nicht vor den Richter bringen, und wenn, dann nur in so dezent verhüllter Form, daß noch aus handfesten Ehebrüchen – bei Scheidungen – harmlose »Eheverfehlungen« werden. Es gibt namentlich in manchen Intellektuellenkreisen einen so geschlossenen Abscheu gegen das »Waschen schmutziger Wäsche«, daß eine Indiskretion ungleich stärker geahndet wird als die Verletzung eines Tabus: Wer intime Dinge hochspielt, wird hinfort gemieden.

Man lasse sich auch nicht irreführen durch den »guten Ruf« des typischen Bürgers. Es spricht gerade gegen, nicht für eine Seltenheit von Homosexualität, Inzest und Sodomie, daß diese »geheimen Laster« mit einem guten Ruf sich durchaus vereinbaren lassen. Zumindest Onanie ist sogar dessen Vorbedingung, sofern nicht Krankheit und Alkoholismus den Menschen überhaupt von sexueller Betätigung abhält. Die genannten geheimen Laster sind nichts weiter als Ventile, Ventile unter dem Druck einer die »ungeregelte«, die vor- und außereheliche Geschlechtsbetätigung verpönenden Gesellschaft. Die Nachbarn, die sozusagen jeden sittlich verdächtigen Besucher registrieren, kontrollieren doch nicht den Inzest und die Onanie, auch kaum die homosexuellen Beziehungen, die im Rahmen der erlaubten Begegnungen sich knüpften. Mit der »halben« Ausnahme der Onanie des Kindes, die die Einübung einer körperlichen Funktion ist, *sind die sexuellen Anomalien nur eine weitere Konsequenz der die freie Sexualität verpönenden Moral.* Dies vor Augen, wundern wir uns nicht zu hören, daß Sodomie in unserem Kulturkreis ein Seltenheitsphänomen nur ist, wo es kaum noch Tiere gibt. Nach KINSEY haben etwa 40 bis 50 Prozent der Jugendlichen, die auf Farmen heranwachsen, irgendwelche sexuellen Kontakte mit Tieren[74]. Ich kenne – teils vom Hörensagen, teils aus eigener Anschauung – auch aus städtischem Milieu einige Fälle, in denen der anscheinend auf die Herrin als Sexualkumpan geprägte Hund sich recht unmißverständlich benahm. Man nehme den Begriff der Sodomie auch nicht zu eng: die Zärtlichkeiten, die gewisse Tierfreunde ihren Vierbeinern zuwenden, haben oft eindeutig sexuellen Charakter. Von einer Münchener Wohnung aus sah ich des öfteren ein sogenanntes anständiges junges Mädchen, das mit einem Schäferhund im Hof des Mietshauses sich im Grase wälzte: in beischlafartiger Umschlingung. Ich erinnere weiter nur an das öffentliche Abküssen von Hunden, besonders auf Bahnhöfen. Die Leute »denken sich nichts dabei«. Wenn dergleichen kein Aufsehen erregt und auch nicht polizeilich als die Perversität verfolgt wird, die es in Wahrheit ist, dann zeigt es eben nur ein weiteres Mal, daß die Gesellschaft, die die freie vollsinnliche Sexualität verpönt, doch sexuelle Ventilsitten duldet, wenn deren sexueller Sinn sich ignorieren läßt oder verbrämen. Das gilt besonders für die Freude am Reiten. Will einer sein Pferd nicht lahmreiten, dann muß er, wissentlich oder nicht, rhythmisch dieselbe Bewegung vollführen (mit Rücken-, Becken- und Schenkelmuskulatur) wie beim Coitus. (Ein Reitlehrer hat einem meiner Bekannten das so erklärt.) Es muß dabei nicht unbedingt zu Ejakulationen kommen: die sexuelle Entspannung wird beim »passionierten Reiter« niemals ausbleiben. Die feinsinnigen Herrenreiter mögen das nicht zugeben; ihr Körper »weiß« es und gibt ihnen so die Freude ein, die sie beim Reiten verspüren: »Sodomiterei als Rasensport«, wie GOTTFRIED BENN es nannte[75].

b) Die moralische Bewertung der Abnormitäten

Uns ging es nur darum, die unterbewußten Motive zu benennen, die im Klima der Sexualverdrängung den Reitsport favorisieren. Ihn als eine »Perversion« abzutun, die Rechtens verboten gehörte, liegt uns fern. Wir denken milder über sexuelle Perversionen überhaupt: *Jede sexuelle Perversion, sofern sie nur zum Orgasmus führt, ist besser als Entsexualisierung, die dem Menschen eine Organkrankheit einträgt, ihn süchtig werden läßt oder aggressiv.* Sie ist besser vom Standpunkt der Gesundheit des Einzelnen wie im Blick auf das Wohl der Gemeinschaft. Einzige Voraussetzung dafür ist, daß nicht quälende Schuldgefühle den Wert der sexuellen Entspannung gleich wieder zunichte machen, wenn sie diese nicht schon beeinträchtigt haben oder überhaupt verhindert[76]. Enttäuschung über die zwar ersehnte, dann aber ausgebliebene orgastische Lösung mag sogar schmerzhafter sein als das dumpfe Leiden in völliger sexueller Enthaltung. Die ethisch entscheidende Frage ist so aber nicht mehr, ob die Menschen zu Triebverzichten in der Lage sind (sie sind es), sondern in welche Kanäle ihr vitaler Unmut darüber sich schüttet. Dadurch, daß ein Mensch eine abnorme sexuelle Betätigung aufgibt, ist weder ihm noch seinen Mitmenschen geholfen, wenn er nicht zugleich zu vollsinnlicher Heterosexualität sich befreit. Nur der vital befriedigte Mensch kann die Welt befrieden.

Man hat KINSEY und seinen Anhängern vorgeworfen, sie wollten das überwiegende Sexualverhalten der Bevölkerung zum moralisch Richtigen und Vorbildlichen erheben*. Wenn ich auch nirgends bei KINSEY eine solche Absicht feststellen konnte – wo er den Begriff des »Unnormalen« absägt, hat er ganz andere Gründe dafür –, so wäre ein solches Verfahren doch immerhin problematisch. Das in den USA im Klima des Puritanismus ermittelte Durchschnittsverhalten kann nicht das allgemeinmenschlich Normale sein. Nicht, daß wir meinten, was für Nordamerika gelte, habe anderswo überhaupt keine Realität. Die vage

---

* Man vergleiche hierzu wieder SCHELSKYS Kritik an KINSEY, auf die wir schon einmal – auf Seite 133 – uns bezogen.

Einheit unserer christlich-abendländischen Kultur erlaubte von Übersee her Analogieschlüsse, auch dann, wenn in Europa noch keine entsprechenden Umfragen sie stützten. Das Interesse des Ethikers am Kinsey-Report erschöpft sich aber nicht in der Neugier, die lediglich sehen möchte, wieweit die Nationen (vorab diejenigen des Abendlandes) in ihrem häufigsten Sexualverhalten übereinkommen. Was den »Kinsey« und andere Reports für die Ethik so nützlich macht, ist die insgesamt von ihnen erhärtete Erkenntnis, daß die in unserer Kultur geforderte »Sittlichkeit« den Menschen über-fordert und daß er anders als durch ein vom Heterosexuellen stark abweichendes Verhalten dieser Überforderung nicht genügen kann. Nicht die Onanie also, die – laut Kinsey – etwa 95 Prozent aller Männer praktizieren, nicht die Homosexualität, die 37 Prozent von ihnen irgendwann einmal erlebt haben, sind das natürliche Verhalten (und vom Standpunkt einer anthropologisch orientierten Ethik »das Richtige«), sondern nur *die in ihrer Freiheit bejahte Heterosexualität*. Wenn wir für einen Augenblick nur vom Glauben an die Sonderstellung des Menschen uns losmachen, dann werden wir nicht übersehen, daß auch Tiere sexuell »abnorm« werden, wenn ihnen heterosexuelle Kontakte versagt sind. So kommt es bei Schwänen und Enten zu homosexuellen Beziehungen, die – durch »Fixierung« – auch dann noch bestehen bleiben, wenn andersgeschlechtliche Partner längst wieder verfügbar wären[77]. Sexuell frustrierte Affen und Hunde masturbieren; ein Kettenhund koitierte sogar eine Gans[78]. Neurosen und Perversionen sind keine abgründigen Privilegien des Menschen, sie zeigen nur bei ihm, daß er nicht ungestraft seine Triebnatur ignoriert. Eigentümlich genug bestehen gerade diejenigen, die von der »sittlichen Würde« des Menschen nicht hoch genug sinnen können, auf seiner Sonderstellung auch im Abnormen. Himmel und Hölle sollen allein dem Menschen vorbehalten sein.

Worin aber besteht die Hölle der Abnormität? Am Ende ist es wieder nur das Inferno der Lust, das man dem Nächsten mißgönnt. Gegen sexuelle Perversionen wird von moralistischer Seite denn auch ganz allgemein der »Vorwurf« erhoben, sie seien autistisch, »nur lustsuchend«[79]. Das darf nicht verwundern in einer Gesellschaft, in der sinnliche Lust so wenig sich von selber versteht, daß sie immer erst eigens *gesucht* werden muß. Das lustfeindliche Ethos ist der Vater der Perversion, gegen den diese sich auflehnt: In den sexuellen Perversionen protestiert der verpönte Trieb gegen die Beschränkung der Lust. Insofern sind sexuelle Perversionen etwas Gesundes und beklagenswert zugleich: gesund als trotzige Regung des schon halb entsinnlichten Triebes; beklagenswert als seine Verstümmelung und Überanstrengung im Aufstemmen gegen die repressiven Mächte, die alle Lust in »Verantwortung«, »sozialer Integration« und »Versachlichung« (BÜRGER-PRINZ) der Geschlechtsbeziehungen zu ersticken drohen[79a]. Denn sie sind unfähig, dem noch unverstümmelten Trieb die ihm gemäßen Institutionen zu schaffen. Im Klima der sexuellen Unterdrückung repräsentieren die sexuell Perversen die verratene Freude am Leib, die an »Normalität« sich gar nicht mehr heftet, wenn diese mit »Versachlichung« in eins sinkt. Dann bleibt, zugegebenermaßen, der Anomale auch *»triebgebundener* als der Normale« (SCHELSKY)*.

c) Sind Perversionen natürlich?

Der ethische Antipode des Sittenrichters ist der, der jedes faktische Verhalten als normal und natürlich versteht. Seine Logik: Sexuelle Perversionen gäbe es nicht, wenn sie nicht auch natürlich wären. – Die Natur bringt sie wohl hervor, aber als Gegenhalt und Gegentendenz gegen eine die Natürlichkeit des Triebes bedrohende »Ordnung«. Die sexuelle Perversion liegt in diesem Sinne »in der Natur, ob sie gleich gegen die Natur ist«[80]. Was GOETHE so von der Homosexualität bemerkt, ist nicht zu überziehen. Zwar wird es – in einer Kultur, in der die natürliche Sinnlichkeit zentrifugiert ist – nicht an Bemühungen fehlen, die Perversionen als *ursprünglich natürlich*, als angeboren, als »somatisch bedingt« zu verstehen. Weiblicher Einschlag bei einem Manne soll Homosexualität erklären. Aber er erklärt sie nur bei dem, der tatsächlich homoerotisch empfindet. Die Konstitutionsforschung erklärt eine Neigung, kein faktisches Verhalten. Sie erklärt Neigungen, die unter bestimmten sozialen und moralischen Bedingungen sich verwirklichen. Es muß sich dabei nicht um ursprüngliche Neigungen handeln, um solche, die gebieterisch ihre Erlaubnis fordern, und im anderen Falle den Organismus mit Krankheit bestrafen. Es kann sich bei der »Neigung zu einer Perversion« auch nur um die Fähigkeit handeln, im Klima der Triebunterdrückung sich Auswege zu suchen, die vom Natürlichen der Heterosexualität etwas abliegen. Solche Auswege mögen sich habitualisieren und dann den Anschein erwecken, als erfüllten sie eine angeborene widernatürliche Neigung.

---

* Man vergleiche auch P. C. KUIPER nach Anmerkung 26 unserer Einleitung.

Indessen, gäbe es das, es wäre wieder nicht verständlich, weshalb sexuelle Perversionen bei manchen Naturvölkern erst sich finden, seitdem Europäer sie dort verbreitet haben und seitdem Missionare die christliche Triebverpönung durchgesetzt haben. Wo solcher Einfluß bis heute ausgeblieben ist, da sind – unter der Voraussetzung einer un-eingeschränkten kindlichen Sexualität – sexuelle Perversionen bei den Erwachsenen völlig unbekannt. Völkerkundliche Beispiele dafür: die Trobriand-Insulaner Melanesiens und die Muria Vorderindiens[81]. Der nicht restringierte Trieb entwickelt sich zu freier Heterosexualität, aber so, daß ihm zuletzt – bei den Muria – selbst die eheliche Bindung an einen Partner kein allzu lästiger Zwang ist. (Die Trobriander sind mutterrechtlich organisiert.)

Die sexuellen Anomalien (einschließlich Don-Juanismus und Nymphomanie) stimmen viel eher zur hier und heute geforderten Sitte. *Onanie* beschränkt den sexuellen Reiz aufs Genitale und steht so trefflich im Einklang mit der herrschenden Moral, die alle »Partialtriebe« (FREUD) verpönt. Das gilt ganz ebenso von der Homosexualität. KINSEY hat gefunden, daß die sexuelle Praxis der meisten Homosexuellen auf eine Stimulierung der Genitalien sich beschränkt[82]. Die Moral, die den Sexualtrieb an die Fortpflanzung bindet und damit auf das Genitale reduziert, ruft Perversionen, die diese »Reduzierung« am reinsten erfüllen, erst mit hervor. Wir gewinnen daraus den Fingerzeig: daß sexuelle »Abweichungen« nicht durch Verbote sich bekämpfen lassen, die den Menschen nur noch weiter entsexualisieren, sondern einzig dadurch, daß wir ihn ermutigen, sich als Geschlechtswesen im ganzen anzunehmen.

Wir müssen verstehen lernen, daß die sexuellen Anomalien samt und sonders* der Unterdrückung des »störrischen Triebes« (FREUD[83]) sich verdanken. Am Beispiel des *Exhibitionismus* haben wir das (in der Einleitung) schon gezeigt. Das »busenfreie« Mannequin des Modeschöpfers Gernreich, das von sich selber beteuerte, es sei ein »sittsames und schüchternes Mädchen«[84], hat vermutlich gar nicht geheuchelt. Das Sich-zur-Schau-Stellen ist die Lust der Lustlosen. Die Prüderie ist im Exhibitionismus noch gegenwärtig: Man öffnet sich ebenso ungeniert

---

* Dieses *samt und sonders* ist nicht leichtfertige Übertreibung, da doch der – seltene – Hermaphrodit mit einem Verhalten, das uns als homosexuell erscheint, sich biologisch gar nicht abnorm verhält, sondern nur seiner angeborenen Natur gemäß. Wir haben abnorme Anlagen, also seltene Varianten der Natur, von abnormen Verhaltensweisen zu unterscheiden, die eben dadurch bestimmt sind, daß sie mit der jeweiligen Veranlagung nicht in Einklang stehen.

den Blicken aller, wie man dem Einen »das Letzte« verweigert. Das eine bedingt das andere, ohne notwendig in absolute Beziehungslosigkeit zu entgleiten. Der ungestüm Werbende wird durch eben das Viele, das er gleich jedermann von »ihr« schon zu sehen bekommt, auch wieder abgebracht, ihr den Rücken zu kehren, um sein Glück bei einer anderen zu versuchen. Dabei fesseln ihn womöglich viel weniger die Reize der »bis hier und nicht weiter« Offenen als die lüsternen Blicke der Mitbewerber. In Konkurrenzsituation fühlt noch einer sich angefeuert, dessen »Feuer« erlischt.

Mit dem radikalen Abschaffen aller sexuellen Tabus würde der Gesellschaft kein Dienst erwiesen. Das ernstlich Abnorme, das immerhin von einigen der Tabus auch verpönt wird (wenngleich sie es nicht verhindern können), zeigt Symptome der bestehenden sexuellen Not. Diese Notbehelfe des Mangels rundweg gutzuheißen kann dazu beitragen, den Mangel selbst zu bewahren. Sexuelle Ventilsitten sind ja nicht an- und abzustellen wie etwa das »marktkonforme Verhalten« des Schwarzhändlers, weil ein sexuelles Fehlverhalten den Menschen (wie auch ein Tier) in oft unumkehrbarer Weise »prägt«. Das gilt für die *Homosexualität* im besonderen. Onanie mag noch als eine sexuelle Betätigung sich erweisen, die den Jugendlichen nebenbei auch auf die Ehe vorbereitet[85] – nämlich dann, wenn die dabei begleitenden Phantasien eindeutig heterosexuell gezielt sind. Der junge Homosexuelle aber spürt nicht mehr das Verlangen, aus schmerzlicher Isolierung herauszukommen, wenn die Gemeinschaft der Gleichgestimmten ihn sicher umschließt. Diese entwickelt dann eher noch aus sich heraus eine Tradition, die weiterwirkt und gar mit eigenen Publikationen auf das Gewinnen von Anhängern ausgeht. Daß die Gesellschaft dergleichen hinnimmt, ist allein damit zu erklären, daß das Ethos der Homosexuellen ihrem eigenen Geist gar nicht konträr ist. ADORNO spricht von einer »unbewußten Homosexualisierung der Gesellschaft«, ablesbar in der Freude am »Weibkind«, der nicht zu voller Weiblichkeit entwickelten Lolita[86]. Es gibt aber auch reflektiertere Zeichen, angefangen schon von dem Bestreben juristischer und theologischer Avantgardisten, die sexuelle Befreiung des Menschen mit einer Exkulpierung der Homosexualität zu *beginnen* – um es womöglich dabei zu belassen. Man braucht einem halbwegs liberalen Kopf auch nur zu sagen, man halte die heutige Sittengesetzgebung für ein Übel, und er wird erwidern: Ja, er bejahe »gleichfalls« die Abschaffung des Paragraphen 175. Als ob es nichts anderes gäbe. Selbst Leute setzten dafür sich ein, die nach wie vor streng jeden vorehelichen Verkehr verwerfen[87]. Professoren aller Fakultäten nehmen der Homosexuellen sich an[88]; Theologen gar stellen sie mit Ehebrechern auf eine Stufe[89]; der triebstarke Heterosexuelle lebt von den Phantasieprodukten eines Jan Fleming[90].

Ebenso bemerkenswert ist es, daß wohl so manche Feder zur Verteidigung der *Pornographie* sich findet, aber kaum eine, die für die Befreiung des Sexus einträte. Der Mut, der Ersatzbefriedigungen verteidigt, dabei aber die Tabus gar nicht antastet, ist nur ein moderner Aufputz der alten Triebfeindlichkeit. Das gilt um so mehr, wenn Bücher und Filme gefeiert werden, die sexuelle Dinge auf eine ekelerregende, abstoßende Weise präsentieren – so wie zum Beispiel Bergmans »Schweigen«. Wäre dieser Film in den Tönen einer heiteren Sinnenfreude gehalten, er wäre womöglich gar nicht durch die Zensur gegangen. So aber, im düsteren Grau des Ekels, wurde er preisgekrönt.

d) Die Tabus einfach abschaffen?

aa) Der Sinn des Inzest-Tabus

Nun ist es keineswegs meine Absicht, zur Intoleranz gegen die sexuell Abnormen aufzuhetzen. Intoleranz gegenüber sexuellen Abartigkeiten ist letztlich gleichbedeutend mit Intoleranz gegenüber der Sexualität überhaupt: nicht, weil Abnormitäten und Perversionen neben der voll ausgereiften Sinnlichkeit ein natürliches Recht hätten zu sein. Sondern: weil in ihnen der von klein auf niedergehaltene Trieb zu voller Entfaltung bereitliegt. Dies heißt nun gerade nicht, daß die sexuellen Tabus in Bausch und Bogen und alle mit einem Male beseitigt werden sollten. Gerade das Inzest-Tabu (das gar keine Perversion betrifft) hat einen guten soziologischen Sinn, der es nicht ratsam erscheinen läßt, in einer sexuell verkrampften und unaufgeklärten Gesellschaft es aufzugeben. Das Inzest-Tabu mitsamt den übrigen Tabus wird überflüssig erst in einer Gesellschaft, in der der spontane Trieb von alleine überwiegend den Weg nimmt, den bestimmte, durchaus sinnvolle Tabus ihm heute noch weisen müssen. Der befreite Sexus bedarf nicht mehr der Heimlichkeit, die Inzest, Sodomie und Onanie ihm verbürgen. Der neugierig schweifende Trieb, den nicht Hemmungen binden ans Allernächste, findet sein Genügen auch nicht in inzestuöser Enge. Die sexuell befreite Gesellschaft kennte auch keine Strafen für den Inzest, dafür ein Gespür für den soziologischen Unsinn der Verwandtenheirat. Auf die Frage einer Ethnologin – es war MARGARET MEAD –, warum sie denn nicht einfach ihre Schwestern heirateten, erwiderten alte Arapesh-Männer (auf Neu-Guinea) sinngemäß: Sie würden nicht so dumm sein; wer das täte, der bekäme ja keinen Schwager. Mit wem solle er dann auf die Jagd gehen oder in den Garten, und wen könnte er besuchen[91]? Das Inzest-Tabu, ob pönalisiert oder nicht, bindet die Einzelnen in der größeren Gemeinschaft zusammen. (Dem dienen in manchen Naturvölkern erst recht die noch viel weiter reichenden Exogamievorschriften. Eine biologische Sanktion des Tabus: degenerierter Nachwuchs, wird dabei ebensowenig befürchtet wie von der modernen Genetik, die weiß, daß allenfalls übereinstimmende Gen-Defekte blutsverwandter Eltern phänotypisch herauskommen.)

bb) Die Selbstbefriedigung empfehlen?

Ein amerikanischer Sexualforscher, ALBERT ELLIS, hat gewissenhaft die Vorzüge aufgezählt, die die Onanie jeder anderen sexuellen Betätigung voraushabe: Sie sei namentlich leichter zu haben, ginge schneller, sei hygienischer, billiger und völlig risikolos[92]. Wer wollte es bestreiten. Dem Katalog der Vorzüge ist nicht moralistisch entgegenzuhalten, daß der Mensch doch eigens dazu geschaffen sei, in Konflikte zu geraten und Risiken auf sich zu nehmen. Die volle Entspannung, an der die Angst uns hindert, ist durch den Mut zum Risiko nicht zu erzwingen. Wenn die Gesellschaft den vor- und außerehelichen Verkehr so riskant macht, daß instinktiv fast ein jeder Jüngling und so mancher Erwachsene in Onanie sich flüchtet, dann ist nur die Moral abzuschaffen, die das bedingt. Die forsche Empfehlung der Masturbation ist nicht der Skandal, gegen den moralistisch zu eifern sich lohnte; sie ist nur der scheinaufgeklärte Versuch, die bestehende moralische Ordnung zu stabilisieren. Wer, wie ELLIS, den Leuten empfiehlt, doch lieber zu onanieren, der rät ihnen nur, mit gutem Gewissen zu tun, was sie ohnehin machen. Nun ist »schlechtes Gewissen« zwar jederzeit dazu angetan, den Menschen zu entsexualisieren. Der Stachel des Ungenügens bei Selbstbefriedigung aber sollte bleiben. Die reine Unbedenklichkeit wäre bedenklich; hielte sie doch den autoerotisch Beruhigten ferne dem Wunsch, mit einem Menschen des anderen Geschlechts sich körperlich zu berühren. Die Onanie ist die sinnvolle sexuelle Betätigung für eben jene, die glauben, zur erotischen Liebe genüge, daß Seele an Seele sich bindet.

cc) Sinnvolle und widersinnige Tabus

Man sage nicht, Ablehnung der herrschenden Moral impliziere notwendig eine Frontstellung gegen alle Tabus. Gerade die unkontrollierbaren Verbote zeigen jenseits pauschaler Sexualverpönung ihren guten Sinn. Nicht, daß ihre Befolgung hier doch irgendwie kontrollierbar würde. Aber wo die Reifung des sinnlichen Empfindens zu voller Heterosexualität nicht moralisch gehemmt ist, da wird so manches Verbot quasi zwanglos »befolgt«. Das Bessere ist der Feind des Guten. Das Gute, sexuelle Betätigung an sich, gleich ob autoerotisch oder homoerotisch motiviert, braucht nicht verboten zu werden, wo die natürliche Spannung der Geschlechter eine tiefere Lust verspricht und gewährt[92a]. Was uns lediglich heute ein sinnvolles Tabu heißt, hat auf dem Weg dahin nur die Funktion einer Wegweisung. Die moralische Laxheit der bürgerlichen Moral, die Onanie »nicht so schlimm« findet[93], wiche einem Desinteresse an solcher Betätigung. Der halbaufgeklärte Erzieher, der Jungen und Mädchen ängstlich einander fernhält, weiß im Grunde genau, weshalb er über autosexuelle Betätigung sich nicht mehr erregt: Die Logik der Sitte, die vorehelichen Geschlechtsverkehr verbietet, aber doch den Trieb nicht abschaffen kann, fordert das von ihm. Die verschwiegene Logik der Askese, die die je geringere Lust der tieferen und intensiveren vorzieht, stützt noch den Gedanken. Eine Ethik, die in der sinnlichen Lust einen Wert sieht, dürfte andersherum schließen. Sie wäre aber auch im Einklang mit der Forderung spontaner Mitmenschlichkeit, die nur hier und heute die Pflaume ist, die man vom Apfelbaum erwartet. Denn wie sollte ein Mensch, den die herrschende Moral selber zu autosexueller Betätigung hindrängt, noch ein lebhaftes: ein leibhaftes Empfinden für andere Menschen entwikkeln? Nur der unverdrossene Glaube, es sei der Geist (in oder über dem Körper), der wahrhaft Mensch mit Mensch verbinde, nur solcher Platonismus kann wähnen, es bedürfe der Körper nicht, um einander im Leben zu stützen. Das bedeutet umgekehrt freilich nicht, daß nun ein jeder mit jedem sexuell sich »berühren« müßte. Doch ohne die *exemplarische Erfahrung* fremder Leiblichkeit von klein auf bleibt der Mensch inmitten der Anderen ich-bezogen, autistisch, introvertiert. Der Vorwurf, da sei einer »zu egoistisch«, um anderen beizuspringen, tut so, als habe er's in der Hand, über seinen Schatten, nein, über seinen eigenen Körper zu springen, jenen Körper eben, der sich »ihm« als Folge frühkindlicher Dressate und beständiger Verzichte entwickelt hat: ein fehlgesteuerter Körper, der sich in sich selber verkrampft, wenn schon ein möglicher Sexualpartner sich nähert. Die Klage über den Egoismus der Leute ist bloßer Jammer über eine Konsequenz der Moral, an der man doch nicht zu rütteln wagte. Daran hat auch die Psychoanalyse bis jetzt nichts geändert. FREUD übernahm das Vorurteil, wonach gerade die sexuellen Strebungen die eigentlich »selbstsüchtigen« seien[94], und noch ALEXANDER MITSCHERLICH gilt Triebverzicht als Voraussetzung der Gesellung[95]: eine Auffassung des Triebes und der Natur der Gemeinschaft, die ganz an der Realität einer Kultur gewonnen ist, in der der triebstarke Mensch sich isoliert.

e) Die allgemeine Homosexualisierung

Wir sprachen – mit ADORNO – von einer allgemeinen Homosexualisierung in unserer Gesellschaft. Man wird von einer bestimmten Seite her dem entgegenhalten, daß Verführung doch immer am Beginn einer homosexuellen Entwicklung stünde. Nun kann aber, wie WILLHART S. SCHLEGEL soweit richtig bemerkt[96], zur Homosexualität verführt nur werden, wer eine entsprechende *Bereitschaft* in sich hat. Solche Bereitschaft ist aber mehr als somatische Neigung, und sie wird auch durch »falsche Erziehung« nicht hinreichend erklärt.

Die extreme Milieu-Theorie bietet wohl für Einzelfälle eine gewisse Erklärung, da sie sich darauf stützen kann, daß die Eltern mancher späteren Homosexuellen sich »eigentlich« ein Mädchen gewünscht hatten und den Jungen lange Zeit mit Locken oder Zöpfen und in Mädchenkleidern herumlaufen ließen, ihn anleiteten, mit Puppen zu spielen, und ihn später womöglich einen Nähkurs besuchen ließen[97]. (Die unerwünschten Mädchen mußten dafür auf Bäume klettern und Indianer spielen.) Wieviel aber ist damit schon erklärt, wenn – nach meinen Beobachtungen – aus solchen jungen Zwangs-Transvestiten später bisweilen durchaus heterosexuell empfindende Menschen werden? Solche Ausnahmen von den Ausnahmen besagen zwar noch wenig über den Einfluß sozialer Rollen auf die Triebstruktur des Individuums überhaupt. Die Logik des leibhaften Daseins aber läßt uns erwarten, daß die Prägung für ein bestimmtes sexuelles Verhalten auf eine mehr »hautnahe« Weise geschieht als etwa durch das Umhängen entsprechender Kleider. Doch selbst gesetzt, der bloße Wunsch der Eltern, ein Kind gerade des entgegengesetzten Geschlechts zu haben, vermöchte durch den Zauber der »passenden« Kleidung bereits das später verwünschte Sexualverhalten zu provozieren: die *allgemeine* Homosexualisierung bliebe darüber noch rätselhaft. Das individuelle Triebschicksal erklärt nicht genug die geheimen Begierden der Massen. Dem Soziologismus ist dies schon ein Grund, die Psychoanalyse zu ignorieren und an die Mächtigkeit bloßer Idole zu glauben*. Das falsche Bewußtsein, das wir alle miteinander gemein haben, brächte danach erst die Fehlregulation unserer Triebe zustande. Während doch umgekehrt an unseren scheinhaften Werten der leibhaft verbogene Mensch sich hilflos noch aufzurichten versucht. Im Leben des Einzelnen geht allemal die Verkrümmung seiner Triebnatur (durch die Eltern) dem Glauben an die »Natürlichkeit« solcher Verkrümmung voraus. Soziologisch bedeutsam am primären Vorgang der Triebunterdrückung (durch Kleinkinddressur) ist nur die relative Gleichförmigkeit, mit der sie im Rahmen einer Kultur überall wiederkehrt. »Sittlich« sind wir einer des anderen Affe – im Guten wie im Bösen. Was wir dabei denken und wünschen, ist sekundär: Spiegelung im Bewußtsein des offen entfalteten oder eines moralistisch verquälten Leibes. Schon der starre, irreversible Wunsch nach einem Kind bestimmten Geschlechts ist symptomatisch für eine Gesellschaft, in der der Mensch der Faktizität des Vitalen entfremdet ist. Er wünscht, vital unbefriedigt, immer darüber hinaus.

Das bedeutet: Nicht erst die manifeste Homosexualität, sondern schon die ungewollte, aber sichere Erziehung dazu ist Symptom einer »sittlichen Ordnung«, in der einer am andern den Sexualtrieb, so gut es nur geht, unterdrückt. Mögen immerhin im Einzelfalle »Anlage« und akute Verführung sich nachweisen lassen, vollends »bereit« zu homosexuellen Kontakten sind Menschen nur in einer Gesellschaft, die den Geschlechtstrieb nicht ausreifen läßt und namentlich die natürliche Heterosexualität vor der Ehe aufs äußerste erschwert. Das Anknüpfen homosexueller Kontakte ist immerhin offener und ehrlicher im Vergleich zur Werbung um ein Mädchen, die notwendig latenter Heiratsschwindel ist, wenn der Wille zur Ehe vor jedem Verkehr sich nicht einstellt. Im Ganzen der Gesellschaft wirkt homosexualisierend das Verbot von vor- und außerehelichen Beziehungen. Und mag auch der junge Mann solch strenge Moral in den Wind schlagen, die Mädchen, die sich ihm klüglich verweigern, bringen ihn näher dahin. Die Erzieher, die Jungen und Mädchen aufgeregt voneinander trennen, dürfen gleich noch ein weiteres Mal sich erregen: über die sozialen Folgen ihrer Moral, über Homosexualisierung und Prostitution. Die Strich-

---

* Wir brachten für solchen Soziologismus bereits ein Beispiel. Siehe den III. Teil bei Anmerkung 16 (auf Seite 133)!

jungen und Dirnen, die einspringen, wo strenge Moral eine Not schafft, dürfen von eben denen sich verunglimpfen lassen, deren hohen Idealen sie ihre Lebensform gerade verdanken. Es gibt ja wohl um keine Prostituierte, um keinen Prostituierten zuviel, als ihrer die Gesellschaft bedarf. Angst vor dem unerwünschten Kinde mag ein weiteres Motiv für homosexuelle Beziehungen sein: ein Motiv allerdings, das durch die neuen wirksamen Methoden der Empfängnisverhütung noch an Kraft verlieren dürfte.

Es wäre heute aber mehr als voreilig zu behaupten, daß eine Abnahme der Homosexualität sich schon abzeichnete. Das wieder straffer praktizierte sexuelle Monopol der Ehe – für den verheirateten Mann – leistet allgemeiner Homosexualisierung erst noch Vorschub. Der Mann, dessen Frau nun erst recht darüber wacht, daß er ja mit anderen Frauen nicht in Berührung kommt, und der davon abgehalten wird, auch nur Gesprächspartnerschaften mit Frauen zu pflegen – der so ängstlich überwachte Mann muß darüber notwendig sich »homosexualisieren«, ohne in jedem Falle gleich praktizierender Homosexueller zu werden. Kein Wunder also, daß nach FREUD »der Nachweis homosexueller Regungen bei keinem einzigen Neurotiker mißlingt«[98]. Ist doch der Neurotiker der Mensch, der am meisten natürliche Regungen unterdrückt. Der Mann, der darauf angewiesen ist, die einzige Abwechslung vom ehelichen Dialog im Umgang mit Männern zu suchen, muß in seinem sozio-sexuellen Empfinden überhaupt sich invertieren. Das geschieht, längst ehe er dessen in einem auf Männer gerichteten Begehren gewahr wird. Haben Männer und Frauen auch und gerade außerhalb der Ehe eine »geistige Bedeutung« füreinander, wie sogar DIETRICH VON HILDEBRAND zugesteht[99], dann muß der Mangel an Kontakten zum jeweils anderen Geschlecht das sogenannte Kontaktbedürfnis eines jeden auf Vertreter des eigenen Geschlechts zurückbiegen. Das bedeutet gerade für den, der nachdenkt und versucht, stetig sich auch über sich selber klarzuwerden, ein um so geringeres Verständnis seiner selbst. Denn nie wird »eine Frau so tief verstanden werden von einer Frau, wie sie von einem Mann verstanden werden könnte; nie ein Mann so von einem Manne, wie er von einer Frau verstanden werden könnte.«[100] Der Mann, der überwiegend darauf angewiesen ist, im Mitleben mit Männern sich selber zu verstehen, bekommt so ein nur recht flaches, unscharfes Bild von sich selber. Was er je an sich selbst, der doch Mann ist, erfaßt, das verfließt innerhalb der einen männlichen Welt, in der allein – nach dem Willen der eifersüchtigen Gattin – er überhaupt noch Wissen und Kenntnisse sich vermehren darf. Er bekommt so zuletzt ein geradezu homoerotisches Verhältnis zu sich selber, ja zur Realität schlechthin. Die homosexuelle Färbung aller ausgesprochenen Männerbünde ist so kein Zufall oder die bloße »Folge« davon, daß »homosexuelle Elemente« in sie sich eingeschlichen hätten. Die Invertierten sitzen dort von Anfang an in der Führung. (So war es denn auch in der ersten Führungsgarnitur der SA.)

Ließen bei einem leibhaften Menschen die Beziehungen, die er pflegt, fein säuberlich nach »rein geistigen« oder »erotisch gefärbten« sich unterscheiden (wie VON HILDEBRAND es wohl für möglich hält), dann wäre es die reine Narretei, wenn Frauen auf die Freunde ihrer Männer eifersüchtig werden. Wenn derart eifersüchtige Frauen die verschiedenen Sphären, auf deren Trennung die Moral besteht, gar nicht auseinanderhalten können, dann besagt das eben nichts anderes, als daß auch das Leben sie nicht auseinanderhält. Der vermeintliche Irrtum der Naiven schlägt zurück auf die »Weisheit« derer, die die Welt nach ihrem System zu formen suchen.

E.

ABREAKTION DURCH AGGRESSIVE AKTE

a) Warum sind wir nicht alle krank, pervers oder süchtig?

Die Frage, warum in unserer Kultur nicht ein jeder »psychosomatisch« erkrankt, grob-pervers oder süchtig wird, könnten wir schon für beantwortet halten durch den Hinweis auf die Unterschiede in der Erziehung, die nicht jeder im selben Maße stärker erleidet als erlebt. Doch selbst wenn wir hinzusetzten, daß natürlich auch die angeborenen Unterschiede der Triebstärke die Vielfalt der Triebschicksale bedingten, so hätten wir die Frage nur dürftig beantwortet. Zwar leuchtet ein, daß ein von Geburt Eunuchoider gar nicht die Triebkonflikte entwickeln kann, die den normal Veranlagten buchstäblich krank machen. Es ist auch zu denken, daß eine besonders starke Vitalität aller Unterdrückung zum Trotz sich wie von alleine endlich Bahn bricht und ihr eigenes Ethos gewinnt. Aber es dürfte dabei nur jedesmal sich um Grenzfälle handeln. So leicht zwar der Eunuchoide ins herrschende Ethos sich einfügt, der von Natur besonders Triebstarke wird doch wohl zeitlebens ein »schlechtes Gewissen« nicht los, selbst wenn er längst aufgehört hat, sich zu kasteien. Ein unterbewußtes Schuldgefühl, das aus frühkindlichen Dressaten zurückbleibt, verhindert noch beim Erwachsenen die volle sexuelle Entspannung. Das erklärt auch die beim scheinbar unersättlichen Don-Juan-Typus festgestellte »orgastische Impotenz«[101], desgleichen die Frigidität der allermeisten Prostituierten[102]. Die anerzogene enge Bindung des Schuldgefühls an das Empfinden sinnlicher Lust blockiert diese fast völlig, wo ein unverändert sinnenfeindliches Gewissen nach Entlastung verlangt. *Der Mensch fühlt sich, moralistisch verbogen, nicht schuldig für das, was er tut, sondern für das, was er dabei empfindet.* Sexuelle Hyperaktivität bedeutet so eine »Askese« eigener Art: die lustlose *Einübung* in ein Gegen-Ethos zum herrschenden, einen jeweils forcierten Aufschwung, die anerzogenen Skrupel zu überspielen, deren man sich – von seiner bewußten Haltung her – bald ebenso »schämt«. Solange aber im Individuum zwei Moralen miteinander im Streite liegen, bleibt ihm nahe bei der alten repressiven Moral nur die Verdrängung, näher bei einer freien, naturgemäßen Moral nur die Übertreibung. Beides ist, vitalpsychisch, gleich unbefriedigend.

Der Prüde und der Exzessive berühren sich in mehr als einem Punkt. Das Verhalten beider hat etwas Zwanghaftes, Gehetztes. Der Prüde überspringt keine Gelegenheit, sich zu entrüsten, weil er sie insgeheim sucht; der Exzessive versäumt keine »Gelegenheit«, die er dafür hält. Jeder wird auf seine Weise aggressiv: der eine im Kampf gegen das »Laster«, das sein Charakter ihm versagt, der andere in der Jagd nach dem erotischen Skalp, mit dem er im Freundeskreis renommiert. In jedem Falle aber ist die aggressive Einstellung nichts als ein oft lebenslang ausgedrückter vitaler Unmut über die in der Kindheit erlittenen Frustrationen. Ein so oder so aggressiv sich austobender Mensch wird aber so leicht nicht in Konfliktsituationen geraten, deren Spannung die körperliche Widerstandskraft zersplittert. Der Tugendwächter wie der Schürzenjäger haben ein jeweils klar umrissenes Ziel, sie schwanken nicht so leicht zwischen Triebanspruch und moralischer Hemmung. Beide leben sie doch dem Triebe, über den sie nur unterschiedlicher Meinung sind: der eine, indem er lustlos in der Form der Entrüstung ihn austobt, der andere, indem er in immer neuen »Eroberungen« ihn zu befriedigen wähnt. Der Mangel an Befriedigung, den jeder von ihnen in Kauf nimmt, spannt ihn jedoch immer sogleich auf sein nächstes »Ärgernis« oder »Erlebnis«, noch ehe er dessen gewahr wird. Unbelastet durch die Kenntnis der eigenen inneren Not kommt aber einer, der eifert oder »sich auslebt«, nicht so leicht aus der Bahn. (Aufgeklärt über seine scheinhafte Existenz, wird er womöglich erkranken.)

Auf eine Formel gebracht: Der Aggressive, der beständig sich angetrieben fühlt, hält gesundheitlich sich »in Balance«. Er gleicht dem Seilkünstler, der, zwar hin und her schwankend, doch weitergeht, ohne zu stürzen. Ein labiles Gleichgewicht aber ist es in jedem Falle, ein gefährdetes Gleichgewicht. Der in seiner soziosexuellen Entwicklung gehemmte Mensch mag in seinem sittlichen Eifer oder in erotischen Eroberungen sich selber ganz »gesichert« erscheinen, doch er entgeht nicht der Freudlosigkeit, die aus seiner Unsinnlichkeit herkommt und durch Menschenverachtung sich tarnt. Denn daran ist doch kein Zweifel: Wo die Andern nur Mittel zum Zweck sind, Mittel zu dem Zweck, sich an ihnen abzureagieren (sei es »sittlich« eifernd oder »unsittlich«), da kann von Liebe zum Nächsten nicht gut die Rede sein. Wenn aber Liebe, auch wo sie »unglücklich« ist, dennoch als Akt von einem

»Glücksfühlen begleitet« ist, wie MAX SCHELER es ausdrückt[103], dann eben fehlt dem Aggressiven dieses Glück.

Der wirklich glückliche Mensch ist nicht notwendig einer, der gerade »Glück hat«. Glück als innere Verfassung ist nicht das simple Resultat der jeweiligen Lebensumstände. Ob einer ein sogenannter glücklicher Mensch wird oder nicht, entscheidet zumeist sich schon in frühester Kindheit. Das körperlich »ungeliebte«: das nicht gestillte Kind wird fürs ganze Leben eine unstillbare Unruhe zurückbehalten. So gibt es Menschen, die ihrem ganzen Wesen nach »unglücklich« wirken: unglücklich und böse dazu, ohne daß ein Mißerfolg ihnen dafür einen Grund gäbe. »Glück« ist ein Zustand der leibhaften Existenz, in der diese frei ist von jeder Bedrückung, von jedem quälenden Ein-Druck, der anhält oder nachwirkt. Glück ist freies, unbeschränktes, aber nicht uferloses Leben, eines, in dem das Maß der eigenen Ansprüche mit der Kraft des Körpers in eins fällt. Der Löwe im Käfig ist »unglücklich«: er leidet an seiner eigenen Kraft. Jede Einschränkung der natürlichen Vitalität und ihres Lebensdranges schneidet buchstäblich ins Fleisch. Jeder Triebverzicht ist schmerzhaft – aber insofern auch Ursprung aggressiver Impulse: Das qualvoll gepreßte Leben macht sich ruckartig Luft. Ein biologischer Sinn aggressiven Verhaltens könnte es sein, das durch Verzichte gehemmte Wesen zu seinem Triebziel noch durchzureißen[104]. Doch aus tiefer Hemmung heraus schnellt es – triebstark – darüber hinaus.

Schmerz sei der Ursprung der Aggression, das bleibt noch unwidersprochen am Beispiel des Hungers. Daß *quälender* Hunger den Menschen wie das Tier aggressiv macht, ist verbreitete Lebensweisheit[105]. Das wird also gar nicht verdrängt, meint hier, in dieser Kultur der Überernährten, aber auch nicht die entscheidende Quelle der Aggression. Es redet sich leichten Herzens von dem, was im Hebelsystem der Motive wenig Gewicht hat. Der sexuelle Ursprung aggressiven Verhaltens ist daneben ein esoterisches Wissen der Tiefenpsychologen[106], wobei noch diejenigen unter ihnen, die an einen ursprünglichen Trieb zum Wehetun glauben, einen irritierenden Schatten auf den Zusammenhang werfen. (Das war immerhin logisch, solange die Rolle des Schmerzes darin nicht beachtet wurde.)

Schmerz als Ursprung der Aggression: Wir verstehen jetzt durchaus somatologisch aggressives Verhalten bei einem Menschen, der qualvoll, schmerzhaft, sexuelles Begehren in sich verwindet. Verhaltensforscher haben bestätigt, daß Schmerz aggressive Akte hervorruft[107]: Ein elektrisiertes Huhn hackt nach einem Käfiggenossen. (Und ein von »bohrenden« Schmerzen gepackter Mensch boxt – in Spontanreaktion – seinen Zahnarzt.) Es scheint, als gleiche nur durch eine so heftige Innervation, wie sie der Angriffsakt darstellt, der im Schmerz gestörte Organismus sich wieder aus. Der dauernd gestörte Organismus des sexuell Frustrierten verlangt, um sich auszugleichen, nach der starken Erregung der Aggression. Sein »sittliches Bewußtsein« aber verlangt nach einem »Feind«, der ihm seine aggressiven Neigungen moralisch rechtfertigt.

Der Prozeß der Rationalisierung und Beschönigung eines leibhaften Dranges nach Aggression ist am vollkommensten gelungen beim *Überzeugungstäter*[108] oder bei den zum Kriege drängenden Militärs und Politikern. Doch die Sadismen, die gerade im Bürgerkrieg »unterlaufen«, legen die verquälte Triebnatur, die »politisch« sich Raum schafft, verräterisch bloß. Beim Putschversuch des 30. September 1965 hätten die indonesischen Kommunisten, um ihre innenpolitischen Gegner auszuschalten, die Generale des Inselreiches vielleicht durchaus ermorden müssen; ihnen jedoch bei lebendigem Leib zuerst die Geschlechtsteile abzuschneiden (wie es in einigen Fällen geschah[109]), dazu bestand kein machtpolitischer Grund. Die Exzesse der Grausamkeit, zu denen »Überzeugungstäter« allemal fähig sind, widerlegen die guten Gründe, die ihre Neigung zum Töten selbstgerecht vorschiebt.

Rätselhafter und aufrichtiger zugleich erscheint demgegenüber das quasi *motivlose Verbrechen*, der ›acte gratuit‹, um mit GIDE zu sprechen, in dem das vitale Unbehagen unmittelbar in Grausamkeit sich ergießt, ohne weiter durch »Gründe« sich zu filtern. Nur junge Menschen, die noch im Bösen eine Unschuld des Wollens behalten, sind offenbar dazu in der Lage. So sagten zwei jugendliche Mörder vor Gericht: Sie hätten ihre Opfer gar nicht gekannt und keinen Haß gegen sie gehegt. Sie hätten – durch die Tat – nur »ihrem Herzen Luft machen« wollen[110]. Das ist die Stimme des leibhaft gepreßten Menschen.

Wir haben so ein weiteres Mal* gezeigt, wie aggressives Verhalten die nicht entfaltete Sinnlichkeit substituiert. Orientiert an der Frage, weshalb in einer repressiven, mithin kranken Gesellschaft nicht ein jeder neurotisch erkrankt, haben wir gefunden, daß der Sittenwächter und der bewußt Sittenlose, sofern sie nur »rein« sich entwickeln, beide die nie völlig gelöste Triebspannung in permanenter Aggressivität an sich erleben und ausleben. Nun ist mit den beiden sozialen Typen, die eigentlich mehr ideale Grenzfälle darstellen, die in der Konkurrenzgesellschaft wirksame Aggressivität noch lange nicht repräsentiert. Aber es muß nicht gefolgert werden, die moralisch skrupelhafteren, weil schwankenden Charaktere zwischen den beiden Extremen seien

---

* Siehe schon im III. Teil, Kapitel A, den Abschnitt über die »Freiheit der Frau und das Wohl des Kindes«.

gerade wegen ihrer »doppelten Moral« schon frei von aggressiven Impulsen. Sie sind wohl nicht so aggressiv wie der puritanische Eiferer, wie einer, der gleich Cromwell oder Robespierre die Tugend am liebsten durchs Schwert oder Schafott erzwänge. Das Sexualleben des durchschnittlich Skrupelhaften ist auch sicher nicht so rüde aggressiv wie das des erotisch Ehrgeizigen. Aber die auch und gerade in der moralischen »Mittellage« anfallenden Frustrationen kompensieren sich doch hinreichend durch aggressive Tendenzen. Wäre es anders, wir dürften uns wundern, wieso es den paar radikal Aggressiven, die politisch Einfluß gewinnen, immer wieder gelingen sollte, die angeblich so ganz anders gestimmten Massen in Kriege und zu Pogromen zu führen. Wir dürften uns außerdem wundern, weshalb in der Arbeiterklasse die Kriegsbegeisterung niemals so groß war wie im Kleinbürgertum. Sollte dies nicht damit zusammenhängen, daß, wie zuerst SVEND RANULF gezeigt hat[111], unsere triebunterdrückende Moral eine typische Mittelstandsmoral ist? Wenn so noch einmal etwas gegen die Annahme eines ursprünglichen Aggressionstriebes spricht, so stellt sich doch das Phänomen »Krieg« als triebpsychologisches Problem. (Es wird das zentrale Thema des V. Teils dieses Buches.)

b) Die Lust an der Angst

Es braucht uns nicht zu wundern, daß in einem Klima der Aggressivität und der steten Bedrohung auch Angst und Lebensüberdruß gedeihen. Die Angst verabsolutiert sich hier – in der Selbstauffassung des Philosophen – sogar zur »Grundbefindlichkeit« des Menschen (HEIDEGGER). Verwunderlich aber, ja scheinbar unerklärlich ist es, daß nirgendwo Aggressive sich zeigen, wo es nicht zugleich Menschen gibt, die ein unbestimmtes Vergnügen darin finden, verletzt und gequält zu werden. Sadist und Masochist sind aufeinander hingespannt, als gäbe es eine prästabilierte Harmonie des Bösen. (SCHOPENHAUER hat bekanntlich daran geglaubt.) Merkwürdig genug »wählen« grausame Mörder ihre Opfer nicht selten unter depressiv verstimmten, lebensüberdrüssigen Menschen[112]. Und so etwas wie eine »Wahl« ist es denn auch, tiefenpsychologisch betrachtet. Das Unterbewußtsein des Aggressiven, das – einem Radargerät vergleichbar – seine Mitwelt beständig abtastet, bleibt haften, wo es ein »Entgegenkommen« verspürt: beim willigen Opfer. Dieses mag unbewußt sogar den Anderen als ein Werkzeug benutzen, um sich zuzufügen, was ihm als reiner Akt der Selbstzerstörung mißlänge. Von hier ist es nur ein Schritt zu der provozierenden These: »Nicht der Mörder, der Ermordete ist schuldig.«[113]

Der Satz markiert einen Gegenpunkt zum gängigen Vorurteil, das die Menschen einteilt in Gute und Böse, in Opfer und Mörder, Dulder und Unterdrücker. Die Wahrheit liegt – nicht in der Mitte, sondern umfaßt beide: Quäler und Gequälten. Beide sind sie durch eine triebfeindliche Moral schon fortgezerrt von ursprünglicher Lebens- und Leibbejahung und eingeschleust in den Geist der Vernichtung. Man soll nicht denken, daß ein leibfeindliches Ethos im bewußten Willen noch etwas anderes schaffen könnte als Ab-neigung von dem vitalen Grund, aus dem jederzeit unser ganzes Dasein sich reckt. Ob die destruktive, lebensfeindliche Tendenz bewußt am Nächsten sich austobt oder unbewußt diesen zur Grausamkeit provoziert, es ist vom Standpunkt einer Gesellschaftsethik her völlig nebensächlich. Die Gesellschaft im ganzen ist krank, in der Aggression und Angst die Lebensäußerungen sind, in denen der Mensch noch am intensivsten den Puls des moralistisch gedrosselten Lebens verspürt.

So wird schon psychologisch verständlich, daß Lust darin liegen kann, Angst zu empfinden. Es hat zutiefst einen physiologischen Grund: Die nervösen Reaktionen im Erregungszustand der Angst kommen weitgehend überein mit denen jener heftigen Erregung, die die Prüderie verpönt[114]: beschleunigter Puls, erhöhter Blutdruck, Hyperventilation, Zunahme der Muskelspannung u. a. finden sich hier wie dort. Der sexuell frustrierte Mensch *muß* Angst (oder Furcht) empfinden, um wenigstens halbwegs den Orgasmus zu spüren, den er vermißt oder nie erreicht. Die Angstmacher mit ihren Gruselkabinetten jeglicher Art kommen so einem körperlichen Bedürfnis entgegen. Es hat gar keinen Wert, gegen Gruselfilme und Mordgeschichten zu wettern und sie der Jugend vorzuenthalten, wenn nicht zugleich die kindliche Sexualität akzeptiert wird. Sexuell frustrierte Kinder, denen besorgte Eltern das filmische Vergnügen am Mord verwehren, finden zur rechten Zeit schon ein Ventil für den durch Verzichte sado-masochistisch verbogenen Trieb; sei es, daß sie Tiere quälen, ihre Mitschüler prügeln, sei es aber auch, daß sie es wonnig genießen, selber von den Andern gequält zu werden. Alfred Hitchcock, der am herrschenden Ethos verdient, ist darum durchaus im Recht, wenn er hier seine Gruselfilme verteidigt: »Die Menschen wollen Angst empfinden.«[115] Die Leute wollen Angst empfinden – weil sie Lust nicht empfinden dürfen.

c) Grobe und feingesponnene Destruktion

Der Masochismus der stillen Knaben findet sich wieder in der dünnen psychischen Luft der feinsinnigen Intellektuellen. Eine ganze höhere Geisteskultur – mit ihren literarischen Fehden, unterschwelligen oder offenen Gegnerschaften selbst unter Gleichgesinnten – erwächst im Klima der Aggression.

> Auf ewig ist der Krieg vermieden,
> Befolgt man, was der Weise spricht;
> Dann halten alle Menschen Frieden,
> Allein die Philosophen nicht.
>
> A. G. KÄSTNER[116]

Das »Zersetzende«, das derbere Naturen den Intellektuellen an den Kopf werfen, ist nur ein Vorwurf der andersartigen Waffe, keine Ablehnung der Aggression. Dem groben Ärger über die wirklich oder vermeintlich Zersetzenden fehlt dabei eine Einsicht, die ihn mildern könnte: daß nämlich der Zersetzende in erster Linie sich selber zersetzt. Die besonders unter Intellektuellen ausgebildete Fähigkeit, mit spitzen Bemerkungen, also bloß mit Worten, zu »verletzen«, hat zur Voraussetzung eine allgemeine masochistische Neigung, sich selber zu quälen. Der Scharfzüngige, der da verletzt, ist dem »Sensiblen« nur jeweils ein Anlaß, den Mechanismus der Selbstzerstörung wieder in Gang zu bringen. Ein gut Teil der Innerlichkeit der sogenannten Feinfühligen besteht in solcher innerer Verarbeitung von Zurücksetzungen, Kränkungen und »Verlegenheiten«, in die sie selber sich fortgesetzt bringen. Der Grundcharakter der so Gequälten ist empfindsam und kühl. Empfindsam, was das eigene Innere betrifft; kühl aber sind die »Feinen«, sofern sie die Verletzlichkeit des Anderen nicht in einer Weise mitfühlend verspüren, die ihrer eigenen Spottsucht noch Grenzen setzte.

»Überempfindlich und kühl zugleich«: Das ist nach KRETSCHMER gerade der intelligente und gebildete Schizoide[117], anschaulich auszumalen durch die leicht »entrückte«, blasse und schmale Gestalt eines vornübergeneigten Brillenträgers. Es ist kein Zufall, daß wir auch den Prototyp des Intellektuellen, des Denkers in solcher Weise uns vorstellen. KRETSCHMER selber hat unter 27 »philosophischen Klassikern« nur drei oder vier mit pyknischem Einschlag gefunden; Leibniz, Rousseau, Schelling und Schopenhauer zählen zu diesen »halben« Ausnahmen[118]. Max Scheler wäre ihnen heute wohl noch hinzuzuzählen. Die

Übermacht der Leptosomen und Astheniker (Kant!) unter den Philosophen spricht für den Charakter der Philosophie unseres Kulturkreises Sie repräsentiert einen Geist, der als Gegenmacht und Gegenkraft gegen das Körperliche sich bildet – und als solche auch aggressive Züge trägt: verächtlich, schmallippig. Die buchstäblich dünnen, schmalbrüstigen Charaktere scheinen in unserer Kultur dafür prädestiniert, »den Geist« zu verkörpern. Charakteren, die gut im Fleische sind, haftet der Geruch an, wenn nicht »ungeistig«, so doch mehr »praktischen Sinnes« zu sein. Verständlich, daß noch unter jenen Pyknikern, die weltgeschichtliche Bedeutung erlangen, sich glücklose Lebemänner finden (wie Mirabeau). Ebensowenig überrascht es, daß der ethische Gegenpol zur geistigen Blüte unserer Kultur, dem asthenischen Denker, daß also der typische Gewaltverbrecher – nach der Statistik[119] – die Züge des Athletikers trägt. Wenn es so erlaubt ist, den Mörder neben den Denker zu stellen, dann ist eines lehrreich: zu sehen, wie *innerhalb einer Kulturgemeinschaft* der Körperbau mit einer gewissen statistischen Regelmäßigkeit für bestimmte soziale Rollen »begabt« macht. Ich betone hartnäckig: innerhalb einer Kulturgemeinschaft. Denn der Schluß, leptosomer Körperbau und philosophisches Denken seien affin, übersieht die Möglichkeit einer ganz anders gearteten, mehr leibhaften, natur- und lebensverbundenen Philosophie. Aus der geheimen Ahnung einer solchen Philosophie heraus war ja auch GOETHE, wie GADAMER gezeigt hat[120], in einem gewissen Selbstmißverständnis oft unwirsch gegen »die Philosophie«. Ganz analog wäre zu denken, daß in einer Kultur, die etwa in Sexualbetätigung einen deutlich positiven Wert sähe und die nicht ihr heimliches Ideal im sitzenden Menschen erblickte, der junge und vitale Mensch auch der am besten angepaßte wäre. Bei uns ist es umgekehrt. Es ist doch kein Zufall, daß hier und heute die Jugendkriminalität als unabänderliches Phänomen der Pubertät gilt, während sie in einer sexuell freieren Kultur vollkommen fehlt*. Es ist weiter kein Zufall, daß bei uns die verheirateten Männer unter 25 Jahren mehr Delikte begehen als die Ledigen gleichen Alters[121]. Die vorzeitige Beschränkung des ursprünglichen vielstrahligen Sexualtriebes auf einen Partner zwingt eben die zur Abreaktion des Triebes nötigen Impulse auf eine »unspezifische« Art hervor. Wo ein so elementarer Trieb wie der Sexualtrieb hart beschränkt ist, wird zwangsläufig von der Gesellschaft auch ein bestimmtes Maß an Aggression zur Ersatzbefriedigung gestattet. Im Begriff des »Kavaliersdelikts«, wie wir ihn

---

* Wir kommen darauf zurück im V. Teil. Siehe Seite 284!

gerade auf Verbrechen am Steuer angewendet finden, ist die sozial erlaubte Aggression umschrieben. Dabei kann noch als Sonderling gelten, wer von solchen Gelegenheiten nicht Gebrauch macht: wer nicht durch rücksichtsloses Autofahren[122], durch Begeisterung für Kriminalfilme und rauhe Sportarten oder durch die Unterstützung einer zum Kriege drängenden Partei einen Teil der lästigen Triebhaftigkeit loswird, die anders den häuslichen Frieden oder gar die eigene Gesundheit oder den guten Ruf oder alles dies zusammen bedroht und aufs Spiel setzt. Ein Tor fürwahr, wer nicht die sozial anerkannten Ventile zur Abreaktion benutzt, sofern ihm die herrschende moralische Ordnung als absolut gilt und unantastbar.

F.

GEGENVORSTELLUNGEN

a) Die Triebschwachen als Vorbild

Wer – nur scheinbar modern – daran dächte, ein Naturrecht des Leibes zu postulieren, nämlich sein Recht, die elementaren Antriebe zu befriedigen[123], der stieße sofort auf das Bedenken jener »Verständigen«, die jederzeit die Anpassung an die einmal bestehende Ordnung für notwendig halten. Nun sind jene »verständigen Leute«, mit KAFKA[124] zu sprechen, zumeist nichts als solche »Lebensbeschädigte«, nämlich Opfer der herrschenden Sitte, wie wir sie fanden: Voyeurs und Entrüstungsbedürftige, vegetativ Gestörte oder heimliche Trinker. Verklemmte aller Art wie oral oder anal Fixierte, schließlich auch jene Impotenten im Mannesalter, die am Partner, der sie gängelt, durch ihr Versagen unterbewußt sich »rächen«*. Eine kleine Minderheit allenfalls rekrutiert sich aus Triebschwachen von Geburt. Es gibt sie. KINSEY hat Menschen gefunden, die außerstande sind, öfter als einmal im Verlaufe mehrerer Wochen sexuell zu reagieren[125]. Solche antriebsschwachen Menschen seien aber »zugleich diejenigen, die am häufigsten moralisch sind (das heißt in Übereinstimmung mit den geltenden Sitten leben)«. Ihnen offenbar ist es möglich, weder neurotisch krank, noch aggressiv, noch irgendwie süchtig zu sein, ohne jemals insgeheim sexuelle Tabus zu verletzen. Der von Natur aus Triebschwache wird leicht dem Ethos der Triebverdrängung sich einfügen: das Problem der Anpassung stellt sich ihm gar nicht. Er hat die Freiheit des Eingezäunten, dessen Kraft noch nicht einmal reicht, um bis zu seinem Zaun hin zu springen. Staunend wird er fragen: »Wieso fühlt ihr euch eingeschränkt?« Er lebt, was seine Natur betrifft, hier und heute in der besten aller möglichen Kulturen. Er kann sich entfalten, und nichts überdehnt seine Fähigkeiten. Kein Anreiz zu sexueller Mehrleistung fordert ihn heraus. Im Gegenteil, die anderen, die vitaler sind als er,

* Vgl. im III. Teil, Kapitel A, den Abschnitt h: »Impotenz und Frigidität durch die Ehe?«

dürfen sich für abnorm halten, weil die Anpassung ihnen so schwerfällt. Der aus Schwäche »Angepaßte« ist Vorbild denen, die von Natur aus gesund wären. Ein solches Vorbild fordert heraus: zur »Anspannung aller sittlichen Kräfte«, zum »Einsatz der letzten geistigen Energie«, zur »Gewissensentscheidung des freien Willens«, oder wie dergleichen Beschwörungsformeln lauten. Immer ist, wo sie einlullen, schon sichergestellt, daß der ihnen Hörige mit sich selber zerfällt. Unfähig, die vitale Kraft, die überhaupt in ihm ist, wie von außerhalb seines Wesens her zu verkürzen, wird er sich schuldig fühlen dafür, daß es mißlingt. Gläubig, es werde von ihm nichts verlangt, als wozu er imstande sei[126], wird er sich sündig fühlen für eine »Schwäche«, die nur nach dem Maße der Triebschwachen sich bemißt: als das »Unvermögen«, es ihnen gleichzutun. Das ist, mit NIETZSCHE zu sprechen, der vollendete »Sklavenaufstand der Moral«: Die Entkräfteten, die Alten sind physisch »der Gesetzgeber«, und als Richter in höchster Instanz stellen sie fest, was »Unzucht« ist und was nicht, und wer bei Strafe sie zu vermeiden habe. Zum Beispiel: »Der Geschlechtsverkehr zwischen Verlobten ist Unzucht im Sinne der §§ 180 f. StGB.«[127]

Die Alten beherrschen die Jungen auch sonst – mit Hilfe des »schlechten Gewissens«, das sie notwendig bei diesen erzeugen. Wo blieben sie morgen mit ihrer Macht, wenn der Mensch mit einem Male so keusch würde, wie sie ihn haben wollen oder doch glauben, ihn haben zu wollen. Denn unbewußt wollen sie ihn gar nicht keusch, sondern sündig und reuig, »zerknirscht«: um ihn beherrschen zu können. Jede irrationale Herrschaft – und nicht bloß die priesterliche[128] – beruht auf dem Schuldgefühl ihrer »Kinder«. Dabei wird die wahre Lust am Herrschen nicht bei »denen ganz oben« sich finden. Die unterdrückten Unterdrücker sind die eifrigsten. Sie unterdrücken nicht nur, um zu herrschen, sondern auch, um ihre eigene Unfreiheit zu vergessen. Sie wollen sogar etwas, wovor die Auguren der Macht sich hüten müßten, wenn es im herrschenden Ethos nicht ohnehin Utopie wäre: das Laster völlig ausrotten.

Eine neue Ethik, die auf die Natur des Menschen sich abstellt, wird darum nicht »Enthemmung«, allgemeines »Sich-Ausleben« und jenes »sexuelle Chaos« erzeugen, das ohnehin nur in der Phantasie der Frustrierten besteht. Sie wird vielmehr nur darauf abzielen, ein System der Unterdrückung abzubauen, das auf die Verketzerung eines Triebes sich gründet. *Es geht nicht darum, die Menschen »moralisch« zu enthemmen, um sie zu vermehrter Sexualbetätigung zu ermuntern; es geht darum, ihnen ein gutes Gewissen zu geben bei den spontanen Äußerun-*

gen ihrer vitalen Natur. Mit seiner Triebnatur versöhnt, würde der Mensch vermutlich sogar weniger wahllos in seinen sexuellen Beziehungen, weil eine jede tiefe Befriedigung den Menschen zum Verweilen bestimmt. Wenn der Sexualtrieb nicht mehr das Böse verkörpert, dann ist es auch nicht mehr nötig, daß die Gesellschaft durch die Hand des Arztes – »psychotherapeutisch« oder gar chirurgisch[129] – am Triebstarken sich vergreift, um ihn in eine Ordnung zu zwingen, die nicht für ihn gemacht ist. Die Ethik der Zukunft wird sich nicht mehr darum zu kümmern haben, wie die »übernormale« Vitalität ins Prokrustesbett der herrschenden Moral zu bekommen sei, sondern sie wird sich anstrengen, eine Ordnung zu ersinnen, die niemanden in seiner vitalen Natur vergewaltigt. Nur eine pluralistische Ordnung, die den Namen verdiente, könnte den natürlichen Unterschieden der Individuen gerecht werden und Abstand halten vor einer Natur, die der Mensch auch in sich selber nicht gemacht hat und die nicht machbar ist – sondern allenfalls zu ruinieren.

b) »Sublimierung« und »Ur-Aggressivität«

Wir sind uns darüber im klaren, daß es nicht möglich ist, in unserer Gesellschaft deutlich etwas gegen die Sexualverdrängung und gegen die kollektive Aggression auch zu sagen, ohne damit Vorurteile zu treffen, die längst sich »wissenschaftlich« verbrämt haben. FREUD selber war es, der der herrschenden Meinung solche Nahrung gab, indem er – durchaus bewußt – ihr Konzessionen machte[130]. Die von ihm formulierte Theorie, daß sexuelle Regungen *sublimierbar* seien, umsetzbar in kulturelle Leistung, ebenso wie seine Annahme eines *ursprünglichen Aggressionstriebes*, springt vortrefflich dem Vorurteil bei, daß eine Kultur, die die Sinnlichkeit einschränkt, der Grausamkeit aber Auslauf gewährt, die einzig sinnvolle und vernünftige sei. Wenn der Kulturbegriff bereits stillschweigend so verwendet wird, daß Triebverzicht und »Todesmut« als höchste sittliche Haltungen ihn bestimmen, dann ist folgerichtig jede andere Form menschlichen Lebens und Zusammenlebens »Unkultur« und »primitiv«. Einem solchen Begriff von Kultur und menschlicher Gesittung offenbar ist FREUD erlegen: Er sah, wie allenthalben in unserer Kultur der Mensch seine Sinnlichkeit zu verkümmern hat, und nahm die geforderten Verzichte als Voraussetzung kultureller Leistung überhaupt. Er spürte die in solchem Klima je und je frei werdende Aggressivität, den tätigen bösen

Willen aus Unmut über den Verzicht, und projizierte das zurück auf eine Ur-Aggressivität, die von Natur aus sei und für die der Mensch nichts könne. Hierauf nochmals das Prinzip der Sublimierung anzuwenden ist zunächst reine Mechanik des Denkens. Daß auch die Aggressivität sublimiert werden könne, klingt tröstlich jedem, dem gleich BERTOLT BRECHT das angestrengte Bösesein nicht liegt[131]. Die Empfehlung, zu sublimieren, schiebt aber beides, was zu sublimieren sie erheischt: die Aggression wie das Begehren, auf denselben Rang des Bösen zurück. Zu guter Letzt wird sexuelles Begehren, wenn es schon böse sein soll, selber zu einem Akt der Aggression, da doch den Mädchen, die sich sträuben, anders nicht beizukommen ist. So provoziert die Prüderie, die sich im Recht glaubt, das Böse, von dem sie immer schon wußte, daß es nichts anderes gibt.

War FREUD zumindest in seiner »ersten Trieb-Theorie« wenigstens noch so human, Aggressivität und Zärtlichkeit als zwei »Komponenten« desselben Aktes, eben des sexuellen, aus diesem herauszulösen[132], so verschwindet für KONRAD LORENZ die Sexualität völlig neben der Aggression, die als Urtrieb, ja als der Trieb der Triebe alles Lebendige bewegt[133]. So metaphysisch absolut gesetzt, verliert die Aggressivität sogar das Stigma des Bösen. Wenn sie, wie LORENZ wörtlich sagt, der »Motor« ist, der noch die anderen Triebe antreibt[133], dann ist sie schlechthin unentbehrlich, also gut. Das Böse – und was sonst ist bös als die Aggression? – reüssiert zum »sogenannten Bösen«. Es kommt nur darauf an, dafür zu sorgen, daß es möglichst »harmlos« sich auswirkt (etwa nach der Leitvorstellung: Macht Sadisten zu Chirurgen!) oder am besten gar nicht. Daß es »gute, brave, anständige Familienväter« waren, die Bombenteppiche gelegt haben[134], ist LORENZ nicht Anlaß, über dieses Gute, Brave und Anständige nachzudenken, das mit einem Male so sich austobt, sondern Anlaß zur Klage über die Demagogen, die »zielbewußt« Hemmungen der Aggression beseitigt hätten.

Was wir so, polemisch gerafft, verdeutlichen, ist die Entwicklung einer metaphysischen Theorie. Man lasse sich durch den Namen eines berühmten Tierforschers nicht verleiten zu meinen, er biete etwas anderes als dies. Was LORENZ in den Begriff des Aggressionstriebes verdichtet, sind so konträre Erscheinungen wie das Jagen und Fressen von Beutetieren, das Streitigmachen von Nahrung, der Rivalenkampf der Männchen, das Verteidigen eines Brutterritoriums und die Sicherung eines »guten Platzes« in der sogenannten Hackordnung. Phänomene also, die ganz verschiedenartigen »Trieb-Interessen« entstammen und daher von anderen Verhaltensforschern auch sorgsam auseinandergehalten werden. Das drückt sich schon im Gebrauch der Worte aus. So hält REMANE es zum Beispiel für »besser«, von Territorialbehauptung statt von einem Territorialkampf zu sprechen[135]. Nach PORTMANN gilt es zwar nicht, »ein idyllisches Naturbild einem heroischen entgegenzusetzen«, wohl aber: »den Reichtum der Erscheinungen zu sehen«[136].

Was eine These wie die von LORENZ so anziehend macht, das hat nichts mit Gründen zu tun, die aus Forschung und Naturbeobachtung sich selber ergäben. Es ist der Geist der herrschenden Gesellschaft, der in seiner charakteristischen Erscheinung, dem permanenten Konkurrenzkampf, sich durch die Natur bestätigt sehen möchte. Die Theorie der Uraggressivität wiederholt nur den Erfolg des Schlagworts vom »Kampf ums Dasein« (DARWIN). Das traf genauso die braven Gemüter, die alltäglich im Kampf um höhere Umsätze, Beförderungen und Vergünstigungen sich abzappeln müssen. Mit einem Male hatte alles ein Kampf zu sein: Noch die Pflanze am Rande der Wüste »kämpft« – nach DARWINS Metaphorik – gegen die Trockenheit an, während sie, wie DARWIN wohl wußte, nur *abhängig* ist von Wasser[137]. Das natürliche Bedingungsverhältnis stand kopf, aber war gerade darum plausibel: weil in einer »verkehrten Welt« ein jeder in ihm sich wiedererkannte. So entscheiden außerwissenschaftliche Kriterien über die Ausstrahlung einer wissenschaftlichen Theorie. Darwinismus jeder Art hat in unserer Gesellschaft immer noch eine Chance. Der Anthropomorphismus, den – bei anderer Gelegenheit – MITSCHERLICH an KONRAD LORENZ bemerkt[138], ist es also noch nicht allein, der seine *Metaphysik der Aggression* so populär macht – gerade auch bei Psychologen und Philosophen. Es ist vor allem das Übereinkommen der Theorie mit einer kulturspezifischen Lebensform: Kulturmorphismus.

Das gilt mutatis mutandis für FREUDS Sublimationstheorie, die SCHELERS und ADORNOS besserer Einsicht zum Trotz[139] selbst in Freuds eigener Disziplin bis auf den heutigen Tag sich behauptet hat. Sucht der Mensch, der böse sein muß in unserer Kultur, um sich in ihr zu behaupten, in der Natur nach Bestätigung für sein »kämpferisches« Verhalten, so muß er umgekehrt sich einreden, nur dadurch »Kultur zu besitzen«, daß er einen natürlichen Antrieb unterdrückt. Anders fielen ihm die Verzichte, die man ihm abverlangt, zu schwer. Einer Ideologie des Faktischen ist es gleich, woher sie sich Bestätigung holt: ob von der Natur oder von einem Begriff der Kultur, der sich dadurch bestimmt, daß er *gegen* die Natur ist. Niemand lebt gern mit der Wahrheit, daß er nicht richtig lebt.

So voreingenommen, stört es weithin auch niemand, daß schon bei FREUD und LORENZ selber die jeweils behauptete Erkenntnis durchlöchert ist. FREUD, der doch davon überzeugt schien, daß ein Mann die »psychische Energie«, die er »für kulturelle Zwecke« verbraucht, »großenteils den Frauen und dem Sexualleben« entziehe[140], derselbe FREUD konnte sich doch des Eindruckes nicht erwehren, daß sexuelle Abstinenz nicht »energische, selbständige Männer der Tat oder originelle Denker, kühne Befreier und Reformer« heranbilden hilft, sondern »weit häufiger brave Schwächlinge, welche später in die große Masse eintauchen, die den von starken Individuen gegebenen Impulsen widerstrebend zu folgen pflegt«[141]. Es hat nicht an Versuchen gefehlt, noch diese Beobachtung mit der Sublimationstheorie zu vereinbaren: Wer über starke sexuelle Kräfte verfüge, der könne zugleich auch noch eine Menge davon sublimieren. So argumentieren die Apologeten[142], nicht merkend, daß mit dem moralistischen Sinn der Sublimationstheorie ihr ganzer Gehalt sich verflüchtigt. (Schon »im Begriff der Sublimierung« liegt, wie OSKAR PFISTER gesehen hat, »eine ethische Wertung«[143].) Nach der apologetisch revidierten Theorie hätten wir doch unsere Sinnlichkeit zu entfalten, um je genug davon »sublimieren« zu können. Wozu dann aber die Empfehlung, ja auch nur die Rede von Sublimation, wenn am besten »sublimiert«, das heißt geistig arbeitet, wer um Sublimierung, also Entsexualisierung[144], sich gar nicht bemüht? Der erste Zweck der Theorie, die Anpassung der Psychoanalyse ans herrschende Wertsystem, wird mit Mitteln der Logik so wenig erreicht wie der zweite, dem ehrgeizig Strebenden einen Geheimtip zu geben. Was bleibt von einer magischen Lehre, wenn sie ihre Zwecke verfehlt? Die Probe auf ihre Richtigkeit wäre der – dritte – Zweck, den sie mitschleift: die Lust, die auch sublimierte Libido noch hergebe. Es gibt aber keine Sublimierung sexueller Energie, wenn darunter verstanden werden müßte, daß orgastische Lust durch geistige Arbeit sich ersetzen ließe. FREUD, der das vorspiegelt, hatte den suggestiven Gedanken längst eingeschränkt, ehe er ihn ausdrücklich formulierte[145]. Er ging davon aus, daß Sublimierung immer nur einen Teil der Libido »erledigen« könne[146]. Es kam ihm auch von allem Anfang an so vor, als gelinge die »Bewältigung« der Sexualität durch Sublimierung nur »einer Minderzahl, und wohl auch dieser nur zeitweilig, am wenigsten leicht in der Lebenszeit feuriger Jugendkraft«[147]. Die Erfahrung bestätigt, daß durchweg triebschwache Naturen mit der

Behauptung, »sublimieren« zu können, verblüffen. Nur zu gerne verstehen sie ihre Lebensführung als eine »Zügelung« starker sexueller Potenzen, über die sie in Wahrheit gar nicht verfügen. Wieviel davon Lüge ist, bloßer Wunsch oder Unwissenheit, ist schwer zu bestimmen. (Woher soll der Schwache wissen, was Stärke ist?)

Die herrschende Moral der Sexualverdrängung läßt tiefenpsychologisch sich nicht rechtfertigen. FREUDS Versuch zeigt alle Mängel eines wissenschaftlich gemeinten Kompromisses. LORENZ seinerseits, der doch die Aggressivität zum eigentlichen Grund-Trieb alles Lebendigen erklärt, kommt nicht umhin festzustellen, daß zumindest die »intraspezifische Aggression«, also der für seine Theorie so wichtige Kampf unter Artgenossen, bei einigen Tieren entweder überhaupt oder doch in bestimmten Perioden fehlt[148]. Die metaphysische Theorie, Aggressivität sei der alles bewegende Natur-Trieb, wird damit unversehens problematisch. Wenn bei einer Tierart (wie es bei vielen Fischen der Fall ist) aggressives Verhalten nur während der Brunft oder in der Brutzeit sich findet, dann heißt das eben: Bei *diesen* Tieren zumindest ist der Drang zur Aggression kein primärer, nicht weiter abzuleitender Trieb, sondern allenfalls ein *sekundärer Trieb*, bloße Funktion des Geschlechtstriebes oder des Brutpflegeinstinkts. Der Mensch mit seiner chronifizierten Sexualität* nimmt unmittelbar an sich selber dieses Bedingungsverhältnis nicht wahr. Dies um so weniger in einer Gesellschaft, wo die gedrückte Sexualität schon in aggressiver Verbiegung hervorkommt. Das Vorurteil (»Alles ist Kampf«), das hierauf sich gründet, trübt aber noch dem Verhaltensforscher den Blick. Das Ellenbogensystem der eigenen Kultur etabliert vollends die Aggressivität als metaphysisches Prinzip. Das Prinzip zu halten, bedarf es dann aber der Rede von »Ausnahmen«, als ob nicht schon jede Ausnahme von einem Seinsprinzip prinzipiell es durchlöcherte. Sosehr die Neigung besteht, die Wirklichkeit in ein ideologisches Guttapercha zu packen: die Wahrheit näßt wieder durch[149].

c) Der Mensch als reines Kulturwesen

Der FREUDschen Sublimationstheorie durchaus verwandt ist ARNOLD GEHLENS Leugnung einer biologisch bestimmbaren Natur des Menschen. Die Behauptung, »niedere« Triebe ließen sich sublimieren, setzt

---

* Siehe den III. Teil auf Seite 130!

sogar jene Modifizierbarkeit der menschlichen Natur voraus, die bei GEHLEN vollends behauptet ist in dem Satz, der Mensch sei »von Natur ein Kulturwesen«[150]. Er hätte also, so paradox es klingt, von Natur aus keine Natur, jedenfalls keine festlegbare; seine schon natürliche Bestimmung wäre es, in und um sich »Kultur« zu erzeugen: Kultur als irgendeine, als bloße Hohlform eines geregelten Lebens. ›Der Mensch als Kulturwesen‹ hätte demnach ein Sein, das jede beliebige Natur im Prozeß der Kulturentwicklung anzunehmen vermöchte. Noch der Ruf »Zurück zur Natur!« erschiene als eine bloße Laune der Geistesgeschichte, nicht als das lautgewordene Unbehagen des Leibes an einer Kultur, die ihn nach Kräften ignoriert.

Die GEHLENsche Anthropologie dient bereits – ob GEHLEN ursprünglich selber das wollte oder nicht – zur »wissenschaftlichen« Rechtfertigung der geltenden sexuellen Tabus. HELMUT SCHELSKY ist der bekannteste Name, mit dem solche Bemühungen sich verbinden. SCHELSKY faltet GEHLENS Anthropologie zusammen in den Satz: »Das ›Natürliche‹ ist nicht die biologische Natur, sondern die anerkannte Sitte.«[151] Die Bemerkung ist halb ideologiekritisch gemeint, halb ist sie es nicht, weil SCHELSKY zugleich KINSEY vorwirft, er mache das biologisch Naturhafte zur sozial-moralischen Norm. – Für entschiedenere Geister wie den katholischen Moraltheologen SCHÖLLGEN hat die »moderne Soziologie« bereits klipp und klar bewiesen, daß es ein biologisch naturhaftes Verhalten beim Menschen nicht gibt, daß vielmehr menschliche Anlagen »ihre Gestalt erst an rechtlichen und ethischen Setzungen« gewinnen[152]. Jede moralistische Deformation ursprünglicher vitaler Anlagen reüssiert damit stillschweigend zur sinnvoll geprägten Gestalt, was die These erst stützt, aus der es gefolgert ist.

Nun ist der Satz von der kulturellen Natur des Menschen von einer Art, daß in den Irrtum sich stürzt, wer ihm einfach widerspricht. Die Natur des Menschen ist es natürlich nicht, im Stile von ROUSSEAU *gegen* die Kultur zu sein. Kultur als eine Lebenswirklichkeit, wie immer sie geworden ist, wird stets soviel Natürliches in sich noch enthalten, um innerhalb der Natur, die den leibhaften Menschen doch jederzeit umschließt, sich zu behaupten. An den Berührungsstellen menschlicher Werke mit der sie umgebenden Natur könnte sich zeigen, wieweit Kultur-Gebilde überhaupt in sich selber schon Elemente des Natürlichen tragen. *Menschliche Kultur und außermenschliche Natur sind, sowenig wie Leib und Seele, gar nicht voneinander zu trennen.* Wer unsere Lebenswelt in solche Begriffe auseinanderlegt, muß dann immerhin einen gemeinsamen Boden finden, der noch hinter einer Natur läge, die heute immer schon als Gegensatz zur Kultur gedacht wird. Aber das wäre die Natur schlechthin (als die Natur *im* Menschen wie *außer ihm)*, von der auch der noch so »kulturelle« Mensch sich nur innerhalb eines Rahmens wird emanzipieren können, den er selber absteckt mit seinem Willen, dem Dasein verhaftet zu bleiben. Läßt dieser Wille nach, so gewinnt noch der Tod für ihn einen »Wert«. Im Verspüren seiner vitalen Antriebe aber wird der Mensch dem dunklen Grund seines Daseins sich nahefühlen. Wenn er gleich SENECA, EPIKTET oder MARCUS AURELIUS den Leib verachtet[153], schmäht er – im letzten blasphemisch – den Boden, auf dem er steht.

Der Mensch als »Kulturwesen« – ohne eine ihm angeborene Natur: das ist der Mensch, gedacht als reiner Geist mit dem Appendix des Körpers. Aber der Mensch ist nicht dieses reine Geistwesen, als das er sich, persönliche Unsterblichkeit erhoffend, imaginiert. Wobei solche Jenseitserwartung dem ungestillten Triebe erst sich verdankt. »Jedes Bedürfnis, dessen wirkliche Befriedigung versagt ist, nötigt zum Glauben.« (GOETHE[154]) Es nötigt jederzeit zu einem Glauben, in dem der Mensch sich als mehr erscheint als sein von Trieben bewegter (und beunruhigter) Körper. Aber er »ist« sein Körper, wenngleich so, daß dieser Körper seiner selbst bewußt werden kann. Wer sich selber so ansieht, als sei sein Körper nur eine wie zufällige Bestimmung an »ihm«, der ist dabei doch mit jeder Faser seines Wesens darauf gerichtet, etwas an sich selber zu entdecken, was allem Wandel und der Vergänglichkeit entrückt wäre. Da sichtbar nur der Leib es ist, der altert und verfällt, muß etwas aller Leibhaftigkeit Entzogenes, ja Entgegengesetztes, als das Unwandelbare, Absolute in sich selber postuliert werden, um den Glauben an eine Fortexistenz, die irgendwann eine »Erlösung« brächte, sich zu erhalten. So versteht der *reine Geist* von dem ungestillten vitalen Bedürfnis her, das ihn hervorbringt, sich, paradox genug, sofort als Gegen-Macht und Gegenkraft gegen alles Vitale. Der so an seine Selbstmächtigkeit glaubende »Geist« kann aber – vor sich selber – sich nur bestätigen, indem er den Lebensgrund, den er als das rein Körperliche versteht (und entwertet), erst recht in seinen elementaren Regungen unterdrückt. Dabei entsteht – vor endgültiger Abstumpfung – tatsächlich so etwas wie ein regeres geistiges Leben: Die verdrängten Triebe lassen den »Geist«, der von ihnen doch frei werden sollte, nicht mehr in Ruhe. Wir haben schon aufgezeigt*, welcher Selbsttäuschung wir erliegen, wenn wir glauben, einen vitalen

---

* in dem Kapitel »Gehirnsinnlichkeit« dieses IV. Teils.

Antrieb wirklich besiegen zu können; er wird, in seiner Ursprünglichkeit gebrochen, sich rächen an jenem Geist, der ihn »überwindet«, indem er noch das Denken vergiftet.

Wir spüren schon: Selbstmächtigkeit – Unterdrückung – Sieg, das sind Kategorien, in denen ein Leben jenseits des Ethos der Liebe sich vollzieht; das sind Kategorien des Geistes der Macht. Man darf nicht meinen, daß einer im Verhältnis zur eigenen Körperlichkeit den Standpunkt der Macht behaupten und doch zum Mitmenschen in eine ursprüngliche Verbundenheit kommen kann. Wer in bestimmter Hinsicht sich selber gegenüber »hart« ist, der ist es auch gegenüber Anderen, ja erst recht: weil die in Frustrationen freiwerdende Aggressivität sich noch im Namen des Guten auf den Mitmenschen stürzt. Nicht nur ist Triebverdrängung mit ursprünglicher Mitmenschlichkeit nicht vereinbar (allenfalls mit einer, hinter deren Äußerungen ein geheimer Machtwille flackert), sondern es ist umgekehrt der in Triebverdrängung sich ausformende Wille zum absoluten Selbstsein der phänomenale Kern des Willens zur Macht. Daß dieser auch in Exzessen sich ausbilden kann, bestätigt nur wieder den Zusammenhang in seinem tieferen Sinne: Die Verdrängung des vitalen Sinnes des so oder so *manipulierten* Triebes ist jedesmal die Voraussetzung. Man ist – als »Asket« wie als Exzessiver – weit davon entfernt, den Ansprüchen des eigenen Körpers Gehör zu schenken. Ausschweifung steht sozusagen »geistig« der Prüderie noch näher als der gesunden Sinnlichkeit, an der der Geist, der sie zuläßt, das eigentlich Gesunde ist: indem er den natürlichen Gezeiten von Bedürfnis und Befriedigung sich nicht entgegenstellt. Aus welchen Trieb-Gründen er dies versuchen könnte, sei einstweilen dahingestellt. Prüderie und Exzeß kommen jedenfalls darin überein, daß sie den »Willen« des Körpers ignorieren.

Kein Wunder, daß eine Philosophie, deren ganzes Denken ein Denken gegen den Leib ist, am Ende noch Exzesse und Perversionen als Anzeichen deutet, die auf einen freien Willen des Menschen zurückdeuteten: so als habe er's wie ein Gott in der Hand, die Formen sich zu bestimmen, in denen er im Rahmen einer bestimmten Gesellschaft seine vitalen Bedürfnisse befriedigt. Da Tiere unter analogen Bedingungen – Ratten zum Beispiel auch bei Mangel an Lebensraum[155] – »perverses Verhalten« entwickeln, kommt doch aber niemand auf den Gedanken, sie hätten es aus sich selber – freien Willens – entwickelt. Schon der zwanghafte, suchtartige Charakter perversen Verhaltens schließt jede Freiheit dazu oder dagegen ganz aus. Was den homosexuellen Menschen von einer homosexuellen Ratte in dieser einen Hinsicht nur unterscheidet, das ist sein soziales Bewußtsein des Andersseins, nicht ein freies Vermögen, »anders« zu werden. Die Ideologen der herrschenden Ordnung, die den Menschen zum reinen Geistwesen stilisieren, zu einem Wesen, dem eine Reihe natürlicher Instinkte glatt fehlten, verschleiern damit – bewußt oder unbewußt – nur ihre eigene Ablehnung der vitalen Triebe. Man sagt, der Mensch sei zu Höherem und Besserem geboren als Sinnenlust und Seelenfrieden, nämlich zu »Opfer, Konflikt und Verzicht«[156], um nicht sagen zu müssen, daß man ihm jede Freude mißgönnt. Die Fürsprecher der herrschenden Ordnung erfinden eigens für den Menschen einen »konstitutionellen Antriebsüberschuß« (GEHLEN), um das Kleinhalten seiner vitalen Antriebe, dem der »Überschuß« erst ent-springt, zu bemänteln[157]. Die neue Anthropologie stützt die alte Moral.

Das triebhafte Wesen des Menschen wird von unserer gesamten »Geisteskultur«, die seiner Umstrukturierung sich anheftet, nur verniedlicht oder verleugnet, verketzert oder dämonisiert, kaum jemals aber unbefangen bejaht. Die herrschenden sittlichen Postulate gründen sich dabei auf ein anthropologisches Bild, für das eine Lüge konstitutiv ist: die Lüge von der Beherrschbarkeit unserer Triebe. »Das Gute«, zu dem wir uns – gegenseitig – zwingen, treibt aber ein »Böses« aus uns erst hervor, das von der Idealisierung unserer »Menschenwürde« drohend sich abhebt. Das Bewußtsein, durch das wir vom Tier zwar wesentlich uns unterscheiden, ändert doch jeweils nichts an den Trieb-Gründen, aus denen wir sinnenhaft freudig der Welt und dem Mitmenschen uns zuwenden oder aber neurotisch krank, pervers oder süchtig uns in uns selber verkrampfen, wobei immer wieder in aggressiver Entladung einer dem anderen zusetzt. Unsere vitale Natur kann nur entweder ungebrochen sich ausleben oder ins Natur-Widrige: ins Lebenzerstörende, sich verkehren. Ein Drittes wäre die Wirkung des bloßen Bewußtseins auf eben den Leib, der in ihm sich selber »bewußt« wird. Und das ist gegen die Logik des Realen.

Diese »Logik« schließt nicht aus, sondern ein, daß die ihrer selbst bewußte Triebnatur immer schon gewandelt ist im Verhältnis zu einer, die unbewußt oder im »schlichten Erleben« (LERSCH[158]) sich aus-lebt. Das bedeutet, daß selbst die bewußt bejahte Homosexualität schon »kultiviert« erscheint neben einer, die ungeordnet aus Verdrängungen sich hervorquält. Aber die Kultivierung eines Triebes ist niemals eine »Wirkung« des Bewußtseins oder gar der sittlichen Postulate, die ans Bewußtsein, »den Geist« oder dessen »Einsicht« appellieren[158a]. *Das Bewußtwerden eines Triebes und seine Wandlung dabei sind nur zwei*

Seiten desselben Prozesses. Die vitale Grundtendenz eines Triebes bleibt darüber erhalten, auch eine frühe geprägte Trieb-Deformation. Sexuelle Perversion ist nicht der Fluch des »bösen« Bewußtseins, sowenig wie Triebverzicht etwa sein Segen. Perverse und sexuell inaktive Tiere belegen es. Schon unser Bewußtsein müßte sich ziel-bewußt steuern lassen, wenn das sexuelle Verhalten eine vom Bewußtsein *vorgezeichnete* Richtung nähme. Denn Bewußtsein ist immer Bewußtsein von etwas. Es kann dem vitalen Etwas, auf dem es »reitet«, nicht zu gleicher Zeit als sittlicher Herold vorangehen*. Der konsequent durchgeführte Leib-Seele-Dualismus ist – Spaltung des Bewußtseins: seine Spaltung in eines, welches das leibhafte Geschehen reflektiert, und in ein anderes, das die Vollzüge dieses Geschehens programmierte. Nur ein geistiger Münchhausen vermöchte bewußt sein leibhaftes Dasein am eigenen Schopfe zu fassen: um es zynisch zu pervertieren – oder frei »emporzuheben« in die reine Luft keimfreier Sitte.

d) Das Idol der »sittlichen Freiheit«

Nach der GEHLENschen Anthropologie hat der Mensch die Freiheit, von den ursprünglichen Zielen der Triebbefriedigung sich zu lösen, die Freiheit, zwischen sich und den Triebzielen Zwischenziele einzuschieben und diese gleich Endzwecken zu verfolgen[159]. Er kann, konkretistisch gesprochen, zum Beispiel irgendwo Kartoffeln ausgraben, weil er Hunger hat. Er kann aber auch Drahtkörbe flechten, um dafür Geld zu bekommen, für das er sich erst die Kartoffeln kauft, die vielleicht in Körben aus seiner Firma auch in seinen eigenen Keller verfrachtet werden. Das simple Beispiel schon zeigt, daß einer still für sich nicht die Freiheit hat zu bestimmen, ob Mittel ursprünglicher Triebbefriedigung für ihn selber zu Zwecken werden sollen oder nicht. Zwischenziele bestimmen sich im Gesamtrahmen der Gesellschaft. Sie erklärt auch die »direkte Aktion« (wie das Ausgraben von Kartoffeln auf fremden Feldern) oft als ungesetzlich. Wo vollends stets einer gegen die Andern sich durchzusetzen versucht gemäß einer ihnen allen verbindlichen Regel der Konkurrenz, da gibt die Gesellschaft dem Heranwachsenden schon auch den Willen mit ein, zu wollen, was hier jedermann begehrt: das ist hier und heute vor allem Geld und Prestige. Man sage nicht, ein jeder wolle doch das Leben genießen, wolle gut essen und trinken

* Wo es scheinbar dies tut, reflektiert es in Wahrheit nur Entwicklungstendenzen der vitalen Natur.

und »Glück haben« beim andern Geschlecht. Wenn einer nur über das Existenzminimum verfügt, dann will er vor allem Geld und immer noch mehr Geld – als Voraussetzung eines »feinen Lebens«. Den ursprünglichen Zweck des Lebensgenusses aber mag er darüber vergessen. Ja, der kann ihm sogar überhaupt nie bewußt gewesen sein. Das von der Gesellschaft gesetzte Mittel zum Zwecke der Triebbefriedigung wird so zum Selbstzweck; aber dies nicht kraft der freien Einsicht des Einzelnen, sondern gerade durch seinen mangelnden Einblick ins Trieb-System der Gesellschaft. Der Puritanismus heiligt Geld und Prestige zum absoluten Zweck, um von den bösen Trieben uns zu »befreien«: uns abzulenken; aber er kann das auch wieder nur, indem er durch Geldglanz und Ehre die Lust, die nicht sein soll, ein wenig hindurchschimmern läßt. Am Ende dient alle Tugend – wie bei den frühen Mormonen – doch bloß dazu, um durch ein Plus an Lust noch belohnt zu werden. Der Trick der Auguren dabei ist es, nur wenige erreichen zu lassen, was schier alle ersehnen: Nur die »Würdigsten« ja bekamen die Möglichkeit, sich mehrere Frauen zu nehmen.

Was da die Tugend galt, gilt heute das Geld. Der Wert des Geldes ist jedermann vorgegeben. Frei ist einer nur in dem Willen, dem allgemeinen Streben nach Geld sich mehr oder weniger *erfolgreich* zu fügen. Noch die Formen, sich aufzulehnen, sind uns im Konkurrenzsystem vorgegeben: »frei« wird, wer besonders tüchtig sich einreiht. Die Freiheit von der Willkür der Anderen ist erkauft durch völlige Übernahme ihrer Werturteile. Das ist genau jene Art Freiheit, die die Ideologie der herrschenden Ordnung als »sittliche« und politische Freiheit verklärt.

Aber was ist das für eine Freiheit, die den Menschen auf die Möglichkeit hinstößt, nach Geld, Position und »Einfluß« wie nach einem Triebziel zu streben, nicht aber nach den ursprünglichen Zielen des dabei verdrängten, aber noch wirksamen Triebes? Die tiefere Unfreiheit, die man als sittliche Freiheit ausgibt, liegt in der Deformation des Strebens selber, nicht in einem Unvermögen, seine Strebungen zu verwirklichen. Der Mensch will allemal nur verwirklichen, wonach er strebt. Das will er in Freiheit. Aber wo seine Strebungen unter dem Druck der Gesellschaft schon unfrei geworden sind, empfindet er sich erst recht noch als frei. Er darf hier ja tun, was er will, weil er nur will, was er soll. Man kann gerade deswegen hier und heute von »sittlicher Freiheit« überhaupt reden, weil die Strebungen schon verbogen sind. Der Mann, der nicht mehr unbefangen eine Frau zu begehren vermag, sondern bei schönen Frauen immer sofort an das Geld denkt, das ihm fehlte, erscheint als der sittlich Freie, der das Begehren – frei – in sich überwindet. Wie frei aber ist er, da er *immer* an Geld denkt, wenn eine Frau ihm gefällt, auch dann, wenn er Geld für sie gar nicht brauchte? Sein sittliches Selbstbewußtsein reflektiert das noch als »Verantwortung für die Familie« oder ähnliches. Jedoch, da solche Verantwortung die finanzielle Fürsorge fast immer mit einschließt, ist der Gedanke ans Geld im Falle der »Versuchung« nicht ohne vernünftigen Grund. Die Frage ist nur, wieweit es dem inneren Frieden einer Bindung guttut, wenn Geld der vorherrschende Gesichtspunkt wird, unter dem der Mensch sie erlebt. »Die Frau und die Kinder kosten Geld« – und auch die leichten Mädchen sind nur noch für Geld zu haben: unter diesem Aspekt werden eheliche Treue und außereheliche Abenteuer zum reinen Rechenexempel. Als der »sittlich Gefestigte« erscheint schließlich der, den der Gedanke ans Geld überhaupt nicht verläßt – von den primär Triebschwachen jetzt ganz zu schweigen.

Der Mensch, den der Gedanke ans Geld überhaupt nicht mehr losläßt, der vom Geld als solchem Besessene, das ist – für das Verständnis des Tiefenpsychologen – der »anal Fixierte«[160]. Ein solcher Mensch ist emotional in jener Phase der Entwicklung steckengeblieben, in der die Exkremente das höchste Interesse beanspruchen durften, nicht ohne kräftige Nachhilfe der Eltern. Denn die strahlten doch und belobigten ihr Kind, wenn es – täglich stolzer – seine Ausscheidungen vorwies. Das so gesteuerte Menschenkind lernt sehr früh, sich die Liebe seiner Umgebung zu erkaufen, und zwar termingerecht: durch jeweils das, was es »produziert«: Kot ist »sein erstes Geschenk« (FREUD[161]). Die Eltern erwarten es auch – und insofern ist es wie Geld, das man haben muß – zur festgesetzten Stunde. So vermittelt sich der kapitalistische »Geist« der Gesellschaft dem körperhaften Ich.

Geld symbolisiert das Exkrement. Was übrigens sprachlich nachklingt in so volkstümlichen Wendungen wie der vom »Geldscheißer«, der uns fehlte. Man achte auch einmal darauf, wie bei knauserigen oder profitgierigen Menschen oft deutlich die Neigung zu anal bezüglichen »Scherzen« jede andere »Anzüglichkeit« überwiegt. In dem, was wir leichthin oder »nur« wie im Spaß sagen, drücken die tieferen Zusammenhänge unseres Wesens sich aus. Ob wir Geld nur schätzen als Mittel zu anderen Zwecken oder ob es als Selbstzweck unser Denken beherrscht, liegt selber nicht mehr in unserer Macht. Es ist davon abhängig, ob die Liebe, die wir in frühesten Jahren erfuhren, uns nur unter bestimmten Bedingungen zukam oder (in einem unpathetischen Sinne:) bedingungs-los. Wir werden so in der Kindheit geprägt zu Grundformen des Verhaltens, an denen »sittliche Anstrengungen«, »Anforderungen an den Willen«, der frei sei, später nichts Entscheidendes ändern. »Sittliche Entscheidungen«, wie die Moral sie uns abverlangt und eben deshalb für möglich hält, rollen auf längst gelegte Geleise ihrer Verwirklichung.

Geld als Selbstzweck setzt den analen Charakter voraus. Der befremdliche Gedanke ist vollends einsichtig nur, wenn man sich klarmacht, daß der leibhafte Mensch schließlich alles, was für ihn Bedeutung gewinnt oder einen »Wert«, zuerst einmal sinnlich erleben muß. *Alle Werte, auch die »sittlichsten« und scheinbar geistigsten, sind leibhaft verankert.* Anders wären sie keine Werte[162]. Der Wert des Geldes kann so ursprünglich einem Menschen auch oral – über den Mund – sich vermitteln: durch die Süßigkeiten, die er, noch Kind, dafür zu kaufen bekommt. Er bezahlt und spendet dann, sowie er Geld gibt, zeitlebens »mit Süßem« – jedenfalls nach seinem vitalen Verständnis des Geldes. Für die Liebe zum Geld als solchem aber, für den Geldfetischismus, muß die »anale« Theorie erklärend eingreifen: weil das Geld nur Selbstzweck werden kann für den, der leibhaft und wortlos den Begriff »Geld« schon entwickelt hat, noch ehe er Geld der Notenbank, das ja immer Mittel zum Zweck ist, zur Hand nimmt.

Geld als Selbstzweck, jeder »Wert an sich« überhaupt, ist vermittelt durch eine Nötigung des Leibes in frühester Kindheit. Auf das, was den Kindern »not tut«, auf die anerkannt »richtige Erziehung« stimmen wechselseitig die Erzieher sich ab. So entwickelt sich im großen ein Ethos, und es tradiert sich, ohne daß die jeweiligen Träger der Tradition selber wüßten, woran sie tragen. Sie sind, noch wo sie die Beherrschung verlieren, treue »Arbeiterinnen« am Termitenbau der Moral. Die herrschende Ordnung verfiele, wenn ab sofort die Kinder nicht mehr verprügelt würden, nicht mehr angeschrieen und nicht mehr peinlich in ihren vitalen Bedürfnissen reglementiert*. Die verbreitetste Form der Kleinkinddressur prägt täglich neu die Grund-Werte unserer Kultur, indem sie in den kleinen Körpern die ihnen gemäßen typischen Reaktionswege bahnt. So bekommt der leibhafte Mensch das Gerüst seiner sittlichen Überzeugungen, noch ehe er sprechen kann[163]. Das macht diese »Überzeugungen« dann so beständig: daß sie im Grunde gar keine sind. Es sind Dispositionen des Leibes. Politische oder weltanschauliche Zielsetzungen sind eher noch auswechselbar – innerhalb ein und derselben Kultur. Alle Konvertiten und Frontwechsler geben dafür Zeugnis; aber umgekehrt auch dafür, daß Eifer und Kampflust,

* Auf die Prügelstrafe, jenen »Bestandteil der Familiensitte« (Hävernick), kommen wir im V. Teil noch zurück.

Prüderie oder Trunksucht noch den kühnsten »Frontwechsel« überstehen. Die sozusagen »körpernäheren« Affekte werden so leicht nicht geändert. Sie stehen zugleich nahe am Kern unseres Gewissens. Es gibt moralische Überzeugungen, in denen oft verblüffend der militante Atheist mit dem Bigotten sich findet. Wir dürfen dann schließen, daß sie in ihrer Triebstruktur sich gleichen.

Da wir alle an unserem Körper in dieser Kultur schon von klein auf etwa dieselben Reglementierungen spüren, bilden sich in einem jeden von uns auch dieselben sittlichen Wertbegriffe und Ich-Ideale, bei dem einen nur ausgeprägter, beim anderen mehr verschwommen. »Sittliche Belehrung« durch das Wort schafft nur noch eine Überdetermination des so entwickelten »Strebens«, dessen Hauptanteil die *ungestillten* Triebe sind. Als »unbestimmte Sehnsucht«, als »Erlösungsbedürfnis« oder auch als Ehrgeiz dringt die vitale Unlust noch in sittlich gefälliger Form ins Bewußtsein. (Von aggressiveren Formen ihrer Äußerung sei hier einmal abgesehen.) Das heißt, daß auch das Bewußtsein die Not des Leibes nur noch gebrochen wahrnimmt, eben gebrochen durch die eingeschliffenen Fehl- und Ab-reaktionen, die die nervöse Grundlage sogenannter sittlicher Entscheidungen bilden. Das bewußte Ich denkt sich selber als frei, sowie es zwanghaft den libidinösen Ansprüchen seines Leibes zuwiderhandelt. Es glaubt dabei einen Sieg des Geistes über das Fleisch zu erringen – und sieht nicht: kann nicht sehen, daß solche »Siege« nichts sind als die »Leistung« eines vegetativ fehlgesteuerten Körpers. Das bewußte Ich könnte immerhin solche Fehlsteuerung sich selber zuschreiben, wenn ihm deren leibhafter Charakter unmittelbar gegeben wäre. So aber, da erst tiefenpsychologische Erhellung den vitalen Grund aller Hemmungen in früher Kindheit entdeckt, ist noch das Bewußtsein, das sich als ihr Herr dünkt, von ihnen geprägt. Der Mensch unserer Kultur hat mitsamt der reinen Körperlichkeit seines Daseins auch den körperlichen Ausgang seiner leibfeindlichen Ideale verdrängt.

V. TEIL

DIE KULTUR DER KRIEGE UND VERBRECHEN

A.

ZERSTÖRUNG ALS KULTURELLES PRINZIP

a) Kultur, die sich selbst vernichtet

FREUD ist vorgeworfen worden, er habe seine Psychoanalyse eigentlich nur für die höheren Stände geschaffen, für Menschen, die in Sicherheit und Wohlstand keine anderen Nöte kennten als die sexuellen[1]. FREUD selber hat sich gewundert, weshalb die einfachen Leute »mehr Gemeinschaftsgefühl besitzen als wir«. Die Bemerkung steht in einem Brief des Siebenundzwanzigjährigen an seine Braut[2]. FREUD hat für das, was ihm damals aufgefallen war, auch später nie eine Erklärung gefunden. Er hat sie vielleicht auch nicht mehr gesucht. Seine entschiedene Meinung, daß Sexualverdrängung kulturnotwendig sei, mußte ihm den Zusammenhang verdecken, der heute doch gesehen werden sollte: der Zusammenhang von Sexualverdrängung und mangelnder Mitmenschlichkeit. Der durch eine »gute bürgerliche Erziehung« nachhaltig sexuell Gehemmte entbehrt in seinem Verhältnis zum Mitmenschen überhaupt der vollen sinnlichen Erfahrung. Er entwickelt keinen Sinn für das leibhafte Wesen eines Anderen. Er kann darum so leicht seinen »Nächsten«, der ihm erst noch gepredigt werden muß, ignorieren, ohne willentlich Böses zu tun. Eine sinnenfeindliche Erziehung hat ihn »sittlich gefestigt«, das heißt *in sich selbst* verfestigt, seine Libido dabei auf autoerotische Wege gedrängt; kein Wunder, daß er zuletzt in allem von sich selber ausgeht und auch »geistig« dem Ich einen Vorrang bescheinigt vor dem Du. So geht alle bürgerliche Ethik von jenem Egoismus aus, von dem wir – laut SCHOPENHAUER – »alle strotzen«[3]. Aber das ist kein anthropologisches Faktum, sondern ein Merkmal des moralistisch verstümmelten Menschen unserer Kultur.

Man könnte nun meinen, eine sinnvolle Aufgabe für die Ethik, die Gesetzgebung und die Kriminalpolitik sei es, unser Leben so einzurichten, daß einer dem andern als Mitmensch nahebleibt und verstehbar. Das hieße: zwanglos aus der Natur des Menschen das Beste herauszuholen, anstatt sie unter Verbote zu zwingen, deren Naturwidrigkeit erst das eigentlich Böse aus ihr hervortreibt. Das Böse, das ist:

Beziehungslosigkeit, Gleichgültigkeit oder Feindseligkeit und Grausamkeit. Dergleichen aber ist in der noch ungebrochenen humanen Natur gar nicht angelegt, jedenfalls nicht so, wie etwa die Mannbarkeit schon im kleinen Kinde bereitliegt. *A-soziales Verhalten ist vielmehr ein Produkt der Verkümmerung der ursprünglichen Menschennatur*, die oft am schwersten verkrüppelt sein kann, wo es äußerlich wenig ins Auge fällt, außer vielleicht durch eine geduckte, »verschlagene«: verprügelte Haltung. Es kann hier nicht schon unsere Aufgabe sein, praktische Vorschläge zu machen. Vieles wäre durch die Forschung erst noch zu klären, so die Frage, welchen – vermutlich doch geringen – Anteil die »Kriminellen auf organischer Grundlage« (Alexander-Staub) an der allgemeinen Verbreitung des Verbrechens haben[4]. Die »Kollektivschuld der Gesellschaft« am Aufkommen des Verbrechens, von Franz von Liszt schon benannt, ist kaum wissenschaftlich formuliert, geschweige sozial und kriminalpolitisch wirksam. Wissenschaftlich formuliert wäre sie erst, wenn die bösen Folgen einer falschen Moral anthropologisch klargelegt würden. Was aber hilft es zu fordern, daß Kriminalpolitik auf Anthropologie sich zu gründen habe, wenn eben die Anthropologie gar keine materialen Bestimmungen für das Wesen des Menschen mehr beibringt, sondern ihn formal bestimmt als ein »Kulturwesen«[5], aus dem faktisch alles werden könne, und das heißt: mit dem man alles machen kann.

Der Mensch, der hier und heute widerspruchslos eine Moral akzeptiert, die doch im letzten körperlich ihn versehrt, dieser »angepaßte Mensch« wehrt womöglich sich gegen die »Zumutung«, seine Triebnatur zu bejahen. Der Arzt oder der Kulturkritiker, die zu einer Lockerung der sexuellen Normen ermutigen, stoßen leicht auf den Vorwurf, sie wollten störend in eben jenen Intimbereich hineinreden, der doch selber erst vom Einbruch der Sittlichkeit in die menschliche Natur her datiert. Wer strengstens untersagt bekommt, wozu schon seine angeborene Natur ihn drängt, hat spätestens von dem Augenblick an, da er's trotzdem tut und geheim, eine »Intimsphäre«. Die »Sünde« ist so wichtig wie das Verbot, um die Erhabenheit des Intimen zu schaffen.

Nun könnte es dem Kulturethiker gleichgültig sein, wie die Leute sich ihr Triebleben einrichten, wenn nicht im großen als Destruktion wieder herauskäme, was die vielen Angepaßten sich tapfer versagen. Die Gesellschaft im ganzen zahlt für die gewissenhafte Sittsamkeit eines jeden. In diesem Sinne ahnungsvoll sagte umgekehrt bereits Mandeville, private Laster seien öffentliche Tugenden[6]. Der Homo politicus wird durch privates Vergnügen entschärft.

Wenn das für die herrschende Moral und ihre »Laster« zutrifft, so böte sich als objektiverer Maßstab für die Ethik die jeweils abgestufte Frage, ob das Tun und Lassen des Einzelnen größeren Zusammenhalt in der Gesellschaft ermöglicht, und, wenn ja, ob damit nicht doch die kollektive Aggressivität nach außen sich erhöht. Alle bisherige Ethik erörtert demgegenüber mit Vorliebe Fragen privater Lebensführung – ohne rechten Bezug zur Gesellschaft; das Problem des inneren und äußeren Friedens erscheint, wenn überhaupt, unter überwiegend juristischen Aspekten[7]. Die kollektive Aggression ist kaum Gegenstand psychologischer Forschung, während die individuelle, also das Verbrechen, sorgfältig – kriminologisch – analysiert wird. Das liegt womöglich daran, daß dem kollektiven Verbrechen: dem Krieg, dem Pogrom, der Revolution, ein Wissenschaftler sich nie ganz *gegenüber* sieht: Er ist, ob aktiv an Gewaltakten beteiligt oder nicht, immer schon ein Teil der Gesellschaft, die sich da austobt. Der Kriminelle geht eigene Wege, ohne dabei die Zwänge, die uns alle binden, zu verlassen. An ihm wäre daher zu studieren, woran wir alle insgeheim leiden – als Opfer einer Kultur, die unserer Triebnatur nicht gerecht wird. Dem Vorschlag widerspricht, daß der Verbrecher zumeist schon vom Körperbau her zur Gewalttat prädestiniert erscheint: »›Athletische‹ Typen finden sich doppelt so häufig unter den Delinquenten« als unter der Bevölkerung insgesamt[8]. Die Frage aber ist, ob nicht *der Grundirrtum der herrschenden Moral gerade darin besteht, daß sie die Menschen alle als gleich behandelt,* daß sie – im idealistischen Glauben an die Gleichheit aller Menschen – die angeborenen Unterschiede ignoriert. Der besonders triebstarke Mensch brauchte selbst bei geringer Pfiffigkeit nicht zum Gewaltverbrecher zu werden, wenn die Moral in seiner Anlage etwas Positives zu sehen lehrte. Die Menschen wären erst dann völlig gleichberechtigt, wenn sie auch alle so verschieden sein dürften, wie schon ihr Körper es anzeigt. Dies zu erreichen ist eine Aufgabe für die Kultur, die *Kultur* im ursprünglichen Sinne: Pflege des Natürlichen, erst noch zu werden hätte.

Eine gesellschaftliche Ordnung, die rundum Front macht gegen alles Natürliche, gegen bestimmte Naturtriebe des Menschen zumal, wird in diesem Sinne noch gar nicht »Kultur« heißen dürfen. Wir haben bereits gezeigt, daß Kulturentfaltung und Sexualisierung keine Gegensätze sind, sondern einander enthalten*. Eine leibfeindliche Kultur muß folgerichtig eine Kultur sein, die – auf lange Sicht gesehen – sich selber

---

* Siehe im III. Teil Kapitel A, Abschnitt a!

vernichtet. Ein gängiges Vorurteil will es anders, will, noch wo es sich wissenschaftlich formuliert[9], daß »Ausschweifungen« und »Genußsucht« typische Zeichen kulturellen Niederganges seien. So wären denn durch »Sittenverfall« die alten Hochkulturen zum Erliegen gekommen? Der Arzt H. W. SIEMENS sieht es nüchtern: »Der wahre Grund des Untergangs der alten Kulturen ist das Aussterben ihrer Träger.«[10] Wobei als Träger der Kultur hier allerdings nur die privilegierten Klassen gemeint sind, nicht das Volk schlechthin. Die biologische Erklärung begrenzt sich so durch die Frage, wieweit Kulturen jederzeit nur die Kulturen einer Elite sind. Der Verfall einer Kultur als Lebensgefüge aller Schichten ist mit dem Niedergang ihrer führenden Schicht aber wohl nur dann zwingend verbunden, wenn die bislang Führenden das Volk in einer ihm naturwidrigen sittlichen Ordnung gehalten hatten – oder sich allererst anschicken, es zu tun. Der Historiker GIBBON nennt immerhin als eine der Hauptursachen für den Zerfall des Römischen Imperiums, daß es – genauso wie hier und heute – »unmodern« geworden sei, die Babys zu stillen[11]. Der Mensch, der von klein auf gewaltsam der ihm vorgegebenen Ordnung seines leibhaften Daseins entfremdet wurde und darum vitalpsychisch verunsichert ist, wird im Ganzen der Gesellschaft eine stabile Ordnung auf die Dauer auch nicht mit Gewalt sichern können. Eine naturwidrige Sittlichkeit kann so gerade die Wirkungen tun, die ihre Apologeten einem »Sittenverfall« unterstellen.

In einem ganz anderen Sinne nimmt ARNOLD TOYNBEE Enthaltsamkeit und Selbstbeherrschung als verräterische Zeichen einer sich auflösenden Kultur[12]: Eine bewußte Ethik der Askese ist Antwort auf die historische Herausforderung (*challenge*), die in dem schon vorausgesetzten Wankendwerden einer Ordnung besteht. Aber die faktische Askese des überwiegenden Teiles einer Bevölkerung wäre von solcher »Ethik« zu unterscheiden. Ein ganzes Volk »bescheidener«, sinnlich anspruchsloser Menschen wäre eher ein Zeichen »degenerierenden Lebens«, so wie es NIETZSCHE verstand[13]. Aber auch dies gilt nur unter der Voraussetzung, daß nicht ein harter Druck von oben generell Enthaltsamkeit erzwingt – in der Absicht, vitale Energien des Volkes für vorgeblich höhere Ziele freizubekommen. Zum Beispiel für den Krieg. Für diesen Fall aber behielte TOYNBEE in überraschender Weise recht: Wenn ein Volk den Rubikon überschreitet ...

Aus dieser Dialektik der Möglichkeiten gewinnen wir immerhin eine Vorsicht, die uns abhält, kulturhistorisch leichtfertig mit dem Begriff des »Sittenverfalls« zu hantieren. Ein Sittenverfall in erloschenen Kulturen ist nicht mit unserem heutigen Maß der »Sittlichkeit« zu bemessen. Auf eine so leibbejahende Kultur wie die des alten Hellas (Sparta ausgenommen) paßt es schon gar nicht. »Sittenverfall« kann jeweils nur bedeuten, daß die in einer Kultur bis dahin bestimmenden Werte sich entwerten, nicht, daß Erscheinungen sich zeigen, die vom Standpunkt einer anderen Kultur her als »unsittlich« zu bezeichnen wären Die Entwertung der herrschenden Werte kann dabei ebenso darin bestehen, daß die vitale Kraft der nach ihr wertenden – und richtenden – Schicht erlahmt, wie darin, daß andere Werte statt der eben noch geltenden sich ins Recht setzen. Vermutlich geht beides Hand in Hand.

Nun aber ist »Sittenverfall« auch in diesem doppelten Sinne nicht notwendig Ursache oder Begleiterscheinung kulturellen Niederganges. Eine andere (zunächst rein logische) Möglichkeit wäre die, daß in einer Kultur bis zuletzt die in ihr geltenden Werte aufs eifrigste gepflegt werden, so lange, bis durch eben die Pflege dieser Werte selber die Kulturgemeinschaft zugrunde gerichtet ist. Das war, wenn wir an Hand der Beschreibung Toynbees[14] das Schicksal Spartas und Assyriens betrachten, der eigentliche Grund des Untergangs dieser Kulturen. Man kann die Erziehung ganzer Generationen nicht auf kriegerische Tugenden abstellen, ohne zuletzt an den Geistern des Hasses zu scheitern, die damit notwendig gerufen werden. Mit anderen Worten: *Es gibt Kulturen, deren inneres Gesetz es ist, sich selber zu zerstören.* Was aber wird, genau besehen, dabei zerstört? »Die Kultur« als die ideale Ordnung bestimmter herrschender Werte? Oder nicht vielmehr die Gemeinschaft der Menschen, die die konkrete Kultur schließlich tragen? Dabei ist es gleichgültig, ob die Gemeinschaft physisch – durch Entvölkerung[15] – sich auflöst oder »nur« psychisch: durch ein schwindendes Gefühl der Zusammengehörigkeit. Wenn die Verbindlichkeit von Werten überhaupt, wie ich meine[16], auf faktischen Bindungen unter den Menschen beruht, dann müssen sittliche Werte, die ein Moment der Aggressivität enthalten, diese Verbundenheit schließlich auflösen und damit die Grundlage ihrer eigenen Geltung zerstören. Tapferkeit, Gehorsam, Selbstaufopferung – das sind solche Werte, die, realisiert, gegen das Miteinandersein selber sich stemmen. Denn miteinander-sein im vollen Sinne bedeutet: sich selber mitlieben im Mitvollzug der Liebe des Anderen.

Eine Führung, die von jedem »Volksgenossen« erwartet, daß er für das Ganze sich aufopfere, setzt eben damit die Axt an das Ganze der Gesellschaft. Dieses »Ganze« ist zwar so gut wie jedes andere noch mehr als die Summe seiner Glieder, aber nur, wenn diese nicht zu

Nullen sich erniedrigen: weil dann das Ganze zerfällt. Eine Kultur, die vom kulturellen Grundfaktum der mitmenschlichen Solidarität sich abneigt, bringt den Prozeß ihrer Selbstauflösung in Gang, schon da sie als eine militante Kultur sich bildet. Ist mitmenschliche Solidarität ein Wesenszug der Natur des Menschen selber, so findet an ihr jede mögliche Kultur eine natürliche Grenze. Kultur wird diese Grenze nur ignorieren können bei Strafe, darüber zu Fall zu kommen.

b) Die »geistige« Bedingung des Bösen

Eine Kultur, die dem Menschen ein Verständnis seiner leibhaften Natur verwehrt, muß notwendig ihn mit sich selber entzweien. Er wird hier angeleitet, sich aufgespalten zu denken nach Leib und Seele oder Trieb und Geist, und angehalten, sich für die »Seite« (oder den »Primat«) der Seele, des Geistes zu entscheiden. Die »sittliche Entscheidung«, die auf einer so willkürlichen Unterscheidung beruht, erreicht aber nur, daß das leibhafte Dasein verzerrt wird. Schon in den »psychosomatischen Störungen« kommt körperlich der Fehler wieder heraus, auf dem der Glaube an den Vorrang des Geistes beruht. Die vitale Natur, die dieser Glaube als »böse« verfolgt, läßt aber sich gar nicht ausrotten; sie sitzt, wo voll der Kampf gegen sie entbrennt, den Kämpfenden selber im Nacken. Für Zucht und Sitte streitend, stellen sie das »Chaos« erst her, vor dem sie sonst immer uns warnen. Sie schaffen, bewußt oder nicht[17], das reale Chaos im Körper eines jeden, der nach ihren Geboten sich ausrichtet, und das Chaos der Aggression im großen, die die Frustrationen im kleinen mit einem Schlag liquidiert.

Das vermeintliche Böse, das die Sittenwächter bekämpfen, läßt sich nur ausrotten um den Preis, das wahre Böse, das die Gesundheit und unser aller Leben bedroht, zu verstärken. Im Kampf für die »gute Sache« – für Freiheit und Menschenwürde, für oder gegen eine bestimmte Weltanschauung – ist dieses Böse, das an die Existenz greift, verschleiert. Der Glaube an den reinen Geist aber macht solche Verschleierung erst möglich. Der Mensch denkt sich als sein Bewußtsein; in ihm, so wähnt er, erst eigentlich er selber zu sein. Für das, was er träumt oder wie »unabsichtlich« tut, fühlt in solcher »Geistes«-Kultur sich kaum jemals einer verantwortlich, auch nicht für das, was er im Rausch einer kollektiven Erhebung verübt. »Das war ich nicht«, sagt sein Gewissen, »das war nur der Traum, den ich hatte.« Oder: »Das war ich nicht, der das gemacht hat; ich hatte nicht aufgepaßt, da *ist es* geschehen.« Oder auch: »Ich habe es nicht gewollt, was damals geschehen ist; *wir alle* wurden getäuscht.«

Der Mensch, der so einen Teil seines Wesens geradezu von sich selber abklammert, begibt notwendig sich der Möglichkeit, sich über seine entscheidenden Antriebe klarzuwerden und sie zu *kultivieren*. Da so namentlich alles Sexuelle aus dem wertenden Bewußtsein verbannt ist, nehmen wir alle in Kauf, daß der verleugnete (oder verniedlichte) Trieb immer wieder in jähen, ungeordneten Schüben die Decke einer keimfreien Sitte durchbricht, sei es durch erklärt »verbrecherische« Gewaltakte Einzelner oder in Ausbrüchen einer kollektiven Aggressivität, deren Trieb-Grund oft bis zur Unkenntlichkeit verdeckt ist. Der Preis für das traute Heim, das Leitbild strenger Gesittung, ist eine Politik, die, auf die Spitze getrieben, reihenweise dieses Heim in Schutt und Asche legt.

Niemand hat je sich schuldig dafür gefühlt. Krieg gilt wie einst als ein Schicksal, das über die Menschheit verhängt ist wie eine Naturkatastrophe, wie Hagelschlag, Dürre oder Überschwemmung. Ein Narr, wer die Möglichkeit eines ewigen Friedens überhaupt in Erwägung zieht. »Kriege wird's immer geben.« Das ist – ich habe mich umgehört – nach wie vor Volkes Stimme. Die fatalistische Haltung gegenüber dem Krieg – besonders spürbar zuletzt während der Kubakrise – ist ein Ausdruck dafür, daß der Mensch als Masse noch völlig hilflos ist gegenüber seiner eigenen Geschichte. Das »moralische« Motiv dieser oft trotzig behaupteten Ohnmacht aber ist die Weigerung, für das kollektive Morden im Kriege irgendwelche Verantwortung zu übernehmen. Da noch die jeweils eigene Führung vom Makel des »Kriegsverbrechens« freibleiben soll, so schimmert durch solche Exkulpierung eine latente Bereitschaft zum Krieg. Reflektiertere Köpfe sprechen es wieder aus: »Ich wünsche mir einen Krieg.«[18] Aber immer sind hinterher nur die jeweils anderen schuld. »Wir Deutschen (Franzosen, Engländer usw.: die Reihe ist beliebig fortzusetzen) sind kein Volk von Verbrechern.« Und kein Volk auch ist es natürlich, gemessen am abendländischen Begriff des Verbrechens. Die überwiegende Mehrheit eines jeden Volkes in unserem Kulturkreis lebt ernst, strebsam, ruhig – oder zumindest: sie erlebt sich so. Man führt »ein geregeltes Leben«. Selbst der recht häufige Familienkrach am Sonntag – es gibt darüber leider nur in Schweden eine Statistik – kann diesen Eindruck nicht mehr verwischen. Periodisch wiederkehrendes Toben »reinigt die Luft«; es wird von den Beteiligten selber noch als etwas Institutionelles empfunden.

Wohin aber gehen die auch im – zielgehemmten – Toben nicht vollends abgeleiteten Triebe? Sie sammeln sich auf. Wofür? Für die Verfolgung von religiösen, rassischen, nationalen oder auch sexuellen Minderheiten. Deren verschwiegene sittliche Pflicht geradezu ist es, so böse zu erscheinen, wie der rechtschaffene Bürger sie als Ziel seiner Mordlust benötigt. So gesehen ist der zum Kriege treibende Politiker der Prototyp jenes Menschen, dem es gelingt, seine verbrecherischen Neigungen auf völlig legale Art auszuleben. Den Übergang von solch einem »Ehrenmann« zum Verbrecher bildet in sogenannten normalen Zeiten der »Überzeugungstäter«, der Gewaltakte noch seiner eigenen Meinung gemäß aus politischen oder weltanschaulichen Gründen verübt*. So als gehe es ihm weniger ums Töten als um die Durchsetzung seiner Ideale. Genau dies aber ist der Sinn jeder zum Krieg überredenden Propaganda. Sie bedient sich der aggressiven Neigungen der Menge, indem sie ihnen Inhalt und Ziel gibt. Patriotisch verklärt, ist die Tötung anderer nicht mehr Mord, sondern eine heldische Tat. Es war schon die Erkenntnis FREUDS, »daß der Staat dem Einzelnen den Gebrauch des Unrechts untersagt, nicht weil er es abschaffen, sondern weil er es monopolisieren will wie Salz und Tabak«[19]. Die Kriege sind die großen Schleusentore für kollektiv angestaute Aggressivität. Solange man den Krieg nur immer als ein politisches Phänomen nimmt, als ein je konkret politisches, statt auf den allgemeinen triebpsychologischen Grund zurückzugehen, bleibt man blind für die Gefahr immer weiterer Kriege.

---

* Wir sprachen ausführlicher schon vom *Überzeugungstäter* im IV. Teil: Man vergleiche Seite 240!

B.

DIE URSACHEN DER KRIEGSBEREITSCHAFT

a) Der Krieg als psychologisches Problem

Erstmals deutlich angesprochen hat den Zusammenhang von Triebverdrängung und Krieg ERICH NEUMANN, wenn er sagt: »Die unbewußten seelischen Konflikte der Gruppen und Massen äußern sich vor allem in epidemischen Ausbrüchen, den Kriegen und gewaltsamen Umstürzen, in denen die kollektiv gestauten unbewußten Kräfte dominant werden und Geschichte machen.«[20] Auch MITSCHERLICH blickt in diese Richtung: »Der unablässige Versuch, die durch das kulturelle Zusammenleben zur Unterdrückung verurteilten Triebimpulse doch noch zum Zug kommen zu lassen, hat sich bisher in der Menschheitsgeschichte in den furchtbarsten gegenseitigen Verfolgungen entladen.«[21] HERBERT MARCUSE, mit dem wir im übrigen die Meinung teilen, daß Triebunterdrückung nicht notwendig zum »kulturellen Zusammenleben« gehört, Marcuse spricht zugespitzter schon von einer »explosionsartigen« Freisetzung von Libido *innerhalb* des Bereichs repressiver Kulturen: »in den sadistischen und masochistischen Orgien verzweifelter Massen, ›gesellschaftlicher Eliten‹, verhungerter Söldnerbanden, der Aufseherhorden in Gefängnissen und Konzentrationslagern«[22]. MARCUSE sieht klar, daß derartige periodische Entladungen die Triebhemmung eher stärken als schwächen. BÉLA GRUNBERGER bleibt dies noch verborgen, wenn er feststellt: »Die Regierung des zaristischen Rußland organisierte periodisch sich wiederholende Pogrome in der gleichen Zielsetzung wie früher einige römische Kaiser, die ihren Völkern ›panem et circenses‹ verschafften. Die russische Masse konnte so ihren Instinkten freien Lauf lassen. Nachdem sie getötet, geplündert und vergewaltigt hatte, kehrte sie fügsam zu ihrer friedlichen Betätigung zurück.«[23] Belehrt durch MARCUSE müßten wir sagen, das Volk sei dann jedesmal *fügsamer noch als vorher* zu seiner friedlichen Betätigung zurückgekehrt; zu einem Leben in Sittsamkeit, Anstand und Rechtschaffenheit.

Wir haben die tiefenpsychologischen Stimmen gesammelt, die den Zusammenhang von Triebunterdrückung und kollektiver Destruktion bereits angesprochen haben. Das Problem des Krieges reduziert sich danach auf das eines Unterfalles kollektiver Destruktion überhaupt. Das Phänomen »Krieg« nur darf als das große Paradigma aller verwandten Erscheinungen gelten, zumal es sie oft auch in sich greift[23a]. Es geht uns dabei um den Ursprung der Kriegsbereitschaft in genereller Frustration. Erich Neumann und Mitscherlich markieren freilich zu allgemein den Zusammenhang von Triebverdrängung und kollektiver Vernichtung, gilt ihnen doch mit Freud ein ursprünglicher Aggressionstrieb als ausgemachte Sache. Ein solcher Trieb zum Quälen, Morden und Brandschatzen muß im Klima der Trieb-Unterdrückung natürlich als mit-unterdrückt gedacht werden. Er könnte, so es ihn gibt, ungestraft nur kollektiv sich entladen. (Wenn wir hier von Kriegsverbrecherprozessen einmal absehen.) Verneinen wir – aus den schon genannten Gründen* – einen primären Aggressionstrieb, dann scheint es zunächst, als stelle sich der Zusammenhang Triebunterdrückung – Krieg allein in dem folgenden Kausalverhältnis dar: Sexualverdrängung – vitaler Unmut – Freiwerden von Aggressivität – Unterdrükkung auch dieser – Anstauen der Aggressivität – Explosion in Krieg.

Dies ist, allgemein gesprochen, der Weg, auf dem je beim Einzelnen Kriegsbereitschaft, ja ein Drängen zum Krieg sich ausformt, sofern und soweit Sexualverdrängung hierfür das primum movens ist. Dabei ist wieder »Sexualverdrängung« in dem von uns gewonnenen weiteren Sinn zu verstehen: nicht als eine bloß quantitative Anstauung von sogenannten »Triebenergien«, sondern je als das Unterdrücken spontaner, immer schon spezifisch »gerichteter« sexueller Impulse. Die beständige Frustration solcher spontaner Regungen mag allenthalben zu einer »unbestimmten Gereiztheit« oder »Brummigkeit«, zu einer feindseligen Haltung überhaupt sich aufsummieren, einer Haltung, die an den kollektiven »Feinden« der jeweiligen Gesellschaft ein Ventil findet, das den Einzelnen nicht bloß emotional, sondern auch moralisch entlastet. Im Kampf für die »gute Sache«, deren Wert ihm die Gemeinschaft verbürgt, erwächst einem jeden der Glaube, er stehe moralisch hoch über dem Feind, der einer besonderen Logik gemäß ebenso böse wie feige sein muß. Sein eigenes Wutverhalten legt sich jeder selber als Tapferkeit aus. Solcher Glaube ist der bittere Kern des Witzes, daß die Juden hätten erfunden werden müssen, wenn es sie nicht schon gegeben hätte. (Ähnliches gilt andernorts für die Neger.)

* Im IV. Teil, Kapitel F, Abschnitt b: »›Sublimierung‹ und ›Ur-Aggressivität‹«.

b) Der Anteil der Frau am Kriege

Indem wir sexualpsychologisch aggressive politische Neigungen deuten, erklären wir freilich vorwiegend nur das Verhalten des »politisch interessierten« Mannes im Klima einer Kultur der Verdrängung. Da hier die Frauen im allgemeinen »wenig von Politik verstehen« – die lassen sie »Männersache« sein –, erscheinen sie in einem oberflächlich-politischen Sinne gar nicht als »kriegerisch«. Ausnahmsweise politisierende Frauen können so, den Schein der Logik für sich, mutig fordern, man solle einmal »ihnen«, den Frauen überhaupt, die politische Führung überlassen; dann werde die Welt anders aussehen. Ruh' und Frieden kehrten ein[24].

Die Hoffnung auf einen ewigen Frieden durch die Frau findet durch die Kulturgeschichte und die Völkerkunde wenig Stütze. Bekannt ist – durch Tacitus' *Germania,* VIII –, in welcher Weise die germanischen Frauen ihre in der Schlacht bedrängten Männer anfeuerten: Sie stellten den Zurückweichenden sich in den Weg, entblößten die Brust und baten, sie doch nicht in die Hände der Römer fallen zu lassen. Tritt hier die germanische Frau den Kämpfenden nur psychologisch zur Seite, wenngleich in massiver Weise, so hat sie doch häufig genug auch aktiv in die Kämpfe eingegriffen, vor allem von der auf Wanderungen (nach Gallien, Italien usw.) mitgeführten Wagenburg herab[25]. Aktive Teilnahme am Kampf ist außerdem von den Frauen mancher Indianerstämme verbürgt. Die Amazonen-Sagen sind, wie Friederici[26] gezeigt hat, in ihrer soziologischen Substanz keine bloße Dichtung. Gewohnt, ein militantes Regime nur als eine ausgeprägt patriarchalische Ordnung sich vorzustellen, muß es uns heute auch überraschen zu lesen, daß Plutarch dem Militärstaat Sparta eine »gräßliche Weiberherrschaft« bescheinigt[27]. Wohl war die Spartanerin nicht Soldat, aber der Einfluß der Frau auf das öffentliche Leben wie auf den Geist einer Gesellschaft im ganzen ist ja nicht daran gebunden, daß sie sichtbar eine sogenannte einflußreiche Position hat. Die Frau mag weniger tauglich sein, kulturelle Formen zu entwickeln und auszufüllen (aus Gründen, die mit ihrer Intelligenz nichts zu tun haben), aber sie kann gerade um so hartnäckiger sein im Bestreben, einmal geprägte Kultur-Ideale gegen die geheime Ideal-Müdigkeit der Männer durchzupauken. Sie kann es, indem sie die Männer ablehnt, die dem geltenden Ideal nicht entsprechen. Es ist noch nicht allzu lange her, da war hierzulande ein Mann bei den Frauen im Vorteil, wenn er Uniform trug, und gar, wenn er dekoriert war.

Der Gedanke, in unserer von Ehrgeiz und Aggressivität zerfressenen Kultur könnte alles sich wenden, zum Besseren, versteht sich, wenn nur die Frauen die Dinge in die Hand nähmen, der Gedanke ist illusionär. Er ist illusionär unter der Voraussetzung, daß die Moral, die die ursprünglichen Antriebe reglementiert, die gleiche bleibt wie bisher. Sowenig wie die »Herrschaft des Volkes durch das Volk«, die die Fürstenherrschaft abgelöst hat, das Tor zum ewigen Frieden schon aufstoßen konnte, sowenig könnte es ein Weiberregiment. Warum, so dürfen wir fragen, haben denn nie die »unpolitischen« Frauen unserer Kultur in einem einzigen politischen Aufschwung den kriegerischen Männern sich in den Weg geworfen? Sollten auch sie noch unterbewußte Motive haben, den Krieg immerhin zu billigen?

Wir beschränken uns – paradigmatisch wie bisher – auf den sexualpsychologischen Aspekt: aus gutem Grund, da kaum ein anderer Trieb in unserer Kultur so eingeengt ist wie der Geschlechtstrieb. Nun, wir glauben wohl, daß unsere Frauen nicht im selben Maße spontane sexuelle Regungen in sich zu verstauen haben wie die Mehrzahl der Männer. Bei den Frauen überhaupt ist wohl die neurophysiologische Organisation etwas anders: Schon die Fähigkeit, auf entsprechende optische Reize sexuell zu reagieren, ist geringer[28]. Zudem erschöpft sich das sexuelle Weltverhältnis der Frau auch nicht in ihrer Beziehung zum Mann. Neun Monate Schwangerschaft und die Zeit des Stillens schon umschließen mehr »Sexualität« (im weiteren Sinne), als ein Mann vielleicht in seinem ganzen Leben erfüllt. Dennoch: Auch die Frauen sind, sofern sie auf Geschlechtspartner angelegt sind, dem Gesetz der Spontaneität konkreter Zuwendung unterworfen. Nicht in selber Weise »bedingungslos« kann ein Sexualpartner akzeptiert werden, wie eine Mutter ihr Kind als ihr eigenes »akzeptiert«. Man kann wohl ein Kind wollen, um es dann innerlich als »das eigene« anzunehmen; aber man kann nicht irgendeinen Mann begehren *wollen* – in der blanken Absicht, ihn durch einen (zivilrechtlich bindenden) Akt der »Annahme« zu seinem »eigenen« zu machen. Das geht deswegen nicht, weil wesensmäßig in allem Begehren der bewußte Wille schweigt oder besser: weil das Begehren alle Willenskraft der Person in sich zieht. Da dies auch von der Liebe gilt[29], ergibt sich auch wieder die Konsequenz, daß es widersinnig wäre, ursprüngliches sexuelles Begehren und personale Geschlechtsliebe als etwas voneinander Verschiedenes einzustufen[30].

Was wir hier aufdecken, sind Phänomenzusammenhänge. Die Identität von ursprünglichem sexuellen Begehren und Geschlechtsliebe impliziert nicht die sozusagen »amerikanische« Konsequenz, jede Ehe sofort aufzulösen, wenn das Begehren in ihr nachläßt und ein anderer als der Ehepartner mehr Anziehung auf einen ausübt*. Die Konsequenz wäre schlüssig, wenn Geschlechtsliebe die einzige Erscheinungsform der Liebe wäre, und dann, wenn eine Ehe von keiner anderen Erscheinungsform der Liebe, also etwa nicht auch von Freundschaft, erfüllt sein könnte.

Indem er auf entsprechendes statistisches Material weist, spricht HANS VON HENTIG gerade in bezug auf junge Mädchen von einem »jähen Durchbruch polygamer Triebe« im Krieg[31]. EBERHARD SCHAETZING[32] kommt überhaupt zu dem Schluß, daß der Krieg die polygame Natur der Frau zum Vorschein bringe. Stellen wir aber, gleichwohl hypothetisch, in Rechnung, daß Frauen, sofern sie nur Kinder haben, im Durchschnitt seltener in spontaner Weise einen Mann begehren, so würden sie natürlich auch seltener – als Ehefrauen – Veranlassung finden, solche spontanen Regungen in sich niederzuhalten. Nehmen wir weiter hinzu, daß faktisch die überwiegende Mehrheit der Frauen unserer Kultur vom politischen Leben sich auch innerlich distanziert hält, so scheint es zunächst, als könnten auf seiten der Frauen kaum sexuelle Frustrationen in die Form einer zum Kriege drängenden Feindseligkeit sich umsetzen. Dergleichen völlig zu leugnen bedeutet zwar noch nicht zu meinen, daß unsere Frauen überhaupt keine sexuellen Spontanimpulse in sich zu verstauen hätten. Man könnte denken, daß die davon freiwerdende Aggressivität ganz in Zank, Klatsch und Alltagsintrigen sich auslebte. Man kann so denken, wenn man rein quantitativ von »verdrängten Triebenergien« spricht und – wie FREUD – keinen anderen Sinn von »Verdrängung«[33] weiß. (Man bleibt dann aber auch ohne Erklärung davor stehen, daß es den Männern offenbar nicht gelingt, in Fußballeidenschaft und Autoraserei und ähnlichem ihre verdrängte Libido abzureagieren.)

Zu sagen, an einer zum Kriege drängenden Politik hätten die Frauen gar keinen Anteil, das hieße in jedem Fall zu behaupten, daß zwischen Männern und Frauen übers Politische keine Beziehung bestehe. Die »Frau als Friedensengel« verdankt aber als Wunschtraum sich womöglich dem Manne, der sich in seine Geschäfte nicht von ihr hineinreden lassen will. Dabei sind militante Politikerinnen wie die Gestalt der Madame Nhu für die Analyse der aggressiven Gesinnung oft besonders ergiebig. Madame Nhu ging in ihrem Kampf gegen das »Laster« so weit, daß sie für ihr Land, Südvietnam, ein generelles Verbot des

* Zu dieser »amerikanischen« Lösung des Eheproblems siehe schon im III. Teil Kapitel A, Abschnitt c: »Strenge und gelockerte Monogamie«!

Tanzens erwirkte. Ihre Begründung: »Es genügt, daß wir mit dem Tod tanzen.«[34] Es ist, als spreche in einem solchen Satz geradezu der Phänomenzusammenhang selber sich aus. Mir scheint – auf Grund einiger Beobachtungen –, daß auch die sogenannte unpolitische Frau auf ihre Art einen »Beitrag« zu allgemeiner Kriegsbereitschaft zu leisten vermag. Worauf ich hier abziele, ist mir selber erst vollends deutlich geworden durch das Geständnis einer sehr lebenslustigen, inzwischen älteren Dame, die seit Jahrzehnten mit ihrem Gatten in schwersten Spannungen lebte, sie habe, als er an die Ostfront kam, »an die Möglichkeit gedacht, daß er aus dem Krieg nicht zurückkehren könnte«[35]. Eine andere Frau meines weiteren Bekanntenkreises, eine Amerikanerin, brachte ihren zweiten Mann durch Überredung dahin, sich »freiwillig« nach Vietnam zu melden. Anders, so hatte sie ihm gesagt, könne sie zu ihm nicht mehr aufschauen. Ein geheimer Todeswunsch also (der dem Psychoanalytiker keine Rarität ist)[36] ergibt hier ein letztes Motiv, den Krieg zu bejahen. Er ist in den meisten Fällen wohl nicht einfach nur vor dem Partner geheim, sondern auch vor dem eigenen moralischen Selbst (FREUD würde sagen: vor dem Über-Ich). Er ist aus dem wertenden Bewußtsein verdrängt. Nur in Träumen und in übertriebenen Ängsten um das Leben des Partners kommt etwas von ihm noch zur Geltung. Die (übrigens nicht in tiefenpsychologische Behandlung geratene[37]) Frau, die träumte, ihr Mann sei gestorben und sie habe dessen Freund geheiratet, verrät ebenso einen geheimen Todeswunsch wie die recht häufig zu findende »andere«, die bei der geringsten Verspätung ihres Gatten diesen in Gedanken schon unter den Rädern eines Autos sieht. Gelangt die eine wenigstens noch zur Wahrheit des Traumes, so gestattet die andere sich den Todeswunsch offenbar nur in der Form der Angst, in der er auch schon wieder verdrängt ist. Eine zwanzigjährige Studentin allerdings hat mir einmal anvertraut, daß sie gelegentlich dabei sich ertappe, daß sie ihrem Verlobten (!) den Tod wünsche. Doch sie hatte diese Selbsterfahrung auch schon gut rationalisiert, indem sie meinte, das sei wohl ganz normal und komme wahrscheinlich bei einem jeden vor. Wer weiß, vielleicht hatte sie recht – auf dem Boden unserer Kultur.

c) Triebverdrängung und Kriegsbereitschaft

Wir sind uns, indem wir aufs Kulturspezifische an der Sexualverdrängung deuten, darüber im klaren, daß wir damit auch nur eine der möglichen Wurzeln der Kriegsbereitschaft eines Volkes genannt haben. Die Psychoanalyse ist ein Kind dieser unserer Kultur, aber recht verstanden besagt das, daß eben hier ihr Wahrheitsanspruch sich zu bestätigen hat. Der Satz, daß die Unterdrückung spontaner sexueller Impulse zu aggressiven Neigungen führt, relativiert sich nicht schon in seiner Geltung, weil er nur in einer bestimmten Kultursituation gefunden werden konnte. Der Satz entwertet sich nicht in ethnologischer und anthropologischer Perspektive; er bekommt hier erst einen allgemeineren Sinn: *Die Unterdrückung vitaler Antriebe überhaupt kompensiert sich durch entsprechende Aggressivität.* Der heute weithin unausgelebte Bewegungstrieb hat sicher seinen Anteil am herrschenden Klima harter Konkurrenz und »stiller« Aggressivität wie die rein quantitativ oder in ihrem intentionalen Sinn verdrängte Sexualität. Eine Untersuchung darüber, welche Triebanteile dabei überwiegen, wäre freilich absurd, da Sexualität und Motorik einander durchdringen[38].

Das sozusagen klassische Beispiel für den Zusammenhang von Triebverdrängung und Aggressivität ist die Kultur der Spartaner, die noch stets als das Vorbild an Wehrhaftigkeit gegolten haben. Hier gab es, wie Toynbee feststellte, kaum eine Lebensregung, die nicht vom Staat reglementiert gewesen wäre: Vom 7. bis zum 60. Lebensjahr war der männliche Spartaner kaserniert; selbst die Hochzeitsnacht mußte er in der Kaserne verbringen. Außerdem durfte niemand alleine zu Hause essen; jedermann hatte stets in der öffentlichen Messe zu speisen. Das waren nur die augenfälligsten Zwänge[39]. Ähnlich rigoros werden heute die Rekruten des amerikanischen Marine-Elitekorps von der zivilen Umwelt isoliert. Die Disziplin geht dort sogar so weit, daß es den Rekruten während der ersten elf Wochen der Ausbildung verboten ist, miteinander zu sprechen[40]. Man halte gegen solche Beispiele nicht die »Lebensborn«-Gestüte der SS; ist doch in ihnen der puritanische Grundsatz Institution geworden, daß sexuelle Betätigung nur im Dienste der Fortpflanzung zu dulden sei.

Der Zusammenhang von Triebverdrängung und Aggressivität wird durch nichts so gut bestätigt wie durch die Moral der ausgesprochen kriegerischen Völker. Von den Bewohnern des Hindukusch wird sogar behauptet, daß sie während eines Krieges geschlechtlicher Betätigung sich völlig enthielten. Bei ihnen gelte der Satz: »Der Sieg gehört dem

Keuschesten.«[41] Auch in der Disziplin der Viet-minh-Soldaten spielt die sexuelle Enthaltung eine nicht zu übersehende Rolle. ARNOLD GEHLEN, der entsprechendes Material zusammengetragen hat[42], findet sogar, in der Volksarmee Ho Chi Minhs habe man »geradezu das Geheimnis jeder überzeugenden Moral wieder entdeckt...: die Entsagung«. Dabei bedeutet Entsagung auch die Vermeidung von Ersatzbefriedigungen, also die Enthaltung von Alkohol, Spiel und Opium, wie aus einem von Ho Chi Minh unterzeichneten Merkblatt für die Truppe hervorgeht. Der Unterdrückung der Sexualität wird aber anscheinend besondere Aufmerksamkeit geschenkt: »Französische Truppen fanden im Soldbuch eines Viet-minh-Soldaten einen Vermerk, wonach er drei Monate in einem Umerziehungslager verbrachte, weil er sich einem Gebirgsmädchen unzüchtig genähert hatte.«[43] GEHLEN, der das referiert, bezeichnet dergleichen wohl als »Rigorismen«, sieht auch, daß solche Strenge auf die Bevölkerung nicht ohne Eindruck bleibt, dennoch ist in seiner Darstellung der triebpsychologische Zusammenhang völlig verdeckt. Es sei gar nicht abgestritten, daß ein sozusagen »hartes Durchgreifen« in der Truppe durchaus beabsichtigt auch das Nebenergebnis hat, daß es ihr in der Bevölkerung Vertrauen schafft; aber in erster Linie geht es doch wohl um die Erhaltung und Steigerung der Kampfkraft der Truppe selbst. Die Verdrängung des Sexualtriebes ist hierzu ein brauchbares Instrument. Der Trieb wird ja nicht einfach in ein keusches Nichts hinein verdrängt und aufgelöst, sondern quillt, deformiert, in anderer Weise wieder hervor. *Die Lust am Töten kann die sexuelle Befriedigungslust ersetzen*[44]. Die Probe aufs Exempel ist die umgekehrte Entwicklung: Die Abschaffung der Kopfjagd (in Indonesien und Melanesien) hat, wie W. E. MÜHLMANN erwähnt[45], unter anderem eine Zunahme der Ehebrüche zur Folge gehabt.

Wir entdecken so – auf dem Umweg über die Statistik – einen Zusammenhang, der im Ethos primitiver Kopfjäger unmittelbar gegeben ist: den Zusammenhang von sexueller Frustration und Tötungswillen. Es ist kein Zufall, wenn sowohl in Melanesien wie in Südamerika bei Kopfjägern, die gemeinsam ausrücken, vor oder nach entsprechenden »Expeditionen« sexuelle Enthaltung zur rituellen Pflicht wird[46]. Wenn so über die Erdteile hinweg und bei rassisch grundverschiedenen Völkern die Riten aggressiven Verhaltens sich gleich sind, dann ist so etwas nicht mehr mythologisch zu erklären, es spricht darin der triebpsychologische Zusammenhang selber sich aus: Sexuelle Lust und die Lust am Töten können wechselseitig einander vertreten.

Es gibt auch Übergangsphänomene: sexuelle Betätigung mit sogenanntem »sadistischen Einschlag« und Grausamkeit mit sexueller Note. Das bestätigt nur weiter den Zusammenhang. Wenn berichtet wird, der »Reichsführer SS« Heinrich Himmler sei mehrere Male eigens nach Auschwitz gefahren, »um sich den Vollzug der Prügelstrafe an weiblichen Häftlingen anzusehen«[47], dann kommt in einem solchen Bericht die Triebstruktur hinter der Vernichtungsmaschinerie der SS geradezu selber zum Vorschein. Das sexuelle Motiv ist hier unverkennbar. An den Männern der Exekutionskommandos fiel es erst recht deutlich auf. So bestätigte der Gauleiter und Reichskommissar von Weißruthenien Wilhelm Kube, daß seine »Männer sich an diesen Exekutionen [der Juden] geradezu aufgeilen«[48]. So »freudiges« Erfüllen eines Erschießungsbefehls setzt indessen eine bereits verbogene Triebstruktur voraus. Der nicht sadistisch pervertierte Mensch kann die Aufforderung, einen anderen zu töten, nur mit Ekel beantworten*.

Daß Lust am Töten und sexuelle Lust wechselseitig einander ersetzen können und ineinander übergehen, zeigt zunächst auf eine tiefere Übereinstimmung beider. In beidem, im Töten wie im Sexualakt, dringt der Mensch ein in die Fülle anderen menschlichen Lebens. So eindringend, »erfährt« er in Erlebnissen des Widerstandes seitens des Anderen dessen leibhafte Existenz. Das gilt vom Töten freilich im vollen Sinne wohl nur, wo es unmittelbar »handgreiflich« geschieht wie im Erwürgen. Wer einen Andern erschießt, macht die Erfahrung fremden Lebens, die ein Nachvollziehen seines Absturzes in den Tod ist, zumindest nicht mehr mit allen seinen Sinnen. Ist so aber der gnoseologische Kern der sexuellen Sinnlichkeit, das Erfahren fremder Lebendigkeit, eben das Moment, das in der Grausamkeit wiederkehrt, dann ist dies der Punkt, von dem aus die Sinnlichkeit sich umwenden läßt. Vom Angelpunkt seines Erleben- und Wissenwollens her ist beim Menschen der Sexualtrieb, der je auf den *ganzen* anderen Menschen gerichtet ist, pervertierbar in einen Trieb, der auf eine ganz andere Art dem Mitmenschen »an die Haut zu kommen« sucht. Der zurückgestaute Lebenstrieb schlägt um in Vernichtung. Man mag über den phänomenalen Zusammenhang Bescheid wissen oder nicht: die kriegerischen Regime handeln ihm gemäß.

Der Zusammenhang zwischen Triebverdrängung und Kriegsbereitschaft ist kein einseitiger Kausalzusammenhang. Es handelt sich dabei

---

* Ekelreaktionen kamen natürlich auch vor: Wilhelm Kube, der die Vernichtungsaktion in seinem Bereich zu bremsen versuchte, ist selber dafür ein Beispiel.

vielmehr um ein psychisches Gesamtphänomen, das aus dem Zwang, sich zu verteidigen, bei einem Volk allmählich sich auch erst bilden mag. Wohl kann ein beständig von Feinden bedrängtes Volk in sich relativ friedlich leben; alle in ihm aufgeweckte Aggressivität kann es ja nach außen hin »abführen«. Unter sich wären die Menschen hier solidarisch: gegenüber dem Feind. Aber es ist nicht so, daß sie dabei in ihrer Triebnatur verschieden wären von Menschen, die sinnenfroh und (darum) *solidarisch in Lebensfreude* miteinander leben[49]. Aus dem Zwang zum Kriege, der ein Volk belastet, wird einzig das Triebleben eines jeden darin sich umstrukturieren. Die Kriegshelden, die später wegen völliger Impotenz in psychoanalytische Behandlung kommen[50], sind dafür die extreme Bestätigung. Auch in Friedenszeiten ja ist es eine billige Erfahrung, daß harte Lebenskämpfe einen Menschen »entsexualisieren«. Wie sollte dies nicht kollektiv – bei kollektiver Bedrohung – auch sich vollziehen? Aus dem Zwang zum Kriege (durch fremde Völker bewirkt) mag schließlich eine strenge, triebverdrängende Moral sich prägen, die bleibt, auch wenn alle äußere Bedrohung vom Volk gewichen ist. Dann gewinnt umgekehrt der periodisch wiederkehrende Krieg den Charakter einer notwendig gewordenen »Institution« zur Abfuhr verdrängter Triebe.

d) Der sexuelle Ursprung aggressiver Impulse

Ist der Krieg in unserer eigenen, triebfeindlichen Kultur bereits ein institutionelles Ventil verdrängter Triebe, dann ist es nicht weiter verwunderlich, daß im Kriege die Gewaltverbrechen zurückgehen, um jeweils in Friedenszeiten wieder zuzunehmen*. Das hat einen biologischen Grund schon darin, daß der Mensch – wie jedes andere Säugetier – in ruhigen Verhältnissen sich sexualisiert**. Die erhöhten sexuellen Ansprüche unserer Tage sind erst in zweiter Linie die Folge einer öffentlichen »Propagierung« des Sexus. Mit dieser zusammen schon sind sie die natürliche Konsequenz einer verstärkten »Domestikation«. Das bedeutet aber auch, daß – bei gleichbleibender »sittlicher« Zielsetzung – der in Frieden und Wohlstand lebende Mensch viel mehr an libidinösen Energien zu verdrängen hat, aggressiv auslebt oder für den jeweils nächsten Krieg in sich anstaut. In der geläufigen Rede von

* Wir kommen hierauf zurück im nächsten Kapitel über »Krieg und Verbrechen«.

** Siehe hierzu im III. Teil, Kapitel A, den Unterabschnitt »Aufschluß durch die Abstammungslehre?«.

der »Wohlstandskriminalität«[51] ist dieser Zusammenhang verschleiert. Es wäre in jedem Falle richtig, neben einer Kriminalität der Armut (für die vor allem der Nahrungstrieb konstitutiv ist) von einer »Verdrängungskriminalität« in Zeiten der Saturiertheit zu sprechen, weil solche Jahre in unserer Kultur auch immer Zeiten einer »sittlichen« Restauration sind, oder triebpsychologisch gesprochen, Perioden einer kollektiven oralen Regression. Nun läßt aber wohl das ideopathische Moment am Sexualtrieb, also die sexuelle Vorlust, durch orale Lust weitgehend sich ersetzen (worüber freilich die Gaumenlust ihren autoerotischen Zug verstärkt); nicht aber läßt das ausgesprochen sympathetische Moment am sexuellen Begehren in solcher Regression sich stillen. Dieses Moment ist eines mit der aktiven Seite des Begehrens, es meint das buchstäblich motorische Zugehen auf den Anderen. Diese Aktivität wird, um ihren ursprünglichen Lustcharakter beraubt, zur bloßen Aktivität dessen, der ungehemmt – durch keinerlei subjektives Lustempfinden gehemmt! – nach dem Anderen ausgreift. In solcher Weise triebpsychologisch ist auch noch die aggressive Sexualität des Schürzenjägers zu deuten: als eine Sexualität, in der gerade die sexuelle Lust gering ist. Um alle Lust verkürzt, wird die Motorik des sexuellen Triebes zur reinen Aggression (soweit sie nicht in adäquat rhythmischer Weise gleichfalls motorisch sich abführt – etwa im Tanzen oder Schaukeln). Dabei kann der sexuelle Ursprung der Aggression auch nur vorübergehend verdrängt sein und erst dann wieder sich vordrängen, wenn die destruktive Tat gleichsam passiv durch »Erfolg« belohnt wird. Das bedeutet einen Hiatus des Abwartens zwischen destruktiver Tat und Eintritt ihres Erfolges. So wird es auch verständlich, daß Brandstifter nicht selten einen Samenerguß haben, sobald die Flammen hell auflodern[52]. Ein Mann, der soeben einen Brand gelegt hat, nimmt abwartend wieder lustvoll auf seine eigene Leibhaftigkeit sich zurück. So mag eine sexuelle Spontanreaktion beim – ruhigen – Anblick der Feuers*brunst* (!) sich einstellen. Möglich auch, daß die »monotone, fast rhythmische« Bewegung des Feuers bei längerem Hinschauen sexuelle Synästhesien hervorruft[53].

Wir versagen es uns, der Sexualsymbolik »Feuer« jetzt weiter nachzusinnen. Wir verstehen nur, vom Brandstifter her, weshalb beim sogenannten »Lustmörder«, der also – laut § 211 StGB – tötet »zur Befriedigung des Geschlechtstriebs«, Ejakulationen anscheinend nur sich einstellen, wenn er zugleich (oder vorher oder nachher) sein Opfer beschläft[54]. Eine offenkundige Ausnahme, der Massenmörder Kürten, hat »beim Würgen ejakuliert«[55]; er war allerdings auch Pyromane.

Der »reine« Mörder bleibt eingebunden in die Dynamik seiner Aggression, mag diese auch vom frustrierten Sexualtrieb sich abgespaltet haben. So wird es einem Mörder, ob er nun im engeren Sinne »Lustmörder« ist oder nicht, auch viel eher verborgen bleiben, daß seine Tat eine sexuelle Ersatzhandlung ist, während selbst leicht debile Brandstifter sich über den sexuellen Sinn ihrer kriminellen Handlung durchaus im klaren sind[55]. Der Kriminologe wundert sich nicht, wenn eine sonst unbescholtene Frau einen Warenhausdiebstahl begeht – just an einem Tag, an dem sie menstruiert[56]. Ich entsinne mich einer Warenhausdiebin »aus der Nachbarschaft«, die unbekümmert sich darüber beklagt hatte, daß ihr Mann sie geschlechtlich nicht zu befriedigen vermöge. »Bei wirklichen *Kleptomanen*«, sagt HEINRICH MENG, »ist die Sexualität immer deutlich beteiligt.«[57] Es liegt nahe zu sagen, daß destruktives, asoziales Verhalten überhaupt auf der Basis unausgelebter Triebe erwächst. Der Gedanke wird unmittelbar einleuchten angesichts der sogenannten Jugendkriminalität, die hier und heute ein »soziales« Symptom der Pubertät ist[58]. Eine Kultur hingegen, die den jungen Menschen sexuelle Freiheit gewährt, den erwachsenen, verheirateten indessen nicht, wird Verbrecher noch eher unter diesen letzteren haben. So ist es bei den *Muria* (in Vorderindien) in der Tat. Im Ghotul, dem Kinder- und Jugendhaus der Muria, herrscht geradezu sexueller Kommunismus. Aber man wird dort in langen Jahren selbst auf den kleinsten Diebstahl vergeblich warten[59]. Von Messerstechereien und ähnlichen uns vertrauten »Jugenddelikten« ist schon gar nicht die Rede. Kommen die sozialen Institutionen mit der menschlichen Triebnatur überein, dann sind »die Triebe« gar kein kriminologisches Problem.

Nun kann man, im Blick auf unsere »Gewohnheitsverbrecher«, leugnen, daß verdrängte Sexualität überhaupt eine kriminogene Rolle spiele. Führen doch »schwere Jungen« bisweilen ein sogenanntes ausschweifendes Sexualleben (dessen »Lustgewinn« freilich dahinsteht). Was Gewohnheit ist im asozialen Verhalten, das hat natürlich keine sexuelle Motivation mehr. Aber eine jede Gewohnheit hat einmal begonnen, aus sinnvoll motivierten Akten sich zu verkrusten. Ein fehlgeleitetes Triebbedürfnis steht so als kollektives Schicksal hinter »ersten Delikten«, die junge Leute begehen, über die dann besonders jene sich ereifern, die sie in ihrer vitalen Natur verunsichert haben. Die »Jugendkriminalität« (als psychisches wie als soziales Phänomen) wiederum ist die »historische« Basis, von der die Kriminalität Erwachsener sich hernimmt und abhebt. Wir suchen tiefenpsychologisch so den Triebursprung einer verbrecherischen Neigung auch dann, wenn beim (erwachsenen) Täter ein aktuelles Motiv der Triebverschiebung oder Triebverstümmelung sich nicht mehr abfragen läßt, weil ihm sein Verbrechertum schon gleichsam zur zweiten Natur geworden ist.

Juristische und kriminologische Begriffe können mit dazu beitragen, die entscheidenden Trieb-Motive selbst hinter offenkundig destruktiven Akten zu verschleiern. So unterstützt der Begriff des »Gewinnmörders« noch die vorwissenschaftliche Meinung, nach der die reine Absicht, sich zu bereichern, so übermächtig zu werden vermöchte, daß einer sogar vor Mord »nicht zurückschreckt«. Es kann dies gleichwohl der Selbstauffassung eines Mörders entsprechen, der etwa zum Zwecke des Versicherungsbetrugs die Passagiere eines Linienflugzeuges in den Tod schickt. (Der Strafrechtsdogmatik erscheint dies als bloß notwendige »Nebenfolge« der eigentlichen Absicht unrechtmäßiger Bereicherung.) Das Streben nach materiellem Besitz oder Geld kann aber aus sich heraus so brennend nicht sein, daß es die auch beim Menschen artspezifische Tötungshemmung so rücksichtslos überspränge. Eine längst sprungbereite, aus vitalen Frustrationen gepreßte Lust am Töten, häufig schon mitvollzogen an »stahlharten« Leinwandhelden, wird als tieferer Grund dem vorausliegen, aber zugleich auch verdrängt sein, soll der Täter ein Mindestmaß an Selbstachtung sich bewahren. Zumal jener »schwer verstehbare« Mörder, der wegen einer geringen Summe einem Menschen das Leben nimmt, muß das entscheidende Trieb-Motiv noch vor sich selber verbergen, wenn er angesichts seiner zwanghaften, aus sadistischer Perversion hervorquellenden Mordgesinnung sich doch für normal halten will. So glaubt er selbst, es gehe ihm nur ums Geld: die bewußte Ausrichtung aufs Geld ist verbindendes Merkmal der Normalität in unserer Gesellschaft.

Wir müssen hier wieder darauf aufmerksam machen, daß das Problem der Aggressivität nicht einfach mit dem der Kriminalität in eins fällt. Weder ist alles Kriminelle aggressiv – am allerwenigsten sind es die gewaltlosen »Sittlichkeitsdelikte« –, noch deckt der Begriff der Kriminalität jede gegen andere gerichtete Aggression: *Als kriminell gilt nur die von der Gesellschaft mißbilligte Aggression**. Wo im Klima allgemeiner Aggression bestimmte Formen, den Mitmenschen zu übervorteilen, als »Delikte« sich herausschälen, da brauchen kriminogene Faktoren in der Triebsphäre gar nicht mehr aufgesucht zu werden. Man wird sie nicht finden, oder vielmehr: Man findet sie überall, auch bei denen, die im Sinne der geltenden Gesetze niemals straffällig werden. Wo bald ein jeder auf Erwerb um des Erwerbs willen getrimmt ist, da mag – scheinbar gegen die Triebtheorie vom Verbrechen – schon eine pfiffige *Überlegung* verbrecherisches Verhalten entfesseln: eine Überlegung derart, wie man sich's einfacher machen könne, um zu etwas zu kommen[60]. Das mag auch wie unvorbereitet in einem Kopfe

* Vgl. hierzu schon im II. Teil den Unterabschnitt »Strafe als Frustration«!

sich kurzschließen: »Gelegenheit macht Diebe.«[61] Im Sprichwort wissen wir darum, daß keinem von uns recht zu trauen ist. »Nach Golde drängt, / Am Golde hängt / Doch alles.« (GOETHE) Der Buchhalter, der hohe Summen veruntreut, oder ein Scheckbetrüger, der sich ein Vermögen ergaunert, gehen da nur den »abgekürzten Weg« zu dem, was wir alle erstreben. Ein – im Vergleich zur Menge – abnormes Triebschicksal ist dazu nicht vonnöten. Wir dürfen nicht einen ähnlichen Fehler begehen wie jene Psychiatrie, die abnormes Sexualverhalten unmittelbar für kriminelle Lebensführung wie für psychotische Phänomene verantwortlich macht[62]. (Während doch die Triebabnormität zusammen mit den anderen Formen gestörten Sozialverhaltens aus denselben Quellen der Frustration stammt, ohne notwendig mit ihnen zusammenzustehen.) Ein ähnlicher Denkfehler wäre es, in Triebfrustrationen die *signifikante* Bedingung kriminellen Verhaltens zu sehen: da doch im frustrierten Dasein die bösen Asozialen mit den guten Bürgern sich finden. Die spezifischen Aggressionsakte der frustrierten Charaktere können darum – diesseits wie jenseits der Grenzen des Legalen – so wesensverschieden nicht sein. Zumal bei den Eigentumsdelikten ist denn auch die Trennungslinie zwischen erlaubter und unerlaubter Bereicherung nicht immer deutlich. Sie ist womöglich nur eine Frage juristischer Definitionen. Nach einem bösen Wort gehen nur die dummen Leute zum Stehlen, die schlauen haben dafür die Gesetze: »Was ist ein Dietrich gegen eine Aktie? Was ist ein Einbruch in eine Bank gegen die Gründung einer Bank?«[63]

So provozierend das – von BERTOLT BRECHT – auch gesagt ist, vom Standpunkt einer sozialistischen Ethik, die jedes »arbeitslose Einkommen« streng verurteilt, ist es nur konsequent. Der Marxist in seinem Eifer übersieht dabei aber noch die hohe Dunkelziffer jener unaufgeklärten Delikte, die schon nach dem Maße kapitalistischer Gesetzgebung sich ergeben, gerade auch bei den Angehörigen der höheren Stände[64]. Es dürfte in den sogenannten sozialistischen Ländern – mutatis mutandis – nicht viel anders sein. Es fehlen dort lediglich die unbefangenen demoskopischen Analysen, die ein Kennzeichen der amerikanischen Soziologie sind. Tatsächlich kann jedes Land, jedes Gesellschaftssystem ein hohes Maß an unaufgeklärten Delikten ertragen, wenn nur das Grunderfordernis jeder Ordnung, der *Gewaltverzicht*, weitestgehend erfüllt ist[65]. So gesehen ist es doch wieder verständlich, wenn der *white collar criminal*, der, am eigenen Schreibtisch sitzend, sich hemmungslos bereichert, bei uns größerer Nachsicht begegnet als der Einbrecher, der wegen einer geringen Summe ›fremden Gewahrsam gebrochen‹ hat. Der Schreibtischtäter eignet sich nicht nur wenig als Objekt affektiver Entrüstung, er verkörpert zugleich, eben nur »übersteigert«, ein allgemeines Leitbild ergiebiger Tüchtigkeit.

Die Triebstruktur der Gesellschaft im ganzen ist fehlorientiert, wo fast ein jeder jederzeit jedem etwas abzujagen versucht: legal oder »etwas außerhalb der Legalität«. Individuelle Triebmotive treten da – in soziologischer Perspektive – zurück: Die Diebe stehlen, weil sie wie jedermann »nicht genug kriegen können«. Die generelle Neigung, den Anderen etwas wegzunehmen, ist nur noch sozialpathologisch zu fassen, sofern wir nicht, pessimistisch genug, einen ursprünglichen Trieb zur Bereicherung als böse Mitgift des Menschseins vermuten. Tröstlich erscheint es da fast, daß immerhin die ausgesprochene *Lust am Stehlen* – wie alles, was lustvoll verübt wird – sich deutlich als sexuelle Ersatzlust verrät. Tröstlich: denn was Ersatz ist, ist selber ersetzbar.

Es ist indessen beim Ursprung aggressiver Akte in Triebfrustration nicht allein an den Sexualtrieb zu denken. Wir beachten den Fall, daß ein bisher unbescholtener Mann plötzlich straffällig wird, nachdem er in einen Beruf übergewechselt ist, der ihn körperlich nicht mehr beansprucht. Wir fürchten so – mit Hans von Hentig – durchaus, »daß von der Maschine stillgelegte Körperkräfte schubweise friedensstörend öfter einen Ausweg suchen werden.«[66] Die verbreitete Unterdrückung des *Bewegungstriebes* ist ein kriminogener Faktor so gut wie die sexuelle Frustration.

Der Zusammenhang zwischen Triebunterdrückung und Aggressivität ist aber auch nicht nur ein je gegenwärtiger; frühkindliche Frustrationen formen vielmehr geradezu eine Disposition, im späteren Leben aggressiv zu werden. Daß die Mundugumor-Frauen ihre Säuglinge in harte und rauhe Tragkörbe legen (in denen sie jede *körperliche* Wärme und Berührung entbehren) und sie oft recht lange hungern lassen[67], ist wohl der Hauptgrund für den aggressiven Charakter dieses Papuastammes. (Während es bei uns die Unterdrückung der frühkindlichen Sexualität ist – neben vorzeitiger »Entwöhnung« vom Stillen und der Bestrafung für spontane Ausscheidungen.) Ihr, der Mundugumor, späteres sehr lebhaftes Sexualleben[68] erscheint selber nur wie eine beständige Überkompensation der buchstäblich harten Behandlung in früher Kindheit. Aggressivität muß da der vorherrschende Charakterzug bleiben. Es ist ja nicht so, daß durch das bloße Faktum sexueller Betätigung schon Aggressivität sich vermeiden ließe. »Make Love, not War!« ist nicht schon die alles rettende Devise. Im sexuellen Exzeß kommt noch die verkappte Feindseligkeit heraus, die einer den Mitmenschen gegenüber hegt. Ein Defizit in der (nur leibhaft sich vermittelnden) Erfahrung mütterlicher Wärme in frühester Kindheit kann hierfür der tiefste Grund sein. Doch mag ebenso beim Erwachsenen ein lange angestauter Geschlechtstrieb explosiv, also in aggressiver Form, sich entladen. Nur besteht hier noch eher die Chance, daß der Organismus wieder einschwingt auf die ihm angemessene Erregung. Jedenfalls ist der sexuell Exzessive, wie er gerade in unserer eigenen Kultur uns begegnet, noch kein Gegenpunkt gegen die These vom Zusammenhang Sexualverdrängung – Aggressivität. Der sexuell Aggressive hat ja in einem tieferen Sinne seinen Geschlechtstrieb verdrängt; die angestaute Triebmotorik oder der geheime Haß auf den Partner haben ihm die sympathetische Qualität des Sexuellen verdeckt. Der roh Exzessive findet in seinem Verhältnis zur Geschlechtlichkeit und zum anderen Geschlecht sich mit dem Prüden: beiden ist die Sexualität im Grunde eine lästige Sache, die man entweder – prüde – ignoriert oder – hastig – hinter sich zu bringen habe[69]. Da ist kein Verweilen, kein Einwohnen in die Tiefenschicht des eigenen Wesens, kein Verständnis für das leibhafte Wesen eines anderen Menschen. Solches »Verweilen« wäre der eigentliche Sinn von »Geschlechtsliebe«: ein Sinn, der tunlichst nicht abgehoben wäre vom vitalen Grund unserer Existenz. Wir könnten geradezu sagen, daß nur in Geschlechts*liebe* der Geschlechtstrieb überhaupt »anwesend« ist. Denn »in der beobachteten Wirklichkeit gibt es den Sexualtrieb nur als Trieb*erlebnis*.« (ROHRACHER[70]) Wo Geschlechtsliebe als bewußte Einstellung fehlt, da ist der Trieb zwar wohl nicht einfach nichtexistent, aber doch – vom Standpunkt des Erlebens her – *verdrängt*.

e) Die Sehnsucht nach dem kollektiven Tod

Verdrängung der Sexualität aus dem wertenden Bewußtsein – diesen modifizierten Sinn von »Verdrängung« haben wir mitzudenken, wenn wir sagen, daß Sexualverdrängung und Aggressivität *zusammengehören* und als Gesamtphänomen im Maßstabe einer Kultur ein Ermöglichungsgrund sind der Kriege. In solcher Abgewogenheit läßt die These sich wohl belegen: Wir wissen kein Volk, in dem nicht Aggressivität und Sexualverdrängung im beschriebenen Sinne zugleich sich fänden. Die Frage ist nur, ob mit diesem »Gesamtphänomen« (in dem durchaus noch andere Triebverdrängungen »Platz« haben) schon ein letztes Motiv des Willens zum Kriege genannt ist. Wie verhält es sich mit jenen Prärieindianern, von denen dann und wann einer in den Krieg zog – aus Trauer um einen Angehörigen, »lediglich um zu töten oder auch um getötet zu werden«[71]? Wir denken hier gleich daran, daß auch die Kopfjagd ein Mittel sein kann, die vermeintliche Demütigung zu tilgen, die der Tod just der eigenen Familie angetan habe. Bei den Kwakiutl, den Indianern an der Nordwestküste Amerikas, wurde die Kopfjagd »Töten, um sich die Augen abzuwischen« genannt: »Dadurch, daß man eine andere Familie in Trauer versetzte, war alles wieder ausgeglichen.«[72] Wenn in solchen Reaktionen über den Menschen schlechthin etwas sich ausdrückt, dann ist es dies, daß er die Macht des Todes offenbar leichter erträgt, wenn er selber eine Weile den Tod spielt. (Dabei »spielt« er ihn immer nur, auch wo er Ernst macht, weil er die Macht, die er entfesselt, nicht selber ist.) Im Aufbruch zum Krieg wie zur Kopfjagd aus Trauer stellt, objektiviert, vielleicht sich nur dar, was allüberall, wo Völker zum Kriege drängen, einen jeden unterbewußt bewegt: ein Aufbegehren gegen die Macht des Todes. Jeder Verlust eines uns nahestehenden Menschen schließlich mahnt uns auch an den eigenen Tod. Der Mensch, der selber tötet, mag einen Augenblick bei sich selbst das Gefühl haben, *über* dem Tod zu stehen, weniger sterblich zu sein als der, den er in der Person des Nebenmenschen vernichtet. Die erhöhte Gefahr, im Kriege zuerst getötet zu werden, ist dem, der primär darauf ausgeht zu töten, nicht im selben Grade bewußt. Sie wird weiter gemildert durch die Aussicht auf einen kollektiven Tod. Sterben, so mag unterbewußt einer »schließen«, müssen wir alle einmal: Miteinander zu sterben wäre wie eine Erlösung. Das ist ein unversehens im Kriege erlebtes »Gefühl«, das Menschen mit kritischem Abstand zu sich selber bestätigen. In ihm vollzog sich die blanke Fiktion, daß ein Tod, den wir alle zusammen erleiden, um einiges weniger »todhaft« sei als der Tod, den ein Mensch für sich allein stirbt: denn da verläßt er die Gemeinschaft der Lebenden. Zusammen sterbend, so möchten wir glauben, blieben wir doch immerhin zusammen.

Die unterbewußte Sehnsucht nach dem kollektiven Tode mag, wer weiß, eine der Triebfedern sein, internationale Spannungen zu erzeugen, die mit Kriegsgefahr – scheinbar gegen den Willen der Völker – sich aufladen. Die reale Dialektik von Führung und Gefolgschaft erfordert indessen zu schließen, daß nie von den Regierenden allein die Kriege vorbereitet werden. (Wir kommen darauf noch zurück.) Keiner könnte hierzulande oder sonst in unserem Kulturkreis auch nur einen Tag sich an der Macht halten, der es unternähme, die herrschende abendländische Moral mit einem Schlag zu beseitigen, und geschehe es, um eine humanere durchzusetzen. Wer es versuchte, würde wie ein Wahnsinniger oder wie ein Verbrecher behandelt. Aber in den erklärten »Wahnsinn des Krieges« sind doch immer wieder die Menschen gefolgt. Die geheime Bereitschaft, sich jederzeit gerne darein zu schikken, drückt oftmals nur notdürftig verschleiert sich aus, so in der trotzigen Meinung, Kriege werde es immer geben, da sei nichts zu machen, oder in der Überzeugung: »Solange die Welt nicht im Sinne unserer Ideale geeint ist, gibt es natürlich auch keinen Frieden.« So spricht der Wille zum Krieg.

In ethnologischer Perspektive zeigt sich uns zum Trost, daß Krieg und also auch die Sehnsucht nach ihm kein allgemeinmenschliches Phänomen ist. Mehr noch: daß gerade triebpsychisch ausgeglichene Völker – wie die früheren Eskimos und die heutigen Samoaner[73] – den Krieg weder brauchen, um einen »Triebüberschuß« zu beseitigen, noch ihn nötig haben, um mit dem Verhängnis des Todes fertigzuwerden. Ihnen, die sich gleichsam zu Hause fühlen in ihrem Körper, bedeutet die Drohung des Todes zumindest nichts, was es durch Fiktionen zu überspielen gälte. Was ihr je individuelles Leben betrifft, so haben sie, im Sinne von Camus gesprochen, auf den Leib gesetzt, wohl wissend, daß sie verspielen werden. Sie werden durch den Tod eines Angehörigen aber auch nicht so völlig vereinsamt, daß ihnen daraus ein Bedürfnis erwüchse, den Mitlebenden zuzusetzen. Für Menschen, die in ursprünglicher Weise im Rahmen eines Stammes einander verbunden sind, ist der Verlust eines Familienmitgliedes kein Absturz in bodenlose Einsamkeit. Die größere Gemeinschaft fängt sie wieder auf. Denn dies ist die Kehrseite der emotional überhitzten Kleinfamilie, die in Familienegoismus geradezu gegen eine »feindliche Welt« steht: daß einer den Tod des *ihm* Nächsten kaum noch verwindet.

Und so schließt sich der phänomenale Zusammenhang: Der Mensch, der sich selber in seiner endlichen leibhaften Existenz akzeptiert, hat nicht nötig, über den sinnfälligsten Ausdruck seiner Kreatürlichkeit, die Sexualität, sich hinwegzulügen. Er muß – umgekehrt und zugleich – den Gedanken an den Tod (und die Angst vor ihm!) nicht verdrängen, weil zum Tode hin die bewußte, leibhafte Gegenwart sich lediglich abschattet. Beides ist aufeinander bezogen, aber verbürgt nur in der Solidarität einer gleichgestimmten Gemeinschaft. In ihr ist der Einzelne noch »aufgehoben« in der Trauer, ohne einen Anreiz zu verspüren, in Akten der Bemächtigung oder des Tötens sich selber als unzerstörbar zu imaginieren im Unterschied zu denen, die er knechtet oder vernichtet. Die »Lust am Überleben« (CANETTI[73a]) fehlt, wo ursprünglich jeder dem Mitmenschen verbunden ist: in sinnenhaft spontanem Mitempfinden. Der so in Liebe den Andern Verbundene verspürt aber auch nie den Drang, sich ihnen im kollektiven Tod zu vermählen. Er stimmt ein in sein endliches, kreatürliches Sein; es ist gerade ihm, der es voll empfindet, von seinem Ursprunge her nicht selbstverständlich. Es ist ihm nichts so Selbstverständliches, um eine panische Angst darum zu entwickeln. Verstehend sich dem Ursprunge nähern, aus dem heraus wir leben, dies aber ist, metaphysisch gesprochen, der Sinn der Liebe.

f) Die Völker – Opfer ihrer Führung?

Paradoxerweise ist in einer Kultur, die eine Religion der Liebe hervorgebracht hat, der Krieg geradezu eine regelmäßige Erscheinung des Lebens. Die bis in unsere Tage den Krieg befeuernden Priester[74] zeigen beispielhaft den Wert bloß gepredigter Liebe, wo die Triebstruktur des Menschen ganz allgemein ins Sado-Masochistische verzerrt ist. Nicht von ungefähr hat die Kunst dieser Kultur ihre Heiligen, ja Gott selber, vorzugsweise als Märtyrer abgebildet: als Stigmatisierte, gekreuzigt (statt auferstanden!), gesteinigt wie Stephanus oder von Pfeilen durchbohrt wie Sebastian. Oft sinnlich genug wird dabei ein Doppeltes signalisiert: die irdische Wollust des Schmerzes wie die scheinbar himmlische Lust am Quälen, in denen die freudlosen Hirne sich allein noch Seligkeit imaginieren. Darunter, manchesmal völlig verdeckt, die Not des gepeinigten Menschen. Die Skulptur des Heiligen Sebastian im Dom von Wiener Neustadt ist für das masochistische Moment signitiv: ein sich im Schmerze krümmender Körper, doch, denkt man die Pfeile hinweg, ein sich lustvoll dehnender Leib. Ein kaum merkliches Lächeln – bei halbgeschlossenen Lidern – zieht daraus seinen Glanz. Das – nach GABRIEL MARCEL[75] – unausrottbare Böse erscheint so aufs höchste verklärt – und gerechtfertigt. Wenn die Aggression schon natürlich sein soll, dann tritt sie um so vernichtender in den Dienst des Übernatürlichen: In den Kreuzzügen war die Lust am Töten selber geheiligt.

Es wäre indessen kulturkämpferische Rancune, den Kreuzrittern des Glaubens – lange vor Freud – eine so infame psychologische Berechnung zu unterstellen. Die im Geiste der Stoa wie des Apostel Paulus frustrierten Geschlechter schufen sich Raum für die Not, die sie litten.

Das sich gewaltsam expandierende Gute ist allemal ein Zeichen dafür, daß die Menschen, die es verkörpern, es bei sich selber nicht aushalten[76]. Sie wälzen kollektiv sich in ihre »Erlösung«, in den Kampf, in dem sie sich lösen, sinnenhaft, orgastisch – im »Rausch des Blutes«. Ihre geistlichen und weltanschaulichen Führer übernehmen die Rolle, diesem dumpfen Drang einen Inhalt zu geben. Sie legitimieren den Rausch, der not tut, indem sie ihn zum Wahn stilisieren. Dabei besteht aber unausgesetzt die »Gefahr«, daß die in Fronten geordnete Destruktion in einen Kampf nach allen Seiten sich auflöst und noch ihre führenden Köpfe verschlingt: »Die Revolution frißt ihre eigenen Kinder.« Auch der Krieg, in den die Masse tierhaft sich wälzt, kann den Reiter, der sie noch zügeln möchte, von sich werfen – sofern er nicht vorzieht zu »folgen«. Der preußische Generalstabschef HELMUTH VON MOLTKE warnte darum, weniger pazifistisch als machtpolitisch besorgt, vor den »Volksleidenschaften«, die auch ohne, ja durchaus *gegen* den Willen der Regierenden einen Krieg herbeiführen könnten[77]. Die allgemeine Hochstimmung beim Ausbruch des Ersten Weltkrieges[78] hat ihm weitgehend recht gegeben.

Wir hören schon den Einwand, die Völker zögen doch zumeist nur mit Angst und Zagen in den Krieg. Aber das ist, auch wo der Jubel einmal nicht gar so groß ist, kein stichhaltiges Argument gegen die These, daß Kriege nie gegen den Willen der Völker »vom Zaune zu brechen« sind. Es braucht sich ja nicht um einen ausdrücklichen und vollbewußten Willen zum Kriege zu handeln. Angst vor dem Krieg und ein Drängen zu ihm schließen sich dann gar nicht aus. Die Angst wird eher sogar noch sich steigern, wenn die innere, halbbewußte Bereitschaft zum Kriege wächst. Der Mensch hat so Angst zugleich vor sich selbst. Tiefenpsychologischem Denken ist eine solche Dialektik vertraut. Nur wer Psychologie gleichsetzt mit Bewußtseinspsychologie, wird den Gedanken an ambivalente Haltungen, die einander verstärken, von vornherein von sich abwehren. Ihm ist allenfalls beizukommen mit einer Logik, die den Krieg selber noch personifiziert, das heißt, eben dies, was Neigung zu ihm ist in uns selber, aus uns heraussetzt und als eines der »Übel dieser Welt« objektiviert: »Wie andere Übel hat der Krieg die heimtückische Art, nicht untragbar zu erscheinen, bis er die ihm Ergebenen so fest in seiner Gewalt hat, daß sie nicht mehr imstande sind, sich von ihm freizumachen, wenn sie erkannt haben, daß er zur Vernichtung führt.« So TOYNBEE[79].

Hier ist die Rede von den »dem Krieg Ergebenen«. Das läßt vorweg an jene denken, die verhüllt oder schon unverhüllt zum Kriege hetzen oder doch ihm Vorschub leisten, indem sie seine Gefahren verharmlosen. An Politiker also ist hier gedacht, die etwa lauthals verkünden, sie könnten »das ewige Gerede von der Entspannung schon nicht mehr hören« (F. J. Strauß), oder die verharmlosend meinen, die taktischen Atomwaffen seien »nur eine Weiterentwicklung der Artillerie« (Adenauer und Goldwater). Da Lächerlichkeit noch nicht tötet, lassen sich sogar von Staats wegen Broschüren verteilen, die angesichts der Atomkriegsgefahr beruhigen: »Jeder hat eine Chance.« (Die aktuellen Zitate sollen nur zeigen, daß wir nicht von nichts reden.) An Publizisten auch wäre zu denken, die im Krieg – oder doch in der Waffentechnik – den »Vater allen Fortschritts« erblicken[80] oder unbeirrt an die sogenannte alte Wahrheit erinnern, wonach es »süß und ehrenvoll« zu sein hat, für das Vaterland zu sterben[81]. Durch sie alle aber, so meine ich, kommt nur jene Kriegsbereitschaft zur Sprache, die in den Völkern selber sich anstaut.

Solange gekrönte Häupter sozusagen zu ihrem Privatvergnügen die Völker in Kriege führten, so lange mochte der Zusammenhang von kollektiver Aggressivität und Kriegspolitik noch völlig verdunkelt bleiben. Doch die Zeit der »Kabinettskriege«, in denen »die menschlichen Leidenschaften Rahmen und Dämme fanden« (FRANZ SCHNABEL[82]), ist lange vorbei. Als reines »Kunstwerk« der Planung – ein Ideal des Absolutismus – gab es sie freilich nie. Dies hätte vorausgesetzt, daß in den geheimen Kabinetten der Könige nicht jeweils nur der Zeitpunkt für eine kriegerische Unternehmung und die »Kriegsziele« sich hätten beschließen lassen, sondern daß auch die Kriegsbereitschaft der Völker, die doch »mitmachen« mußten, durch solche Beschlüsse sich hätte herbeiführen lassen. Kollektive Frustrationen und die systematische Ablenkung viriler Energien aufs »Soldatische« lagen jeder Kriegspolitik schon zugrunde. Spätestens seit der Einführung der allgemeinen Wehrpflicht und der Verkündung des »Volkskrieges« ist die Rede vom Kabinettskrieg vollends widersinnig, weil zum Anachronismus geworden. Der Kabinettskrieg setzt die Söldnertruppe voraus, die aber, soll sie schlagkräftig sein, aus tötungswilligen Männern des ganzen Volkes sich rekrutieren muß. Tapferkeit aus Angst vor der Füsilierung ist ein zu unsicherer Faktor der Disziplin, als daß eine Heeresleitung – über alle Chargen nach unten – sich einzig hierauf zu stützen vermöchte. Die Arbeiter- und Soldatenräte am Ende des Ersten Weltkrieges haben uns das bewiesen. Der Kriegswille der Leute war ermüdet (und auch nicht durch Feind-Invasion aufs neue entfacht); die Hierarchie des Gehorsams brach darum in sich zusammen. So wurde noch in der Niederlage der Zusammenhang von kollektiver Aggressivität und kriegerischer

Staatsführung sichtbar: diese kann ohne einen entsprechenden Auftrieb gar nicht sich halten.

Unterdessen haben wir es zu würdigen, daß – im Zeichen weiterer Demokratisierung vieler Staaten wie durch kommunistische und faschistische »Revolutionen« – Männer des Volkes selber in die Schaltstellen der Macht eingerückt sind und Kriege ausgelöst haben. Es steht schlecht um die Meinung, die Völker würden nur immer »von denen da oben« zur Schlachtbank getrieben, wenn ein früherer Schullehrer, ein Mann aus dem Volke, als Politiker plötzlich schreibt: »Nur der Krieg bringt alle Kräfte des Menschen zur stärksten Anspannung und adelt die Völker, die die Fähigkeit haben, ihm ins Auge zu sehen.«[83] Es steht schlecht um jene gutherzige Meinung, wenn ein früherer Maler, zur Macht gelangt, solchem Geiste gemäß handelt und obendrein noch einige Millionen Menschen vergasen läßt. Oder wenn an den Händen eines zum »roten Zaren« emporgekommenen Schuhmachersohnes nicht minder Blut klebt. Liegt es angesichts so sinnfälliger Beispiele nicht näher zu sagen, daß im Klima einer bestimmten Kultur (und Moral) ein jeder, der Machtpositionen übernimmt, nur an eine für ihn selber günstige Stelle jenes Getriebes gelangt, das »Schweiß, Blut und Tränen« (Churchill) aus den Völkern herauspreßt? Man sage nicht, daß offenbar doch pathologische Naturen aus dem Volke selbst (von Robespierre bis Hitler und Stalin) durch eine unglückliche Verkettung der Ereignisse jeweils sich durchgesetzt hätten. Kulturmorphologisch gibt es hier keinen Zufall. *Wenn gerade pathologische Naturen die Völker am stärksten an-sprechen, ja sie mitreißen, dann muß doch etwas Pathologisches in den Völkern selber mit jenen »Kranken« kommunizieren.* Sonst gäbe es durch diese weder Faszination noch jene sadistische »Härte«, die auf eine Bereitschaft stößt, masochistisch sich unterzuordnen[84].

Der sogenannte kleine Mann selber verlangt nach einer Regierung, die »hart« sein kann, hart gegenüber ihm selbst. Wo die führenden Köpfe nachgiebig werden und zwischen den Gruppen-Interessen lavieren, da ergeht der Ruf nach dem »starken Mann«. Selbst jene, die gegen eine bestehende Macht sich erheben, wollen »oben« die harte Hand. So sehr ist der Mensch in unserer Kultur an Macht überhaupt gewöhnt. »Nimm, Hundesohn, die Macht, wenn man sie dir gibt.« Das schrie, »wie besessen«, ein russischer Revolutionär dem Minister Tschernow ins Gesicht[85].

Die Meinung, daß die Völker die puren Opfer ihrer militanten Führung seien, wird sich nicht halten lassen. Die Herrschenden stehen nicht erhaben über dem herrschenden Ethos, sie sind nicht unabhängig von dem, was das Volk über sie denkt. Ja, sie etablieren und verfestigen ihre Macht geradezu, indem sie in möglichst idealtypischer Reinheit die Moral des Volkes verkörpern oder doch zu verkörpern vorgeben. Hat nicht einer der Hauptkriegsverbrecher der letzten Jahrzehnte seinem Volk zwölf Jahre lang den Asketen vorgespielt, den sprichwörtlichen »anständigen Mann«, der von den Frauen nichts wissen will, aber doch mit dem Akzent, daß er sich ganz der Sorge um sein Volk »geweiht« habe[86]. Die Mächtigen jeder Gesellschaft sind in genauer Abhängigkeit von der Moral ihres Volkes, und sie beweisen es, gerade indem sie vor ihm sich verstellen[86a]. Hätten sie wirklich die Macht, die ein blinder Glaube ihnen zuschreibt, sie bedürften der Lüge nicht und könnten dem Volk sich zeigen, wie sie sind. Wer sein Volk »hinters Licht führt«, um an die Macht zu gelangen oder um an der Macht sich zu halten, gibt damit zu, daß seine Macht vom Volk nur geliehen ist. Er betrügt nicht dieses, sondern sich selbst: Er muß vor den andern die Rolle spielen, die sie von ihm erwarten.

Alle Macht ist im Grunde fiktiv: weil sie ohne das Mittel der Lüge in sich zusammenfiele. Sie muß zumindest den Menschen im unklaren lassen über seine Natur. Erst eine Regierung, die es sich leisten könnte, den Menschen mit seiner Natur zu versöhnen, hätte *in Wahrheit* die Macht – und bedürfte ihrer nicht mehr.

So – in anthropologischer Perspektive – ist der einfache Mann, der in den Krieg geschickt wird, doch ein Opfer. Aber er ist ein Opfer nicht erst in den ausgezeichneten Situationen des Krieges und der Revolution, sondern er ist es schon Tag für Tag im Klima einer Moral, die wesentliche Züge seiner Natur unterschlägt. Gerade die Einsicht in den Zusammenhang von Triebverdrängung und Kriegsbereitschaft läßt uns eine Deutung der menschlichen Natur verwerfen, die dieser wesensmäßig ein Moment des Bösen beigemischt wissen möchte. Ist aber der Mensch seiner Natur nach nicht notwendig böse, so ist es auch nicht ein ursprünglicher Wille zum Krieg, der den »Mann auf der Straße« zum Kriege bereit macht; es ist sein *Wille zum Leben*, der, »moralistisch« teilweise unterdrückt, zu Ausnahmesituationen hintreibt – in der Tendenz, von lästiger Einschnürung sich zu befreien. Die Mächtigen, die scheinbar so sehr mit ihm umspringen, fungieren dabei nur als die Vollstrecker dieses seines geheimen Willens. Die Bereitschaft zum Kriege ist so ein Ausdruck des Lebens selber, aber sein verzerrter Ausdruck in der Sphäre der Unterdrückung. Wobei wir »Unterdrückung« wieder in dem doppelten Sinne verstehen, den wir schon einmal zugespitzt haben* in den Satz: Alle Unterdrückung ist im Grunde Triebunterdrückung.

In einer Gesellschaft, in der nicht mehr so deutlich eine dünne Oberschicht das Volk unterdrückt, wo vielmehr ein jeder mit Argusaugen das Leben seiner Mitmenschen überwacht, da ist es dafür um so deutlicher der Wille des ganzen Volkes, der die Regierenden auf die Bahn einer aggressiven Politik drängt, deren Fortsetzung mit anderen Mitteln bekanntlich der Krieg ist. Das schließt nicht aus, daß dann noch immer, wie anscheinend nur der böse Blick der Marxisten es wahrnimmt, eine kleine Gruppe von Industriellen aus der beständigen Möglichkeit des heißen Krieges besonderen Gewinn zieht. Aber das erklärt nicht die Kriegsbereitschaft des kleinen Mannes, die, erfolgreich zum Kriege hin durchbrechend, den Rüstungsgewinnlern für eine Weile zumindest die Rechnung verdirbt: wenn ihre Fabriken in Schutt und Asche sinken oder wenn dem Kriege eine Periode der Abrüstung folgt. Wo endlich die Waffentechnik so weit entwickelt ist, daß ein voll entfesselter Krieg das Ende aller Kultur, wenn nicht allen menschlichen Lebens brächte, da kann überhaupt nur noch der Mann auf der Straße, dem es an Einsicht in die möglichen Folgen mangelt, die Rolle des Schrittmachers zum Kriege wie zu jeder Verschärfung schwelender Kriege übernehmen. USA-Präsident Johnson faßte den Entschluß zur Ausweitung des Vietnamkrieges (die dann am 29. Juni 1966 erfolgte) nicht eher, als bis die Mehrheit des amerikanischen Volkes ihn dazu gedrängt hatte[87]. Die Methoden der Demoskopie geben heute dem Manne an der Spitze die Möglichkeit, sich jederzeit ganz im Einklang mit des Volkes Stimme zu halten. Sofern er – in westlichen Demokratien – politisch keinen anderen Horizont hat als jenen der nächsten Wahl, wird er sich dieses Instruments auch vorbehaltlos bedienen. Es wäre aber eine Verkennung dessen, was jederzeit Herrschaft bedeutet, zu meinen, die militante Politik autoritärer Staaten gehe einzig von oben aus. Wo das Volk die aggressive Politik seines Führers nicht mitmacht, da bleibt eher noch dieser als das Volk auf der Strecke[88].

Da wir die Geschichte als eine Geschichte hervor-ragender Männer verstehen, schon weil eine soziologische Fassung der Geschichte uns schwerfiele, sind wir nur über Kriegsbereitschaft und Friedenswillen jener wenigen Männer unterrichtet. Daß Friedrich der Große, wie er selber zugab, aus Ruhmsucht seinen Krieg gegen Österreich begann; daß Bismarck nach der Schlacht von Königgrätz den Krieg nicht mehr

* im II. Teil, Kapitel B.

fortsetzen wollte: so etwas ist uns geläufig. Von den treibenden Emotionen der Völker, die zum Kriege rüsten, wissen wir so gut wie nichts. Die welthistorische Rolle des kleinen Mannes ist günstigstenfalls zum »spontanen« Sturm auf die Bastille, zur »Wahnsinnstat« des Attentäters von Sarajewo oder zum »Untermenschentum« einer enthemmten Soldateska zusammengedeutet. Dabei erscheint das historisch Verändernde, das Umstürzende entweder als bloße Reaktion auf langjährige Unterdrückung, wenn nicht gar als »Massenpsychose«, oder als die zufällige Folge der Abnormität eines Einzelgängers, immer aber als »persönlichkeitsfremd« für den Mann auf der Straße, dessen Privileg es nicht sein darf zu töten. Der gute Bürger wartet gehorsam auf den Schießbefehl, im schlimmsten Falle fordert er ihn an. »Kann ich Befehl bekommen, ihn abzuschießen?« (»ihn«, nämlich einen amerikanischen Flieger im Berlin-Korridor). Das funkte ein sowjetischer Düsenjäger – mitten im Frieden[89]. Daß er »von oben«, von da, wo angeblich alles Böse herkommt, den erwünschten Befehl nicht bekam – dem Umstand verdanken wir es vielleicht alle, daß wir gegenwärtig noch in Frieden leben. Wenn der typische kleine Mann es noch wäre, der allenthalben die Politik machte, es stünde vermutlich nicht zum besten für uns.

C.

KRIEG UND VERBRECHEN

a) Gewaltverbrechen im Frieden und im Kriege

Wenn es uns gelungen ist, den Zusammenhang von Triebverdrängung und Kriegsbereitschaft zu erweisen, so ist eines dabei vielleicht doch noch undeutlich geblieben: warum in einer repressiven Ordnung die aus Triebverzichten sich aufsammelnde Aggressivität nicht überwiegend in kriminellen Handlungen je individuell sich entlädt. Warum überhaupt die *kollektive* Abfuhr destruktiver Tendenzen in Krieg, Revolution und Unterdrückung von Minderheiten? Der »Vorteil«, der bei kollektiver Abreaktion für den Einzelnen sich ergibt, könnte auf eine Antwort schon hinleiten: Es kann ein jeder, der in der Gemeinschaft mit anderen zum Kriege hindrängt, sich darüber doch als ein integres, moralisch einwandfreies Individuum empfinden. Der »Vorteil« kollektiver Gewaltakte im Unterschied zum – individuell oder von kleinen Gruppen verübten – Verbrechen ist also, weniger »ethisch« als vielmehr psychologisch gesprochen: Der Einzelne bleibt ein Glied der Gesellschaft, in der er lebt, er bleibt geborgen in ihr – und er kann doch die angestaute Aggressivität einmal ausleben. Der Aggressive auf eigene Faust wird von der Gesellschaft isoliert: sie erklärt ihn zum Verbrecher.

Diesen »Vorteil« kollektiver Abreaktion für den Einzelnen aufzuzeigen, heißt indessen nicht schon, ihren Grund, ihr Motiv, zu nennen. Um bewußte Motive kann es dabei ohnehin sich nicht handeln. Wo jeder bewußt darauf sänne, kollektive Gewaltakte herbeizuführen, um seine destruktiven Neigungen auf erlaubte Weise abzureagieren, da dürfte man sich wundern, weshalb die Glieder einer solchen Gemeinschaft sich dann nicht gleich ihre wahre Natur voreinander erlaubten und wechselseitig zugeständen. Tiefenpsychologischem Denken liegt es aber nahe, eine entsprechende unterbewußte Spekulation zu vermuten. Die Syllogismen des Unterbewußtseins wären dann so beschaffen, wie eine kausalistische Psychologie sie ihm zuschreibt. Was an einer solchen

Deutung falsch ist, ist aber wohl nicht das Kausalprinzip, das sie anwendet, sondern seine Beschränkung aufs Individuum. Es hieße doch die Genialität des je individuellen Unbewußten (des »Es«) überschätzen, wollte man eine so ausgeklügelte Spekulation ihm unterstellen. Wo der Einzelne in solcher Weise unterbewußt spekuliert, hat er wohl auch schon aufgehört, völlig »unbewußt« zu agieren. Was aber in seinem Unterbewußtsein oder im Halbdämmer seines Bewußtseins sich abspielt, ist das Ausdrücklichwerden einer moralischen Ordnung, der er nicht bloß sich fügt; er ist ihr nahtlos einverwoben. Es ist die immanente Konsequenz einer triebverdrängenden Moral selber, daß sie, als herrschendes Ethos in einer größeren Gemeinschaft durchgesetzt, auch die »Ableitung« der verdrängten Triebe im Maßstabe der Gesellschaft »organisiert«. Wenn ein leibfeindliches Ethos für den Einzelnen – als Moral – verbindlich ist, dann besteht solche »Verbindlichkeit« (Verpflichtung) auch für ihn jeweils nur über seine Bindung an die größere Gemeinschaft, für die das Ethos *gilt*. Es ist nicht einzusehen, weshalb ein Ethos, das so – per definitionem und wesensmäßig – ein Ethos der Gemeinschaft ist, in seinen repressiven und darum lustfeindlichen Zügen ein Kulturphänomen sein soll, während die destruktiven Konsequenzen dieser »Werte« völlig zu Lasten des Einzelnen gingen (oder seines »Unterbewußtseins«). Es so zu sehen hieße auch übersehen, daß im Wertsystem der (trieb-)unterdrückenden Ordnung die destruktive Seite schon berücksichtigt ist: schon in dem hier hochgehaltenen Ehrgeiz wie in allem, was mit dem Begriff der »soldatischen Tugenden« umrissen ist. Tapferkeit vor dem Feind und Draufgängertum implizieren schließlich die Lust am Töten.

Wäre die repressive Ordnung ein perfekt funktionierendes System, es dürfte in ihr keine Verbrechen mehr geben – wenigstens keine Verbrechen des Individuums; es müßten in einer solchen Gesellschaft auch alle psychosomatischen Krankheiten fehlen (die immer ein Zeichen unabgeleiteter Trieb-Spannungen sind), und es müßte schließlich in regelmäßigen Rhythmen der Krieg sich einstellen[90]. Dieses »perfekte« System gibt es nicht; die im großen eingerichteten Sicherungen versagen, oftmals gerade dadurch, daß man ihre Einrichtung perfektioniert: Dressurakte am Kleinkind und Schüler, militärische Ausbildung und Strafvollzug sowie überhaupt das System der sozialen Prämien und Sanktionen, sie schaffen insgesamt ein *Ethos der Aggression*, das mehr ist als bloße Verbrämung faktischer destruktiver Impulse; es schlägt auf die repressive Ordnung selber zurück. Wohl kann man durch eine harte Erziehung devote, pflichtbewußte Untertanen bekommen; aber dann und wann bricht ein so zurechtgeprügelter Charakter aus der Gemeinschaft aus und läuft Amok: Er »rächt« sich. Eine frühere Schulkameradin eines Frauenmörders sagte mir einmal, dieser sei als Kind still und verschüchtert gewesen. Ähnliches berichtet die Verwandte eines Schulkameraden Heinrich Himmlers: An dem jungen Himmler »fiel sogar etwas angenehm auf, nämlich dessen betonte Zurückhaltung gegenüber Mädels.«[91] Hervorgehoben wird von derselben Gewährsmännin auch »das betont streng katholische Elternhaus« des späteren SS- und Polizei-Chefs, dessen Vater, wie ich von anderer Seite erfuhr, ein »untadeliger Gymnasialdirektor« war. Der Zusammenhang von frühen Verdrängungen und späterer Brutalität wird hier deutlich. Ihn bestätigt die Kriminalstatistik, die ausweist, daß unvergleichlich mehr jugendliche Delinquenten wenigstens einen Stiefelternteil haben als die übrigen Heranwachsenden[92]. Stiefeltern behandeln in unserer Kultur* erfahrungsgemäß ihre Kinder meist liebloser als leibliche Eltern. Die Eltern aber, die wenig Liebe bieten, müssen fortgesetzt etwas verbieten.

Neben der kollektiven Abreaktion verdrängter Triebe ermöglichen besondere individuelle Lebensschicksale auch bei an sich geistig völlig Gesunden immer wieder »verbrecherisches Verhalten«, also solche Formen der Abreaktion, die von der Gesellschaft nicht sanktioniert werden. Daß es richtig ist, die Verbrechen der geistig Gesunden einer Gesellschaft mit deren Kriegen und Bürgerkriegen aus ein und derselben Wurzel der Triebverdrängung heraus zu verstehen, bestätigt die Kriminalstatistik, die zeigt, daß die Zahl der Gewaltverbrechen im Kriege abnimmt[93]. Was sonst nur als »verbrecherischer Gewaltakt« aus scheinbar dafür vorherbestimmten Menschen herausbricht, das ist im Kriege aufgesammelt in einem großen Strom kollektiver Aggression. Man kann skeptisch sein vor jeder Kriminalstatistik, deren Zuverlässigkeit immer davon abhängt, daß Polizei und Staatsanwälte über Jahre hinweg mit gleicher Präzision oder auch mit gleichbleibender Nachlässigkeit ermitteln. Aber der Einstrom »verbrecherischer« Neigungen in die kollektive und legale Aggression des Krieges läßt sich auch weiterverfolgen am Schicksal von Gewaltverbrechern, die zur Truppe kamen, sich dort als gute und verlässige Kameraden erwiesen, an der Front wahre Heldentaten vollbrachten und hochdekoriert wurden, um nach dem Kriege wieder ihren verbrecherischen »Geschäften« nachzugehen. Solche Beispiele – Hans von Hentig bringt meh-

* Ich betone: *in unserer Kultur*, weil das offenbar für die Eskimos keineswegs gilt.

rere[94] – ziehen nun freilich wieder den Einwand nach sich, es hätten solche Verbrecher doch offenbar nur zu willig den Helden »gespielt«, während all die anderen »rechtschaffenen« Männer erst durch die Regierungen in eine Kriegsbegeisterung hätten hineingesteigert werden müssen. Da aber im Ernst niemand glauben wird, es seien die gerichtsnotorischen Kriminellen, die immer die Kriege anzettelten, so wirft ein solcher Einwand sich zurück auf die Überlegung, daß der Gewaltverbrecher in der herrschenden Ordnung doch seinen irgendwie sinnvollen Platz hat. Die mögliche Ummünzung verbrecherischer Neigungen in kriegerisches Heldentum bestätigt wie nichts sonst die Richtigkeit des Satzes, *daß jede Gesellschaft nur die Verbrecher hat, die sie verdient*[95].

Was im Kriege nur zur widerspruchslosen Deckung gelangt, verbrecherische Gesinnung und herrschende Moral, das ist im Frieden ein komplizierter dialektischer Prozeß. Findet der Verbrecher als Held im Kriege einhellig den Beifall der Gesellschaft, in der er lebt, so ist in Friedenszeiten die Reaktion der Anderen auf sein Tun in sich gespalten. Sie reagieren notwendig mit Ablehnung, Verurteilung, insofern sie spüren, daß ein allgemeines Ausleben verbrecherischer Neigungen *innerhalb* des eigenen Gemeinwesens dessen Bestand in Frage stellte. Sie reagieren aber unterschwellig doch auch mit einer geheimen Bewunderung für den Verbrecher, in der eigene verwandte Neigungen durch sein Beispiel sich aufgerührt finden[96]. Der Strafverteidiger PAUL REIWALD hat solche Reaktionen staunend an sich selber wahrgenommen[97]: Diese Selbstwahrnehmung war gewissermaßen das Urerlebnis, das ihn zum Kriminologen machte und damit auch schon zu einem Vertreter der Richtung, die zwischen dem guten Bürger und dem Verbrecher nicht den großen Unterschied feststellt, den die Selbsteinschätzung des Bürgers dazwischen erst einschiebt, dabei kräftig unterstützt von einer ihrem Wesen nach bürgerlichen Psychiatrie. Das Verhältnis des Bürgers zum Verbrecher ist ambivalent. Ein Kölner Staatsanwalt nannte es »merkwürdig«, daß die Bevölkerung der Stadt auf die Festnahme eines Gangsters, der jahrelang seine Mitmenschen terrorisiert hatte, nicht nur mit Erleichterung reagierte, sondern zum Teil auch mit unverhohlener Sympathie und Beileidskundgebungen für den Inhaftierten[98]. Schon in die Furcht vor Gewaltverbrechern mischen sich Bewunderung und der kraftlose Hang, es ihnen gleichzutun. Dieses Bestreben verwirklicht und verschleiert zugleich sich nur gewöhnlich in dem fanatischen Schrei nach »drakonischen Strafen«, vor allem nach der Todesstrafe. Es kommt – seltener – zum Ausdruck in Liebesbriefen an den Delinquenten[99], ist aber jederzeit gegenwärtig in einem verdächtig überwachen Interesse für alles, was mit Verbrechertum und Verurteilung zu tun hat. In der Überzeugung, man solle jeden Sexualverbrecher, auch den, der nicht mordet, sogleich hinrichten, wie in der Meinung, die Massenmörder von Auschwitz sollten überhaupt straffrei ausgehen, bekundet sich einheitlich die »kriminalpolitische« Gesinnung des guten Bürgers, den es selber in den Fingern juckt. Ist es Zufall, daß etwa die gleiche »demoskopische« Mehrheit zu Beginn der sechziger Jahre bei uns dafür eintrat, die Verfolgung der KZ-Verbrechen zu beenden, welche damals auch nach der Todesstrafe verlangt hat[100]? Drückt hierin nicht eben jene Identität der Grausamen mit sich selber sich aus, die nur vollends faßbar erst wird in der Person jenes Neurotikers, der in Wachträumen abwechselnd als Henker und als Lustmörder sich imaginiert[101]? Beklemmend ist nur, daß solche Wachträume symptomatisch sind für das »Innenleben« der überwiegenden Mehrheit unserer Bevölkerung. Die empirische Sozialforschung bestätigt, daß es richtig ist, am Neurotiker den verschwiegenen Geist der Gesellschaft zu studieren.

Wem demoskopische Zahlen soviel nicht besagen, der achte einmal darauf, wie ein just publiziertes Gewaltverbrechen in öffentlichen Verkehrsmitteln, in Geschäften, an der eigenen Arbeitsstelle oder womöglich im engsten Bekanntenkreis »kommentiert« wird. Man solle Sittlichkeitsverbrechern, wenn man sie schon nicht hinrichte, wenigstens das Glied abschneiden – das hörte ich schon zu verschiedenen Malen, einmal sogar in der Fassung: Man solle es »Zentimeter für Zentimeter« abschneiden. Eine sonst recht stille, pflichteifrige Behördenangestellte reagierte auf den Mord an einem Taxifahrer mit höchster Erregung: »Der Mörder müßte an ein Taxi angebunden werden und im 60-km-Tempo zu Tode geschleift werden.« Vor dem Landgericht einer kleinen Stadt, wo man gerade – Juni 1966 – einen Mörder verhörte, sammelte sich eine nach Hunderten zählende »erregte Menschenmenge – darunter auffallend viele Frauen –«, die immer wieder in Sprechchören forderte: »Gebt ihn 'raus, wir hängen ihn!«[102]

Was in einem so fanatischen Schrei nach »gerechter Strafe« aus biederen Bürgerherzen hervorbricht, das ist genau jene Sehnsucht nach Grausamkeit, die nur auf den »Führerbefehl« wartet, um ohne Risiko in eine Tat sich umsetzen zu können, wie sie der Verbrecher sich anmaßt. Unterbewußte Identifikation mit dem Gewaltverbrecher, geheimer Neid auf die »Freiheit«, die er sich nimmt, verschwiegene Bewunderung seines Mutes und doch bewußt eine ehrliche Entrüstung über sein mitleidloses Verhalten, dabei Genugtuung über das eigene Bessersein und last not least Angst um sich selber – das sind die Züge, die in der allgemeinen Einstellung zum Verbrecher eigentümlich sich mischen, aber gelegentlich auch wieder sich »entmischen«. Daß die Bewunderung überwiegen kann, zeigt sich in dem sympathetischen Mitleben mit gewalttätigen Gestalten der Filme, wobei freilich die Neigung zum Mitleben offenbar um so größer ist, je mehr der Gewalttätige auf »Recht und Ordnung« sich stützen kann oder auf das Motiv der Rache sich beruft. Dies erklärt wohl bis zu einem gewissen Grade die Bereitschaft, die KZ-Mörder zu exkulpieren.

Uns geht es im gegenwärtigen Zusammenhang, wie gesagt, um die soziale Funktion des Gewaltverbrechers im Frieden. Sie wäre dahingehend zu präzisieren, daß er gleichsam stellvertretend für die Gemeinschaft aggressive Impulse ungehemmt auslebt, den anderen damit die Möglichkeit gebend, sie an ihm mitzuerleben und in solchem Mitleben wie in der Entrüstung über ihn einen gewissen Teil der »moralisch« angestauten eigenen Aggressivität selber auszuleben[103]. Aus diesem Grunde muß die Gesellschaft, wie PAUL REIWALD und FRITZ BAUER[104] übereinstimmend betonen, auch ein starkes Interesse daran haben, daß das grausige Bild des primitiven Gewaltverbrechers nicht verblaßt zugunsten des *white collar criminal*, mag dieser der Gesellschaft im ganzen auch viel größeren Schaden zufügen. Der schaurig maskierte Einbrecher, der in der Eile schlimmstenfalls soviel Geld erbeutet, als er tragen kann, ist als Blitzableiter für verdrängte und versprengte Triebe sozial wichtiger als der Wirtschaftsverbrecher, der in einflußreicher und hochangesehener Stellung durch geschickte Transaktionen ungeheure Summen des Volksvermögens veruntreut[105]. »Das Verbrechen und die gesellschaftliche Reaktion darauf sind ein einheitliches Sozialgeschehen.«[106] Aber sie sind es nicht nur in dem Sinne einer beständigen Wechselbeziehung zwischen dem Verbrecher und der übrigen Bevölkerung. *Es sind vielmehr schon die gesellschaftliche Moral und das abstoßende Bild des »Verbrecherischen« aneinander herangebildet.* Es wäre kurzschlüssig, daraus zu folgern, daß im Verbrecher der natürliche, der ungebrochene Mensch wieder zum Vorschein komme, so wie es NIETZSCHE gedacht hat[107]. Wir dürfen viel eher schließen, daß eine die menschliche Natur mißachtende »moralische« Ordnung innerhalb eines Gesellschaftsganzen den »ursprünglichen Menschen« (der kein historisches oder ethnisches Faktum sein muß) in die Erscheinungsbilder des Verbrechers und des sogenannten Wohlanständigen *zerlegt*. Diese ethische Spaltung der Gesellschaft wird bis zu einem gewissen Grade aufgehoben im Kriege, aber, soweit das gelingt, dann um den Preis der moralischen Schizophrenie jedes Einzelnen, der fortfahren darf, sich für einen anständigen und mitmenschlichen Bürger zu halten, und doch in die Lage versetzt ist, die »moralisch« angestaute Aggressivität offen auszuleben.

b) Das legalisierte Verbrechen

In einer repressiven sozialen Ordnung, so sagten wir, überläßt der Gewaltverbrecher sich stellvertretend für die Anderen seinen destruktiven Impulsen[108]. Daraus ist nicht zu folgern, daß nun in einer nichtrepressiven, im eigentlichen Sinne freiheitlichen Ordnung ein jeder in gleichfalls destruktiver Weise sich auslebte. Der Verbrecher ist unser »Stellvertreter« nur, insofern Ähnliches in uns sich regt, aber nicht sich hervorwagt. Was den Verbrecher in den Stand setzt, gleichsam den »Pionier« der kollektiv angesammelten Aggressivität zu machen, das ist die Lockerung seines Gemeinschaftsbezuges, die vielleicht aus frühkindlichen Frustrationen sich ergibt oder in relativ späten psychotischen Persönlichkeitsveränderungen ihren Kern hat. Dennoch, so »abnorm« kann ein Verbrecher gar nicht sein, daß nicht noch dem »Normalsten« die Möglichkeit gegeben wäre, seine destruktiven Akte mitzuvollziehen. Voraussetzung hierfür scheint mir allerdings, daß der verbrecherisch Abnorme und der rechtschaffen Normale Glieder derselben Gesellschaft sind. Die Eskimos, die in ihrer Sprache nicht einmal Schimpfwörter hatten, denen Handgreiflichkeiten unbekannt waren, und die auch ihre Kinder nie schlugen[109], mußten den entsprechenden »Unarten« der sie bekehrenden Europäer fürs erste mit Staunen begegnen. Von Matrosen, die sich zankten und prügelten, meinten sie: »Die halten einander nicht für Menschen.«[110]

Uns interessieren aus der soziologischen Perspektive jetzt nicht die Gründe, aus denen ein Mensch zum Verbrecher wird. Uns interessiert, was den Verbrecher mit dem guten Bürger verbindet. Darüber hat längst sich uns die kriminologische Frage (»Was macht den Menschen zum Verbrecher?«) umgedreht. Wir fragten: Wie kommt es, daß in unserer Gesellschaft nicht ein jeder, der elementare vitale Antriebe zu verdrängen hat, zum »Verbrecher« wird, das heißt: sich anschickt, auf eigene Faust die angestaute Aggressivität roh auszuleben? Wir fanden eine Erklärung in der Soziabilität des Einzelnen, der noch seine destruktivsten Tendenzen der Gemeinschaft abtritt, die sie in Kriegen,

Revolutionen und Pogromen zur kollektiven Entladung bringt. Dennoch, so könnte man meinen, es fehle da noch die phänomenale Brücke zwischen dem a-sozialen Verbrecher und dem Rechtschaffenen, der allenfalls periodisch und kollektiv und vielleicht auch dann nur im psychischen Mitleben mit den Kämpfenden sich abreagiert. Wir finden dieses »missing link« in jenen wohlanständigen Bürgern, die, zur Folterung und Tötung anderer Menschen abkommandiert, wahre Orgien des Sadismus feiern, um später, wenn dem Auftrag ein Ende gesetzt ist, ebenso diszipliniert in ihre alte bürgerliche Welt zurückzukehren. Der Auschwitz-Prozeß in Frankfurt 1963/65 hat eine ganze Reihe solcher Charaktere gezeigt: biedere Buchhalter, Geschäftsführer, Verwaltungsangestellte und Ingenieure, ja sogar einen Krankenpfleger sowie Ärzte und Apotheker – Männer, die weder vor noch nach ihrem »Dienst« in Auschwitz jemals das geringste sich zuschulden kommen ließen; Bürger, die auch nicht in der harmlosesten Weise einmal »über die Stränge schlugen«. Was sogar den Staatsanwalt veranlaßte zu sagen: »Das sind noch nicht einmal Bürger, sondern richtige Spießer, die damals ihre bösen Instinkte austoben konnten.«[111]

Was hier in sozialpsychologischer Perspektive an den Auschwitz-Mördern uns bemerkenswert erscheint, das ist viererlei: 1. Diese Leute hatten zum großen Teil nicht einmal zu den KZ-Posten sich gedrängt. Hätte man andere als sie abkommandiert, dann wären es auch andere gewesen, die das »legalisierte Verbrechen« begangen hätten. 2. In ihrem Verhalten außerhalb des KZ-Dienstes zeigten die SS-Schergen offenbar keinerlei auffällige Züge: Die Frau eines in Frankfurt Angeklagten beschwor den Staatsanwalt, »ihr Mann könne doch kein Verbrecher sein: Als im Kriege ihr Kätzchen überfahren worden sei, habe er tagelang mit ihr getrauert«[112]. 3. In ihren sozusagen moralischen und kriminalpolitischen Überzeugungen unterscheiden die Angeklagten des Auschwitz-Prozesses sich nicht von jenen prononcierten Vertretern der repressiven Ordnung, die nie vor Gericht erscheinen, jedenfalls nicht auf der Anklagebank. Wohl entschuldigen sich die SS-Schergen für das, was sie getan haben; aber in der stereotypen Entschuldigung, sie hätten doch nur Befehle ausgeführt[113], schwingt die Befriedigung über erfüllte Pflicht. Der Angeklagte Boger fühlt während der Verhandlung sogar sich gedrängt, die Prügelstrafe zu propagieren. Er ist »unter ausdrücklichem Bezug auf das Lager Auschwitz«, wie er sagt, durchaus »der Auffassung, daß in manchen Fällen heute noch die Prügelstrafe angebracht wäre, zum Beispiel im heutigen Jugendstrafrecht«[114]. 4. Manche der heute als verbrecherisch erkannten Methoden, mit Menschen umzuspringen, finden sich wieder im Dunkelfeld einer gediegenen Ordnung. Als im Auschwitz-Prozeß zur Sprache kam, daß Häftlinge genötigt wurden, das, was sie gebrochen hatten, wieder aufzuessen[115], da fiel mir ein, daß ich Gleiches schon einmal gehört hatte, und zwar von einem Kind, das erst vor wenigen Jahren in einem nordbadischen Kinderheim dazu angehalten worden war. – Der schon erwähnte Wilhelm Boger, früherer SS-Oberscharführer in Auschwitz und nachmaliger kaufmännischer Angestellter in Stuttgart-Zuffenhausen, hatte in dem Frankfurter Prozeß sich unter anderem auch wegen seiner Praktiken bei Vernehmungen zu verantworten. Er bekannte offen: »Der Zweck der verschärften Vernehmung war erreicht, wenn das Blut durch die Hosen lief.«[116] Wir stellen daneben einen Satz aus einer psychoanalytischen Anamnese: »Die Eltern, die selbst biedere Kleinbürger sind, hatten sicher keine absichtliche Grausamkeit an den Tag gelegt, doch wuchs das Kind in einer Atmosphäre des ständigen Terrors auf, da es keine Seltenheit war, daß es blutig geschlagen wurde.«[117] Eine Behandlung, die auch dem Knaben Martin Luther durch seine Mutter widerfuhr[118].

Wir stoßen hier auf ein Grundphänomen unserer Kultur: das »Züchtigungsrecht« des Erziehungsberechtigten, das noch im Jahre 1964 ein hohes deutsches Gericht dem Lehrer an einer Berufsschule ausdrücklich zugesteht – »kraft fortdauernden Gewohnheitsrechts«[119]. Was in Fragen des sexuellen Verhaltens kaum je von einem Richter auch nur erwogen würde, hier ist es Grundlage einer richterlichen Entscheidung: das überwiegende Verhalten der Bevölkerung. Mindestens 85 Prozent der deutschen Elternpaare sehen in körperlicher Züchtigung ein legitimes Mittel der Erziehung[120]. Die ins Sadistische verbogene Libido der Mehrheit schafft sich ihr eigenes Recht, und sie behauptet es, solange in allen sozialen Schichten die Lust am Zuschlagen zu Hause ist. Da Ohrfeigen gegen Erwachsene strafrechtlich eindeutig untersagt sind, bietet die sittliche Aufgabe der Erziehung als anerkanntes Motiv, an den Kindern sich auszutoben, sich an. Der Übergang zum Exzeß ist fließend. Allein im Jahre 1965 starben in Westdeutschland *mindestens* 84 Kinder an den Folgen ungehemmter Züchtigung, ohne daß hierüber – nach Veröffentlichung der Zahl[121] – eine ähnliche Erregung sich ausgebreitet hätte wie über die viel selteneren Morde an Taxifahrern[122]. Unsere Gesellschaft verpönt nicht einfach die Gewalt, sondern nur die Gewalt, die aus dem Rahmen des Gewohnten fällt. Dem Gewalttätigen, der eigene Wege geht, gilt die Gewalt-Androhung einer zur Lynchjustiz bereiten Menge. Wer indessen »Volksschädlinge« beseitigt hat und immer noch für Prügel im Strafvollzug eintritt, der steht dem herrschenden Ethos gar nicht entgegen: Er fällt nur auf, weil er es besonders schneidig verkörpert.

Man sage nicht, was in Auschwitz geschah, das seien nur die Exzesse einer Ausnahmesituation gewesen, Grausamkeiten einer politisch verhetzten Soldateska! Was in Auschwitz geschah, kann morgen wieder geschehen: überall, gleich ob mit oder ohne weltanschaulichen »Grund«. Es ist so auch schon tausendfach geschehen. Das Besondere an den deutschen Konzentrationslagern war nicht die Grausamkeit, die dort sich austobte, sondern die Technik der Massenvernichtung, die den Sadismus des Einzelnen eher sogar beschränkt hat. Die Folterungen, Schikanen, Marterungen, die die Bewacher selber sich einfallen ließen, sind von bester abendländischer Tradition. Die Hexenverbrennungen des Mittelalters hatten dieselbe Triebstruktur zur Bedingung, deren Rationalisierung die Gaskammern konzipiert hat. Wenn der Reichsführer SS und Chef der deutschen Polizei besonderen Gefallen daran fand, zuzuschauen, wie Frauen ausgepeitscht wurden, so lebte er damit nur exemplarisch und bewußt, was immer sonst in unserer Kultur latent ist und schwelt: den Haß auf das Weib, den ein triebfeindliches Ethos dem Manne anerzieht. Nur die vermeintlich Sittlichsten tun sich darin hervor. Der »ewige *Krieg* zwischen den Geschlechtern«, zu dem unsere Philosophen das stilisieren[123], spielt immer wieder handgreiflich vor unseren Augen sich ab: In einer der Schwabinger »Krawallnächte« von 1962 ist aufgefallen, daß die »Hüter der öffentlichen Ordnung« auf junge Mädchen »besonders rücksichtslos einschlugen«[124]. Bei den Studenten-Unruhen zu Ostern 1968 wurde das wieder beobachtet[124a]. Kein Befehl vermöchte den so in Schwung gekommenen Trieb noch zu bremsen.

Auschwitz war, noch einmal, nur in einem technischen Sinne »etwas Besonderes«. An der Triebstruktur der Gesellschaft, die ein »Auschwitz«, ein »Coventry« oder ein »Dresden« ermöglicht hat, hat auch seitdem sich nichts mehr geändert. Die kollektive Bereitschaft zum Massaker ist rezessiv. Die Vorkommnisse in der Hamburger »Glocke« oder im Kölner Gefängnis Klingelpütz sind handfeste Zeichen dafür, um so mehr, als eine allgemeine Entrüstung darüber ausblieb. Die Mißhandlung oder Tötung von Strafgefangenen ist nichts, was den guten Bürger erregen könnte. »Denen geschieht es recht,« sagt er sich.

Anhand solcher Fakten prüfe man ernstlich, ob der Verbrecher in unserer Gesellschaft vom »guten Bürger« sich grundlegend unterscheidet, oder ob hier nicht eher diejenigen recht haben, die meinen, »daß jeder Mensch ein potentieller Verbrecher ist«[125]. Das Pochen auf einen prinzipiellen Unterschied zwischen sich selber und dem Verbrecher entspringt zuletzt dem Bedürfnis, der Mitverantwortung für die Gesellschaft, die das Kriminelle hervortreibt, zu entgehen. Das Bedürfnis, vom Verbrecher sich abzuheben und diesen nach Kräften zu isolieren, bezieht aber, sozialpsychologisch und tiefenpsychologisch konsequent, sich nur auf den »Verbrecher auf eigene Faust«. Die geheime Identifikation mit dem uniformierten Verbrecher kommt nahezu unverhüllt zum Ausdruck in der breiten Ablehnung, die Prozesse wie der Auschwitz-Prozeß erfahren. Die häufige Erklärung, das liege doch nun alles so lange zurück, ist nichts als eine Rationalisierung der Abwehr, da auch der nach vielen Zuchthausjahren Entlassene kaum je in die Gemeinschaft wieder voll aufgenommen wird. »Die Schande nimmt ab mit der wachsenden Sünde.« (SCHILLER) Sie nimmt ab in dem Maße, in dem die Gemeinschaft selber im Täter sich wiedererkennt. Es scheint fast so, als nehme die Gesellschaft dem Asozialen, der einen Mord begeht, nicht übel, daß er tötet, sondern, daß er es auf eigene Faust tut.

So abwegig ist es darum nicht, wenn PETER R. HOFSTÄTTER fragt, ob wir die Institution des Gerichts nicht überfordern, »wenn wir von ihr einen Spruch in Sachen Weltgeschichte und Massenvernichtung erwarten«[126]? Man muß – unter der Voraussetzung, daß wir noch nichts Besseres als ein Schuldstrafrecht haben – hier aber dawiderfragen, woraus die Verurteilung »relativ kleiner, sozusagen privater Untaten« (HOFSTÄTTER) noch ihre ethische Legitimation zöge, wenn die Massenmörder gänzlich ungeschoren blieben. Rechtsphilosophische Diskussionen des Problems bleiben freilich an der Oberfläche, solange sie die ungeheuren triebpsychologischen Abgründe übergehen. Wenn die Masse der sozial Angepaßten in ihren Trieb-Motiven vom Massenmörder sich nicht unterscheidet, dann sind alle tiefsinnigen Diskussionen über Schuld, Vergeltung und Sühne einigermaßen irreal.

Die Mörder von Auschwitz waren, im strengen Sinne, nie a-sozial. Auch während der Jahre, da sie die Vernichtungsmaschinerie betrieben und ihre sadistischen Orgien feierten, hatten sie ihr Familienleben, ihr »trautes Heim«. Sie ließen, rührend genug, »im Kinderblock kleine Zwergl an die Wände malen«[127]; auf daß sich die Häftlingskinder daran erfreuen konnten – bis sie vergast wurden. Grausamkeit und Sentimentalität wohnen allemal in derselben Brust. Wer zweifelt daran, daß es treusorgende Gatten und Väter waren, die Säuglinge mit dem Kopf an die Wand schmetterten[128] oder mit besonderem Behagen eine Frau erschossen, wenn sie noch jung war[129]? Wer zweifelt daran? Es ist tiefenpsychologisch sogar zu erschließen, daß sie noch bessere, noch fürsorglichere Gatten und Väter waren als der Durchschnitt, hatten sie doch Gelegenheit, die in bürgerlicher Bravheit sich anstauenden

Triebe in sadistischer Pervertierung exzessiv auszuleben[130]: Gesetze und Befehle »von oben«, die ihnen die Möglichkeit dazu einräumten, gestatteten ihnen zugleich, sich wie je als rechtschaffene, anständige Bürger zu fühlen. (Himmler sprach es sogar aus: Man sei angesichts der Berge von Leichen »anständig geblieben«[131].) Dies mag auch einer der Gründe sein, weshalb die in den Konzentrationslagern verübten Verbrechen, obschon sie doch offen zutage lagen, so lange nicht vor den Richter kamen. Während sonst das schlechte Gewissen der Täter nicht selten Fehlleistungen arrangiert, die zu ihrer Entdeckung führen[132], waren die KZ-Schergen im Gefühl, nicht rechtswidrig gehandelt zu haben, vor sich selber, das heißt vor ihrem Unterbewußtsein, geschützt. Einen zusätzlichen Schutz bot das geheime Einverständnis der Gesellschaft, die den KZ-Mörder deckt, dafür aber beispielsweise wegen Kuppelei die Brauteltern denunziert, in deren Haus der künftige Schwiegersohn übernachtet[133]. Die Lahmheit der Justiz gegenüber den SS-Mördern, die auch beklagt wurde, kontrastiert augenfällig mit ihrer Fixigkeit bei allem, was die gehegte »Sittlichkeit« berührt, und zeigt damit nur noch einmal, welches die Werte sind, um die sich alles dreht. Im Gesamtzusammenhang einer Kultur gibt es da keinen Zufall[134].

Es ist auch kein Zufall, daß die Mord- und Terror-Organisation des Ku-Klux-Klan zugleich den Kampf für Keuschheit vor der Ehe, für eheliche Treue und für Gehorsam gegen die Behörden auf ihr Panier geschrieben hat[135]. Die führenden Männer der *Mafia* sind ebenso nicht von ungefähr »gute Väter, gute Ehemänner, gute Söhne«, peinlich darauf bedacht, mit so schmutzigen Dingen wie Prostitution und Rauschgift nichts zu tun zu haben[136]. Die verbrecherische Politik dieser Geheimbünde ist wie darauf angelegt, die heimeligen Ideale bürgerlicher Gesittung zu widerlegen.

So wäre es kurzschlüssig zu meinen, alles das, was in Auschwitz geschah, sei typisch deutsch. Es ist typisch für eine Gesellschaft, die die Sexualität unterdrückt. Wo immer Grausamkeit praktiziert wird, spielen die Genitalien des Opfers eine besondere Rolle. Das Ausreißen der Schamhaare gehört noch zu den harmloseren Riten des Sadismus: eine alte, gelegentlich wieder auflebende Foltermethode. Weit schonungsloser haben Pariser Polizisten im Mai 1968 für General de Gaulle die Ordnung wiederhergestellt: Sie prügelten eine Reihe von Demonstranten gezielt auf die Genitalien, dabei einen jungen Mann, den sie eigens ausgezogen hatten, so lange, »bis die Haut in Fetzen hing«[135a]. Vom Ku-Klux-Klan werden sogar noch »härtere« Sitten berichtet: »Neger, die beschuldigt wurden, eine weiße Frau belästigt zu haben, wurden kastriert und gezwungen, ihre eigenen Geschlechtsorgane zu verspeisen, dann geteert, gefedert und gelyncht.«[137] In derart wüsten Orgien der Grausamkeit rumort noch der Trieb, der unterdrückt wird – nur eben umgebrochen in die Richtung der herrschenden Moral: Der Häftlingskapo Bednarek von Auschwitz, der seine Opfer in die Geschlechtsteile tritt, bis sie sterben[138], tritt damit den Trieb, den die herrschende Moral ihn zu verachten gelehrt hat. Kollektiv geschieht das noch heute in Spanien, wo mancherorts nach dem Stierkampf die Männer und Jungen in die Arena strömen, um die Hoden des getöteten Tieres zu bespucken und zu zertrampeln[139]: ein wahres Fest des Triumphes über das sogenannte Niedere, Animalische, »das Böse« in uns selbst. Der »moralische« Sinn aller Grausamkeit liegt hier bloß. Die Moral der Massenmörder, die den Juden sich zu ihrem Stier machten, ist denn auch keine andere als die der Spießer, aus deren Reihen sie sich rekrutierten: In Auschwitz wurden einmal Kinder mit Phenol »abgespritzt«, weil man es als unmoralisch empfand, sie »mit Männern in den gleichen Quartieren schlafen zu lassen«[140]. Wer das für abgefeimte Heuchelei nimmt, hat den Sinn der Grausamkeit und den Sinn unserer Sittlichkeit noch nicht erfaßt. Ihr Zusammenklang ergibt erst die *objektive Heuchelei,* die über uns herrscht.

c) Neigung zum Selbstmord – oder zum Kriege

Wenn die tiefenpsychologische These stimmt, daß jeder Selbstmord »eine verborgene Aggression gegen einen Dritten« enthält[141], dann müßte sich im Kriege neben dem Rückgang der Mordfälle auch ein Rückgang der Selbstmorde zeigen. So ist es in der Tat[142]. Dabei ließe sich zwar schon denken, daß der Krieg auch genügend Möglichkeiten zu einem »verkappten Selbstmord« eröffne. Der junge Mann, der wegen unglücklicher Liebe sich an die Front meldet und bald darauf fällt, kommt in der Selbstmordstatistik natürlich nicht mehr zum Vorschein. Aber ebensowenig der, dessen Selbstmordneigung im Kriege wieder verschwindet, weil die gegen die eigene Person gekehrte rohe Aggressivität sich jetzt sogar völlig legal auf ein menschliches Gegenüber werfen kann. Welche Fälle überwiegen, ist mit keinen Mitteln der Statistik mehr auszumachen. Indessen, für unsere triebpsychologische Betrachtung des Phänomens »Krieg« ist das eine wie das andere Bestätigung: Anhand der Selbstmordstatistik zeigt sich nur wieder, daß die Kriege einem Bedürfnis der Völker selber entspringen, mag es dabei auch nicht um ein ursprüngliches Trieb-Bedürfnis sich handeln.

Man argumentiere dawider nicht so, daß überall doch nur ein relativ kleiner Prozentsatz der Bevölkerung in Friedenszeiten Selbstmord begehe. Die relativ Wenigen, bei denen es zu einem Selbstmord kommt, der gelingt, sind jetzt auch nur die Wenigen aus der schon viel breiteren Reihe derer, die irgendwann in ihrem Leben einen Selbstmord versuchen. Nach den Unterlagen einer großen Versicherungsgesellschaft wird in den USA die Zahl der Selbstmord*versuche* auf jährlich über 100 000 geschätzt[143]. Hinzu käme, um dem Phänomen voll gerecht zu werden, die unabschätzbare Zahl derer, die gelegentlich mit dem Gedanken an Selbstmord spielen, ohne auf einen Versuch es jemals ankommen zu lassen. »Der Gedanke an Selbstmord ist ein starkes Trostmittel: mit ihm kommt man über manche böse Nacht hinweg.« (NIETZSCHE[144]) Es muß aber »Selbstmordneigung« sich gar nicht bis zum Selbstmord*gedanken* entwickeln, ja sie muß – als »Gedanke« – nicht einmal bewußt werden, um ihr »Ziel«, die Selbstvernichtung, zu erreichen. Ein Psychiater, HANS BÜRGER-PRINZ, hat nachgewiesen, »daß Jugendliche im Rausch der Geschwindigkeit das unbewußte Gefühl des Selbstmordes in sich trügen«[145]. Der libidinös frustrierte Leib entwickelt aus sich heraus die Fähigkeit, nahe am Tode kathartisch sich zu entkrampfen. Das ist der Innenaspekt jener »Todesverachtung«, die im Kriege mit einem Mal sinnvoll erscheint und heroisch.

Es geht uns indessen nicht einfach nur darum, von den Phänomenen »Selbstmord« und »Selbstmordneigung« her allein den kollektiv unbewußten Drang zum Krieg zu erklären. Der Rückgang der Selbstmordzahlen im Kriege bestätigt nur wieder, worauf der Rückgang der Gewaltverbrechen im Krieg und auch das auffällige Verschwinden vegetativer Störungen in Kriegs- und Notzeiten uns schon gewiesen haben: darauf, daß gewaltige aggressive Impulse in den Völkern zur kollektiven Entladung drängen. Impulse, die in Friedenszeiten zerstörerisch gegen den Organismus der eigenen Gesellschaft oder buchstäblich gegen den Organismus eines jeden Einzelnen sich kehren.

Noch etwas anderes bestätigt sich uns durch die Selbstmordstatistik. Wir vermuteten, daß in unserer Kultur die Männer noch stärker zum Kriege drängen als die Frauen. Wir hatten das triebpsychologisch erschlossen aus der Überlegung, daß den Männern die Anpassung an die monogame Ordnung viel schwerer fallen müsse als dem Großteil der Frauen. Wenn das wieder richtig ist, dann müßten die Selbstmorde bei den Männern nicht nur im Frieden unvergleichlich zahlreicher sein als bei den Frauen, sie müßten zudem auch im Kriege viel stärker zurückgehen. Und beides erweist die Statistik. In fast allen Ländern, die »zivilisiert« genug sind, um eine Statistik zu haben, zeigt diese, daß Männer in Friedenszeiten zwei- bis viermal so häufig Selbstmord begehen als Frauen[146]. Die amtliche Statistik des Deutschen Reiches vermerkte im Jahre 1914, also bei Ausbruch des Ersten Weltkrieges, 10 984 Selbstmorde bei Männern und 3789 bei Frauen. Bis Kriegsende (für 1918) verschob sich das Verhältnis auf 6216 zu 3943[147]. Wir haben also bei den Frauen im Kriege sogar ein leichtes Ansteigen der Selbstmorde, bei den Männern ein Absinken um rund ein Drittel. (Parallel dazu die Entwicklung der Kriminalität von 1914 bis 1918: fast eine Verdoppelung bei den Frauen und eine Abnahme bei den Männern um über ein Drittel[148]. Der Krieg bestätigt sich als das Geschäft des Mannes. Das heißt anders gewendet zugleich: daß das Leben in einer bürgerlichen Ordnung, die einen starken Lebenstrieb hart beschneidet, den Männern ungleich schwerer fällt als den Frauen. Die frustrierten Triebimpulse aber bahnen sich einen Weg zu kollektiver Aggression, sofern die frustrierende Moral als unantastbar gilt.

Die Moral der patriarchalischen Ordnung schlägt längst zurück auf den Mann. Wo in breiter Front nur den Männern sozialer Aufstieg erlaubt ist, da leiden sie auch unter der Erwartung der Braut oder Gattin, daß ihnen beruflich alles gelingt. Die neurotische Spannung, in die ein Mann so gerät, haben wir schon beschrieben*. Man kann sie mitsamt den Triebverzichten, die gerade vom verheirateten Mann hier und heute gefordert sind, ignorieren – und dann noch die höhere Selbstmordrate der Männer auf eine »natürliche Überlegenheit der Frau« zurückprojizieren. Das ist die Logik Ashley Montagus[149]. Er geht hier allerdings davon aus, daß es überall mehr männliche Selbstmörder gebe als Frauen, die Hand an sich legten. Doch so verhält es sich keineswegs. In einer Kultur, die, ganz auf den Mann zugeschnitten, die Frau nur als seine Magd oder Beute verstand, bei den *Sioux* also, war Selbstmord bei Männern so gut wie unbekannt, bei Frauen aber »nicht selten«[150]. Ein Soziologe unter den Sioux hätte vermutlich von einer natürlichen Selbstmordneigung der Frauen gesprochen.

Wenn bei den Sioux »die Männer« nicht Selbstmord verüben, dann heißt das zugleich, daß auch die alten Männer dort dem Leben nicht feind sind. Dies wirft ein Licht zurück auf eine Gesellschaft, nämlich diejenige der USA, in der – auch im Unterschied zu Europa – »die über

---

* im I. Teil, Kapitel B, unter der Überschrift (c): »Die Dialektik von Geborgenheit und Erfolg«.

65jährigen Personen der weißen Bevölkerung den höchsten Anteil« der Selbstmörder stellen[151]. Gäbe es nirgendwo andere Relationen, es sähe ganz danach aus, als finde die These vom Todestrieb (FREUD) ihre Bestätigung durch die Statistik. So aber, da schon bei den Farbigen in den USA alte Menschen nicht ausnehmend häufig sich töten, bleibt nur zu schließen, daß in einem puritanischen Milieu der Selbstmord der Alten ein Symptom der Enttäuschung ist: der Enttäuschung und der Resignation nach einem im vitalen Dasein ungelebten Leben, in dem immer wieder jede Hoffnung auf »Glück«, auf eine »Erfüllung« getrogen hat. Nehmen wir noch hinzu, daß – außer in Finnland – weit und breit nirgends sonst die Relation der Geschlechter in der Selbstmordstatistik so extrem ist, nämlich rund vier Männer auf eine Frau[151], so haben wir im männlichen Nordamerikaner von heute geradezu den psychischen Antipoden des Sioux-Mannes, den er verdrängt hat.

Die von Nation zu Nation verschiedenen Selbstmordraten der Geschlechter sind je symptomatisch dafür, wie Mann und Frau überhaupt in einer Gesellschaft zueinander stehen. Der Rückgang der Selbstmorde bei den Männern im Kriege läßt schließen, daß zumindest in Friedenszeiten virile Energien vernichtend gegen den eigenen Körper sich wenden, die in der »Ausnahmesituation« kollektiver Aggression »nach außen«: in Richtung Feind, eine Ableitung finden. Kriegerische Neigungen sind damit natürlich nicht vollauf erklärt. Das ergibt schon das Beispiel der Sioux, bei denen frühkindliche Frustrationen ganz eigener Art eine Zuspitzung der Sinnlichkeit ins Aggressive erreichen. Die Sioux-Kinder wurden (und werden) – im Gegensatz zu unseren Babys – zwar nicht vorzeitig »abgestillt«, aber gerade dadurch frustriert, daß man ihnen noch, wenn sie Zähne haben, viele Monate lang die Brust gibt, sie dann aber recht unsanft, ja offenkundig sadistisch, am Zubeißen hindert[152]: eine orale Frustration nicht des Säuglings, sondern des »Beißlings«. Außerdem galt (um magisch die Qualität der Milch zu gewährleisten) ein sexuelles Tabu für die Zeit des Stillens: bei durchschnittlich dreijähriger Stillzeit genügend Triebverzicht für den Mann, selbst wenn er unterdessen gewaltsam an Mädchen oder an andere Frauen sich heranmacht. Ist doch die Befriedigung des Mannes selber nicht eben groß, wenn die Frau – bloßes Opfer – unter seinen sexuellen Attacken nur leidet.

Indem wir Selbstmord wie den Mord als einen Akt der Aggression deuten, in dem der Wille zum Leben umgeschlagen ist in einen Willen zur Lebensvernichtung, gewinnt für uns auch das Phänomen »Selbstmordneigung« in einer triebverdrängenden Kultur seinen (immanent) sinnvollen Platz. Wir brauchten indessen gar nicht die innere Gleichheit von Mord und Selbstmord zu betonen, um den Kausalzusammenhang von Sexualverdrängung und Selbstmordneigung zu erweisen. Schon einer oberflächlichen Motivforschung zeigt sich als Hauptursache depressiver Verstimmungszustände und damit auch der Selbstmordneigung: »mangelnde oder fehlende erotische Befriedigung«[153]. So ist es kein Wunder, daß bei der Hälfte aller Lebensmüden, die KLAUS THOMAS bei der Berliner Telefonseelsorge registriert hat, Verzweiflung im »Ehe-, Liebes- oder Geschlechtsleben« den Lebensüberdruß bedingt[154]. Dabei sind offenbar noch nicht gerechnet jene, bei denen sexuelle Frustration von klein auf der verdeckte Grund ist, auf dem Lebensschwierigkeiten ganz anderer Art (unerfüllter beruflicher Ehrgeiz etwa) erwuchsen. THOMAS zeigt allerdings, wie depressiv, also zum Selbstmord geneigt, gerade Menschen sind, die eine puritanische Erziehung genossen haben und daher unfähig sind, sich sexuell zu lösen. (Er spricht in solchem Zusammenhang – mit SCHAETZING – von »ekklesiogenen Neurosen«.) Wer – neurotisch impotent oder frigid – nicht fähig ist, vitalpsychisch einzustimmen in den biotischen Grund, aus dem wir alle sind, der hat damit auch schon sich ab-geneigt von dem Leben, das als leibhafte Wesen uns alle miteinander sein läßt. Die Tendenz, das Leben in sich selber zu negieren, wäre so am Ende noch ursprünglicher als die Lust zu töten. Es hat, was als Mord- oder Selbstmordneigung je individuell sich ausformt, aber eine einzige Wurzel: Wer durch die Nahsinne, die gerade beim sexuellen Kontakt ins Spiel kommen, eine Beziehung zu einem anderen Menschen nicht herzustellen vermag, der ist so *auf sich selber zurückgeworfen*, daß er entweder in jähen Akten der Bemächtigung »aggressiv« nach Anderen ausgreift oder – zugleich – das so problematisch gewordene Verhältnis zur menschlichen Umwelt überhaupt zerstört, indem er *sich*, als den jeweils einen Pol dieses Verhältnisses, vernichtet. Es kann auch beides miteinander verknüpft sein: beim Amokläufer und bei jenem Mörder, der einen Anderen umbringt – in der sicheren Erwartung, dafür gehenkt zu werden[155]. Auch die bemerkenswert vielen Mörder (zwischen 30 und 40 Prozent aller Mörder), die nach der Tat Selbstmord begehen[156], gehören hierher. Die Neigung, nur sich selber zu töten, sofern das Töten (jenseits der Kriege) entehrt, bestimmt wohl sich von dem Glauben, daß man in irgendeiner Form doch fortlebe, zumindest »im Andenken« der Lebenden. Phänomenologisch gesehen aber ist nicht bloß der Selbstmörder ein »furchtsamer Mörder« (CESARE PAVESE[157]), ein inkonsequenter Mörder also, der sozusagen »moralisch« doch in der Gemeinschaft der Lebenden verbleiben möchte; es ist ebenso umgekehrt auch der Mörder ein nach außen gerichteter Selbstmörder, insofern er im Anderen das Leben vernichtet, das er – lustlos – schon in sich selber verneint[158]. Er verneint es, da es zu einem freudigen Miteinandersein mit Anderen ihn nicht mehr trägt. Erfüllte Freude aber ist nur in der Gemeinschaft.

Sind Mörder und Selbstmörder, jeder auf seine Art, im letzten inkonsequent, weil sie der Tendenz, Leben zu vernichten, – aus je entgegengesetzten Ängsten – nur in jeweils einer Richtung hin Lauf lassen, so hat der Lebensmüde, der »noch ein paar andere mitnimmt«, die ganze Logik der Verneinung, die Logik des Bösen, für sich. Die Anhänger des Krieges können genauso die rein rationale Logik für sich beanspruchen; aber erst der H-Bomben-Krieg wäre die widerspruchsfreie Konsequenz des Massenselbstmordes einer Menschheit, die im Zeichen triebverdrängender Moralen (vor allem der abendländischen Moral) den Lebensüberdruß weidlich genährt hat.

d) Die sexuelle Enthemmung im Kriege

Wir haben uns bis jetzt nur daran gehalten, daß während der Kriege die sozusagen privat verübten Gewaltakte abnehmen. Daß im Kriege ganz neue Verbrechensarten entstehen (z. B. Desertion und Schwarzhandel), ist für unsere triebpsychologische Betrachtung unerheblich. Wohl aber haben wir es zu würdigen, daß mit den Kriegen eine gewisse sexuelle Enthemmung einhergeht, und zwar gerade beim weiblichen Geschlecht[159], dem eine moralistische Psychologie geringere Appetenz unterstellt. In der Kriminalstatistik kommt diese Enthemmung des Weibes freilich nur unvollkommen zum Ausdruck. Man erfaßt hier lediglich einige Randerscheinungen, zum Beispiel die Zunahme der Geschlechtskrankheiten, worüber wir Zahlen aus den USA besitzen, und das dort ebenfalls registrierte »massenhafte Weglaufen von Mädchen, die zum Teil nur 13, 14, 15 Jahre alt waren«, bei Kriegsausbruch[160]. Hans von Hentig, den wir eben wiederum zitierten, hält es nicht für ausreichend, dies letztere Phänomen damit zu erklären, »daß die Eltern in Rüstungsbetrieben arbeiteten und unterlassen hatten, für die Mußestunden der Kinder Vorsorge zu treffen«. Er hält ferner die Erklärung, »daß auch die jungen Mädchen auf ihre Weise an dem großen gemeinsamen Abenteuer [des Krieges] teil zu haben wünschten«, für oberflächlich. Wenn die entlaufenen Mädchen, die sexuelle Abenteuer mit den Soldaten suchten (und fanden), sich selber als »victory girls« bezeichneten und, von der Polizei aufgegriffen, sich etwa damit entschuldigten, daß sie »ja nur patriotisch sein« wollten, so erblickt v. HENTIG in solchen Äußerungen ein Selbstmißverständnis. Er räumt zwar ein, daß auch die jäh hereingebrochene Unsicherheit und die Angst ihren Teil zur sexuellen Enthemmung beitragen mochten, kommt aber zu der Vermutung, daß »organische Gründe« ausschlaggebend sein müßten, »die vielleicht bis zur Kriegsbereitschaft der Völker selbst zurückgehen«[161].

Das ist die Richtung, in die wir blicken. In einer Kultur, in der ein elementarer Trieb wie der Geschlechtstrieb sich hart beschränkt findet, wird die Situation eines Krieges, Bürgerkrieges oder einer Revolution nicht nur die willkommene Gelegenheit sein, »sich auszutoben«, sei es sexuell exzessiv oder in »reinen« Akten der Aggression; es werden vielmehr in einer solchen Kultur schon die Kräfte, die zum Kriege drängen, aus dem Bedürfnis nach Enthemmung *erwachsen*. Der Haß, mit dem der chauvinistische Politiker seine »Todfeinde« verfolgt, hat die Heftigkeit des Triebes, den er bei sich selber unterdrückt. Es bedeutet, tiefenpsychologisch gesehen, daher eine kaum zu überbietende Naivität, wenn die im Kriege auch mit hervorquellende Sexualität der Ausnahmesituation als solcher zur Last gelegt wird. Wer so den phänomenalen Zusammenhang auf den Kopf stellt, der kann sogar fordern, die sexuellen Tabus noch weiter zu verstärken, um auf diese Weise dem Frieden zu dienen und dem Chaos zu wehren. In den Begriff des »Chaos« sind ihm Ursache und Wirkung, Vorbedingung und Begleiterscheinung, zerronnen.

Das sexuelle Chaos, das in Ausnahmesituationen sich ergibt, kann nicht als der Zustand behauptet werden, der in einer Kultur mit sexueller Freizügigkeit sich herstellte. Sexuelle Freiheit als Merkmal einer Kultur bedeutet: Freiheit im Eingehen sexueller *Bindungen*, nicht zwangsneurotisches Verlorensein in Promiskuität. Der zwangsneurotische Charakter der Promiskuität bestätigt diese gerade als Merkmal einer noch unfreien Gesellschaft. Daran ändert auch nichts, daß deren öffentliche Meinung sie verurteilt. In einer jeden Kultur, die in entscheidender Hinsicht die Natur des Menschen verfehlt, müssen diejenigen Verhaltensweisen, die nicht in das dort »verpflichtende« Bild vom Menschen passen, als negativwertig, böse, schlecht und unsittlich abgelehnt werden, auch und gerade dann, wenn sie erst Reaktionsbildungen sind auf den Versuch, den Menschen nach dem vorgesetzten Menschenbild zu formen. *Was als das Gute und das Böse am Menschen im Rahmen einer bestimmten Kultur erscheint, ist niemals das Gute oder Böse an der Natur des Menschen selber, es bezeichnet vielmehr die Pole, zwischen denen die ursprüngliche Menschennatur in der betreffenden Kultur sich zerrt.* Eine moralische Ordnung, die die Natur des Menschen im ganzen annimmt, stünde folgerichtig jenseits von Gut und Böse. Wir nennen eine solche moralische Ordnung das Ethos der Liebe.

In einer moralischen Ordnung, in der keiner am anderen geißelt, was er sich selbst zu versagen hat, fehlt ein entscheidendes Motiv für Neid, Mißgunst und Ressentiment. Der triebpsychisch ausgeglichene Mensch hat es auch nicht nötig, in den vagen Freuden des Prestiges einen Ersatz für das lustvolle Einstimmen in den Lebensgrund zu suchen. Ist so aber der Mensch mit sich selber im Einklang und mit seinem Mitmenschen versöhnt, so besteht keine Notwendigkeit, aggressive Impulse, die innerhalb der eigenen Gesellschaft sich nicht austoben dürfen, kollektiv auf »Feinde« zu richten. Die Gesundung der Triebstruktur der Völker wäre Vorbedingung des Weltfriedens.

D.

FRIEDEN – ZWISCHEN UTOPIE UND WIRKLICHKEIT

a) Das Ethos der Liebe, eine Utopie?

Das Ethos der Liebe ist keine Utopie*. Es kann als utopisch nur erscheinen, sofern man Liebe mit Altruismus verwechselt, mit jener Haltung, in der der Mensch, aller egoistischen Regungen ledig, ganz im Dienst für die Anderen aufginge. Das ist eine Utopie, nicht nur, weil in allen praktischen Altruismus schließlich doch eine Lust am Herrschen sich einschleicht, eine Freude daran, den Menschen, dem man sich »aufopfert«, eben hierdurch von sich abhängig zu machen: indem man ihn an das beständige »Opfer« gewöhnt. Der Altruismus ist eine Utopie auch in soziologischer Perspektive: Wenn jeder nur darauf ausginge, für das Wohl seiner Mitmenschen zu sorgen, persönliches Wohlergehen aber als »unsittlich« sich versagte, dann raubte er – in einer Art moralischem Egoismus – den Anderen auch jede Möglichkeit, uneigennützig an ihm selber zu handeln. Wollte er so, nur den Anderen lebend, den Sinn seines eigenen Lebens uneingeschränkt von ihnen abhängig machen, so müßte er, um überhaupt noch Freude am Leben zu haben, sein eigenes »selbstloses« Tun doch insgeheim darauf abstellen, sich selbst damit etwas einzuhandeln. Und darauf läuft denn auch jeder hoffnungsvoll begonnene Altruismus im allgemeinen wieder hinaus: auf einen noch vor sich selber verborgenen Egozentrismus.

Konsequenter Altruismus also ist eine Utopie, eine bloße Wünschbarkeit, aber als solche von unbestreitbarer Realität: ihre Wirksamkeit besteht eben darin, daß sie die »individualistisch« (und das heißt immer zugleich: autoerotisch) auf sich selber zurückgeworfenen Menschen durch konkrete »Pflichten« so miteinander verkettet, daß einer

* Wir nehmen hier den Begriff »Utopie« völlig unreflektiert im Sinne des heutigen Sprachgebrauchs als »Hirngespinst«, als »nicht zu verwirklichende Idee einer Weltbeglückung« (laut Sprach-Brockhaus). Die wieder positive Verwendung des Wortes durch Ernst Bloch (besonders in seinem *Prinzip Hoffnung*) ist damit nicht berührt.

den andern nicht treten kann, ohne sich selber wehe zu tun. Der Altruismus ist faktisch das regulative Prinzip solcher Menschen, die nicht in ursprünglicher Weise einander verbunden sein können, aber doch darauf angewiesen bleiben, miteinander zu leben und auszukommen. Wer nicht dem Mitmenschen in einer Weise verbunden ist, daß er in dessen Schicksal eine Möglichkeit seines eigenen Daseins erkennt, der bedarf immer eines »altruistischen« Aufschwungs, um für ihn einzuspringen, wenn es not tut. Im dialektischen Umschlag von (bewußter) altruistischer Motivation in (unbewußte) egoistische Spekulation bestätigt sich aber, daß die altruistische Moral die Menschen einander nicht wirklich zu verbinden vermag, weil diese – egoistisch wie altruistisch – die auf sich selber bezogenen Einzelnen bleiben, zu denen die herrschende Sittlichkeit erst sie gemacht hat. Egoismus und Altruismus haben ihre Realität in ihrer Zusammengehörigkeit; sie sind rein also gar nicht zu verwirklichen. Ihr gemeinsamer Quotient ist der Individualismus.

Nun ist allerdings auch das Gesamtphänomen Egoismus – Altruismus nie völlig rein verwirklicht. Es ist selber nur die etwas linkische Nachbildung jener ursprünglichen Liebe, in der der Mensch zum Mitmenschen nicht nur, sondern jeweils auch zu sich selber ein positives Verhältnis gewinnt: Er bejaht den Anderen in seinem ganzen Wesen, vermag ebenso aber auch sich selber zu akzeptieren – im Mitvollzug der Liebe des Anderen zu ihm. Wäre in einer Gesellschaft nicht wenigstens ein Rest von Liebe verwirklicht, wir fänden nichts, woher die auf faktischen Egoismus sich stellende altruistische Moral dann noch überhaupt einen Sinn nähme. Wo jegliche Liebe fehlte, da wäre das sinnvolle Motiv für »soziales«, gemeinschaftskonformes Verhalten nicht eine pflichtgemäße altruistische Einstellung, sondern die (egoistische) Furcht vor Sanktionen, die die Gesellschaft im ganzen noch am leibhaften Dasein des Einzelnen ansetzen kann. Doch schon bloße Furcht, von den Andern »links liegen gelassen« zu werden, also die Angst vor Vereinsamung, die uns mitunter befällt, weist uns deutlich darauf zurück, daß wir tiefer an die Gemeinschaft gebunden sind, als unser Stolz und unser Unmut es dulden. In diesem Sinne aber bezeichne ich das Ethos der Liebe als das – jederzeit – *ursprüngliche Ethos.*

Das Ethos der Liebe kann eine Utopie gar nicht sein; denn es setzt eine Gesellschaft voraus, die vom Menschen keine Verzichte verlangt, die seine Natur überfordern. Unverkümmert in seinem Wesen kann er da auch sein ursprüngliches Liebesvermögen entfalten: leibhaft real. Ethik der Liebe orientiert sich nicht an einem Bild vom Menschen, dem ein grausamer Gott wenig Begabung zur Liebe verliehen hat und sie gerade deswegen von ihm erwartet. Die unter dem Diktat eines solchen Bildes ramponierte menschliche Natur gibt notwendig Anlaß zu Klagen. Ihr Tenor lautet, daß der von Natur aus böse Mensch doch stets hinter seinem Ideal noch zurückbleibe. Den Unmut darüber mag der Einzelne überspielen, indem er nun erst recht und ohne Besinnung »dem Bösen«, dem Haß, sich überläßt, oder auch, indem er in gewaltigen Akten der »Nächstenliebe« sich »überwindet«. Oder er »kann« im Wechsel beides: wie GIDES Lafcadio[162], der fähig ist, ein Kind unter Einsatz seines eigenen Lebens zu retten, aber auch fähig, seine Geliebte zu ermorden. Der in seiner vitalen Natur völlig unausgeglichene, der zutiefst »unbefriedigte« Mensch kann nur entweder »selbstlos« sein oder vernichtend: In einer Gesellschaft, die ihn als Helden nicht mehr benötigt, wird er zwangsläufig zum Verbrecher. Wenn, wie es vor wenigen Jahren bei uns geschah, zugleich mit den jugendlichen Delinquenten auch die jungen Lebensretter sich mehrten, so war das kein Grund, über die Zunahme der Jugendkriminalität gelassener zu denken[163]. Im Klima einer triebunterdrückenden Moral steht der Mensch, vorab der triebstarke junge Mensch, zu Aufschwüngen jeder Art bereit. Und er schafft hier auch mehr Gelegenheiten, sich in besonderer Weise zu bewähren. Den tollkühnen Lebensrettern entsprechen die nicht weniger kühnen Leichtsinnigen, die als Nichtschwimmer sich ins tiefe Wasser wagen oder mit Straßenschuhen ins Gebirge.

Ethik der Liebe erwartet vom Menschen keine heroischen moralischen Aufschwünge als Ausgleich für das, was »Moral« ihm verknappt; sie wacht nur darüber, daß der auf Liebe angelegte Mensch sich ungebrochen entwickelt. Der Mensch wird nicht aufgefordert zu verzichten, wo das Leben ihm noch Wünsche offenläßt, weil solche Verzichte bedeuten, daß er vor der Zeit und gegen seine Gesundheit dem Leben sich versagt. Der abverlangte Verzicht ist ein blasphemischer Vorgriff auf die Zeit, die dem Einzelnen in voller Lebendigkeit zu sein noch vergönnt ist; das Leben heißt ihn schon noch »verzichten«, wenn es aus ihm sich wieder zurücknimmt und ihn zurichtet für sein Wiederverschwinden. »Wenn die Jugend ein Fehler ist, so legt man ihn sehr bald ab.« (GOETHE[164]) Ein Vorgriff auf das Alter erscheint wie eine Abneigung, das Altern zu akzeptieren.

Das Ethos der Liebe ist keine Utopie. Der im ursprünglichen Sinne Liebende, das ist derjenige, der in seinem Verhältnis zum Mitmenschen im Einklang bleibt mit der Seinsverfassung des Menschen. Der Mensch, der in ursprünglichem Sinne (und nicht im Gedanken an entsprechende Pflicht) das Ethos der Liebe in sich verwirklicht hat, lebt in dem Bewußtsein oder doch der Ahnung, daß er allen Menschen zuletzt in einem meta-physischen Sinne verschwistert ist: Er spürt, daß in einem jeden, der ihm begegnet, ihm wieder der endliche, zerbrechliche, aber seine Endlichkeit wissende Mensch entgegentritt, der er selber ist. Schon wo auch nur zwei Menschen aus solchem tieferen Einverständnis, das gar nicht ausdrücklich zu werden braucht, »einander verstehen«, ist phänomenal der ethische Sinn der Gemeinschaft »Menschheit« verwirklicht. Das Ethos der Liebe ist keine Utopie. Und doch wird man sagen können, daß es ganz *erfüllt* erst wäre in einer Welt ohne Krieg. So wie der Krieg ein Zeichen dafür ist, daß es ganze Kulturgemeinschaften gibt, die über die Natur des Menschen sich hinweglügen, so ist umgekehrt das Fehlen jeder kriegerischen Einstellung bei einzelnen Völkern (wie den früheren Eskimos oder den Berg-Arapesh Neu-Guineas[165]) ein Anhaltspunkt, daß dort der Mensch mit seiner angeborenen Natur nicht im Streite ist. Der einzelne »Pazifist« in einer kriegerischen Kultur mag vielleicht nur aus einer gewissen psychophysischen Schwäche heraus für sich selber den Kriegsdienst ablehnen; oder er mag, mit anderen Kriegsdienstgegnern organisiert, seine eigenen aggressiven Impulse im rein politischen Kampf gegen die Freunde des Krieges ausleben. Die Existenz von Völkern, die keinen Krieg kennen, ist angesichts solcher Möglichkeiten von größerem anthropologischem Wert.

b) Primitivkulturen und Hochkulturen

Wenn in friedfertigen Völkern der Einzelne mit seiner vitalen Natur nicht zerfallen ist, so schließt das ein, daß es da um einen Menschen sich handelt, dem jede Leibverachtung fehlt. Die noch nicht christianisierten Eskimos können hierfür als Paradigma dienen: Sie sind gewissermaßen die ethischen Antipoden der Puritaner, aber sie werden auch als besonders mitmenschlich und kinderlieb geschildert[166]. Doch eben vor allem: Sie kennen keinen Krieg. »Töten ist für sie einfach Töten; sie teilen nicht wie wir diese Handlung in zwei Kategorien: Verdienstliches Werk auf der einen und todeswürdiges Verbrechen auf der anderen Seite.« (Ruth Benedict[167])

»Wir sind aber keine Eskimos; wir sind Angehörige einer Hochkultur« – das ist die Art von »Einwand«, die wir an dieser Stelle erwarten. Angehörige einer Hochkultur, das sind – hier bei uns –, strenggenommen, nur die Wenigen, die, geistig produktiv, den Kulturprozeß überhaupt in Gang halten, die Wenigen, von deren Hervorbringungen die anderen alle im besten Falle nur genießend Gebrauch machen. Doch, was so sich nahelegt, das wäre noch keine Kultur, wenn »Kultur« das allgemeine Weltverhältnis einer großen Menschengemeinschaft in je spezifischer Weise charakterisiert. Das wäre eine »Kultur« der Wenigen, eine Kultur der Elite, aber keine Kultur der Deutschen, der Franzosen, der Europäer überhaupt. Wer hat, auf den durchschnittlichen Bewohner geblickt, denn »mehr Kultur«, der »Wilde«, der, von der Kleidung angefangen bis zu seinen Werkzeugen und Jagdgeräten, alles sich selber herzustellen versteht und alle Nahrung sich selber besorgt und bereitet, oder der sogenannte »Kulturmensch«, der in Kleider schlüpft, die er selbst nicht gemacht hat, ein Auto steuert, das er nicht einmal reparieren kann, und aus Konservendosen löffelt, von denen er nicht genau sagen könnte, was sie enthalten? Die Frage so stellen heißt schon, sie zuungunsten des »zivilisierten Wilden« beantworten. Es ist jedenfalls eine zweischneidige Sache, mit dem Kulturbegriff zu operieren, um bestimmte ethische Überzeugungen zu begründen oder andere abzuwehren.

Schließlich: Was heißt, *ethisch* gesehen, schon »Hochkultur«? Zu unserer abendländischen Kultur, die wir selber gerne stolz als Hochkultur bezeichnen, gehören auch die Scheiterhaufen des Mittelalters, die bis heute noch nicht abgerissene Kette von Kriegen, der Gaskrieg im Ersten Weltkrieg, die Phosphorbomben auf Wohnviertel im Zweiten, die Atombomben auf Hiroshima und Nagasaki, die Vergasung von Millionen Juden, die Folterungen algerischer Freiheitskämpfer und ihrer Frauen, die Aushungerung der türkischen Zyprioten (im Jahre 1964) und nicht zuletzt die weiter mit viel Energie vorangetriebene Waffentechnik. Dies alles sind integrale Bestandteile einer »Kultur«, deren Menschen stolz darauf sind, für nicht so »primitiv« zu gelten wie jene Eskimos vor der Christianisierung, die in voller Eintracht miteinander lebten.

Den Grausamkeitscharakter unserer Kultur reflektiert auch das in ihr bevorzugte »Kulturgut«: der Kriminalroman und der Kriminalfilm. Die Begeisterung für Kriminalgeschichten ist nicht das harmlose Vergnügen, als das man sie gerne hinstellt. Ich bin hier skeptisch, auch und gerade, da die Spitzen von Staat und Gesellschaft ihr frönen und sich öffentlich gern zu dem »hobby« bekennen. Die so kollektiv gehegte Leidenschaft formt im Großen die Bereitschaft für gleichfalls kollektive Ausbrüche der Aggression. Sie formt sie: was nicht gleichbedeutend ist damit, daß sie diese Disposition allererst schüfe. Die Bereitschaft zu Akten der Grausamkeit, die Bereitschaft zu töten, ist schon mit verdrängten Sexualimpulsen unmittelbar gegeben. Sie bedarf, um je individuell zu entstehen, weder des Films, der Illustrierten und der Kriminalromane, noch des Radios und des Fernsehens, sondern umgekehrt kommt dies, was da an Brutalität demonstriert wird, dem längst pervertierten Triebbedürfnis entgegen. Wenn es nur darum ginge, die herrschende Ordnung zu erhalten, hätte es gar keinen Sinn zu überlegen, wie durch eine Verminderung sadistisch-roher Unterhaltungsstoffe der »Anreiz« zu Aggression und Verbrechen zu beseitigen sei. (Denn das ginge gar nicht.) Zu bedenken bliebe allenfalls dies: wie verhindert werden kann, daß die in den meisten von uns durch lauter Moral erzeugte Lust am Grausamen sich noch politische Gründe besorgt, um ohne jede moralische Hemmung sich auszuleben. Die »Kultur« der Krimis arbeitet an solcher kollektiver Entlastung: Der Popularität des Roman- und Filmhelden James Bond entspricht haargenau die verbreitete Abneigung, die Mörder von Auschwitz verurteilt zu sehen. Der Mord mit Genehmigung des Staates ist die geheime Sehnsucht der Vielen, die das Böse, zu dem es sie drängt, nicht ohne ein gutes Gewissen tun wollen.

Das sei »das Geniale« an James Bond, so belehrte mich ein siebzehnjähriger Gymnasiast: daß er jederzeit töten dürfe, wenn es das Interesse des Staates erfordere. Meine Erinnerung an ein »fünftes Gebot« verfing nicht; sie war vielleicht auch theologisch naiv. »Das 5. Gebot«, sagt ein Pater Otto von der ›Neuen Bildpost‹, »hat einen Sinn: Du sollst nicht ungesetzlich oder willkürlich totschlagen.«[168] Gelehrte Abhandlungen mögen heute dem widersprechen; Pater Otto schreibt fürs Volk. Nur er und seinesgleichen sind daher soziologisch bedeutsam: Indiz jenes Dranges nach einer »Gerechtigkeit«, die ungesetzliches Töten vermeidet, indem sie Mordakte legalisiert. Der »Notstand«, den die entsprechenden Gesetze verlangen, um sich anwenden zu lassen, wird dabei durch die Beschränkung auf ihn erst recht provoziert. Die auf Vordermann gebrachte Mordlust ist der Chiliasmus einer zwanghaften Ordnung.

Wer mit Konrad Lorenz darauf besteht, jede kollektive Aggression aus einem primären Aggressionstrieb zu erklären, könnte allerdings meinen, Kriege müßten überall notwendig sich ergeben, wo Völker miteinander in Berührung kommen. Die ursprüngliche Friedfertigkeit der Eskimos wie der Aleuten[169] oder der Berg-Arapesh Neu-

Guineas resultierte danach allein aus ihrer geographischen Absonderung. Wenn das richtig ist, dann müßte aber – unter der Voraussetzung primärer Aggressivität – die Zwietracht innerhalb dieser Völker besonders groß sein. Da dies nicht der Fall ist, so bliebe einzig der Einwand zu sagen, daß in einem sehr unwirtlichen Lande wie Grönland alle »aggressiven Energien« eben im Kampf gegen die außermenschliche Natur sich verzehrten. Dagegen spricht aber schon der Verfall der Mitmenschlichkeit bei den Eskimos als Konsequenz ihrer Christianisierung, was schon NANSEN beklagt hat[170]. Es gibt eben keine geographische Zone, in der die Triebstruktur des Menschen sich nicht manipulieren ließe. Es gibt auch keinen zwingenden Grund, aus dem ein Volk in gefährdeter Lage nicht erst recht einen Weg gehen sollte, der es zum Untergang führt.

Friedfertigkeit als Folge der geographischen Randlage eines Volkes – an dem Gedanken ist allenfalls insofern etwas Richtiges, als ein Volk, das »in Ruhe gelassen« wird, nicht gegen seine Neigung auf ein kriegerisches und damit asketisches Ethos sich einstellen muß. Zu behaupten aber, einzig in geographischer Randlage sei Friedfertigkeit zu erzielen, wäre überzeugend nur in einem Jahrhundert, in dem die Völker überhaupt noch so primitiv sind, daß in einem jeden von ihnen der Glaube herrscht oder nachwirkt, es selber jeweils sei die Menschheit schlechthin. Der Chauvinismus ist gewissermaßen ein Urphänomen, aber nicht ein Urphänomen, das auf Ur-Aggressivität zurückwiese, sondern *das* Urphänomen des (noch) beschränkten Horizonts. So bezeichnen die meisten »Naturvölker« sich selber mit einem Namen, der in ihrer Sprache gleichbedeutend ist mit »Mensch«[171]. Hiervon machen auch die Eskimos keine Ausnahme. Sie nennen sich selber »Inuit«, also Menschen, und haben noch zur Zeit NANSENS die Europäer, die ins Land drangen, für eine Art höherer Tiere gehalten[172]. Es wäre Hochmut, als Europäer darüber zu lächeln, da doch noch bis ins 18. Jahrhundert bei uns der Streit ging, ob die Indianer Menschen seien oder nicht. Den Conquistadoren erschienen sie als »Unwesen, deren Ausrottung Gott wohlgefällig sei«[173].

Die Angehörigen fremder Völker und Rassen als Menschen anzuerkennen (und das heißt immer auch schon: sie als Mit-Menschen zu sehen), das wäre eine erste Voraussetzung für allgemeinen Völkerfrieden. Die Randlage der friedfertigen Völker wäre so nicht ein mögliches Gegenargument gegen die Hoffnung auf eine befriedete Welt. Daß ein Volk »in Randlage« friedfertig sein kann, stützte vielmehr sogar diese Hoffnung. Ein solches Volk zeigte mit der ihm eigenen Triebstruktur für die übrigen Völker doch eine anthropologische Möglichkeit auf. Die ganze Menschheit »in Randlage« gegenüber dem Kosmos – das wäre ein aufgeklärtes Selbstverständnis des Menschen, in dem jeder innerglobale Streit an Wichtigkeit verlöre. Das bestätigte, daß eine Atmosphäre der Toleranz nicht durch die willentliche Entschließung jedes Einzelnen zu erzielen ist, sondern nur durch *Aufklärung* der Menschen über sich selbst und ihre »Stellung im Kosmos«[174]. Wo die Inhalte solcher Aufklärung im Zusammenleben zu einer sicheren Überzeugung werden, da ist jede willentliche Toleranz auch schon überflüssig. Ein über die Natur des Menschen und über die Situation der Menschheit aufgeklärter Mensch *verhält* sich tolerant – ohne moralisches Pathos. Nur wer seine geheimen Ressentiments gegen andere Rassen, Völker, Glaubens- und Weltanschauungsgemeinschaften nie völlig loswird, hat nötig, sich selber »zur Toleranz« zu erziehen. Die fehlende Einsicht ersetzt ihm der gute Wille. Aber dessen Verlässigkeit ist fraglich. Das opportunistische Moment an ihm kann verschleiert sein.

Wenn primitive Völker sich selber als die Menschheit schlechthin verstehen und *darum* gegenüber den Angehörigen anderer Völker keinerlei Gattungssolidarität kennen, so findet das seine Entsprechung beim modernen Propagandisten des Krieges, der sich die Feinde als »Untermenschen« abwertet, als Teufel oder »Unholde«. Dem buchstäblich engen Horizont des Primitiven entspricht die Engstirnigkeit des Politikers oder Publizisten, der bewußt den Krieg verherrlicht. Aber es handelt sich dabei doch um zweierlei »Dummheit«. Der enge Horizont aus Mangel an Kenntnis und Erfahrung ist ein einfaches Noch-nicht-Wissen, das beseitigt werden kann. Viele sogenannte Primitive bilden denn auch ein ethnologisches Ge-wissen aus, ein Bewußtsein der Relativität der Kulturen innerhalb der einen Menschheit[175]. Die ethische »Kurzsichtigkeit« der modernen Befürworter des Krieges aber ist das Ergebnis einer Denkhemmung, die das Triebziel »Feind« unterbewußt arrangiert. Dieselbe »moralische« Hemmung, die die Einsicht in die Natürlichkeit des Geschlechtlichen verwehrt und dessen Impulse zu reiner Aggressivität aufsammelt, dieselbe geistige Hemmung verhindert auch die Erkenntnis, daß die Zweibeiner im anderen Lager vollwertige Menschen sind. So zwischen Denkverboten, die einander ergänzen, hindurchgesteuert, kann der vital frustrierte Mensch seine unterdrückte Triebhaftigkeit an den dafür freigegebenen Menschen, den »Feinden« oder »Volksschädlingen«, zur Entladung bringen. Der durch Triebverzichte gelähmte Intellekt drückt den Menschen auf das Niveau der Ratten, der Nager überhaupt, den einzigen Säugetieren, denen – nach KONRAD LORENZ zumindest – eine Tötungshemmung gegenüber den Artgenossen fehlt[176].

c) Verschiedene Arten von »Krieg«

Wir stellen uns auf den Standpunkt, daß das ethische Problem des Miteinanderseins weitgehend abzutrennen ist von der faktischen Höhe (oder sagen wir besser: der Kompliziertheit) einer Kultur. Wir machen damit nicht einfach nur eine heuristische Annahme. Denn es ist ja nicht so, daß ursprüngliches Miteinandersein sich einzig in sogenannten Primitivkulturen fände, das Ethos der Macht mit dem Streben nach Besitz und Rang dagegen nur in »Hochkulturen«. RUTH BENEDICT schildert recht eindrucksvoll, auf welche Weise der Wille zur sozialen Überlegenheit bei den Kwakiutl-Indianern an der Nordwestküste Amerikas sich ausdrückt[177]. Ein dort als sinnvoll erachtetes Mittel, den Wettstreit um Prestige miteinander auszutragen, besteht zum Beispiel darin, den Gegner zu einem Fest einzuladen, bei dem man Unmengen von Speiseöl oder wertvolle Kupferplatten vernichtet. Will der Eingeladene in seinem Ansehen dadurch nicht bleibend geschädigt sein, dann muß er eine Gegeneinladung geben und dabei noch mehr vernichten als sein Konkurrent. Dieses Verfahren des »Vernichtungswettbewerbs« (BENEDICT) hat für unsere ethische Untersuchung wenigstens den Vorzug, daß an ihm die Absurdität des Konkurrenzkampfes deutlich herauskommt, während doch seine Erscheinungsformen in unserer eigenen Kultur für den, der nicht über ihre Ränder hinausblickt, den Anschein des »Natürlichen« haben. Wer empfindet schon die Absurdität in dem Gebaren, mit dem etwa die Damen der »guten Gesellschaft« ihre Pelzmäntel gegeneinander ins Treffen führen? Man erblickt im kostspieligeren Pelz geradezu einen Wert an sich, der in magischer Weise auf seine Trägerin zurückstrahlt. Wer spürt schon, daß der ganze »Genuß« an einem solchen Stück nur im Mitvollzug des Neides besteht, mit dem jeweils »die Andere« ihn betrachtet? Daß hier im kleinen schon eine Art *Krieg* ausgetragen wird, ein solcher Gedanke wird vollends befremden. Und doch braucht der Ethnologe ihn gar nicht dem eigenen Nachdenken zu verdanken. »Wir kämpfen nicht mit Waffen, sondern mit unserem Besitz.« So selbstreflektiert urteilen die »primitiven« Kwakiutl[178].

Wir sehen: Das Phänomen »Krieg« kann auch relativ harmlose Erscheinungsformen haben, wenn wir unter Krieg in einem allgemeineren

Sinne verstehen, daß Menschen sich gegeneinander wenden, weil sie Machtansprüche durchzusetzen versuchen. Nun ist der Begriff des »harmlosen Krieges« freilich mit Vorsicht zu nehmen. RUTH BENEDICT zeigt[179], daß ein Krieg unter Kwakiutl-Stämmen, der »im wesentlichen aus Güteraustausch« besteht, durchaus Formen annehmen kann, die Menschenleben kosten. Der Haß auf den »bekriegten« Menschen, der immer das letzte Motiv ist, kann unversehens als Vernichtungstendenz herauskommen. Die Zweideutigkeit der Rede von der »Vernichtung der Existenz eines anderen« ist dafür ein Beleg, den wir aus unserem eigenen Alltag gewinnen. Wenn heute die beiden weltpolitischen Machtblöcke sich vollends entschlössen, ihre Gegensätze »nur noch« mit Waffen der Wirtschaft auszutragen, so spräche daraus immer noch die latente Bereitschaft zum »heißen Krieg«.

Nach dem bekannten Wort von CLAUSEWITZ ist der Krieg nur die Fortsetzung der Politik mit anderen Mitteln. Wir dürfen umformulieren: Es ist schon die Politik, wie wir sie verstehen (und nicht anders kennen), eine Erscheinungsweise kriegerischer Gesinnung. Um dies deutlich werden zu lassen, bedarf es gar nicht der ausdrücklichen Versicherung, daß man eine »Politik am Rande des Abgrunds« (Dulles) zu treiben gewillt sei. In einer Kultur, in der der Mensch seine endliche leibhafte Existenz nicht annimmt, ist ein Moment von »Krieg« in allen seinen Beziehungen zu anderen enthalten. Daß der Bolschewismus trotz anfänglicher Versuche die Prüderie doch nicht aufgab, hat schon einen Grund in der ihm eigenen Tendenz zur Selbstvergottung des Menschen. Die aber ist wieder nur die Säkularisierung und Verabsolutierung jener religiösen Einstellung, in der der Mensch aus dem Naturganzen magisch sich heraus-denkt, dieweil er dem Andrang der vitalen Antriebe sich versagt. Im Verhältnis zu diesem quasi metaphysischen Motiv der Kriegsbereitschaft in unserer abendländischen Kultur sind alle die bisher genannten konfessionellen, vordergründig machtpolitischen, patriotischen oder »völkischen« Motive sowie das heute sich vordrängende ideologische Motiv für einen Krieg nur Rationalisierungen von je derselben Güte. Ein durch die Tiefenpsychologie ernüchterter Ethiker kann so optimistisch nicht sein, daß er darauf vertrauen wollte, der heutige ideologische Ost-West-Gegensatz werde eines Tages ebenso belanglos wie der konfessionelle auf dem Grunde des Dreißigjährigen Krieges – und dann könne der Weltfrieden einziehen. Wohl ist, wenn die Geschichte kein jähes Ende findet, damit zu rechnen, daß der gegenwärtige ideologische Gegensatz sich abplattet; aber er wird, sofern nicht in der Triebstruktur der Völker sich etwas ändert, als möglicher Kriegsgrund sich nur verlieren, indem er – nach irgendeiner Seite hin – einem anderen Platz macht. Die Papua, bei denen die Tauschehe üblich ist, sehen die Ursache der Kriege wie aller Not und allen Streits einfach darin, daß »Ehen geschlossen werden, ohne daß man sich an die Verpflichtung des Tausches hält«[180]. Gegenüber allen möglichen politischen und ideologischen »Gründen« für einen Krieg und gegenüber allen entsprechenden historischen »Erklärungen«, wie es zu den einzelnen Kriegen in unserer Geschichte kam, hat die Erklärung, die die Papua geben, immerhin den Vorzug, daß ihre Absurdität auf der Hand liegt. Unsere so »rationalen« Erklärungen sind um nichts weniger magisch.

»Rationalisierung« bedeutet in der Sprache der Tiefenpsychologie bereits, daß man intellektuell plausible Gründe vorschiebt, um etwas (gerade auch sich selber) zu verschleiern, was man nicht wahrhaben möchte, aber wahrscheinlich insgeheim ahnt. Das schlechte Gewissen einer ganzen Kulturgemeinschaft kommt so am Ende noch in den pseudo-rationalen Kriegsgründen ihrer Politiker und Historiker zur Geltung. Ein Soziologe, der unbekümmert den Krieg bejaht, wird solche Verschleierungen nicht nötig haben. Er kann es sich leisten, tiefer zu blicken. Und so finden wir denn in WILHELM E. MÜHLMANNS frühem Werk *Krieg und Frieden* den aufschlußreichen Satz, die Pazifisten hätten »sich niemals Gedanken darüber gemacht, wie sie die menschliche Energieform (die Leidenschaften), die im Kriege zum Ausdruck kommt, umwandeln können, um Kriege zu vermeiden. Mit anderen Worten, der Krieg als Problem der psychischen Anpassung wurde bisher nicht behandelt.«[181] Nun, hierzu etwas beizutragen, ist eine der Aufgaben unseres Buches.

d) Neue Ordnung oder letzte Katastrophe?

Wenn wir feststellen, der Mensch unserer Kultur hadere mit seiner Natur, wenn wir hoffen, er werde die Lebenslügen noch aufgeben, die sie ihm heute verdecken, und er werde so in den Stand gesetzt, im Mitmenschen die eigene Seinsverfassung wiederzuerkennen, so meinen wir, im äußersten Maße realistisch zu sprechen, um die allgemeine Richtung auf ein Ethos der Liebe hin zu markieren. Utopisch erscheint uns viel eher der Gedanke, Mitmenschlichkeit von den Menschen zu verlangen im Klima einer Moral, die ursprüngliche Liebe gar nicht zuläßt, zumindest sie hart beschränkt, und dafür Erscheinungsformen des Hasses in den Rang von Werten erhebt: so die Eifersucht und den als »sittlicher Eifer« sich aufspielenden »Lebensneid« (NIETZSCHE). Es ist eine gewaltige Zumutung an die vitale Natur des Menschen, soll er Äußerungen ursprünglicher Liebe wie Mitgefühl und Dankbarkeit zeigen, wenn die Liebe selber durch ein Besitzstreben verfälscht ist, das auf alle möglichen Lebensgüter einschließlich der Verlässigkeit eines Partners gebieterisch ausgreift*. Die Eifersucht als der Haß auf den Anderen, der so nicht verfügbar sein will, darf wohl noch als ein Zeichen von Liebe sich ausgeben, aber sie verrät ihre wahre Natur schließlich dadurch, daß sie tausendfältig das soziale Klima vergiftet. Nicht nur der mit Eifersucht »Bedachte« kommt in den Pechregen des eigenen Hasses, ein jeder auch, »dem es besser geht«, der nicht so »tief zu leiden hat« wie wir selber, wird beargwöhnt: Ein einziger hohläugiger Lebensneid, der moralisch sich aufspielt, wird zur Grundhaltung dessen, dem das eigene Leben ohne Erfüllungen bleibt. Ein Ethos, das so die erzwungenen lebenslangen Versagungen noch moralisch überhöht, kann aber auch den alternden Menschen nicht zu williger Resignation bringen, geschweige zu einer Resignation, wie sie MAX SCHELER versteht: als Verzicht, vitale Erfüllungen zu erstreben, ohne ihren Wertcharakter zu verleugnen[182]. In einer Gesellschaft, in der die Alten die Gesetze machen und Recht sprechen, ohne einer echten Resignation fähig zu sein, weil sie jeweils ihr eigenes Leben in seinen vitalen Ansprüchen als unerfüllt empfinden, in einer solchen Gesellschaft wird »die Sittlichkeit« immer ein lebhaft diskutiertes, aber nie zu lösendes Problem sein. Und mit ihm das Generationsproblem! Die Klage über die mangelnde Mitmenschlichkeit der Jungen gegenüber den Alten kann hier gar nicht verstummen. Ein circulus vitiosus. Ein circulus vitiosus, der nur von der bislang periodisch wiederkehrenden Ausnahmesituation des Krieges unterbrochen wird.

Der friedliche Weg, aus diesem Teufelskreis herauszukommen, besteht, wie gesagt, darin, daß dem Menschen gestattet wird, sich in seiner vitalen Natur zu bejahen und anzunehmen. Nur wer den Menschen als ein reines »Kulturwesen« versteht und seine leibhafte Verwurzelung in der Natur übersieht, kann glauben, der Mensch könne in beliebigem Maße die Natur in sich selber ignorieren, ohne die »Rache« der Natur herauszufordern. Wer so denkt, muß meinen, es lasse eine jede Deutung der menschlichen Natur, weil sie doch als solche ein Akt

---

* Siehe hierzu im I. Teil (»Die herrschende Moral«), Kapitel B, den Abschnitt d: »Die besitzergreifende ›Liebe‹«.

der Kultur sei, durch eine unbegrenzte Zahl neuer Deutungen nacheinander sich ablösen[183]. Jede neue Deutung des Menschen, die sich durchsetzte, aber wirkte damit bereits an einer Umwandlung der menschlichen Natur. Wir merken, wie die Bestimmung der menschlichen Natur als eines reinen Kulturwesens in ein Nichtbestimmen seiner Natur sich auflöst. Eine Konsequenz, die bei GEHLEN einmal ganz deutlich wird[184].

Nun ist GEHLEN gewiß zuzustimmen, wenn er sagt, was man heute als Natur des Menschen erkläre, zeige doch nur »eine Natur rein europäischen Stils und mit der Färbung des 20. Jahrhunderts«. Aber es ist durch nichts gerechtfertigt, wenn er das Menschenbild, zu dem die Tiefenpsychologie allenfalls Materialien liefert, mit dem puritanischen des Victorianischen Zeitalters auf dieselbe Stufe des Wahrheitsanspruches stellt. Ein vorwissenschaftliches Menschenbild, das nichts weiter repräsentiert als die in der herrschenden Ordnung hochgehaltene Moral, ist, so es um den Wahrheitsanspruch geht, selbst dem anthropologischen Irrtum nicht gleichzustellen, der als ein wissenschaftlicher sich immerhin *zur Dikussion stellt* und insofern unterwegs ist zur Wahrheit. Der Wahrheitsanspruch jedes wissenschaftlichen Satzes ist von vornherein kein absoluter, sondern der relative einer *Bewegung hin zur Realität.* »Wahrheit« ist ein jeweils mehr oder weniger enges Beziehungsverhältnis zwischen uns selbst als Denkenden und der Welt überhaupt. (Darum ist es auch nicht möglich, *im Besitze* einer Wahrheit zu sein.) Unsere Beziehung zur Realität als die Beziehung eines lebenden Wesens zu ihr (und nicht als die einer punktuellen geistigen Substanz) muß notwendig eine dynamische, und das heißt eine je unabgeschlossene, sein. Dies, der prozessuale Charakter aller wissenschaftlichen Wahrheit, schließt jeden Vergleich mit den »Wahrheiten« aus, die von den »moralischen« Autoritäten uns gepredigt werden. Der Machtanspruch, mit dem sie an einer bestimmten Wahrheit festhalten, entwertet diese allmählich auch als Wahrheit: er versagt ihr die Chance, in der Überwindung neuer Zweifel sich zu bestätigen.

Auf unser Problem übertragen, heißt das: Das Menschenblid der Tiefenpsychologie ist sowenig schon abgeschlossen wie sonst ein wissenschaftliches »Bild« von etwas. Wohl mag, wie es gelegentlich durch FREUD selber geschah[185], die tiefenpsychologische *Methode* als Weltanschauung auch mißverstanden werden; aber das ist kein Einwand gegen das bis jetzt nur in groben Umrissen aus tiefenpsychologischer Perspektive sich abzeichnende Menschenbild. Das ist kein Einwand, weil es ein fertig ausgemaltes tiefenpsychologisches Menschenbild gar nicht gibt.

So ist auch nicht zu besorgen, es könnte schließlich sich an der Tiefenpsychologie die Prophezeihung ARNOLD GEHLENS erfüllen, daß »ein seiner Zeit vorweg eilender Geist die Geltung der neuen [tiefenpsychologischen] Weltanschauung als unerträgliche Konvention angreift und dieser Lebenslüge den Garaus macht, indem er eine neue Natur entdeckt«[186]. Die Wissenschaft vom Menschen braucht nicht bei FREUD stehenzubleiben. Aber das heißt noch nicht, daß sie es nötig hätte, einen Schritt hinter FREUD zurückzutun. Wenn, wie es GEHLEN wohl nicht ganz zu Unrecht bemängelt, in der amerikanischen Tiefenpsychologie zumal der Mensch als ein »Sexualtrieb-Wesen« (GEHLEN) erscheint, so besagt eine solche weltanschauliche Überhöhung der FREUDschen Triebbehre nichts gegen diese selbst. Wenn auch schon FREUD im wesentlichen nur auf die Verdrängung des Sexualtriebes abzielte, so ist hierfür der phänomenale Grund eben der, daß diese Verdrängung in unserer Kultur die ins Auge springende ist: die Wesensgesetze einer Trieb-Verdrängung konnten an ihr am deutlichsten erwiesen werden. Und schließlich geschah das aus guten therapeutischen Gründen.

Wir haben den Zusammenhang aufgezeigt zwischen Triebverdrängung, dem Ethos der Macht und der Bereitschaft zum Kriege. Positiv gewendet (und begrifflich erweitert): den Zusammenhang zwischen dem Annehmen der eigenen Leibhaftigkeit, dem Ethos der Liebe und allgemeinmenschlicher Solidarität. Der bei GEHLEN vorgefundene Einwand gegen die Tiefenpsychologie betrifft den Aspekt der Triebverdrängung bzw. der Leibbejahung. Die beiden anderen Aspekte könnten eine analoge Kritik auf sich ziehen. Das hieße, das Ethos der Liebe (sowie im Weltmaßstab eine Ordnung des Friedens) wäre nicht einfach eine Utopie, aber doch vielleicht nur ein Durchgangsstadium. Die Geschichte, die ewig rastlose, würde weitergehen. Solcher Mythologisierung der Geschichte, die schier die ganze Selbstauffassung unserer Geisteswissenschaften für sich hat, ist schwer zu begegnen. An Argumenten ist sie nicht interessiert, denn »die Geschichtlichkeit« allen Denkens ist ihr schon die Basis jeder Argumentation. Solche Selbstauffassung des Geistes aber beruht auf dem Glauben, daß der Geist seinem Wesen nach mit dem Körper wenig zu tun habe und diesem nur die »dienende Rolle« zukomme, ihn zu tragen (wie der Atlas das Himmelsgewölbe trägt). Nur ein Geist, der nicht wahrhaben will, daß er auch seiner Verfassung nach zurückgebunden ist an die Bedingungen körperlicher Gesundheit, nur ein so sich selbst mißverstehender »Geist« kann wähnen, er werde im historischen Prozeß unendlich sich umgestalten. Die (theoretische) Auflösung der menschlichen Natur in lauter Geschichte aber macht auch blind für die Bedingtheit des historischen Verstehens selber: »Würde der Mensch von heute völlig verschieden sein von dem von gestern oder vor ein paar tausend Jahren, so könnten wir die Menschen vergangener Zeiten und fremder Kulturen überhaupt nicht verstehen und an ihren Hervorbringungen teilnehmen.« (Karl Löwith[187]) Wir wären dann außerstande, überhaupt noch Menschen in ihnen zu erkennen, denn das heißt: den Menschen in seiner allgemeinsten Gestalt in ihnen wiederzuerkennen.

Natürlich würde, wenn global das Ethos der Liebe verwirklicht wäre, die Geschichte weitergehen. Vom dynamischen Charakter der Liebe her schon ist das verbürgt. Aber natürlich würde die Geschichte auch *nicht* weitergehen, wenn man die Geschichte mit Mühlmann als einen »Rhythmus von Krieg und Frieden« versteht, mit dem man sich abfinden müsse[188]. Der Sinn *aller bisherigen Geschichte* nur wäre dann in solcher Weise zu charakterisieren; es wäre die Geschichte einer Menschheit, die noch in ihren aufgeklärtesten Köpfen weitgehend im unklaren geblieben ist über die Natur des Menschen. Der Gedanke nährt eine sehr gemäßigte Hoffnung: daß im Prozeß der Aufklärung des Menschen über sich selbst er schließlich auch das Bedürfnis verspüren werde, keine »moralische Ordnung« mehr zu respektieren, die seiner Natur in wesentlicher Hinsicht widerstreitet. Nur ein böswilliges Mißverstehen könnte daraus eine Hoffnung auf erlaubte Unordnung lesen. Die Unordnung haben wir jetzt – gerade auf Grund einer »Ordnung«, die nur durch das periodisch aufgedrehte Ventil des Krieges überhaupt sich im Gleichgewicht hält, sofern wir in den Kriegen nicht doch den immer wieder völligen Verlust der »mitmenschlichen Balance« erkennen. Daß der Krieg die einander bekriegenden Völker in sich vielleicht enger »zusammenschweißt«, ist noch kein Argument dagegen, sondern eine Bestätigung dafür. In einer Kultur vitaler Frustrationen wird ein freundliches Miteinander noch am ehesten sich ergeben, wenn in kollektiven Akten der Aggression sozusagen vitaler Dampf abgelassen wird. Das Bewußtsein gemeinsamer Gefahr und gemeinsamen Leides mag in der Situation eines Krieges ein übriges tun, die Menschen unmittelbar zu »solidarisieren«. Aber nicht einfach Zynismus wäre es, darum den Krieg als Zuchtrute der Völker zu bejahen, wähnend, man müsse von Zeit zu Zeit zu der angeblich durch Wohlstand sich verlierenden Mitmenschlichkeit sie zurückpeitschen. Nicht einfach nur Zynismus, sagen wir, wäre das: denn schließlich wird der Einzelne, der im Kriege das Töten als ehrenvolle Handlung erlaubt, ja befohlen bekommt, in seinem »primitiven« Unterbewußtsein die feine Unterscheidung zwischen ehrenvollem Töten im Kriege und fluchwürdigem Morden nie völlig nachvollziehen und schon aus solcher tieferen »Unfähigkeit« heraus den Weg in eine friedliche bürgerliche Existenz nicht recht zurückfinden[189]. Es ist auch aus diesem Grunde kein Zufall, daß in Nachkriegszeiten die auf eigene Faust losschlagenden Massenmörder sich häufen[189]. Haarmann, ein »vorzüglicher Soldat«, beging alle seine 27 Morde zwischen September 1918 und Juni 1924[190]. So wie es eine latente Kriminalität gibt, die in den bislang immer wiederkehrenden Kriegen jeweils »abgeschöpft« wurde, so gibt es auch die im Kriege erst vollends geweckte Lust am Töten, die nur im wiedergewonnenen Frieden von der Gesellschaft plötzlich als »kriminelle Neigung« verdammt wird. In den Gewaltverbrechen, wie in den harten Strafen, bleibt der »Genius des Krieges«[191] auf eine sozial mißachtete – und deklassierende – Form bewahrt.

Tiefenpsychologisch aufgeklärt, vergehen uns naive Vorstellungen über die tatsächliche Verbreitung krimineller Neigungen und Handlungen in unserer Kultur. Die hohe Dunkelziffer bei Diebstahl (über 60 Prozent)* dämpft alleine schon alle ethischen Illusionen, die sich auf die bestehende Ordnung beziehen. GENNAT, ein Berliner Spezialist für Mordsachen, hat sogar vermutet, daß »zahlreiche Kapitalverbrechen nicht erkannt, geschweige denn aufgeklärt werden«[192]. Er stützt sich dabei auf die relativ hohe Zahl von niemals nachgeprüften tödlichen Unglücksfällen, die vielleicht im dunkeln bleiben, weil hierzulande jeder praktizierende Arzt, oft in Eile und Scherereien abhold, den Totenschein ausstellen kann. Nehmen wir noch hinzu, daß rücksichtsloses Autofahren heute eine weitere Möglichkeit verschleierter Kriminalität bietet, so rundet sich das Bild soziologisch. Wir haben hier, auf der Landstraße, den buchstäblich fließenden Übergang vom eitlen Konkurrenzkampf zum blutigen Verbrechen: in jenem ehrgeizigen Überholmanöver, das oft genug für einen der Beteiligten mit schweren Verletzungen ausgeht, wenn nicht mit dem Tode. Der »Krieg auf der Landstraße« ist keine bloße Metapher: Nach einer privaten Berechnung wurden in sieben Nachkriegsjahren (1959–1965) auf Englands Straßen ebenso viele Menschen getötet, wie durch Bomben und Raketen auf der Insel in jenen fünf Jahren des Zweiten Weltkriegs ums Leben kamen. Es ist daher zumindest naiv, die steigende Zahl der Delikte durch den Hinweis zu bagatellisieren, daß in ihr auch die

---

* Siehe im II. Teil bei Anmerkung 65!

Verkehrsdelikte enthalten seien[193]. Es ist zumindest naiv: sofern dahinter nicht gar der Wunsch wirksam ist, an der bestehenden sittlichen Ordnung nichts ändern zu brauchen.

Eine neue Ordnung der Liebe hätte die kollektive Bereitschaft zum Kriege, die in tausend Fakten sich kundtut, *vom privatesten Alltag her* abzubauen. Wenn Wirksames in dieser Richtung überhaupt nicht geschieht, so drückt gerade hierin die innere Logik einer Kultur der Kriege und Verbrechen sich aus. Die physische Bereitschaft zum Kriege verlangt ihre Opfer noch mitten im Frieden, und auch da nicht nur unter Düsenjägerpiloten und U-Boot-Männern. Der Fall X wird unaufhörlich geprobt: in jedem sogenannten »menschlichen Versagen« und jedem »Übermut«, in dem ein geheimer Todeswunsch oder Tötungswille das Verhalten zielstrebig steuert.

Nun ließe sich immerhin einwenden, kein Staat könne innerhalb seiner Grenzen einen Abbau destruktiver Neigungen hinnehmen, solange er von äußeren Feinden bedroht sei. Wenig aggressive, unkriegerische Völker, sagt MÜHLMANN, seien noch allemal unterworfen worden[194]. So wäre das Ethos der Liebe, obschon auf die reale Menschennatur bezogen und mit ihr in Einklang, eine geschichtliche Utopie. Aber das Ethos des Krieges ist es nicht minder. Die kriegerischsten Völker haben sich verblutet; sie sind biologisch allesamt ein Opfer ihrer weniger militanten Opfer geworden[195]. Die Weltgeschichte hat bis jetzt weder eindeutig zugunsten des Militarismus noch im Sinne des Pazifismus entschieden. Ein gemäßigter Optimismus bleibt uns dennoch: Wir spüren, daß die global ausgebreitete Wissenschaft stetig auf eine Weltkultur hinwirkt. Wenn vor allem Tiefenpsychologie und Ethnologie auch in den heute noch totalitären Staaten eine neue Bewußtseinslage schüfen, die keine geopolitischen Grenzen mehr kennte, dann wäre für die Menschheit das vorwissenschaftliche Zeitalter in jeder Beziehung vorbei. Das Ende jener Geschichte, die eine Geschichte von Kriegen und deren Folgen ist, wäre erreicht. Die Frage ist nur, ob die Entwicklung dahin nicht von einer anderen überrundet wird: von der aus Triebverzichten wieder kollektiv sich aufsammelnden Aggressivität. Wenn es so ist, würde die Menschheit ihrer letzten Katastrophe nicht entgehen.

SCHLUSSFOLGERUNGEN

ETHIK ANGESICHTS DER AGGRESSION

Wenn es der anthropologische Sinn einer Ethik ist, den Menschen mit sich selber zu versöhnen, dann kann sie ihm nur dazu raten, sich selber anzunehmen in seiner vollen Leibhaftigkeit. Da die vitalen Antriebe nur unersättlich erscheinen, solange sie nie ganz befriedigt werden, ergibt sich daraus die Erlaubnis, ja die Forderung einer un-bedingten sexuellen Freiheit. Das klingt anarchistisch nur in einer Gesellschaft, die schon den Säugling frustriert oder früh »entwöhnt«*, und wo man dennoch sich wundert, wenn Unbeständigkeit und ein Mangel an »Bindung« am erwachsenen Menschen hervortritt. *Der gesund entwickelte Trieb könnte sich selber sein Maß setzen und seine Richtung.* Er bedürfte keiner Reglementierung, um perverses Verhalten zu vermeiden. Zur Ersatzlust einer Perversion sich zu drängen kommt dem zu voller Sinnlichkeit gereiften Menschen gar nicht in den Sinn**. Die sexuell freie Gesellschaft wäre auch frei von dem Zwang, nur in jähen aggressiven Akten dem gequetschten Trieb wieder Raum zu geben. Ein Verbot, den Andern zu überwältigen, fungierte dann nur noch als Leitplanke für die in ihrem soziosexuellen Bewußtsein gestörte Vitalität. Wenn aber die Aggression gegen den Mitmenschen nicht aus fehlgeleiteten Trieben, sondern aus einem ursprünglichen Aggressions-Trieb entstünde, dann fiele alle anthropologische Ethik auch schon dahin. Sie würde ihrer anthropologischen Zielsetzung untreu, wenn sie verlangte, zumindest »den Aggressionstrieb« zu beschränken. Sie hörte aber auf, eine Ethik zu sein, wenn sie weiter anstrebte, den Menschen in Einklang zu halten mit seiner angeborenen Triebnatur: da die unbeschränkte Aggressivität das Miteinandersein untergräbt.

---

* Vgl. hierzu den II. Teil bei Anmerkung 32!

** Siehe im IV. Teil den Abschnitt »Sind Perversionen natürlich?«, besonders auf Seite 228.

Nun gehören wir – nach unseren Phänomenanalysen – nicht zu denen, die dem Menschen anhängen, er sei von Natur aus aggressiv und insofern böse. Wir haben dennoch hier in unserer Kultur von der Tatsache einer gewaltigen Aggressivität auszugehen, die noch dem, der sie theoretisch verwirft, im eigenen Nacken sitzt. Eine Ethik, die nicht geistige Energien verschwendet, um Idylle zu entwerfen und vorzugaukeln, hat mit diesem Faktum sich auseinanderzusetzen. Was soll aber hier erst noch eine Ethik der Liebe – angesichts der Aggression, die um so eher in Kriegen sich Luft macht, je mehr der Einzelne sonst alltäglich sie zu verdrängen hat? Die Gesellschaft ist durch den Strom des »guten Willens«, der in ihr kreist, sosehr überlastet, daß ihre Sicherungen im großen immer wieder durchbrennen. Ein jeder, der gutwillig der herrschenden Ordnung sich anbequemt, ist hier ein Teil von jener Kraft, die stets das Gute will und doch das Böse schafft. Diese Kraft ist nicht des Teufels, sondern derer, die ihn bekämpfen. Das Böse trägt für sie die Züge des Lebens*.

Das Problem des Krieges hat nur Platz in einer Ethik, die sich selber als Kollektivethik versteht. Die bisherige, ans Individuum fixierte Ethik war eine Ethik des Krieges allenfalls insofern, als sie die Tugenden analysierte und propagierte, die der Einzelne im Kriege zu üben hatte. Aber sie war keine Ethik *gegen* den Krieg, keine Ethik gegen die kollektive Aggression. Solange man in Kriegen, Pogromen und Revolutionen Verhängnisse des »Schicksals« oder »Notwendigkeiten« der geschichtlichen Entwicklung sah, fehlte für eine solche Ethik schon die adäquate Bewußtseinslage. Ein fatalistisches Denken hat noch nicht den Horizont der kollektiven Verantwortung. Einer aufs Individuum abgestellten Ethik konnte auch nie der Sprung gelingen von der Frage, was der Einzelne tun solle (um gut zu sein), zu der Frage, wie eine Gesellschaft im ganzen beschaffen sein muß (um nach innen und außen friedvoll zu sein). Einer solchen Fragestellung haben erst die von Le Bon inaugurierte Massenpsychologie und die moderne Sozialpsychologie vorgearbeitet. Aber ohne eine tiefenpsychologische Erkundigung um die Triebnatur des Menschen müßte es bei der bloßen Frage bleiben. Unfähig, den Sinn individueller Aggression zu verstehen, wenn sie anscheinend kein »vernünftiges« Ziel hat, stünden wir doppelt ratlos vor den Ausbrüchen kollektiver Aggression. Und die Ethik müßte wie seit mindestens zweitausend Jahren, unwissenschaftlich ge-

* Symptomatisch dafür das überlebensgroße Bildnis der Brigitte Bardot, mit dem der Vatikan auf der Brüsseler Weltausstellung 1958 abschreckend »Das Böse« plakatierte.

nug, sich damit begnügen, die Menschen zu mahnen, doch »guten Willens« zu sein und einander zu lieben und mit der moralischen Besserung »bei sich selbst anzufangen«.

Eine Ethik aber, die den Menschen nur predigt, sie sollten um Himmels willen einander lieben, ohne daß dabei gefragt wird, wie die Liebe sich durchsetzen soll, eine solche Ethik macht sich selber zum Komplizen des Bösen. Sie gibt dem »guten Bürger«, der vor Ehrgeiz zu bersten droht, das feiertäglich erhebende Gefühl, zu noch viel Höherem berufen zu sein als allein dazu, den Nachbarn zu überflügeln. Sie schenkt ihm die Momente »moralischer Erhebung«, in denen er sich »aufgerufen« fühlt zu reiner »selbstloser Nächstenliebe«, Augenblicke, die als besondere sich gar nicht herausheben könnten aus dem täglichen Einerlei, wäre dieses nicht ganz anders beschaffen.

Eine wissenschaftliche Ethik hat sich nicht dafür zu interessieren, wie dem Einzelnen noch besser, noch wirkungsvoller »das Gute« gepredigt oder gar »eingepflanzt« werden kann, sondern dafür, *wie die soziale Ordnung beschaffen sein muß, in der ursprüngliche Menschenliebe nicht faktisch bestraft wird* – durch Mißerfolg oder Isolierung. Ethik als Wissenschaft, als Wissenschaft von den Bedingungen der Liebe, hat es mit der Gesellschaft zu tun und mit der ursprünglichen Natur des Menschen, die ja nicht böse sein kann, es sei denn, man bewertete sie nach Kriterien, die nicht aus ihr selber stammen. Womit eine wissenschaftliche Ethik es aber gar nicht zu tun hat, das ist: mit jenem »guten Willen«, der doch immer nur dazu dient, die Menschen aus eigenem Antrieb heraus tun zu lassen, wozu sie sonst – gegen ihre Natur – gezwungen werden müßten. Die Rede, zur moralischen Besserung müsse ein jeder bei sich selber beginnen, ist selbst noch ein Instrument der Verschleierung des Unwillens, an der bestehenden Ordnung irgend etwas zu ändern. Wissenschaftliche Ethik setzt nicht auf die »Willigkeit« des Individuums, sondern auf seine Einsicht in die Lebensbedingungen der Gemeinschaft[1]. Ist das Gute nichts als der rechte Sinn des Miteinanderseins, dann muß jedes Streben nach moralischer Vervollkommnung der eigenen Person schon autistisch von ihm entfernen. Der fromme Wunsch, ein guter Mensch zu werden (oder gar: es zu bleiben), verquickt mit Gleichgültigkeit für die Gesellschaft im ganzen, ist so geradezu ein Bestimmungsstück des Bösen. Der moralische Eifer, der den Einzelnen durchaus bessern möchte, so, als sei dieser nicht ins Ganze einer Kulturgemeinschaft verflochten, läßt im günstigsten Falle alles beim alten: Er stabilisiert die herrschende Ordnung, indem er sie ignoriert. Was solcher Eifer (der sich natürlich auch an die eigene Person wenden kann) darüber hinaus noch anrichtet, ist nur tiefenpsychologisch zu bestimmen: Zurückstauen vitaler Impulse, ihre Verbiegung ins biologisch und damit sozial Perverse – in Organkrankheit, Sucht oder Kriminalität. Neurose und Verbrechen sind so sehr einander komplementär, daß mit Recht schon gesagt werden konnte, das Verbrechen sei die Neurose des kleinen Mannes[1a].

Die Umkehrung des Satzes führt uns auf den Sinn des Zusammenhanges. Sagen wir: Die Neurose ist das Verbrechen des guten Bürgers; so wird klar, daß jene rohen aggressiven Akte, mit denen der Verbrecher noch dem Ganzen der Gesellschaft sich entgegenstellt, beim sozial Gehobenen zumeist nur umgebrochen sind ins Selbstzerstörerische, Kranke. (Schon weil auch das *white collar crime* ein zu geringes affektives Ventil ist.) Der gehobene Mittelstand repräsentiert zwar die herrschenden Werte, aber er bringt auch die quälendsten Opfer dafür: Krankheit ist die Strafe, mit der die Natur ihre Verleugnung belegt. Der Grundzug jenes feinsinnigen Kopfes, den wir hier finden, ist weniger die Aggressivität als die Bereitschaft, sich quälen zu lassen*. Seine Ethik, die ihm gebietet, eher Gewalt zu dulden als sie zu üben, macht ihn de facto mitschuldig an den Gewalten, die er damit erst provoziert. Ob willentlich oder nicht, übernimmt in einer Kultur der Aggression noch der Schwächste die für ihn passendste Rolle, das allgemeine Gegeneinander zu verstärken. Die scharfsinnigen Köpfe sind hier bloße Instrumente jener Moral, die Tod und Verderben anstelle »schlimmer Lust« und »leichtsinniger Lebensfreude« verbreitet. Die sittlichen Direktiven werden von gröberen Hirnen gegeben, von instinktiven Kennern der Macht. »Zum Beweisen sind die Privatdozenten da.« (Walter Rathenau[2]) Wohl gibt es unbotmäßige Geister, die – prompt ihr Lehramt verlieren wie Alfred Weber oder Bertrand Russell oder einfach »nicht ernstgenommen« werden wie Paul Reiwald oder Wilhelm Reich. Symptomatisch ist es, daß die Vertreter ganzer Disziplinen, wenn deren Ergebnisse unbequem sind, höheren Orts ignoriert werden. So sind in Westdeutschland die Kriminologen von der Mitarbeit an der Strafrechtsreform so gut wie ausgeschlossen[3]. Und so fristet hier auch die Psychoanalyse überwiegend ein Dasein außerhalb der Hochschulen[4]. Der sorgsam gehegte Prototyp des Gelehrten verkörpert noch heute den Geist, der nur dazu da ist, die großen destruktiven Wahnsysteme zu legitimieren: von der Inquisition bis zur »Endlösung der Judenfrage«, von der Begründung und Systematisierung des

* Vgl. im IV. Teil, Kapitel E, Abschnitt c: »Grobe und feingesponnene Destruktion«.

Strafrechts bis zur Planung und Rechtfertigung der Kriege. Die Zuverlässigkeit und die Präzision, zu denen dabei die Gehirne sich zwingen, überdecken die rohen Kräfte, die unvermindert sich austoben, nur wissenschaftlich geplant und sinnvoll (»historisch«) gedeutet. Selbst der Soziologe, der vorgeblich wertfrei nur »feststellt«, was ist, macht sich unversehens zum geheimen Fürsprecher der herrschenden Ordnung: weil, »wertfrei«, eine jede herrschende Ordnung ihm gleichviel gilt; Hauptsache: Ordnung herrscht*.

Man ist schnell bei der Hand mit dem Vorwurf, da wolle einer das nackte Chaos, wenn er nur mit der repressiven moralischen Ordnung sich nicht abfinden will. Das verschwiegene Vorurteil dabei ist, es müsse jedwede »moralische Ordnung« eine Ordnung der Gewalt sein. Man übersieht, daß der Einsatz von Gewalt »zur Aufrechterhaltung von Ruhe und Ordnung« um so größer sein muß, je mehr die Menschen in ihrer ursprünglichen Natur unterdrückt sind. Nur wer die Menschen zu einem unnatürlichen »sittlichen Leben« zwingt, muß sie dann für so böse halten, daß er glauben darf, es sei ihnen anders als mit äußerstem Zwang nicht mehr beizukommen. Eine Ordnung der Liebe müßte eine pluralistische Ordnung sein, die die Unterschiede der Vitalität und des Wesens (mit Ausnahme der stets erst anerzogenen Aggressivität) respektiert und nicht unter eine allgemeinverbindliche Norm preßt. *Ihre einzige moralische Richtschnur verlangte zu prüfen, welche Gesetze und Maßnahmen die Eintracht unter den Menschen fördern und welche nicht.* Eine solche Moral aber wäre nicht rigoristischer Selbstzweck; sie ordnete sich ein dem Bemühen, Leid zu verhüten.

Einer Ethik der Liebe gilt als das Böse nicht nur, was absichtsvoll einer dem anderen antut, sondern auch alles Leid, das Menschen gerade auch mit den besten Absichten einander bereiten. Man könnte sagen, solch vermeidbares Leid beruhe auf einer Unkenntnis des Bösen. Aber das gilt nur von dem, der faktisch Unheil verbreitet, weil er mit sich selber im Streite ist. Es ist nicht auszuschließen, daß Menschen auch ganz unreflektiert mitmenschlich sein können und Freude um sich verbreiten. In einer sinnenhaft lebensfrohen Gemeinschaft wird das die Regel sein. Wo ein gesundes Verhältnis zum Leben indessen fehlt, wo weithin das Bewußtsein gar keine *Lebenswerte*[5] mehr kennt, da aller-

* Das bezieht sich auch auf jene moderne Richtung der Ethik, die betont »wertfrei« moralische Begriffe und Redewendungen rein sprachanalytisch untersucht und dabei übersieht, daß die entscheidenden Werthaltungen einem Menschen schon in frühester Kindheit prä-verbal sich vermitteln. (Man vergleiche, was wir auf den Seiten 86, 93 und 260 f. hierüber ausgeführt haben.)

dings bedarf der Mensch der Aufklärung durch Wissenschaft, um zu erkennen, was eigentlich gut ist: um unterscheiden zu lernen zwischen dem »Guten«, das quasi »kulturbedingt« den Bedürfnissen einer bestimmten Herrschaftsordnung entspricht, und dem, was für die leibhafte Existenz eines jeden Einzelnen unmittelbar *gut* ist. Schlecht, übel, böse in einem ursprünglichen Sinne ist dann auch eine jede noch so hochgehaltene »Tugend«, die unter Verlusten an Lebensfreude, Gesundheit und sozialem Frieden dem vitalen Dasein mühsam immer erst abgetrotzt werden muß. Die oberflächlichste Freude ist für das Leben der Gemeinschaft wertvoller als das tiefste Leid, in das wir uns steigern. Der Mensch muß für die Freude gewonnen werden, wenn die Menschheit im ganzen gebessert werden soll.

Die herrschende Moral verwerfen heißt nicht schon: dem Chaos das Wort reden und Moral überhaupt für Unsinn erklären. Die herrschende Moral verwerfen heißt: gerade die Tugenden und Werte, die in ihr zentral und konstitutiv sind, durch Haltungen aus besserer Einsicht ersetzen. Tugenden wie Keuschheit und militärische Tapferkeit sind uns fragwürdig geworden, die eine, weil sie Bedingung der Aggressivität ist, die andere, weil sie deren Verschleierung und moralische Überhöhung bedeutet. Haltungen wie Ehrgeiz und Gewinnstreben werden uns verdächtig, wenn in ihnen die aggressive Überrundung des Nebenmenschen sich selbstgerecht stilisiert: als »gesunder Ehrgeiz«, »Tüchtigkeit« und »Schätzung des elementaren Wertes des Privateigentums«, von dem die Besitzenden sagen, es sei der Garant der Freiheit.

Nun ist dieser ideologischen Behauptung nicht ein ideologischer Marxismus entgegenzuhalten, der so tut, als komme alles Elend auf dieser Welt samt den Kriegen und Revolutionen, die da und dort auch den Marxismus an die Macht gebracht haben, vom Unfug des unbegrenzten Privateigentums und vom »arbeitslosen Einkommen« des Kapitals. Man brauchte also nur diese beiden durch Gesetz abzuschaffen, und die Menschen wurden gut. Mit den »Überresten des Kapitalismus«, so hofft noch heute eine unverzagte staatsoffizielle Ideologie, würden eines Tages auch die letzten Verbrechen verschwinden[6]. Solche Hoffnung erklärt sich selber zur »wissenschaftlichen Weltanschauung«, ungeachtet der Tatsache, daß auch in den sogenannten sozialistischen Ländern – parallel zur gleichen Entwicklung im Westen – etwa 15 Jahre nach dem Zweiten Weltkrieg die Kriminalität, vor allem die Jugendkriminalität, neu angestiegen ist[7]. Die repressive Gesellschaft hat ihre verräterischen Symptome – ohne Rücksicht auf ihre Einkleidung in die eine oder andere Staatsform. Schon um die Jahrhundertwende beklagte der »Philosoph des Krieges« Rudolf Steinmetz, daß seit 1885 die Jugendkriminalität in Deutschland und Frankreich erschrekkend zugenommen habe – also 15 Jahre nach dem deutsch-französischen Krieg[8]. Zu einer Zeit, da es noch möglich war, sich offen zum Krieg zu bekennen, konnte der bloße Zusammenhang von Krieg und Kriminalität noch gesehen werden. Heute ist er nicht nur im Osten verschleiert in der Rede von den »Überresten des Kapitalismus« oder der »Infiltration aus dem Westen«; westliche Strafrechtler, Soziologen und Kriminologen sprechen, marxistisch genug, von sogenannter »Wohlstandskriminalität«. Die Einsicht in die Triebnatur des Menschen wird hier wie dort vermieden. (»Dort« allerdings geschlossener als hier, aber vielleicht auch nur deshalb, weil der Macht des Kapitals ein aufsässiger Geist gar nichts anhaben kann.)

Die marxistische Ethik setzt alle Hoffnung auf die Abschaffung des »Kapitals«. Das ist, in der Richtung auf eine wissenschaftliche Ethik, immerhin mehr als die bloße Anpreisung der Nächstenliebe. (Denn wissenschaftliche Ethik hat sich um die Bedingungen der Liebe zu kümmern, insofern die Liebe das Gute ist.) Die marxistische Ethik muß sich aber sagen lassen, daß sie mit ihrem Kampf gegen die »Ausbeutung« noch lange nicht auf anthropologischem Grund steht. Die radikalen Marxisten beseitigen mit dem Verbot der Profitwirtschaft nur ein Epiphänomen einer von Grund auf verfehlten sozialen Ordnung. Sie verschieben die Aggressivität vom Kampf um die Kasse ganz auf das Gieren nach Ämtern und Posten. Die Menschen suchen dann nicht mehr durch Besitz einander zu schlagen, sondern unmittelbar durch Machtpositionen und »Einfluß«. Sie entwickeln aber auch wieder Statussymbole, die bisweilen stark an kapitalistische Bräuche erinnern und in denen noch ein Bedürfnis nach Luxus sich ausdrückt: ein Bedürfnis nach privilegiertem Genuß. Wo niemand mehr persönliche Besitzrechte auf Luxusgüter geltend zu machen hat, da sieht das Prestigedenken einfach davon ab zu besitzen und heftet sich, ein wenig vernünftiger nur, an das Privileg ihrer Benutzung.

Das setzt aber noch lange nicht die Apologeten des Kapitalismus wieder ins Recht, die in der »neuen Klasse« des Ostens eine Widerlegung jeder sozialrevolutionären Bestrebung erblicken. Das faktische Scheitern der kommunistischen Revolution in einer neuen Hierarchie der Privilegien gilt den bürgerlichen Ethikern schon als eine Wirkung der menschlichen Natur[9], die sie durch Begriffe wie Ehrgeiz, Besitzstreben und Aggressionstrieb hinreichend gekennzeichnet wähnen[9a].

Die marxistischen Gegenspieler sind da nicht halb so konkret. Schließlich erscheint durch die Brille von MARX der Mensch als sein eigener Gott, der vom archimedischen Punkt der ökonomischen Verhältnisse her sich ein völlig neues Wesen zu geben vermöchte. Die Triebnatur des sinnenhaften Menschen fällt dabei ebenso unter den Tisch wie bei den Ideologen der kapitalistischen Ordnung. Die feindlichen Brüder können ihren ideologischen Streit ja nur fortführen, weil sie über triebpsychologische Erkenntnisse sich in gleicher Weise hinwegsetzen. Kampf um die Macht oder Klassenkampf werden ihnen so zu Grundtatsachen der Geschichte[10], wobei sie nicht merken (oder es ignorieren), daß im Kampf um Sonderrechte – ehrgeizig – sich nur vorschiebt, wer in seiner überwertigen Vitalität durch eine Einheitsmoral auf das Maß der Triebschwachen sich beschränkt findet. Das kann periodisch zum Aufstand der Massen »entgleiten«, sobald die führenden Schichten hinreichend biologisch ermüdet sind und sobald den Massen ein Bewußtsein ihrer Unterdrückung erwächst. Geglückte Revolutionen aber müssen notwendig »sich verraten«, solange der Kern des Leidens nicht bloßliegt: daß alle Unterdrückung des leibhaften Menschen ihrem Wesen nach Triebunterdrückung ist. Solange das dunkel bleibt, kann jede erfolgreiche Revolution die repressive Ordnung immer nur umkippen: Die Letzten werden die Ersten sein, aber die ersten Positionen bleiben; sie werden bloß neu besetzt.

Es ist ganz gleich, ob die »Spitzenpositionen« der repressiven Gesellschaft durch Reichtum oder durch »nackte Macht« sich auszeichnen. Der in seinem vitalen Dasein frustrierte Mensch kämpft bald mit den Waffen des Besitzes, bald mit anderen »Waffen« gegen den je Allernächsten, der ihn daran hindert, im Einklang mit seiner Triebnatur zu leben. Wenn die marxistische Kritik am Gewinnstreben darum einen Sinn hat, so ist sie zumindest durch die Einsicht MAX WEBERS zu ergänzen, daß der »Erwerb von Geld und immer mehr Geld«, der jedes »unbefangene Genießen« verhindert, im Kapitalismus längst zum *Selbstzweck* geworden ist und vom »Glück« und »Nutzen« des Einzelnen irrational sich abhebt: »Der Mensch ist auf das Erwerben als Zweck seines Lebens, nicht mehr das Erwerben auf den Menschen als Mittel zum Zweck der Befriedigung seiner materiellen Lebensinteressen bezogen.«[11]

In einer Prestigegesellschaft überhaupt werden Mittel der Triebbefriedigung selber zu Zwecken. So kann die verschwiegene Absicht, durch aufwendige Kleidung, durch einen »Luxuswagen« oder durch die Macht eines Amtes aufs jeweils andere Geschlecht zu wirken, sich noch so weit »entsexualisieren«, daß Putzsucht, »Liebe« zum Auto und Ehrgeiz bald als Strebungen eigener Art gelten. Solche Entsexualisierung ist aber, wie eine jede, nur eine scheinbare. Im Unterbewußtsein bleibt die Verknüpfung mit dem ursprünglichen Triebziel erhalten. Dafür ist die tiefenpsychologische Marktforschung des Westens die Probe aufs Exempel. Wenn ein Auto sich besser verkauft, sobald die Werbung an geheime Triebwünsche anknüpft, dann verrät das den Triebcharakter des vorgeblich nüchternen Willens zum Kauf. Der Markt aller Güter, die nicht im weiteren Sinne Lebens-Mittel sind, lebt von der *bewußt* dem Leben abgekehrten menschlichen Natur.

Es handelt sich aber immer nur um eine gehemmte, wenn nicht gar ins Perverse umgebogene Triebnatur. Geld als »reiner« Selbstzweck setzt den analen Charakter voraus, den Menschen also, der emotional in einer frühen Phase der normalen Entwicklung steckengeblieben ist*. Auf Geld als solches fixiert, ist er der Prototyp der kapitalistischen Ordnung: tüchtig, aufstrebend, angepaßt an die sexuellen Tabus, scheinbar ohne Hang zum »Gemeinen« – *nummus non olet*. Was in Wahrheit das Resultat eines verklemmten Trieblebens ist, empfiehlt sich denen, die zu voller Sinnlichkeit gereift sind, als eine besondere sittliche Leistung, als »Selbstüberwindung«. Die allgemeine Verpönung des Genusses und die Verkümmerung der Genußfähigkeit läßt so jenen »Materialismus« erst zu, der in moralistischer Betrachtung als die andere Seite schnöder Diesseitigkeit erscheint. Wenn damit noch indirekt eingestanden wird, daß der leibhafte Mensch dem Irdischen niemals entrinnen kann, so ist darin ein Körnchen Wahrheit. Der phänomenale Zusammenhang aber ist ein anderer.

Keuschheit, persönlicher Ehrgeiz, Machtstreben, Streben nach Besitz als solchem – das sind Tugenden, die sich sinnvoll zusammenschließen im Geiste einer Moral der Aggressivität und der Macht. Wir haben das von den verschiedensten Seiten her gezeigt. Was aber hat, so könnte man fragen, eine wissenschaftliche Ethik an ihre Stelle zu setzen? Nichts, müßten wir sagen, wenn erwartet wird, daß wir anstelle dieser problematischen Werte völlig neue Tugenden propagieren. Wissenschaftliche Ethik propagiert keine Werte; sie vertraut darauf, daß die menschliche Natur, wenn sie nur in Ruhe gelassen wird und nicht von klein auf verbogen, aus sich selber heraus ein Verhalten entwickelt, das dem Individuum wie der Gemeinschaft am besten entspricht. Nur der bereits verbildete Mensch unserer Kultur hätte noch eine besondere

---

* Vgl. im IV. Teil, Kapitel F, den Abschnitt d: »Das Idol der ›sittlichen Freiheit‹«!

Fähigkeit zu entwickeln, die Ansprüche seines Leibes zu vernehmen, sie zu verstehen und ernst zu nehmen. Das bedeutet für einen jeden von uns, daß er lerne, sich möglichst in Einklang zu halten mit den natürlichen Spannungen und Abspannungen seines Körpers[12] – jenseits von Abstinenz und Exzeß, Trägheit und Überarbeitung. Das gilt für alle Regungen des vitalen Daseins, für die Sexualität wie für Essen und Trinken, für Wachen und Schlafen wie für den Bewegungsdrang und nicht zuletzt auch für das Denken, insofern dieses die Tätigkeit eines körperlichen Organs ist. »Keuschheit« ist von einem solchen Ethos her kein Ideal, gegen das zu rebellieren sich verlohnte; sie wird, mit NIETZSCHE zu sprechen, zu einer »überflüssigen Tugend«. Die übergeordnete Tugend, die nicht auf die Sexualität allein sich bezieht, ist das Wissen um das rechte Maß, also nichts anderes als das, was die Griechen *sophrosyne* nannten.

Wir bedürfen für ein sittliches Verhältnis zu uns selbst nur eines *Gesundheitsgewissens*, für unser – moralisches – Verhalten gegenüber Anderen des klaren Bewußtseins, daß auch sie zu leiden vermögen. (Dieses Bewußtsein erwächst aus ursprünglicher Liebe[13].) Schon ethisch, weil ohne wissenschaftliche Gesinnung nicht denkbar, wäre – drittens – eine Verantwortung für die Gesellschaft im ganzen, wenn dabei auf Bedingungen des Miteinanderseins reflektiert würde. Alles andere, was man dazu uns noch nennen mag, ist »Moral« zum Nutzen Dritter, die uns nur unterdrücken wollen.

Der leibhaft in sich befriedete und mit sich im Einklang stehende Mensch hätte nicht mehr nötig, im Verhältnis zum Mitmenschen, zu seinem Arbeitskollegen oder Nachbarn, auf sein Prestige zu pochen; denn er muß keinen inneren Unfrieden kompensieren. In der Arbeitswelt tritt das Sachinteresse reiner hervor, wo nicht ein Teil der geistigen Kraft noch abgezogen ist durch den Gedanken ans Vorwärtskommen. Daß Ehrgeiz leistungssteigernd sei, gilt auch nur innerhalb des Konkurrenzsystems und auch da nicht in den geistig produktiven Berufen, die einen vollen Einsatz erfordern[14]. Das Streben nach Besitz schließlich, sofern es ein Streben nach Besitz um des Prestiges willen ist, könnte abgelöst werden durch ein nüchternes Verhältnis zum Besitz, das ihn auf seinen reinen Gebrauchswert reduziert. Daß aber Geld und Besitz so realistisch eingeschätzt werden als jeweils bloßes Mittel zu einem Zweck, zu einem Zweck des Vergnügens etwa oder des Forschens, das eben setzt den sinnlich befriedigten Menschen voraus. Der Wunsch, es möchte dem Menschen am Besitz als solchem nichts liegen, muß natürlich utopisch erscheinen in einer Kultur, die die Freude am Besitz von vorneweg einräumt und fördert: als Ersatz für die ursprünglicheren Freuden, die sie verknappt. (Daß schon das frustrierte Kind *seinen* Teddy haben muß, um einschlafen zu können, ist noch kein Argument für das Börsengeschäft.)

Man muß den Zusammenhang sehen. Man kann die Menschen nicht zufrieden, friedfertig und sexuell unbefriedigt zugleich haben. Bescheidenheit, Mitmenschlichkeit und Triebverzicht von ein und demselben Menschen zu verlangen, heißt ihn sittlich und damit nervlich überanstrengen. Nicht der Einzelne, die Ethiker und Erzieher müßten hier sich entscheiden. Sie müßten wissen, worauf sie Wert legen möchten: was – ihrem Willen nach – ein sittlicher Wert sein soll und was nicht. (Wobei immer noch offen bliebe, ob ihre Entscheidung auch anthropologisch richtig ist: ob sie im Einklang steht mit der nicht hinwegzudiskutierenden Natur des Menschen.) Wer sagt, der Mensch könne alles, wenn er nur recht wolle, wenn er nur den guten Willen habe, alle die überkommenen Tugenden zu verwirklichen, der wälzt die inneren Widersprüche der herrschenden Moral auf die Verantwortung des Einzelnen ab: als »unvermeidliche Schuld« (JASPERS[15]) kehrt dann wieder, was jedermann überfordert. In einer Kultur, die Unvereinbares vom Menschen verlangt, ist es, ohne allgemeinen Widerspruch zu erregen, sogar möglich, »den Menschen geradezu als ein Wesen [zu] definieren ..., das schuldig werden und Strafe empfangen kann.«[16] Der Unglücksfall des Miteinanderseins scheint zum anthropologischen Regelfall erhoben – allen ethnologischen Gegenbeispielen zum Trotz*. Einer Kollektivethik, die um die gesellschaftlichen Bedingungen des Zusammenlebens sich bekümmert, werden demgegenüber Begriffe wie Sühne, »verdiente Strafe« und Schuld überhaupt suspekt. Sie erblickt in ihnen nur die psychischen Symptome einer schiefgewachsenen – oder noch unreifen – sozialen Ordnung. Sie versteht aber auch, wieso der Ideologe der herrschenden moralischen Ordnung sagen kann, wir verstrickten uns »unvermeidlich« in Schuld.

Der Satz hat wohl seine Richtigkeit, aber nur für unsere problemzerfressene Kultur, die bald einen jeden von uns in unauflösbare Konflikte stürzt. »Der sittliche Konflikt«, sagt EDWARD PITCAIRN, »ist nicht logisch lösbar.«[17] Der dunkle Sinn dieses Satzes wird deutlich, wenn wir auf dem Grunde unserer »sittlichen Konflikte« jene Trieb-

---

* Siehe den II. Teil bei den Anmerkungen 78 und 80 und den V. Teil bei Anmerkung 59.

konflikte erblicken, die ein sexualfeindliches Ethos erzeugt: nicht erst durch die Tabus für die Erwachsenen, sondern zuerst durch eine das neuro-vegetative System verbiegende Kleinkinddressur. Unausweichliche Schuldgefühle für das wieder Gerade und Natürliche sind dann eine immerhin logische Konsequenz.

Man wird – mit einem gewissen Recht immerhin – geltend machen, das Empfinden von Schuld und Reue sei doch auch ein notwendiges Korrektiv für ein sonst völlig in Egoismus erstarrendes »soziales« Verhalten. Mit dem Segel des »schlechten Gewissens«, so könnte man's sehen, kreuze der »sittliche Mensch« (oder der es sein will) gegen den Ansturm des Egoismus, der indessen gar nicht allein aus ihm selber dringt. Er bestimmt äußerlich das Klima der Konkurrenzgesellschaft, wo innerlich einer allenfalls leidet, weil er so böse sein müsse, wie er selber nicht wolle. Das häufige »Leiden an Schuldgefühlen« ist ganz und gar zwielichtig bei denen, deren liebloses Tun es regelmäßig begleitet: schon als ein Wetterleuchten der Absichten, die sie hegen. Einer Ethik des Miteinanderseins gelten Regungen des Gewissens nicht viel, wenn sie am Zustand der Gesellschaft nichts ändern. Als Alibi der Selbstachtung sind sie für das Zusammenleben fast wertlos: bloße Phänomene einer »Innerlichkeit«, in denen nur einigermaßen eine Beziehung zu jenem Mitmenschen sich herstellt, von dem die tyrannische Sittlichkeit leibhaft uns trennt. Je strenger die Körper voneinander geschieden sind, desto verzweifelter, »reuiger«, sehnsüchtiger greifen die Gedanken zum Anderen über, aber auch desto herrschsüchtiger greift einer nach dem anderen aus. »Die Gesellschaft eines geliebten Menschen bewirkt, daß man unter einem Zustand der Gewalttätigkeit leidet.« (Cesare Pavese[18]) Aber das gilt nur für die besitzergreifende Liebe in einer Kultur, in der jeder mit jedem sich mißt. Da häufen die Liebenden aufeinander auch jene Erwartungen, die sonst der böse Nachbar oder Kollege frustriert. Die Liebe zwischen zweien ist notwendig überhitzt, wo rundum nur Feinde sind oder Konkurrenten. Einem Menschen, der beständig »sich durchzusetzen« hat, muß eine Liebe, die Halt gäbe, mißlingen, eben weil er nichts als Halt vom Anderen erwartet.

Wenn wir vollends einsehen, daß unsere Moral aus Tugenden besteht, die zu einem guten Teil einander ausschließen, dann lösen eine Reihe quälender moralischer Probleme wie Seifenblasen sich auf. Die moralischen Probleme, mit denen ein skrupulöser Mensch sich herumschlägt, mögen ihm wichtig und brennend erscheinen. In ihnen aber kommt nur wieder heraus, was an der Moral einer ganzen Gesellschaft psychologisch verzerrt ist. Starke Verzerrungen sind Zeichen einer Übergangssituation: Neue moralische Vorstellungen kündigen sich an; die alten, tyrannischen, aber wollen nicht weichen. Selbst manche konservativen Kreise treten heute für Frieden und Abrüstung ein – unter dem Eindruck von Hiroshima und Nagasaki –, aber sie weigern sich, daraus Konsequenzen für die Sittlichkeit eines jeden Bürgers zu ziehen. Der Zusammenhang wird teils geleugnet, teils ignoriert. Der Pazifismus, den die Wasserstoffbombe erzwingt, wird dem alten moralischen Gebäude aufgestockt. Zu allem, was die Moral uns abpreßt, haben wir jetzt auch noch eine »außerordentliche moralische Anstrengung«[19] für den Weltfrieden zu leisten. Aber das macht die Sache auch schon wieder unglaubwürdig, besonders dann, wenn der »heiße Wunsch« nach Frieden diesen nur unter der Bedingung erblickt, daß die jeweils eigenen Ideale sich überall durchgesetzt haben. Die alte militante Moral war da weniger heuchlerisch und konsequenter. Man wußte, daß Kriege notwendig waren, um die herrschende sittliche Ordnung zu erhalten; und umgekehrt: daß militärische Zucht mit »Unzucht« sich nicht recht verträgt.

Daß sexuelle Enthaltung den Kampfesmut steigert, ist im übrigen auch alttestamentliche Weisheit[20]. Ein Volk wie das jüdische, das von Feinden ringsumher bedrängt war, mußte folgerichtig eine asketische Moral hervorbringen. Sie hatte ihren »Wert« in dieser bestimmten historischen Situation. Wer aber sexuelle Enthaltung als Wert absolutsetzt, der muß sich sagen lassen, daß er damit nur die innere Seite der Aggressivität verstärkt. Ein bedrohtes Volk braucht eine solche Moral. Sie ist dafür richtig und – gut, soweit in einer Welt von Feinden überhaupt etwas gut ist. Bedrohungen vorzuspiegeln, um bewußt oder instinktiv eine militante, lust- und lebensfeindliche Moral zu stützen, das aber ist schon das Böse in seinem Kern. Die Gesellschaft, die es pflegt, trägt dafür kollektiv die Verantwortung, sobald die triebpsychologischen Zusammenhänge offenbar sind. Vollends unverantwortlich aber, ja satanisch geradezu ist es, wenn angesichts der Gefahr der Übervölkerung unserer Erde[21] Moralvorstellungen festgehalten werden, die schon in tiefenpsychologischer Perspektive ihren lebens- und gemeinschaftsfeindlichen Charakter entpuppen. Die vorgeblich religiösen Motive, eine sichere Empfängnisverhütung zu verpönen, sind, wie jetzt deutlich sein sollte, nur Ausgeburten jenes Willens zur Macht, der so manches leibhaft verquälte Gemüt zu seiner sublimsten Lust inspiriert: zur Lust, den Mitmenschen zu quälen.

ANHANG

ANMERKUNGEN

ZUR EINLEITUNG (S. 15)

1 Nach Hans von Hentig: *Das Verbrechen. II. Der Delinquent im Griff der Umweltkräfte.* Berlin–Göttingen–Heidelberg 1962, S. 262 f.

2 Hentig a.a.O., S. 273 nach Prinzig: *Der Einfluß der Ehe auf die Kriminalität des Mannes* in der »Zeitschrift für Sozialwissenschaft«, Bd. II (1899), S. 37; und: *Die Erhöhung der Kriminalität des Weibes durch die Ehe,* ebenda, Bd. III (1900), S. 433.

3 Die Forderung, die Moral auf die Natur des Menschen zu gründen, wird nachdrücklich erhoben von Gerhard Szczesny: *Die Zukunft des Unglaubens.* München 1958, S. 166–192. – Vgl. auch Arno Plack: *Die Stellung der Liebe in der materialen Wertethik,* Münchener Diss. 1957 (Druck 1962), S. 6 und S. 130.

4 Zur Problematik des Begriffes der öffentlichen Meinung sehe man aber Theodor W. Adorno: *Meinung Wahn Gesellschaft* in: *Eingriffe.* Frankfurt am Main 1963, S. 147 ff. – Ferner: Jürgen Habermas: *Strukturwandel der Öffentlichkeit. Untersuchungen zu einer Kategorie der bürgerlichen Gesellschaft.* Neuwied 1962.

5 Vgl. etwa Margaret Lantis: *Eskimo Childhood and Interpersonal Relationship. Nunivak biographies and genealogies.* University of Washington Press, Seattle 1960.

6 B. Malinowski: *Geschlecht und Verdrängung in primitiven Gesellschaften.* Reinbek bei Hamburg (rde) 1962. Wir zitieren jetzt nur die Seiten 89–95.

7 in einem Brief vom 16. September 1963.

8 Der Begriff der Sexualität umschließt nach Freud außer den genitalen Empfindungen auch noch orale und anale Lust, ferner die Erregungen sogenannter »erogener Zonen« der Haut. Hinzu kommt die pathologische Möglichkeit, daß innere Organe sich wie »Ersatzgenitalien« benehmen. (Man sehe hierzu insgesamt Freuds *Drei Abhandlungen zur Sexualtheorie* in Band V der Gesammelten Werke, London 1946–1952.)

9 Vgl. Verrier Elwin: *The Muria and their Ghotul.* Oxford University Press. Bombay 1947, S. 448.

10 Referiert von Medard Boss: *Sinn und Gehalt der sexuellen Perversionen. Ein daseinsanalytischer Beitrag zur Psychopathologie des Liebesphänomens.* Bern 1947, S. 65. (Zitiert auch in der Rezension von Ludwig Binswanger in der PSYCHE. Eine Zeitschrift für Tiefenpsychologie und Menschenkunde in Forschung und Praxis. Hg. von H. Kunz, A. Mitscherlich und F. Schottlaender, Band III [1949/50], S. 899.)

11 So referiert die entsprechende Bemerkung eines Patienten mit nekrophilen Phantasien P. C. Kuiper, Amsterdam, in seinem Aufsatz *Perversionen* in der PSYCHE. Eine Zeitschrift für psychologische und medizinische Menschenkunde (hg. von W. Hochheimer und A. Mitscherlich), Band XVI/1962–1963, S. 510.

12 Die Formulierung ist wohl noch etwas zu hoch gegriffen angesichts der »Häufung von Schwachsinn, Degeneration und Psychopathie« in den Gefängnissen, zumindest in »Zeiten ohne Katastrophe« (Paul Reiwald: *Die Gesellschaft und ihre Verbrecher.* Zürich 1948, S. 158.)

13 Nach Hans von Hentig: *Das Verbrechen. II. Der Delinquent im Griff der Umweltkräfte.* Berlin–Göttingen–Heidelberg 1962, S. 115.

14 Im Treblinka-Prozeß in Düsseldorf war mehrfach die Rede von einem Hund »Bari«, der »auf Bisse in die Genitalien [der Häftlinge] dressiert« gewesen sei (laut Prozeßbericht in der *Frankfurter Allgemeinen Zeitung* vom 11. Dezember 1964). Der Verhaltensforscher KONRAD LORENZ, der als Sachverständiger dazu gehört wurde, bezweifelte, daß es sich im strengen Sinne um eine »Dressur« gehandelt habe. Der Hund habe »vermutlich den Charakter seines Herrn übernommen«. (So referiert im *Spiegel* vom 8. September 1965, S. 62.) – Zur Frage, ob es dem Menschen möglich ist, Tieren seinen Willen zu übertragen, siehe auch DAVID KATZ: *Mensch und Tier. Studien zur vergleichenden Psychologie*. Zürich 1948, S. 12–20.

15 Siehe bei KONRAD LORENZ: *Das sogenannte Böse. Zur Naturgeschichte der Aggression*. 3. Auflage, Wien 1964, S. 180 f. (Wir kommen hierauf im II. Teil – auf Seite 99 – zurück.)

16 So etwa HELMUT SCHELSKY: *Soziologie der Sexualität*. Hamburg (rde) 1955, S. 37 und S. 52 ff. – Besonders deutlich RALF DAHRENDORF in der Illustrierten *stern*, 1963, Nr. 48, S. 50: »Man kann nichts Falscheres tun, als sich von den Tatsachen die Normen diktieren zu lassen.«

17 Vgl. MARGARET MEAD: *Mann und Weib. Das Verhältnis der Geschlechter in einer sich wandelnden Welt*. Hamburg (rde) 1958, S. 24 ff.

18 Über *Wesen und Wandel der Tugenden*, OTTO FRIEDRICH BOLLNOWS gleichnamiges Buch (Frankfurt/M.–Berlin 1958); zum Wandel der Sexualmoral besonders: G. RATTRAY TAYLOR: *Wandlungen der Sexualität*. Düsseldorf–Köln 1957.

19 Wir lasen auch schon: »Menschen ohne Ehrgeiz sind ja stupide Hunde.« (So der Politiker Heinrich von Brentano laut *Spiegel* vom 25. April 1962, S. 12.)

20 Wir erinnern uns hier einiger Kritiken in westdeutschen Tageszeitungen. Man vergleiche aber auch *An Analysis of the Kinsey Reports on Sexual Behavior in the Human Male and Female* ed. by DONALD PORTER GEDDES, 9th printing, New York 1963, p. 273, 287.

21 Zwischen »30 und 50 Prozent« liegen die Schätzungen von psychosomatisch orientierten Ärzten. (Vgl. ALEXANDER MITSCHERLICH: *Krankheit als Konflikt*. Frankfurt am Main 1966, S. 13, 45 und 95!) – Nach einem *Bericht* von ERWIN H. NEFF (*The Neurotic Patient*. Michigan Medical Society XX, 30/1931) war bei 63 Prozent aller Militäruntauglichen, die nachträglich ausgemustert werden mußten, der Ausmusterungsgrund eine nervöse und psychische Störung.

22 In der Psychosomatischen Klinik der Universität Heidelberg wurde bei bisher 11 Prozent aller Ambulanzpatienten wegen »mangelnder Kommunikationsmöglichkeiten« eine Behandlung abgelehnt. Nach ALEXANDER MITSCHERLICH: *Über die Behandlung psychosomatischer Krankheiten*. In der PSYCHE, Band XVIII (1964/65), S. 655.

23 So ALEXANDER MITSCHERLICH in der Diskussion auf dem IV. öffentlichen Kongreß der Deutschen Gesellschaft für Psychotherapie und Tiefenpsychologie, Wiesbaden 1962. Siehe PSYCHE, Band XVI/1962–1963, S. 638.

24 Siehe hierzu unseren III. Teil im Abschnitt h!

25 ALBERT CAMUS: *Tagebuch, Mai 1935 – Februar 1942*. Reinbek bei Hamburg 1963, S. 137.

26 Vgl. P. C. KUIPER (a.a.O., S. 501): »Der Platz, den die perverse Sexualität im Ganzen der Persönlichkeit einnimmt, ist ein anderer als der der normalen Sexualität; perverse Triebe sind stärker.«

27 FRIEDRICH KEITER: *Die Psyche als autonomes Organ im Leib-Seele-Gesamtsystem*. In der PSYCHE, VII. Jahrgang, Stuttgart 1953, S. 150 ff.

ZUM I. TEIL (S. 33)

1 IMMANUEL KANT: *Grundlegung der Metaphysik der Sitten.* Meinersche Ausgabe, S. 16.

2 Originaltitel des Buches von BURNHAM: *The Managerial Revolution.* Die deutsche Übersetzung von Helmut Lindemann erschien unter dem etwas schiefen Titel: *Das Regime der Manager,* Stuttgart 1948.

3 Die wörtlichen Anführungen nach der Übersetzung von Dr. Grimme. Vgl. HELMUTH VON GLASENAPP: *Glauben und Ritus der Hochreligionen.* Fischer-Bücherei 1960, S 91.

4 Vgl. BERTOLT BRECHT: *Aufstieg und Fall der Stadt Mahagonny.* 16. Szene: »Frechheit, Unverstand und Laster! / Und das Schlimmste ist: kein Zaster.«

5 So spricht Wilhelm Meister im 5. Buch des »Urmeister« *(Wilhelm Meisters Theatralische Sendung).*

6 Vgl. die Aufzeichnungen in RIEMERS *Mitteilungen* vom Februar 1807 und vom 9. 8. 1810, desgleichen GOETHES *Maximen und Reflexionen,* Hamburger Ausgabe, Nr. 124.

7 So referiert HEINZ OTTO BURGER den Grundgedanken aus dem Buch *De ingenuis moribus et De liberalibus studiis von* PIER PAOLO VERGERIO DEM ÄLTEREN. (H. O. BURGER: Europäisches Adelsideal und deutsche Klassik. In *Dasein heißt eine Rolle spielen. Studien zur deutschen Literaturgeschichte.* München 1963, S. 220–221.)

8 H. O. BURGER a.a.O., S. 219.

9 Forderung der westdeutschen Arbeitgeberverbände laut *Spiegel* vom 16. Juni 1965, S. 47.

10 Nach einer Umfrage des Demoskopischen Instituts Allensbach vom Jahre 1962.

11 Vgl. MAX WEBER: *Die protestantische Ethik und der Geist des Kapitalismus.* In dem Sammelband: *Max Weber: Die protestantische Ethik.* Siebenstern-Taschenbuch 1965, S. 60.

12 Vgl. FRANZ SCHNABEL: *Deutsche Geschichte im neunzehnten Jahrhundert.* I. Band: *Die Grundlagen.* 4. Auflage, Freiburg im Breisgau 1948, S. 109 f.

12a Vgl. OSWALD SPENGLER und HELMUTH SCHOECK (nach H. SCHOECK: *Der Neid. Eine Theorie der Gesellschaft.* Freiburg/München 1966, S. 364).

13 Dies hat, im Blick auf die Gesellschaft in den USA, schon VEBLEN wahrgenommen. *(Theorie der feinen Leute.* Köln–Berlin o. J., S. 48.)

14 im ersten Kapitel der *Welt von gestern, Erinnerungen eines Europäers,* Stockholm 1947.

15 ALEXANDER MITSCHERLICH: *Auf dem Weg zur vaterlosen Gesellschaft. Ideen zur Sozialpsychologie.* München 1963, S. 243 f.

16 Die Wochenzeitung *Die Zeit* berichtete am 28. November 1958 ausführlich über eine solche Schule. Der Artikel war überschrieben: »Klassenziel: Gattin des Generaldirektors«.

17 SIMONE DE BEAUVOIR: *Das Andere Geschlecht.* Hamburg 1951, S. 501.

18 Es sei der Wert der GEHLENschen Theorie hiermit nicht einfach bestritten. Nur die darin wirksame Vorstellung, daß der Prozeß der Entlastung sich quasi in infinitum fortsetzen lasse – ohne Rücksicht auf eine ursprüngliche Natur des Menschen, erscheint selbst als ein Ausfluß des herrschenden Ethos. (Wir beziehen uns hier vor allem auf GEHLENS Werk: *Der Mensch, seine Natur und seine Stellung in der Welt.* 4. Auflage, Bonn 1950; man vergleiche etwa S. 68., S. 363 und S. 377 f.)

19 Jean-Paul Sartre: *Ist der Existenzialismus ein Humanismus?* Zürich 1947, S. 65.

20 Man sehe hierzu Franz Alexander: *Psychosomatische Medizin.* Deutsch: Berlin 1951, S. 70. – Wir kommen auf den tiefenpsychologischen »Sinn« des Magengeschwürs noch zurück im II. Teil unter der Überschrift: »Der moderne Infantilismus«.

21 Franz Alexander, a.a.O., S. 30.

22 Nach Thure von Uexküll: *Grundfragen der psychosomatischen Medizin.* Reinbek bei Hamburg (rde) 1963, S. 39.

23 José Ortega y Gasset: *Über die Liebe.* Stuttgart 1950, S. 108.

24 Sigmund Freud: *Trieb und Triebschicksale.* Gesammelte Werke, Band X, S. 231.

25 Wir haben es schriftlich in dem Buch des amerikanischen Geistlichen N. V. Peale: *Die Macht des positiven Denkens.* Kritisch hierzu: Erich Fromm: *Die Kunst des Liebens*, Ullstein-Taschenbuch, S. 138.

26 Mitgeteilt im Sportteil der Hamburger *Zeit* vom 15. März 1963 von Bodo Harenberg, der charakteristischerweise gleich sagt, Altigs »Waffe« sei die Natürlichkeit. Es ist schon die Sprache selber dem Konkurrenzsystem adäquat.

27 Thorstein Veblen: *The Theory of the Leisure Class.* Chapter IV. Die deutsche Übersetzung von Suzanne Heintz und Peter von Haselberg (unter dem Titel *Theorie der feinen Leute*, Köln-Berlin o. J.) spricht von »demonstrativem Konsum«.

28 Theodor W. Adorno: *Prismen. Kulturkritik und Gesellschaft.* 2. Auflage, München (dtv) 1963, S. 83.

29 Goethe, *Faust II*, 3. Akt.

30 Nach Gerhard Szczesny: *Die Zukunft des Unglaubens. Zeitgemäße Betrachtungen eines Nichtchristen.* München 1958, S. 158.

31 Immanuel Kant: *Anthropologie in pragmatischer Hinsicht.* In den vom Insel-Verlag (Leipzig o. J.) herausgegebenen *Vermischten Schriften*, S. 343.

32 Vgl. Friedrich Nietzsche: *Die fröhliche Wissenschaft.* Kröners Taschenausgaben, Band 74, S. 182 f.

33 Siehe die *Anthropologie in pragmatischer Hinsicht* in: Immanuel Kant, *Vermischte Schriften.* Im Insel-Verlag. Leipzig o. J., S. 342.

34 In einem Brief an Oskar Pfister vom 9. Februar 1909. Siehe: Sigmund Freud/Oskar Pfister, *Briefe 1909–1939.* Frankfurt am Main 1963, S. 12.

35 Norman Vincent Peale: *Sin, Sex and Self-Control.* New York 1965. (Das Zitat nach dem Buchauszug in »Das Beste aus Reader's Digest«, Januar 1966, S. 190.)

36 Solche Nicht-Unterscheidung ist etwas ganz anderes als Schopenhauers Gleichsetzung von Quäler und Gequältem. Diese ist nicht Ergebnis einer Phänomen-Analyse, sondern eine Konsequenz seiner Ontologie: Quäler und Gequälter sind danach eines als Willen, als Ding an sich, und doch verschieden als Erscheinung. (Siehe: *Die Welt als Wille und Vorstellung.* I. Band. *Sämtliche Werke*, hg. von Arthur Hübscher, Band 2, Wiesbaden 1949, S. 419.)

37 Auf die konstituierende Rolle des Mitvollzugs fürs Verstehen wird von Max Scheler verschiedentlich hingewiesen, so in dem Werk *Der Formalismus in der Ethik und die materiale Wertethik*, 4. Auflage, Bern 1954, S. 397.

38 So ist im Klima einer lustfeindlichen Moral noch ein hohes Gericht ernstlich besorgt, daß nach einer Sterilisation der Frau »ungehemmte Genußsucht« das eheliche Leben bestimmen könnte. Siehe den Beschluß – 3 Ws 280/26 – des OLG Celle vom 23. November 1962. (Nach der NJW 1963, Heft 9.)

39 Dietrich von Hildebrand: Max Scheler als Persönlichkeit. In *Zeitliches im Lichte des Ewigen.* Regensburg 1930, S. 382 f.

40 FRIEDRICH NIETZSCHE: *Also sprach Zarathustra* I, Vom Freunde. (Kröners Taschenausgabe, Band 75, S. 59.)

41 Dies ist nach ADORNO – ein Wesensmerkmal wahrer Neigung. Siehe TH. W. ADORNO: *Minima Moralia. Reflexionen aus dem beschädigten Leben.* Berlin u. Frankfurt am Main 1951, S. 140.

42 WOLF MIDDENDORFF, der das referiert, bringt noch ein analoges Beispiel aus den USA: *Soziologie des Verbrechens. Erscheinungen und Wandel des asozialen Verhaltens.* Düsseldorf/Köln 1959, S. 174.

43 Vgl. SIGMUND FREUD: *An Romain Rolland* (Brief aus dem Jahre 1926), abgedruckt in Band XIV der Gesammelten Werke (London 1946–1952), S. 553.

44 in dem Drama *Bei geschlossenen Türen.*

45 So spricht der Held der Erzählung *Das dreißigste Jahr.*

46 wie schon LUDWIG FEUERBACH, KARL LÖWITH und MARTIN BUBER herausgestellt haben.

47 Die wörtlichen Anführungen nach der von Georg Goyert und Hans Georg Brenner geschaffenen Übertragung von *L'Etranger*, die bei Karl Rauch und als Taschenbuch bei Rowohlt erschienen ist.

48 Man sehe die analoge Verwendung dieses Begriffs bei JASPERS in der *Philosophie* (2. Auflage, Berlin–Göttingen–Heidelberg 1948) auf Seite 354.

49 An die Gestalt des »Fremden« müssen schließlich von einem Standpunkt, dem ganz etwas anderes als »normal« oder gar »natürlich« erscheint, auch psychiatrische Kategorien herangetragen werden. So meint JOSEPH GABEL (unter Berufung auf ALCYON BAER-BAHIA): Die »durch Verdinglichung gekennzeichnete Eigenwelt Meursaults besitzt einen klar schizoiden und sogar ausgesprochen *schizophrenen Charakter«. (Die Verdinglichung in Camus' L'Etranger.* Im »Jahrbuch für Psychologie und Psychotherapie« der Görres-Gesellschaft, 5. Jahrgang, München 1958, S. 132.) Nun ist sozialpsychologisch aber zu fragen, ob nicht der in seinem Weltverhältnis Unverstandene zwangsläufig eine »Tiefe« (polar zu einer »Oberfläche«) entwickeln muß, die im Sinne KRETSCHMERS dann als schizoid bezeichnet werden kann. Denn: »Schizoide Menschen haben eine Oberfläche und eine Tiefe«, sagt KRETSCHMER (in *Körperbau und Charakter*, 23. und 24. Auflage, 1961, S. 189). Weitergehend zu fragen aber ist, ob die den KRETSCHMERschen Körperbautypen zugeordneten Charakterstrukturen und -eigenschaften sich nicht auf bloße Charakter-Koeffizienten sozusagen reduzieren, nach denen je kulturspezifisch die Charaktere der einzelnen Körperbautypen sich abwandeln. Kulturspezifisch: das heißt, je nach dem allgemeinsten Weltverhältnis, das im Zeichen einer bestimmten »Kultur«, im Rahmen einer bestimmten »Kulturgemeinschaft«, sich durchgesetzt hat. Interessant ist in diesem Zusammenhang, daß – nach WEISSENFELD – der südländische Leptosome und »Schizothyme« sich wesentlich gelöster, lebhafter, ansprechbarer zeigt als der nordeuropäische. (Siehe G. F. HARTLAUB-FELIX WEISSENFELD: *Gestalt und Gestaltung.* Krefeld 1958, S. 18.)

50 Ich habe den Gedanken schon angedeutet in einer Rezension von ERICH NEUMANNS »Krise und Erneuerung« in den *Neuen Deutschen Heften*, Berlin – Juli/August 1963, S. 168 f.

51 GOETHE zu Eckermann in dem Gespräch vom 11. April 1827, zitiert nach der 22. Originalauflage der *Gespräche mit Goethe in den letzten Jahren seines Lebens* von JOHANN PETER ECKERMANN, Leipzig 1939.

52 Man vergleiche auch SVEND RANULF: *Moral Indignation and Middle Class Psychology.* Kopenhagen 1938. – Ferner: WILHELM REICH: *Massenpsychologie des Faschismus.* Kopenhagen/Prag/Zürich, o. J., S. 65 ff.

53 Nach dem KINSEY-Report über *Das sexuelle Verhalten des Mannes* hat »in der Altersgruppe zwischen 16 und 20 Jahren . . . die Volksschulgruppe siebenmal soviel vorehelichen Koitus wie die Collegegruppe«. (S. 313 der deutschen Ausgabe bei S. Fischer 1964.) – HANS VON HENTIG wendet sich gegen das Vorurteil, wonach auf dem Lande schwächere sexuelle Reize auf den Menschen einwirkten als in der Stadt. (Siehe: *Das Verbrechen. I. Der kriminelle Mensch im Kräftespiel von Zeit und Raum.* Berlin–Göttingen–Heidelberg 1961, S. 99.)

54 *Manifest der kommunistischen Partei.* Zitiert nach *Marx,* Auswahl von FRANZ BORKENAU in der Fischer-Bücherei 1956, S. 113. – Nach LENIN zeigte sich die bürgerliche Demokratie in bezug auf Ehe, Ehescheidung und uneheliche Kinder »als Vertreterin der Leibeigenschaft gegenüber der Frau und den außerehelichen Kindern« (LENIN. *Ausgewählte Schriften.* Hg. von HERMANN WEBER, München 1963, S. 1369).

55 KARL MARX: *Deutsche Ideologie.* A.a.O., S. 69.

56 Siehe FREUDS Abhandlung »Die ›kulturelle‹ Sexualmoral und die moderne Nervosität«. In Band VII der *Gesammelten Werke,* chronologisch geordnet. London 1946–1952. (Auch in dem Taschenbuch der *Drei Abhandlungen zur Sexualtheorie* in der Fischer-Bücherei.)

57 PETER R. HOFSTÄTTER: *Psychologie.* Fischer-Lexikon. Frankfurt am Main 1957, S. 251.

58 Als Beamte ohnehin sind Homosexuelle hierzulande »untragbar«. So der Sechste Senat des Bundesverwaltungsgerichts in Berlin. (Aktenzeichen: VI c [ccc] 44/63.)

59 Nach dem Institut für Demoskopie Allensbach bejahten 1949 78 Prozent der Befragten die sogenannte freie Liebe, 1963 aber nur 61 Prozent (*stern* vom 1. Dezember 1963, S. 51 f.)

60 Nach LUDWIG VON FRIEDEBURGS *Umfrage in der Intimsphäre* (1953) haben in Westdeutschland 89 Prozent der erwachsenen Männer vorehelichen Geschlechtsverkehr zugegeben, 18 Prozent der Befragten aber zugleich ihn verworfen. Das ergibt rein rechnerisch immerhin 7 Prozent Heuchler. Es mögen noch einige mehr sein, wenn nicht alle, die vorehelichen Verkehr hatten, sich auch daran erinnern wollten. L. v. FRIEDEBURG in: *Beiträge zur Sexualforschung,* hg. von H. BÜRGER-PRINZ und H. GIESE. Heft 4 (Stuttgart 1953).

61 THEODOR W. ADORNO: *Jargon der Eigentlichkeit. Zur deutschen Ideologie.* Frankfurt am Main 1964, S. 94.

62 ALFRED C. KINSEY, WARDELL B. POMEROY, CLYDE E. MARTIN: *Das sexuelle Verhalten des Mannes. »Sexual Behavior in the Human Male«,* deutsch bei S. Fischer 1964, S. 218 u. 220.

63 THEODOR W. ADORNO: *Sexualtabus und Recht heute.* In: *Eingriffe,* Frankfurt am Main 1963, S. 113.

64 GEOFFREY GORER: *Die Amerikaner. Eine völkerpsychologische Studie.* Reinbek bei Hamburg (rde) 1962 (70. Ts.), S. 35.

65 Nach dem KINSEY-Report über *Das sexuelle Verhalten des Mannes.* Deutsch bei S. Fischer 1964, S. 305.

66 Wortlaut nach der mündlichen Urteilsbegründung in der Schlußsitzung des »Strafverfahrens gegen Mulka und andere« (genannt Auschwitz-Prozeß), verlesen durch Senatspräsident Hofmeyer am 20. August 1965. Der Präsident erläuterte: »›fertig‹ in Anführungszeichen. (Mitschrift des Autors.)

67 »Daß die Mafia auch schon in den sizilianischen Klöstern zu Hause ist, beweist die Ohnmacht der staatlichen Ordnungsmacht«, bemerkt der Italien-Korrespondent ERICH B. KUSCH in einem Bericht der *Rhein-Neckar-Zeitung* vom 30. März

1962. – Die zitierte Bemerkung Kardinal Ruffinis stammt aus einer Sonntagspredigt jener Tage. Der Kardinal hat ähnlich wiederholt seine Sizilianer in Schutz genommen. Man vergleiche etwa den Bericht in der *Times* vom 30. März 1964.

68 Zitiert nach dem *Spiegel* vom 16. Juni 1965, S. 16.

69 Der Gedanke ist per-vers, verkehrt in dem Sinne, als er den Grundwert des Lebens für geringer hält als den sekundären, kulturbedingten, Wert der Keuschheit.

70 ALEX COMFORT hat sehr richtig bemerkt, wenn D. H. LAWRENCE seine Lady Chatterley durch einen Lustmörder enden ließe, »so hätte niemand etwas gegen das Buch einzuwenden«. A. COMFORT: *Der aufgeklärte Eros. Plädoyer für eine menschenfreundliche Sexualmoral.* München 1963, S. 96.

ZUM II. TEIL (S. 83)

1 Siehe Anmerkung 8 der Einleitung!

2 Vgl. SIGMUND FREUD: Analyse der Phobie eines fünfjährigen Knaben. Band V der *Gesammelten Werke*, chronologisch geordnet (London 1946–1952), S. 243 ff.

3 SIGMUND FREUD: *Vorlesungen zur Einführung in die Psychoanalyse.* 5. Auflage, Leipzig–Wien–Zürich 1926, S. 323.

4 Besonders bemerkenswert ist, daß danach 19 Prozent der Mädchen *vor* der Pubertät onanieren. (*Das sexuelle Verhalten der Frau.* Ausgabe S. Fischer, S. 133.)

5 Vgl. BRONISLAW MALINOWSKI: *Geschlecht und Verdrängung in primitiven Gesellschaften. »Sex and Repression in Savage Society«* deutsch: Hamburg 1962 (rde), S. 44.

6 ALFRED C. KINSEY, WARDELL B. POMEROY, CLYDE E. MARTIN, PAUL H. GEBHARD: *Das sexuelle Verhalten der Frau. »Sexual Behavior in the Human Female«* deutsch, Berlin und Frankfurt am Main 1963, S. 161.

7 Der vor Gericht gutachtende Psychiater, Dr. Franz Gerhard, ein Schüler Bumkes, hat dem Angeklagten zwar Schizophrenie bescheinigt. (Damit sei, so sagte mir der Arzt später, 1959, auch sichergestellt gewesen, daß Dippl nach den zehn Jahren Jugendstrafe, die er laut § 18 JGG zu erwarten hatte, nicht wieder sein Unwesen treiben könne: Die Heilanstalt werde ihn behalten.) Da Verbrechen und Psychose aber offenbar einander komplementär sind, besteht kein Grund, die sozialpathologische Perspektive nicht auch auf einen Fall von Schizophrenie anzuwenden. Siehe noch den IV. Teil, B, d: »Geisteskrankheiten als Folge von Triebunterdrückung«.

8 So etwa bei AESCHYLUS, NIETZSCHE, ANDRÉ GIDE *(Die Verliese des Vatikans)* u. a.

9 NICOLAI HARTMANN: *Das Problem des geistigen Seins.* 2. Auflage, Berlin 1949, S. 239.

10 Vgl. hierzu: SIGMUND FREUD: Die Verbrecher aus Schuldbewußtsein. *Gesammelte Werke*, London 1946–1952, Band X, S. 389–391. – Ferner: THEODOR REIK: *Geständniszwang und Strafbedürfnis.* Leipzig–Wien–Zürich 1925, S. 151. Außerdem: ARTHUR KIELHOLZ: *Verhütung von Verbrechen bei Perversionen.* In »Prophylaxe des Verbrechens«, hg. von HEINRICH MENG, Basel 1948, S. 403.

11 Wir kommen darauf zurück im III. Teil. Siehe dort Anmerkung 158!

12 Bei einem Besuch der Strafanstalt Heidelberg in Begleitung des Kriminologen Prof. Heinz Leferenz am 14. November 1966. – Es darf hier angemerkt werden, daß der immerhin geförderte Jugendstrafvollzug mit seinen besonderen Anstalten das Gefängnis schon etwas um seine Funktion gebracht hat, die »Schule des Verbrechens« zu sein.

13 SIGMUND FREUD: *Das Unbehagen in der Kultur.* Ausgabe der Fischer-Bücherei 1953, S. 141.

14 So behauptet das trotz der bedauernswerten Befunde der psychosomatischen Medizin auch der Soziologe JOHANNES MESSNER: *Widersprüche in der menschlichen Existenz.* Innsbruck–Wien–München 1952, S. 71 f.

15 GEOFFREY GORER: *Die Amerikaner* (rde), S. 46 f. – PAUL REIWALD: *Das bedrohte Ich.* Zürich 1952, S. 148. – Bei ALEXANDER MITSCHERLICH kann ich mich nur auf eine entsprechende mündliche Äußerung beziehen.

16 KONRAD LORENZ: *Das sogenannte Böse. Zur Naturgeschichte der Aggression.* 3. Auflage, Wien 1964, S. 80.

17 RENÉ A. SPITZ: *Die Entstehung der ersten Objektbeziehungen.* 2. Auflage, Stuttgart 1960. – Man berücksichtige auch, daß HARRY F. HARLOW durch Versuche an Affen zu ähnlichen Ergebnissen gekommen ist wie SPITZ. – H. F. HARLOW: Basic Social Capacity of Primates. In: *The Evolution of Man's Capacity for Culture*, ed. by J. N. SPUHLER. Detroit 1959.

18 Vgl. ALEXANDER MITSCHERLICH: *Auf dem Weg zur vaterlosen Gesellschaft. Ideen zur Sozialpsychologie.* München 1963, S. 101.

19 BRONISLAW MALINOWSKI: *Sex and Repression in Primitive Societies.* Deutsch: *Geschlecht und Verdrängung in primitiven Gesellschaften.* Hamburg (rde).

20 FRIDTJOF NANSEN: *Eskimoleben.* Leipzig und Berlin 1903, S. 130.

21 in dem Gedicht »Eine Mutter zieht Bilanz« aus *Doktor Erich Kästners Lyrischer Hausapotheke.*

22 Siehe C. G. JUNG: *Psychologie und Erziehung.* Zürich 1946, S. 109.

23 Vgl. hierzu ARNO PLACK: *Die Stellung der Liebe in der materialen Wertethik,* Münchener Diss. (1957) 1962, S. 148.

24 WILLIAM GREY WALTER: *Das lebende Gehirn. Entwicklung und Funktion.* München/Zürich (Knaur-Taschenbuch) 1963, S. 167 f.

25 ALEXANDER MITSCHERLICH: *Vom Ursprung der Sucht. Eine pathogenetische Untersuchung des Vieltrinkens.* Stuttgart 1947, S. 183.

26 FRANZ ALEXANDER: *Psychosomatische Medizin.* Deutsch: Berlin 1951, S. 72/73.

27 Dabei mag eine Mischung aus früher Verzärtelung (durch die Mutter, die so die Libido anreizt) und gleichzeitiger sexueller Frustration noch besonders neurosenfördernd sein. Vgl. FREUD: *Die »kulturelle« Sexualmoral und die moderne Nervosität* (in dem Fischer-Taschenbuch der *Drei Abhandlungen zur Sexualtheorie*, S. 137).

28 Vgl. FRANZ ALEXANDER, *Psychosomatische Medizin*, S. 70.

29 Vgl. THURE VON UEXKÜLL: *Grundfragen der psychosomatischen Medizin.* Reinbek bei Hamburg 1963 (rde), S. 39.

30 Die Bemerkung MITSCHERLICHS nach der Aufzeichnung von GEORG GERSTER in dessen Buch *Aus der Werkstatt des Wissens.* 1. Folge. 2. Auflage, Ullstein-Taschenbuch Nr. 73, 1962, S. 163.

31 Bei GERSTER a.a.O., S. 164.

32 Zehn Jahre später, 1956, waren es in einer vergleichbaren Zahl von Kliniken schon 79 Prozent. (Nach HERMAN F. MEYER, M.D.: *Breast Feeding in the United States: Extent and Possible Trend.* A Survey of 1,904 Hospitals with

Two and a Quarter Million Births in 1956. In »Pediatrics«, Vol. 22, No. July 1958, p. 121.) – Bei der nach weiteren zehn Jahren, 1966, wiederholten Erhebung lag der entsprechende Prozentsatz bei 72,6. Der zahlenmäßige Rückgang des Anteils der Flaschenkinder unter den Neugeborenen, die aus den Kliniken kommen, erklärt sich einzig aber wohl daraus, daß unterdessen die Entlassung weit eher erfolgt als noch zehn Jahre zuvor: 96,5 Prozent aller Babys wurden 1966 spätestens am fünften Tag nach der Geburt entlassen. (Der variable Tag der Entlassung ist Stichtag aller drei Untersuchungen.) Jedesmal abgenommen hat der Prozentsatz der ausschließlich auf natürliche Weise gestillten Babys. Es waren dies 1946: 38 Prozent, 1956: 21 Prozent und 1966: 18,9 Prozent. (Die Zahlen der 1966 durchgeführten Befragung nach einer brieflichen Mitteilung von Herman F. Meyer vom 4. Juni 1967.)

33 Siehe hierzu überhaupt Mitscherlichs »pathogenetische Untersuchung des Vieltrinkens« *Vom Ursprung der Sucht.* Stuttgart 1947.

34 Rudolf Bilz: *Trinker. Eine Untersuchung über das Erleben und Verhalten der Alkoholhalluzinationen.* Stuttgart 1961.

35 Am bekanntesten sind wohl die 1935 in den USA gegründeten *Alcoholics Anonymous.*

36 Vgl. bei Bilz a.a.O. besonders S. 154 f.! Siehe auch in unserem IV. Teil das Kapitel »Der Rausch als Lösung«!

37 Theodor W. Adorno: *Im Schatten junger Mädchenblüte.* Vortrag über Proust im Hessischen Rundfunk, August 1954.

38 So Albert Görres: *Methode und Erfahrungen der Psychoanalyse.* München 1958, S. 147.

39 Sigmund Freud: *Vorlesungen zur Einführung in die Psychoanalyse.* 5. Auflage, Leipzig–Wien–Zürich 1926, S. 16.

40 Sigmund Freud: *Die kulturelle Sexualmoral und die moderne Nervosität.* Gesammelte Werke (London) Band VII, S. 153. (In der Fischer-Bücherei: *Drei Abhandlungen zur Sexualtheorie,* S. 128.)

41 Vgl. Sigmund Freud: *Drei Abhandlungen zur Sexualtheorie.* In der Fischer-Bücherei Nr. 422, S. 73, Fußnote.

42 Aus einer Krankengeschichte der Psychosomatischen Klinik der Universität Heidelberg, von Alexander Mitscherlich im Kolleg referiert am 16. Dezember 1963.

43 Konrad Lorenz: *Das sogenannte Böse.* Wien 1964, S. 180.

44 Vgl. Ludwig von Bertalanffy: *Theoretische Biologie,* II. Band: *Stoffwechsel und Wachstum,* 1951, S. 50.

45 Siehe Margaret Mead: *Mann und Weib. Das Verhältnis der Geschlechter in einer sich wandelnden Welt. Male und Female,* deutsch: Hamburg (rde) 1958, S. 59.

46 Margaret Mead, a.a.O. (S. 59).

47 Sigmund Freud: Die infantile Sexualität. In den *Drei Abhandlungen zur Sexualtheorie,* Gesammelte Werke, Band V (London 1949), S. 86.

48 J. H. Schultz: *Das autogene Training. Konzentrative Selbstentspannung.* 11. Auflage, Stuttgart 1964, S. 171.

49 Das ist der verschwiegene politische Sinn der Kantischen »Autonomie« des sittlichen Willens. Geradezu ausgesprochen wird der Gedanke von Jürgen Habermas: Es könnten, so meint er, »Verhältnisse geschichtlich ebenso möglich und vielleicht schon wirklich sein, unter denen der Mensch in dem Maße, in dem er Triebenergien sublimiert und sich selbst gleichsam in die Hand be-

kommt, gerade unabhängig wird von den großen ›Zuchtsystemen‹ . . .« (Artikel »Anthropologie« im Fischer-Lexikon *Philosophie*, Frankfurt a. M. 1958, S. 33.) Ähnlich HERBERT MARCUSE: *Der eindimensionale Mensch*. Neuwied 1967, S. 95.

50 S. FREUD: *Drei Abhandlungen zur Sexualtheorie*. In der Fischer-Bücherei, S. 137.

51 So auch KLAUS MEHNERT: *Der Sowjetmensch. Gedanken nach 12 Reisen durch die Sowjetunion 1929–1957*. Stuttgart 1958, S. 70 ff.

52 THEODOR W. ADORNO, der das feststellt, erblickt – mit Recht – in Himmlers »SS-Gestüten«, also dem »Lebensborn«, nur das »staatsfromme Widerspiel« erotischer Freiheit. *Prismen, Kulturkritik und Gesellschaft* (Frankfurt a. M. 1955). Neuauflage München 1963 (dtv), S. 102.

53 Für die *Opferbereitschaft* des Volkes fürchtet Westdeutschlands Generalbundesanwalt Martin angesichts der »mit der Geburtenregelung zwangsläufig verbundenen moralischen Verwilderung« (LUDWIG MARTIN: *Tötung der Leibesfrucht und Strafgesetz*. FamRZ. 6 [1959], S. 352).

54 Siehe Anmerkung 3 des I. Teils!

55 Wir sprechen von Erlösungsreligionen. FREUD sagt etwas zu allgemein, »die Religionen« hätten »den absoluten Lustverzicht im Leben gegen Versprechen einer Entschädigung in einem künftigen Dasein durchsetzen können« (Formulierungen über zwei Prinzipien des psychischen Geschehens. *Gesammelte Werke*, London 1946–1952, *Band VIII*, S. 236). Kurzschlüssig auch wäre es, hieraus zu folgern, Atheismus sei die einzige Möglichkeit, Futurismus und Machtgeist zu vermeiden. Durchaus zu vereinbaren mit ursprünglicher Menschenliebe in leibhafter Gegenwart ist eine Gottesvorstellung, die den *Grund* meint, aus dem heraus wir leben. (Vgl. hierzu PLACK: *Die Stellung der Liebe in der materialen Wertethik*, S. 20, 117 und 205!)

56 Wir werden daran erinnert durch HEINZ OTTO BURGERS »Geschichte der unvergnügten Seele« in: *Dasein heißt eine Rolle spielen. Studien zur deutschen Literaturgeschichte*. München 1963, S. 143.

57 ALFRED C. KINSEY: *Das sexuelle Verhalten des Mannes*. Ausgabe S. Fischer, S. 461.

58 Das zitierte Faktum nach HANS VON HENTIG: *Das Verbrechen. II. Der Delinquent im Griff der Umweltkräfte*. Berlin–Göttingen–Heidelberg 1962, S. 285.

59 Wir formulieren hier mit dem *Bundesgerichtshof* (BGH Str. 6 [1954], S. 52 f.): »Die sittliche Ordnung will, daß sich der Verkehr der Geschlechter grundsätzlich in der Einehe vollziehe, weil der Sinn und die Folge des Verkehrs das Kind ist.« Die Logik legt nahe, sich zu wundern, weshalb polygame Kulturen nicht über Kinderlosigkeit klagen.

60 H. STIEVE: *Der Einfluß des Nervensystems auf Bau und Leistungen der weiblichen Geschlechtsorgane des Menschen*. Leipzig 1942, S. 71.

61 STIEVE, a.a.O., S. 68.

62 Diesen »Sinn« der Gefängnisstrafe hat übrigens ALBERT CAMUS in seinem Roman *Der Fremde* dem Gefängniswärter in den Mund gelegt.

63 Nach MABEL A. ELLIOTT: *Crime in Modern Society*. New York 1952, p. 37.

63a Der Begriff des *white collar crime* geht zurück auf EDWIN H. SUTHERLANDS gleichnamiges Buch, New York 1949.

64 Vgl. den Bericht von J. FREUDENREICH über die »sprunghafte Zunahme der Ladendiebstähle in der Bundesrepublik in der *Süddeutschen Zeitung* vom 28./29. Januar 1967 unter der Überschrift »Soziologie der Langfinger«.

65 Vgl. zum Beispiel die Kriminalstatistik des Landes Nordrhein-Westfalen für 1966 (nach einem Bericht der *Frankfurter Allgemeinen Zeitung* vom 28. Januar 1967 unter der Überschrift »Steigende Kriminalität im Ruhrgebiet«).

66 Kinsey und sein Team kamen zu dem (vorläufigen) Ergebnis, daß »nur ein geringer Bruchteil eines Prozents der Personen, die sich dem Gesetz entgegen sexuell betätigen, je verhaftet, angeklagt oder verurteilt wurde«. Alfred C. Kinsey, Wardell B. Pomeroy, Clyde E. Martin und Paul H. Gebhard: *Das sexuelle Verhalten der Frau.* Deutsch bei S. Fischer 1963, S. 18.

67 Arthur Kaufmann in seinem Buch *Das Schuldprinzip. Eine strafrechtlich-rechtsphilosophische Untersuchung.* Heidelberg 1961, S. 206.

68 Vgl. Sheldon and Eleanor Glueck: *Predicting Delinquency and Crime.* Harvard University Press 1959.

69 Vgl. Eberhard Schmidt: *Zuchthäuser und Gefängnisse.* Kleine Vandenhoeck-Reihe 101, S. 24. – In amerikanischen Strafanstalten bewegt sich die Zahl der Rückfälligen insgesamt zwischen 50 und 60 Prozent. Vgl. Mabel A. Elliott: *Crime in Modern Society.* New York 1952, p. 92.

70 Wir sprechen hier mit Hans von Hentig: *Das Verbrechen II,* S. 160. Ähnlich Albert Wellek: *Ganzheitspsychologie und Strukturtheorie.* Bern 1955, S. 215.

71 »Die Freiheitsstrafe führt praktisch zu einer eigentlichen Sippenhaft der engsten Angehörigen«, sagt – unter Berufung auf del Vecchio, Fritz Bauer und Werner Maihofer – Eduard Naegeli in seiner Schrift *Das Böse und das Strafrecht.* Kindler-Taschenbuch Nr. 2021, S. 65 (u. S. 124).

72 Paul Reiwald: Verbrechensverhütung als Teil der Gesellschaftshygiene. In: *Die Prophylaxe des Verbrechens,* hg. von Heinrich Meng, Basel 1948, S. 254.

73 In der Bundesrepublik Deutschland zeigt die Verurteiltenziffer für Mord und Totschlag von 1950 bis einschließlich 1965 in ihrem Auf und Ab jedenfalls keine Tendenz stetiger Zunahme oder Abnahme:

Verurteilte auf je 100 000 strafmündige Einwohner

Jahr	Mord	Totschlag	
1950	0,37	0,48	
1951	0,29	0,37	
1952	0,36	0,47	
1953	0,38	0,42	
1954	0,24	0,33	(Nach Auskunft
1955	0,31	0,35	des Statistischen
1956	0,23	0,30	Bundesamtes,
1957	0,24	0,37	Wiesbaden,
1958	0,28	0,34	vom 31. Mai
1959	0,30	0,29	1967.)
1960	0,30	0,25	
1961	0,33	0,33	
1962	0,32	0,37	
1963	0,34	0,31	
1964	0,36	0,33	
1965	0,39	0,34	

Das Problem des unaufgeklärten Verbrechens wie das noch viel wichtigere des unentdeckten (auf das wir im V. Teil zurückkommen) mögen außer Betracht bleiben, wenn es hier um die Frage nach einer Entwicklungstendenz der Tötungsdelikte in unserem Lande geht, und wir unterstellen, daß die Kriminalstatistik mit etwa gleichbleibender Verlässigkeit oder Unzulänglichkeit einen gewissen

Ausschnitt der tatsächlich verübten schwersten Verbrechen widerspiegelt. Dabei ist hierzulande allerdings doch zu berücksichtigen, daß im Ansteigen der Verurteiltenziffer für Mord seit 1962 die seitdem erst vollends in Gang gekommenen KZ-Prozesse – über zwanzig Jahre nach den Straftaten – mit zu Buche schlagen.

74 Nach einer 1958 veröffentlichten DIVO-Untersuchung (»Der westdeutsche Markt in Zahlen«) lesen von den Erwachsenen, deren Tageszeitung einen entsprechenden Beitrag enthält, 86 % die Berichterstattung über Unglücksfälle, Verbrechen und »menschliche Schicksale«, 85 % lesen den lokalen Teil, aber nur 40 % den Leitartikel, 52 % politische Nachrichten im Innern des Blattes und 59 % den politischen Hauptartikel. (JÜRGEN HABERMAS: *Strukturwandel der Öffentlichkeit.* Neuwied 1962, S. 187, Fußnote 2.)

75 So deutet das Verbrechen KARL BINDING. Siehe seine *Strafrechtlichen und strafprozessualen Abhandlungen,* Erster Band: *Strafrecht.* München und Leipzig 1915, S. 81.

76 Vgl. GERHARD SCHULZ: *Revolutionen und Friedensschlüsse 1917–1920.* München (dtv) 1967, S. 81.

77 Vgl. ARTHUR KAUFMANN: *Das Unrechtsbewußtsein in der Schuldlehre des Strafrechts.* Mainz o. J. (1949?) S. 41–45.

78 Vgl. WOLF MIDDENDORFF: *Soziologie des Verbrechens.* Düsseldorf/Köln 1949, S. 22 ff.; weiter: LEO KAPLAN: *Probleme der Strafjustiz.* In der PSYCHE, Band III (1949/50); S. 517 ff.; ferner P. PARIN und F. MORGENTHALER: »Charakteranalytischer Deutungsversuch im Verhalten ›primitiver‹ Afrikaner«. *Psyche X* (1956/57), S. 311 ff.; PAUL PARIN: »Einige Charakterzüge ›primitiver‹ Afrikaner«. *Psyche XI,* S. 692 ff.; außerdem: FRITZ BAUER: Sexualstrafrecht heute. In *Sexualität und Verbrechen.* Fischer-Bücherei 1963, S. 11 f.

79 Das ist so bei den Kwakiutl-Indianern auf Vancouver Island. Nach RUTH BENEDICT: *Urformen der Kultur.* Hamburg 1955 (rde), S. 158–162.

80 Siehe FRIDTJOF NANSEN: *Eskimoleben.* Leipzig und Berlin 1903, S. 136. (Wir kommen hierauf im V. Teil noch zurück.)

81 Zu diesem Ausspruch RUDOLF VON IHERINGS siehe ARMAND MERGEN: *Die Wissenschaft vom Verbrechen.* Hamburg 1961, S. 226.

82 Vgl. hierzu besonders HANS WELZEL, für den noch völlig unverschleiert Schuld nicht nur darin besteht, »daß die Willensbildung nicht so ist, wie sie sein *sollte,* sondern auch, daß sie richtig (normgemäß) hätte sein *können*«. *(Um die finale Handlungslehre.* Tübingen 1949, S. 24.) – Unsere Strafrechtspraxis steht vollends auf derart hypothetischem Grund. So heißt es in einer Entscheidung des Bundesgerichtshofes: »Der Mensch ist, weil er auf freie sittliche Selbstbestimmung angelegt ist, auch jederzeit in die verantwortliche Entscheidung gerufen, sich als Teilnehmer der Rechtsgemeinschaft rechtmäßig zu verhalten und das Unrecht zu vermeiden.« (BGH Str. 2, S. 201.)

83 Es verhält sich keineswegs so, daß die Verfechter des Schuldstrafrechts etwa samt und sonders nicht wüßten, daß sie dem Menschen einen zu freier Entscheidung begabten Willen nur einreden, um ihn desto besser beherrschen zu können. Nannte doch EDUARD KOHLRAUSCH die Willensfreiheit eine »staatsnotwendige Fiktion«. *(Sollen und Können als Grundlage der strafrechtlichen Zurechnung.* Berlin 1910, S. 26.) Kohlrausch steht damit keineswegs allein. Ähnlich: Heinrich Gerland, Eduard Heims, Robert von Hippel, Richard Lange und Merkel-Liepmann. (Die Namensliste nach ARTHUR KAUFMANN: *Das Unrechtsbewußtsein in der Schuldlehre des Strafrechts.* Mainz [1949], S. 109, Anm. 10.) Vgl. auch HEINZ LEFERENZ: Die rechtsphilosophischen Grundlagen des § 51 StGB.

In: *Der Nervenarzt.* Jg. 1948, S. 364 ff.

84 Vgl. FRIEDRICH NOWAKOWSKI: Freiheit, Schuld, Vergeltung. In der *Festschrift für Theodor Rittler.* Aalen 1957, S. 82.

85 So ähnlich argumentiert zum Beispiel DR. IUR. HABIL. MARTIN KRIELE in einem Kommentar zum erstinstanzlichen Urteil im Weigand-Prozeß (in der *Zeit* vom 29. April 1966, S. 14).

86 FRIEDRICH NOWAKOWSKI in der *Rittler-Festschrift*, S. 81.

87 EDUARD NAEGELI: *Das Böse und das Strafrecht.* Kindler-Taschenbuch (1967?), S. 77 und S. 53. – Was bis jetzt schon verwirklicht ist: die Idee der »offenen Anstalt« (in Schweden z. B. und in der Schweiz), hält an der gruppenweisen Absonderung der Gefangenen von der Gesellschaft noch fest. (Vgl. dazu EBERHARD SCHMIDT: *Zuchthäuser und Gefängnisse.* Vandenhoeck-Reihe Nr. 101, S. 30.)

88 ARMAND MERGEN: *Die Wissenschaft vom Verbrechen. Eine Einführung in die Kriminologie.* Hamburg 1961, S. 201.

89 ARTHUR KAUFMANN: *Das Schuldprinzip. Eine strafrechtlich-rechtsphilosophische Untersuchung.* Heidelberg 1961, S. 206.

90 FRANZ ALEXANDER und HUGO STAUB: *Der Verbrecher und seine Richter. Ein psychoanalytischer Einblick in die Welt der Paragraphen.* Wien 1929, S. 119. – Vom affektiven Gehalt des Strafens ist heute kaum mehr die Rede; ausnahmsweise bei ARMAND MERGEN: Soziale Zweckmäßigkeit in der modernen Kriminalpolitik. In der *Festschrift für Theodor Rittler,* Aalen 1957, S. 22 und S. 26) hier im Anschluß an REIWALD).

91 ARTHUR KAUFMANN, a.a.O., S. 206. – Die hier behauptete Wesensverschiedenheit von strafrechtlicher Vergeltung und Rache ist noch keineswegs selbstverständlich für KANT, den Klassiker des Talionsgedankens, auf den auch KAUFMANN sich bezieht. KANT erblickt sogar »das Vornehmste« auf dem Wege der Menschheit zur Kultur eben darin, daß die »Rächung« der größten Gewalttätigkeiten »nun nicht mehr wie im wilden Zustande einzelnen, sondern einer gesetzmäßigen Macht, die das Ganze zusammenhielt, ... überlassen war«. (I. KANT: *Mutmaßlicher Anfang der Menschengeschichte.* Akademie-Ausgabe der Gesammelten Werke, Band VIII, S. 119.)

92 PAUL REIWALD: *Die Gesellschaft und ihre Verbrecher,* S. 22.

93 FREUD sprach bereits von der »sexuell erregenden Wirkung mancher an sich unlustigen Affekte« wie des Sich-Ängstigens, Schauderns, Grausens. (Siehe die *Drei Abhandlungen zur Sexualtheorie.* In der Fischer-Bücherei Nr. 422, S. 75.) – KINSEY hat gezeigt, daß die nervösen Mechanismen in Zorn und Furcht teilweise mit denen der sexuellen Erregung übereinstimmen *(Das sexuelle Verhalten des Mannes.* Bei S. Fischer, S. 551 ff.). Wir kommen darauf im IV. Teil zurück.

94 Wo die Sexualität des Kindes wie selbstverständlich an natürlicher Äußerung gehindert ist, da müssen Fastenregeln die sexuellen Ersatzhandlungen treffen. So lauten »Fastenvorsätze für Kinder« in einer in katholischen Kirchen ausliegenden Broschüre folgendermaßen: »Wir bemühen uns, unsere Augen in Zucht zu halten und nicht alles anzuschauen, was in Illustrierten, Zeitungen und Plakaten gezeigt wird.« – »Wir wollen während der Fastenzeit weniger als sonst fernsehen und immer rechtzeitig und ohne Widerspruch ins Bett gehen. Wir verzichten auf Kriminalfilme und richten uns nach den Empfehlungen des Film- und Fernsehdienstes.« – »Wir verzichten bis Ostern auf alle Süßigkeiten. Auf keinen Fall lassen wir uns zum Genuß von Alkohol und zum Rauchen verleiten.« (Titel der Broschüre: *Fragen, Fragen – keine Antwort?* Hg. von Pater ROBERT

Svoboda OSC. Imprimatur 8. 12. 1965. Nr. N.O.E. 7807/65/1, Höhle, Generalvikar.)

95 Allzusehr betonen darf man das freilich nicht. Der zugespitzte Gedanke, daß heute »das Zentrum der Autorität« sich überhaupt nicht mehr identifizieren lasse (Dahrendorf: *Gesellschaft und Demokratie in Deutschland.* München 1965, S. 307), könnte gerade denjenigen Vorschub leisten, die als der »neue Adel« die wahre Macht in der Industriegesellschaft in Händen halten. Man vergleiche dazu das Kapitel A unseres I. Teils!

96 Ralf Dahrendorf: *Homo sociologicus. Ein Versuch zur Geschichte, Bedeutung und Kritik der Kategorie der sozialen Rolle.* 4. Auflage, Köln und Opladen 1964, S. 28.

97 Dahrendorf, a.a.O., S. 29.

98 Versuch von E. Wilde, Göttingen, so mitgeteilt im Lokalteil der *Frankfurter Allgemeinen Zeitung* vom 29. September 1964 im Referat eines Vortrages (von) »Professor Schomburg über die seelische Gesundheit geistig Behinderter«.

99 Nach Charlotte Bühler: *Psychologie im Leben unserer Zeit.* München/Zürich 1962, S. 352 f.

100 Vgl. nochmals Dahrendorf, a.a.O., S. 29.

ZUM III. TEIL (S. 127)

1 Die Beschränkung der Sexualität auf das Genitale ist eines mit der Unterdrückung der »Partialtriebe« (Freud). Siehe hierzu auch Herbert Marcuse: *Eros und Kultur. Ein philosophischer Beitrag zu Sigmund Freud.* Stuttgart 1957, S. 57. Ferner: Theodor W. Adorno: Sexualtabus und Recht heute. In: *Eingriffe,* Frankfurt am Main 1963, S. 104 f.

2 Sören Kierkegaard: *Entweder – Oder.* Köln und Olten 1960, S. 684.

3 P. Wilhelm Schmidt: Die Entstehung der Verwandtschaftssysteme und Heiratsregelungen. In *Anthropos* 47 (1952) S. 778.

4 Arnold Gehlen: *Urmensch und Spätkultur.* Bonn 1956, S. 218.

5 Man vergleiche zum folgenden Albert Schweitzer: *Zwischen Wasser und Urwald. Erlebnisse und Beobachtungen eines Arztes im Urwalde Äquatorialafrikas.* 160. bis 170. Tausend, München 1953, S. 107.

5a Die zitierten Wendungen von Albert Schweitzer, a.a.O., S. 107.

6 Vgl. Walbert Bühlmann: *Afrika gestern, heute, morgen.* In der Herder-Bücherei 1960, S. 150 ff.

7 Gehlen: *Urmensch und Spätkultur*, S. 218.

8 Nach G. P. Murdock haben von 250 primitiven Gesellschaften aller Erdteile, die repräsentativ ausgewählt wurden, 195 die Vielweiberei, 43 die Einehe, 2 die polyandrische Ehe (siehe Gehlen a.a.O). Wäre die Monogamie die natürlichste Form der Ehe, dann müßten auch polygame und polyandrische Kulturen einigermaßen gleich häufig sich finden: als sozusagen die Abweichungen von der »normalen« Monogamie nach den beiden möglichen Seiten.

9 *Pius XII. sagt.* Nach den vatikanischen Archiven zusammengestellt von Michael Chinigo. In der Fischer-Bücherei 1958, S. 69.

10 Nach einer Untersuchung von D. J. Frommer, mitgeteilt im *British Medical Journal,* zitiert in der *Frankfurter Allgemeinen Zeitung* vom 25. März 1965, Seite »Natur und Wissenschaft«.

11 Vgl. Wolf Herre: Domestikation und Stammesgeschichte. In: *Die Evolution der Organismen,* hg. von Gerhard Heberer, 4. Lieferung (Stuttgart 1955), S. 817.

12 Siehe Ilse Schwidetzky-Roesing: Kulturanthropologie, im Fischer-Lexikon *Anthropologie,* 2. Auflage 1961, S. 98.

13 Nach Adolf Portmann: *Das Tier als soziales Wesen.* Herder-Taschenbuch, S. 100–103.

14 Adolf Portmann: *Das Tier als soziales Wesen.* A.a.O., S. 107.

15 Siehe *Das sexuelle Verhalten des Mannes.* Deutsch bei S. Fischer, Berlin und Frankfurt am Main 1964, S. 361.

16 Helmut Schelsky: *Soziologie der Sexualität. Über die Beziehungen zwischen Geschlecht, Moral und Gesellschaft.* Hamburg (rde) 1955, S. 53.

17 So Schelsky a.a.O. nach Abram Kardiner: *Sex and Morality.* New York 1954, p. 110.

18 So referiert es Wolfgang Hochheimer in *Sexualität und Verbrechen.* In der Fischer-Bücherei 1963, S. 99.

19 Ehebruch findet sich bei Ehefrauen nach Kinsey bei 6 Prozent der zwanzigjährigen, 16 Prozent der dreißigjährigen und 26 Prozent der vierzigjährigen. Die entsprechende Zahl für die Ehemänner überhaupt ist 50 Prozent. *(Das sexuelle Verhalten der Frau.* Deutsch bei S. Fischer, S. 338.)

20 Die Ersatzfunktion der sexuellen Träume ist schwer zu bestreiten, wenn triebpsychisch ausgeglichene Menschen wie die Trobriander »offensichtlich wenig träumen, geringes Interesse an ihren Träumen haben, sie selten unaufgefordert berichten und den gewöhnlichen Träumen keinerlei prophetische oder andere Bedeutung zuschreiben«. (Bronislaw Malinowski: *Geschlecht und Verdrängung in primitiven Gesellschaften.* Reinbek bei Hamburg [rde] 1962, S. 95.)

21 Das ist auch die Quintessenz von Jean-Paul Sartres Abhandlung *L'existentialisme est un humanisme.*

22 Vgl. Arno Plack: *Die Stellung der Liebe in der materialen Wertethik,* 1962, S. 170 f.

23 Margaret Mead: *Mann und Weib. Das Verhältnis der Geschlechter in einer sich wandelnden Welt.* Hamburg (rde) 1958, S. 165.

24 Gottfried Oosterwal: *Die Papua. Von der Kultur eines Naturvolks.* Stuttgart 1963, S. 34.

25 Erich Neumann: *Tiefenpsychologie und neue Ethik.* Zürich 1949, S. 14.

26 Von »sexueller Zuchtlosigkeit und Unzucht [sogar] in- und außerhalb der Ehen« spricht Ernst Michel in seiner *Ehe. Eine Anthropologie der Geschlechtsgemeinschaft* (Stuttgart 1948, S. 103). Ein New Yorker Psychoanalytiker schildert eine Patientin als »oberflächliches, unanständiges Mädchen, das durch ihr unzüchtiges Verhalten ein oder zwei Männer zu sexuellen Zudringlichkeiten herausforderte«. (George Gerö: *Ein Äquivalent der Depression: Anorexie.* In der PSYCHE, Band V [1951/52], S. 643.)

27 Solch moralistische Vokabeln sind im psychoanalytischen Schrifttum so sehr verbreitet, daß es nicht nötig ist, dafür Belege zu bringen. Ich nenne dafür ein paar Autoren als Ausnahmen: Freud selber, Wilhelm Reich und Wolfgang Hochheimer.

28 Wörtlich ein »Chaos« befürchtet Werner Schöllgen: Sexualität und Verbrechen in der Sicht der katholischen Moraltheologie. In: *Sexualität und Verbrechen.* Hg. von Fritz Bauer u. a. in der Fischer-Bücherei 1963, S. 80.

29 Karl Kraus: *Sprüche und Widersprüche.* Bibliothek Suhrkamp 1966, S. 42.

30 Der »besondere Alkoholismus der Schweden« ist allerdings ein Produkt des Vor-

urteils, dem unterdessen durch die Veröffentlichung entsprechender Statistiken schon entgegengewirkt wird (so z. B. in der Illustrierten *stern* vom 15. August 1965, S. 36).

31 Das bestätigt auch KRISTINA AHLMARK-MICHANEK schon mit der Notwendigkeit ihres Buches über *Jungfrutro och dubbelmoral* in Schweden. (Deutsch als *Jungfrauenglaube und Doppelmoral*, München 1965).

32 In den USA ist die Scheidungsquote sogar doppelt so hoch als in Schweden. Nach HERBERT VON BORCH: *Amerika, die unfertige Gesellschaft*. Frankfurt am Main, Wien, Zürich 1962, S. 207.

33 MARGARET MEAD: *Mann und Weib*, S. 230.

34 Vgl. ANNA FREUD: *Das Ich und die Abwehrmechanismen*. München 1964 (Kindler-Taschenbuch), S. 132.

35 Vgl. ARNO PLACK: *Die Stellung der Liebe in der materialen Wertethik*, S. 164 ff.!

36 *Mann und Weib*, S. 231.

37 OTTO FLAKE: *Die erotische Freiheit*. Berlin 1928, S. 80.

38 OTTO FLAKE a.a.O., S. 79/80. – Ähnlich auch LUDWIG MARCUSE. Siehe: *Obszön. Geschichte einer Entrüstung*. München 1962, S. 279.

39 FLAKE, *Die erotische Freiheit*, S. 80.

39a Hierauf hat besonders ALEXANDER COMFORT aufmerksam gemacht. Siehe den Radiovortrag »Altwerden in der Ehe«. In: *Krise der Ehe?* Hg. von Johannes Schlemmer. München 1966, S. 115.

40 Im Jahre 1964 kamen in Westdeutschland auf 506 182 Eheschließungen 55 710 geschiedene Ehen. Nach dem *Statistischen Jahrbuch für die Bundesrepublik Deutschland*, hg. vom Statistischen Bundesamt, Wiesbaden. Stuttgart und Mainz 1966, S. 59 und S. 66.

41 In einer Grundsatzentscheidung vom Jahre 1964 betonte der Sechste Senat des Oberverwaltungsgerichts Münster, Ehebruch sei auch schon dann als ein Dienstvergehen zu werten, wenn der Dienstbereich dadurch nicht berührt wird (Aktenzeichen VI a 236/64). – Nach der Dienststrafkammer Regensburg ist Ehebruch ein Dienstvergehen selbst dann, wenn die Ehegatten schon seit geraumer Weile getrennt leben (Az: 17 D 65 vom 14. 12. 1965). – Im einen Fall mußte ein Feldwebel der Bundeswehr seinen Dienst quittieren, im andern kam eine bayerische Lehrerin mit einem Verweis davon, weil sie – so die Dienststrafkammer – »ihr Verhältnis mit dem Oberlehrer in gegenseitigem Einverständnis wieder aufgegeben hat, da beiden die Erkenntnis gekommen war, daß sie damit dienstliche Nachteile erleiden könnten«.

42 Ein solcher Fall erlangte größte Publizität durch die Illustrierte *stern*. (Siehe Heft 5 vom 30. Januar 1966!)

43 ERICH NEUMANN: *Tiefenpsychologie und neue Ethik*. Zürich 1949, S. 14.

44 Hier ist mit NIETZSCHE schon an den Buddhismus zu denken: die »einzige eigentlich *positivistische* Religion, der es nicht darum geht, die Menschen sittlich zu bessern, sondern darum, sie dem Leiden zu entziehen«. Man könnte aber sagen, daß es sich dabei doch um eine Moral handelt: eben um eine Moral der Leidvermeidung, die dem Einzelnen ja auch insoferne schwerfällt, als sie eine lange Übung (Askese) von ihm verlangt. (Vgl. bei NIETZSCHE: *Der Antichrist*. Nr. 20.)

45 Vgl. z. B. WILHELM E. MÜHLMANN: *Homo creator*. Wiesbaden 1962, S. 120 f.

46 Dies letztere gilt primär für Mitteleuropa. In den USA beobachten wir die umgekehrte Entwicklung: Die Kirchen werden immer voller, da dort der Glaube selber sich verweltlicht. Vgl. HERBERT VON BORCH: *Amerika, die unfertige Gesellschaft*. S. 163 f.

47 Sigmund Freud: Die »kulturelle« Sexualmoral und die moderne Nervosität. *Gesammelte Werke* (London 1946–1952), Band VII, S. 157.

48 Margaret Mead: *Mann und Weib. Das Verhältnis der Geschlechter in einer sich wandelnden Welt.* Hamburg 1958 (rde), S. 91.

49 Das hat – nach Friedrich Engels – auch Fridtjof Nansen gesehen. Vgl. sein *Eskimoleben*, Leipzig und Berlin 1903, S. 141. – Bei Engels siehe: *Der Ursprung der Familie, des Privateigenthums und des Staats.* Stuttgart 1886, S. 35.

50 Immanuel Kant: *Die Metaphysik der Sitten.* Erster Teil. *Metaphysische Anfangsgründe der Rechtslehre.* – Akademieausgabe Bd. VI, S. 277.

51 Tacitus: *Germania*, XIX.

52 So sieht es auch Wilhelm Reich: *Die Funktion des Orgasmus. Zur Psychopathologie und zur Soziologie des Geschlechtslebens.* Leipzig/Wien/Zürich 1927, S. 177 f.

53 Ausländern fällt das noch auf. Der Autor gesteht, daß er selber erst durch den Aufsatz eines japanischen Journalisten darauf aufmerksam wurde. Siehe: Kazuo Kani: Gegensätze zweier Denkweisen. In: *Sind die Deutschen wirklich so?* Schriftenreihe des Instituts für Auslandsbeziehungen Stuttgart. Reihe: Deutsch-ausländische Beziehungen, Band VII, S. 229.

54 Nach Hubert Troost: *Der »statistische« Mitmensch.* Düsseldorf 1964.

55 Vgl. Hans von Hattingberg: *Ehekrisen, Entwicklungskrisen. Ein Problem unserer Zeit.* München 1949, S. 45/46.

56 Ein Kommentar des Vatikansenders anläßlich der Scheidung der Filmschauspielerin Elizabeth Taylor von ihrem Kollegen Eddie Fisher sprach vom »verborgenen, aber täglichen Heldentum von aber Millionen von Eheleuten, die den gemeinsamen Herd als einen Altar betrachten, auf dem es gut und heilig ist, das eigene Leben zu opfern«. (Zitat nach der *Rhein-Neckar-Zeitung* vom 6. April 1962.)

57 An diesen vergessenen Spruch werden wir nachdrücklich von Josef Miller SJ erinnert: *Moderne Eheprobleme in christlicher Sicht.* 4. Auflage, Innsbruck–Wien–München 1959, S. 102.

58 So Johannes Messner: *Widersprüche in der menschlichen Existenz.* Innsbruck–Wien–München 1952, S. 66.

59 Norman Vincent Peale: *Sin, Sex and Self-Control.* New York 1965. (Das Zitat nach dem Buchauszug in »Das Beste aus Reader's Digest«, Januar 1966.)

60 Vgl. auch Theodor Bovet: »Die wahre Ehe fängt dann an, wenn unser Ich zu sterben bereit ist.« *(Die Ehe. Das Geheimnis ist groß.* 478.–527. Tausend der Gesamtauflage, Tübingen 1965, S. 124.)

61 Alex Comfort: *Der aufgeklärte Eros.* München 1963, S. 148.

62 Dr. med. Willhart S. Schlegel: *Die Sexualinstinkte des Menschen. Eine naturwissenschaftliche Anthropologie der Sexualität.* Hamburg 1962, S. 110–112.

63 Schlegel, a.a.O., S. 113.

64 Schlegel, a.a.O., S. 110.

65 Schlegel, a.a.O., S. 110.

66 Schlegel, a.a.O., S. 72.

67 Vgl. *Sexualinstinkte*, S. 39.

68 Margaret Meads Bericht über die Samoaner haben wir – bei Anmerkung 48 – schon zitiert.

69 Karl Saller: *Zivilisation und Sexualität.* Stuttgart 1956, S. 51.

70 Alfred C. Kinsey, Wardell B. Pomeroy, Clyde E. Martin: *Das sexuelle Verhalten des Mannes. Sexual Behavior in the Human Male* deutsch, Berlin und Frankfurt am Main 1964, S. 545.

71 Oswald Schwarz: *The Psychology of Sex.* Penguin Book. London, reprinted 1953, p. 41/42.

72 Schwarz, a.a.O., S. 217 ff.

73 »Surprisingly many marriages maintain their sordid existence by means of these practices.« (p. 42)

74 Das Kinsey-Team fand, daß bei jenen – offenbar triebstarken – Männern, die die Onanie in der Ehe bis in die fünfziger Jahre beibehielten – das sind über 11 Prozent der verheirateten –, die masturbatorische Betätigung wieder einen höheren Prozentsatz der sexuellen Gesamtaktivität erreicht: und zwar steigt sie von durchschnittlich 8 Prozent im Alter zwischen 16 und 20 Jahren auf 16 Prozent bei den 50jährigen (*Das sexuelle Verhalten des Mannes.* Deutsch bei S. Fischer, S. 220 und 222).

75 Vgl. O. Schwarz, a.a.O., S. 265.

76 Adorno hat bereits darauf aufmerksam gemacht, daß Triebkonflikte mit den psychoanalytischen Begriffen, unter die sie subsumiert werden, sich im Grunde »gar nicht erreichen lassen« (*Minima Moralia,* Berlin und Frankfurt am Main 1961, S. 111).

77 Nach einer Repräsentativumfrage des Instituts für Demoskopie Allensbach (zuerst mitgeteilt im *stern* 1963, Heft 45) »gestanden 87 Prozent der [verheirateten] Männer und 70 Prozent der Frauen, sie hätten schon vor der Ehe intime Beziehungen gehabt, zum Teil (13 Prozent der Männer und 29 Prozent der Frauen) nur zu dem künftigen Ehepartner«. (Siehe auch das *Jahrbuch der öffentlichen Meinung 1958–1964,* hg. von E. Noelle und E. P. Neumann, Allensbach 1965, S. 590.) – Nach Klaus Thomas (*Handbuch der Selbstmordverhütung.* Stuttgart 1964, S. 193) haben »mehr als 90 Prozent der Verlobten ... vor der Hochzeit geschlechtlichen Verkehr«.

78 Die von H. F. Meyer (vgl. Anmerkung 32 des II. Teils!) für die USA belegte Abnahme des Stillens hat nach unseren Beobachtungen in Mitteleuropa durchaus eine Entsprechung. Eine ähnlich großangelegte Untersuchung fehlt hier allerdings.

79 So Serge Lebovici, Paris, in einem Vortrag über *Die Gegenübertragung in der Kinderanalyse* auf dem 17. Internationalen Kongreß für Psychoanalyse in Amsterdam, August 1951, abgedruckt in der PSYCHE, Band V (1951–1952), S. 684. – Ähnlich aufschlußreich Edith Weigert, wenn sie sagt: »Die ausgesprochene oder unausgesprochene Frage ›Was kommt Ihnen in den Sinn?‹ fordert den Patienten zu einer neuen Wertung seiner Absichten auf.« (*Die Rolle der Sympathie in der Psychotherapie.* In der PSYCHE, Band XVI [1962/63], S. 218.)

80 So etwa O. Schwarz, a.a.O., S. 199 f. Ähnlich Serge Lebovici in der *PSYCHE,* Band V, (1951/52), S. 684.

81 Man vergleiche außer O. Schwarz hier besonders Igor A. Caruso: *Psychoanalyse und Synthese der Existenz.* Freiburg 1952, S. 62 ff.

82 So auch O. Schwarz, a.a.O., auf Seite 188.

83 Diese psychoanalytische Deutung polygamer Neigungen erstmals bei Otto Rank. (Nach Wilhelm Reich, *Die Funktion des Orgasmus.* Leipzig/Wien/Zürich 1927, S. 181.)

84 Margaret Mead: *Mann und Weib.* rde, S. 165.

85 Sigmund Freud: *Drei Abhandlungen zur Sexualtheorie.* Ausgabe S. Fischer, S. 133.

86 Alexander Mitscherlich: *Vom Ursprung der Sucht.* Stuttgart 1947, S. 259.

87 Mitscherlich selber versteht sich als ein solcher. Siehe sein Buch *Auf dem Weg zur vaterlosen Gesellschaft,* München 1963, S. 245.

88 ALEXANDER MITSCHERLICH: Die Ehe als Krankheitsursache. In *Krise der Ehe?* Hg. von Johannes Schlemmer, München 1966, S. 97–98.

89 MITSCHERLICH, *Die Ehe als Krankheitsursache,* a.a.O., S. 101.

90 TH. H. VAN DE VELDE: *Die vollkommene Ehe.* 60. Auflage, Rüschlikon–Zürich 1926, S. 24.

91 Vgl. WILHELM REICH: *Die Funktion des Orgasmus.* Leipzig/Wien/Zürich 1927, S. 177 und S. 184.

92 So etwa auch JEROME UND JULIA RAINER: *Sexual Pleasure in Marriage.* Deutsch als *Liebe in der Ehe,* 200. Tausend, Berlin-Grunewald o. J., S. 102. – Ähnlich BETTY FRIEDAN: *Der Weiblichkeitswahn oder Die Mystifizierung der Frau. »The Feminine Mystique«* deutsch, Reinbek bei Hamburg 1966, S. 178.

93 So rät allen Ernstes THEODOR BOVET, »mit keinem andern Menschen Worte, Blicke oder gar Zärtlichkeiten auszutauschen, wo der Ehegatte nicht mitanwesend sein könnte . . .« *(Die Ehe.* Tübingen 1965, S. 126.)

94 Zur »psychogenen« Beeinträchtigung der Potenz vergleiche man H. STIEVE: *Der Einfluß des Nervensystems auf Bau und Tätigkeit der Geschlechtsorgane des Menschen.* Stuttgart 1952, besonders S. 11!

95 Das Selbstbekenntnis – in den *Maximen und Reflexionen* – ist nur mäßig verhüllt: »Einem bejahrten Manne verdachte man, daß er sich noch um junge Frauenzimmer bemühte. ›Es ist das einzige Mittel‹, versetzte er, ›sich zu verjüngen, und das will doch jedermann‹.«

96 »Die Verhaltensforschung hat ferner gezeigt, daß äußere Reize (bei Vögeln vorwiegend visuelle und akustische), z. B. die Gegenwart eines Partners, selbst wenn er sich hinter einer Glaswand befindet, die Hormonsekretion in Gang bringen können, während umgekehrt diese letztere das weitere Gebaren beeinflußt. Solche Vorgänge bedürfen selbstverständlich der Mithilfe des Zentralnervensystems.« (SANDRO BÜRGI: *Die Physiologie der neurovegetativen Regulationen.* In Band VIII des »Handbuches der Allgemeinen Pathologie«. Hg. von F. BÜCHNER, E. LETTERER, F. ROULET. Berlin–Heidelberg–New York 1966, S. 162.)

97 Prozentzahlen hierüber bei BETTY FRIEDAN: *Der Weiblichkeitswahn.* Reinbek bei Hamburg 1966, S. 278. – Nach A. C. KINSEY: *Sexual Behavior in the Human Female.* (Die entsprechende Tabelle ist in der deutschsprachigen Kinsey-Ausgabe nicht enthalten.)

97a Aus dem »Neujahrslied«, einem von GOETHES *Neuen Liedern,* Leipzig 1770.

98 H. STIEVE: *Der Einfluß des Nervensystems auf Bau und Tätigkeit der Geschlechtsorgane des Menschen.* Stuttgart 1952, S. 175.

99 IGOR A. CARUSO: *Psychoanalyse und Synthese der Existenz.* Freiburg 1952, S. 54–55.

100 »Nach den Schätzungen zahlreicher Sittendezernate«, wie BEN WITTER in einem Bericht der *Zeit* vom 9. April 1965 (unter der Überschrift »Man ruft sie Carmen«) vermerkt.

101 *Neue Formen – neue Abwehrmittel der öffentlichen Unzucht.* Volkswartbund Köln 1958, S. 7. (Zitiert nach MIDDENDORF: *Soziologie des Verbrechens. Erscheinungen und Wandlungen des asozialen Verhaltens.* Düsseldorf/Köln 1959, S. 140 und S. 339.)

102 Nach HANS VON HENTIG: *Das Verbrechen III. Anlagekomponenten im Getriebe des Delikts.* Berlin–Göttingen–Heidelberg 1963, S. 380: mit Bezug auf MABEL A. ELLIOTT AND FRANCIS E. MERRILL: *Social disorganization.* New York 1961, p. 171.

103 Nach den Schätzungen eines Heidelberger Polizeibeamten (1965). Der Beamte

sagte zu mir: »Sie würden es nicht für möglich halten, welche hochgestellten Persönlichkeiten wir da [bei Paßkontrollen] schon angetroffen haben.«

104 Alfred C. Kinsey, Wardell B. Pomeroy und Clyde E. Martin: *Das sexuelle Verhalten des Mannes.* Berlin und Frankfurt am Main 1964, S. 549.

105 Kinsey, a.a.O., S. 551.

106 Kinsey, a.a.O., S. 517.

107 Die 5 bis 6 Prozent aus nächtlichen Pollutionen, die die Moral ja nicht verbietet und auch nicht verbieten könnte, sind dabei schon abgerechnet.

108 Die so argumentieren, berufen zumeist sich auf Thomas von Aquin, der bekanntlich meinte, man dürfe die Dirnen aus der menschlichen Gesellschaft nicht austreiben, wolle man da nicht alles durcheinanderbringen. (»Aufer meretrices de rebus humanis, omnia turbaveris.«) Wolf Middendorff sagt unter Verwendung eines Schelsky-Zitates lapidar: »Die Prostitution gehört zum menschlichen Leben, da die ›soziale Regulierung der Geschlechtsbeziehungen niemals nur innerhalb der Ehe erfolgen kann‹.« (*Soziologie des Verbrechens.* Düsseldorf/Köln 1959, S. 137.)

109 William H. Whyte *(Organization Man)* und mit ihm Herbert von Borch glaubt, in den USA, bei jungen Managern zumal, schon Anzeichen für einen Abbau der Prestige-Moral feststellen zu können. (Nach H. v. Borch: *Amerika, die unfertige Gesellschaft.* 1962, S. 262.)

110 Kinsey spricht von »psychologischer Ermüdung« auch im Hinblick auf das Sexualverhalten von Tieren. (*Das sexuelle Verhalten der Frau.* Berlin und Frankfurt am Main 1964, S. 497.) – David Katz verwendet im selben qualitativen Sinne den Begriff der (sexuellen) »Übersättigung«: Für einen Hahn, der einen Tag lang mit zweien seiner Lieblingshennen allein gelassen war, verloren diese später ihre frühere Anziehungskraft fast völlig. (Katz: *Mensch und Tier. Studien zur vergleichenden Psychologie.* Zürich 1948, S. 229.)

111 Vgl. Rudolf Grau: *Die Gruppenehe, ein völkerkundliches Problem.* Leipziger Dissertation 1931, S. 139.

112 Graebner nimmt überhaupt an, daß die Gruppenehe keine ursprüngliche Eheform ist, sondern einer gewissen kulturellen Entwicklung sich verdankt. (Fritz Graebner: Ethnologie. In der Reihe *Kultur der Gegenwart,* Teil III, Abt. V, 1923 = Band *Anthropologie,* S. 541.)

113 Nach Michael Leigh: *The Velvet Underground.* New York 1964, p. 46.

114 »No racial prejudices« hieß es wörtlich in einer Annonce. (Nach Leigh, a.a.O., S. 23.) »Any race« betonten entsprechend zwei andere Paare in Suchanzeigen, die *Der Spiegel* (vom 19. August 1964) fotografisch wiedergegeben hat.

115 Nach dem sogenannten Grabner-Bericht, der im Frankfurter »Prozeß gegen Mulka und andere« (Auschwitz-Prozeß) am 24. Juni 1964 verlesen wurde.

116 Bundestagsdrucksache IV/650 vom 4. Oktober 1962.

117 Am Bonner Regierungsentwurf für ein neues Strafrecht vom Jahre 1962 kann abgelesen werden, wie konservative Kräfte in einer moralischen Übergangssituation harte Rückzugsgefechte liefern: Für das »Antragsdelikt« des Ehebruches wurde in diesem E 62 »das Höchstmaß der Gefängnisstrafe . . . mit Rücksicht auf die Bedeutung des verletzten Rechtsgutes erhöht«. Inzwischen ist durch das 1. Strafrechtsänderungsgesetz der Straftatbestand »Ehebruch« (§ 172 StGB) überhaupt weggefallen.

118 Vgl. Walter Rathenau und Max Scheler. Nach Schelers *Formalismus in der Ethik und die materielle Wertethik,* 4. Auflage, Bern 1954, S. 230.

119 *Das sexuelle Verhalten der Frau,* S. 336.

120 Vgl. ALOYS WENZL: *Philosophie der Freiheit II, Ethik.* München-Pasing 1949, S. 89.

121 So etwa MITSCHERLICH: *Auf dem Weg zur vaterlosen Gesellschaft.* München 1963, S. 330. Ähnlich ALBERT WELLEK: Im Labyrinth des Bewußtseins. Aufsatz in der *Süddeutschen Zeitung* vom 16./17. Dezember 1961.

122 Nach MICHAEL LEIGH: *The Velvet Underground.* 3rd Printing, New York 1964, p. 46.

123 LEIGH, a.a.O., S. 14 und 64. (Vgl. unseren IV. Teil bei Anmerkung 57!)

124 »They felt they had prevented many divorces.« (LEIGH, p. 44.)

125 Der Ausdruck »fun morality« stammt von MARTHA WOLFENSTEIN und NATHAN LEITES. Nach DAVID RIESMAN: *Die einsame Masse.* Hamburg (rde) 1958, S. 156.

126 SIMONE DE BEAUVOIR: Brigitte Bardot – ein Symptom. *Frankfurter Allgemeine Zeitung* vom 12. September 1959.

127 ARNOLD GEHLEN: *Urmensch und Spätkultur.* Bonn 1956, S. 68.

128 Siehe bei Anmerkung 17 unseres I. Teils!

129 Nach VANCE PACKARD: *Die Pyramidenkletterer.* Knaur-Taschenbuch Nr. 106, 1966, S. 60.

130 Siehe § 1589, Abs 2 BGB: »Ein uneheliches Kind und dessen Vater gelten nicht als verwandt.« (Außer Kraft gesetzt erst mit Wirkung vom 1. Juli 1970.)

131 Vgl. MAX HORKHEIMER: Die Zukunft der Ehe. In: *Krise der Ehe?* München 1966, S. 211. – Siehe auch unseren I. Teil auf Seite 68!

132 So etwa HANS VON HATTINGBERG: *Ehekrisen – Entwicklungskrisen. Ein Problem unserer Zeit.* München 1949, S. 13 und S. 24. – Ebenso bereits ALFRED ROSENBERG: *Der Mythos des 20. Jahrhunderts.* 35.–36. Auflage, München 1934, S. 505. – Ganz ähnlich SEBASTIAN HAFFNER in einem Essay »Wider die allgemeine Sex-Pflicht« (im *deutschen panorama*, Nr. 1/2, 1966, S. 22) mit dem Argument, daß »unpersönliche« Sexualität, die er als eine Voraussetzung sexueller Freizügigkeit ansieht, der Natur der Frau nicht entspreche. Er verwechselt dabei »Freizügigkeit« mit Promiskuität.

133 Siehe HENRY PICKER: *Hitlers Tischgespräche.* Bonn 1951, S. 332.

134 Vgl. LUIGI BARZINI: *Die Italiener.* Frankfurt am Main 1965, S. 214.

135 BETTY FRIEDAN »erklärt« das mit einem Wortspiel: Wenn es stimmte, daß die Frauenrechtlerinnen »enttäuschte Frauen« waren, dann darum, weil unter den damaligen Bedingungen »fast alle Frauen . . . Grund genug zur Enttäuschung hatten«. (*Der Weiblichkeitswahn*, Reinbek bei Hamburg 1966, S. 62.)

136 »L'enfant conçu pendant le mariage a pour père le mari.« – Vgl. hierzu FRIEDRICH ENGELS: *Der Ursprung der Familie, des Privateigenthums und des Staats.* 2. Auflage, Stuttgart 1886, S. 38.

137 J. W. GOETHE: *Wilhelm Meisters Lehrjahre.* Achtes Buch, 6. Kapitel.

138 Vgl. KINSEY: *Das sexuelle Verhalten des Mannes.* Ausgabe S. Fischer 1964, S. 545.

139 MAX FRISCH: *Tagebuch 1946–1949.* Ausgabe Bertelsmann, S. 401.

140 BERTRAND RUSSELL: »In societies in which a man is considered a fit object for ridicule if his wife is unfaithful, he will be jealous where she is concerned, even if he no longer has any affection to her.« (*Why I am not a Christian.* London 1959, p. 126.)

140a ALFRED C. KINSEY: *Das sexuelle Verhalten des Mannes.* Ausgabe S. Fischer 1964. S. 546.

141 Eine gewisse Voraussetzung ist lediglich, daß die Frau ihre Kinder gestillt hat. Ein Kinderarzt berichtete mir von einer Mutter, die angab, eines ihrer Kinder nicht recht lieben zu können. Sie brachte das selber damit in Zusammenhang,

daß sie es seinerzeit nicht habe stillen können. (Vgl. unseren II. Teil bei Anmerkung 32!)

142 Regine Gabbey in ihrem »Report über die Frauen in der Sowjet-Union«. Im *Spiegel* vom 10. November 1965, S. 140.

143 Vgl. Anna Freud: *Das Ich und die Abwehrmechanismen.* Kindler-Taschenbuch, S. 92–94.

144 Nach Hans von Hentig: *Das Verbrechen. III. Anlage-Komponenten im Getriebe des Delikts.* Berlin–Göttingen–Heidelberg 1963, S. 497.

145 Hierauf beruht, wie Nicolai Hartmann gezeigt hat, überhaupt die *Geltung* einer geltenden Moral. (Vgl. Hartmanns *Ethik*, 3. Auflage, Berlin 1949, S. 38.)

146 Alexander Mitscherlich in seinem Buch *Auf dem Weg zur vaterlosen Gesellschaft*, München 1963, S. 267–271. – Albert Görres sieht demgegenüber in der »starken, oft verborgenen Neigung zur Ambivalenz des Fühlens und Strebens« geradezu einen »Grundzug neurotischen Erlebens«. (A. Görres: *Methode und Erfahrungen der Psychoanalyse.* München 1958, S. 116.)

147 Im Jahre 1953 (für das letztmalig die entsprechenden Zahlen veröffentlicht wurden) gab es 210 Verurteilungen wegen Ehebruchs (§ 172 StGB), weitere 15 Verfahren wurden eingestellt, in gleichfalls 15 Fällen erfolgte Freispruch. (Nach dem *Statistischen Jahrbuch für die Bundesrepublik Deutschland*, hg. vom Statistischen Bundesamt, Wiesbaden. Stuttgart–Köln 1955, S. 98 f.) Im Jahre 1965 wurden 129 Ehebrecher verurteilt, 1964 waren es 123. Außerdem wurde in jeweils 10 Fällen das Verfahren eingestellt. Freisprüche: 4 (1964) und 10 (1965). (Nach einer brieflichen Mitteilung des Statistischen Bundesamtes, Wiesbaden, vom 31. Mai 1967.)

148 Jene Losung eines Evangelischen Kirchentages, auf die wir hier anspielen, ist in einer Fußnote des II. Teils schon zitiert. Man vergleiche aber auch noch Anmerkung 156 des IV. Teils!

149 Siehe bei Middendorff: *Soziologie des Verbrechens.* Düsseldorf/Köln 1959, S. 217.

150 Siehe Walther von Hollander: *Die Krise der Ehe*, Berlin 1953; ferner: *Krise der Ehe? 13 Vorträge*, hg. von Johannes Schlemmer, München 1966 (mit Beiträgen von Hans Giese, René König, A. Mitscherlich, A. Comfort und Max Horkheimer u. a.).

151 Das ist, nebenbei bemerkt, die Quintessenz von T. S. Eliots *Cocktail Party.*

152 Siehe Anmerkung 60 dieses III. Teils!

153 Mit der kollektiven Abreaktion verdrängter Triebregungen beschäftigen wir uns im V. Teil: »Die Kultur der Kriege und Verbrechen«.

154 Vgl. Ferdinand Hoff: *Klinische Physiologie und Pathologie.* Stuttgart 1962, S. 899 f. Wir sprechen hier wohl besser von *Eß*sucht, wenn es eine primär endokrine Fettsucht nicht gibt: »Das Endokrinum beeinflußt lediglich zusammen mit dem Nervensystem die Fettverteilung und Fettrophik.« (Ludwig Weissbecker: Innere Sekretion. Im *Lehrbuch der speziellen Pathologischen Physiologie*, hg. von Ludwig Heilmeyer, 10. Auflage, Stuttgart 1960, S. 669.)

155 Vgl. Ludwig Weissbecker, a.a.O., S. 669.

156 Sigmund Freud: *Abriß der Psychoanalyse.* In der Fischer-Bücherei (Nr. 47), S. 10.

157 Das ist der Wertbegriff, den der Verfasser in der *Stellung der Liebe in der materialen Wertethik* erarbeitet hat. (Siehe dort besonders die Seiten 120 f., 181, 210 f.)

158 Holistische Ontologie lehnt es ab, die *eine* Wirklichkeit im Sinne von Descartes aufgespalten zu sehen in Materie und Geist oder – mit Nicolai Hartmann – gar in vier »Schichten«: die materielle, die vitale, die psychische und die geistige

Schicht. Die bekanntesten Vertreter des Holismus sind SMUTS, HALDANE, MEYER-ABICH, TEILHARD DE CHARDIN und JULIAN HUXLEY.

159 Die beiden Zitate aus dem Referat von F. BAUMEYER nach der PSYCHE, Band XVI/1962–1963, S. 645.

160 *Psyche XVI*, S. 643.

161 *Psyche XVI*, S. 637.

162 *Psyche XVI*, S. 566 f.

163 ALEXANDER MITSCHERLICH: *Auf dem Weg zur vaterlosen Gesellschaft*, München 1963, S. 263.

164 KURT FASSMANN: *Brecht. Bildbiographie*. Kindler-Taschenbuch, München 1963, S. 126.

165 Zitiert nach G. RATTRAY TAYLOR, *Wandlungen der Sexualität*, Düsseldorf–Köln 1957, S. 157. – Noch heute haben in England an allen Sonntagen die Schwimmbäder geschlossen.

166 Nach KINSEYS Feststellungen beeinträchtigt körperliche Betätigung den Sexualtrieb auch nur dann, wenn sie bis zur Erschöpfung getrieben wird. (*Das sexuelle Verhalten des Mannes*. Deutsch: Berlin und Frankfurt am Main 1964, S. 186.)

167 SIMONE DE BEAUVOIR: *Memorien einer Tochter aus gutem Hause. Erinnerung. Mémoires d'une jeune fille rangée*, deutsch von Eva Rechel-Mertens. Gegen Ende des zweiten Teils.

ZUM IV. TEIL (S. 193)

1 ADOLF ARNDT hat Jahre hindurch in der *Neuen Juristischen Wochenschrift* entsprechend moralistische Gerichtsurteile aufgespießt.

2 So zum Beispiel MALCOLM MUGGERIDGE in seinem vielgelobten Essay »Nieder mit dem Sex!«, in deutscher Übersetzung von Klaus Harpprecht im *Monat* (Berlin), August 1965. – Über allgemeine »sexuelle Besessenheit« klagte auch schon PITRIM SOROKIN in seinem 1956 erschienenen Buch *The American Sex Revolution*. (Nach HERBERT VON BORCH: *Amerika, die unfertige Gesellschaft*, Ausgabe der Büchergilde Gutenberg 1962, S. 220.)

3 Immerhin *behaupten* (aus Prestigegründen?) 37 Prozent eines demoskopischen Querschnitts der westdeutschen Bevölkerung, »regelmäßig Kunden von Buchhandlungen zu sein«. Zugleich aber haben im Jahre 1962 »27 Prozent länger als ein Jahr oder überhaupt nicht gelesen«. (Nach WALTER DIRKS: Was die Deutschen lesen, in: *Sind wir noch das Volk der Dichter und Denker?*, hg. von Gert Kalow in der Reihe rororo-aktuell, Reinbek bei Hamburg 1964, S. 131 und S. 124.)

4 THEODOR W. ADORNO: Sexualtabus und Recht heute. In: *Eingriffe*. Frankfurt am Main 1965, S. 100.

5 LUDWIG MARCUSE: *Obszön. Geschichte einer Entrüstung*. München 1962. MARCUSE belächelt den »Versuch, ästhetisch zu retten, was man moralisch verurteilt« (S. 44). Die Pornographie der Künstler gerade habe »eine Eindringlichkeit, die kraftloseren Darstellungen fehlt«. (S. 45.)

6 »Die sexualisierte Atmosphäre der Gegenwart« beklagt zum Beispiel der katholische Moraltheologe RICHARD EGENTER. In: EGENTER-MATUSSEK: *Ideologie, Glaube und Gewissen*, München/Zürich 1965, S. 148.

7 VANCE PACKARD: *Die geheimen Verführer. Der Griff nach dem Unbewußten in*

jedermann. (The Hidden Persuaders deutsch). Ullstein-Buch Nr. 402, Frankfurt am Main–Berlin 1962, S. 204.

8 Der polemische Begriff »Gehirnsinnlichkeit«, von MAX SCHELER öfter verwendet, geht auf die Goethe-Zeit zurück.

9 Siehe FRITZ SCHILLINGS »Selbstbeobachtungen im Hungerzustand«. In den *Beiträgen aus der Allgemeinen Medizin,* 1948, Heft 6, S. 53.

10 Dabei ist der uns geläufige Begriff der »Fettsucht« noch irreführend. Vgl. Anmerkung 154 des III. Teils! – Die Ärzte glauben nicht mehr so recht an die Beteuerung der Fettsüchtigen, daß sie ja gar nicht viel äßen.

11 H. FREYBERGER und K. STRUBE: *Psychosomatische Aspekte der Fettsucht.* Referat auf dem IV. Kongreß der Deutschen Gesellschaft für Psychotherapie und Tiefenpsychologie. (Wiesbaden, Mai 1962.) Zitat nach der PSYCHE, Band XVI (1962/63), S. 565.

11a Vgl. VIKTOR VON WEIZSÄCKER: *Über Psychisierung und Somatisierung.* In der PSYCHE, Band V (1951/52), S. 81–88.

12 THEODOR W. ADORNO: *Minima Moralia. Reflexionen aus dem beschädigten Leben.* Berlin und Frankfurt am Main 1951, S. 98.

13 SIGMUND FREUD: *Das Unbewußte.* In Band X der Gesammelten Werke, London 1946–1952, S. 284.

14 SIGMUND FREUD: *Vorlesungen zur Einführung in die Psychoanalyse.* Gesammelte Werke, Band XI, S. 319.

15 Vgl. VIKTOR VON WEIZSÄCKER: *Natur und Geist.* München 1964, S. 142 f.

16 So ALEXANDER MITSCHERLICH auf der 55. Tagung der Deutschen Gesellschaft für Innere Medizin in Wiesbaden 1949, mitgeteilt in der PSYCHE, Band III, S. 321 ff. (August 1949).

17 auf der 55. Tagung der Deutschen Gesellschaft für Innere Medizin. Vgl. Anmerkung 16!

18 auf der genannten Tagung. Siehe *Psyche* III, S. 345!

19 MITSCHERLICH, a.a.O. (*Psyche* III, S. 346).

20 ALEXANDER MITSCHERLICH: *Krankheit als Konflikt. Studien zur psychosomatischen Medizin I.* Frankfurt am Main 1966, S. 15. – Die sprachlichen Schwierigkeiten, die MITSCHERLICH selber hier wohl bemerkt, werden aber nicht schwinden, solange man sich nicht entschließen kann, vom einfachen leibhaften Dasein auszugehen.

21 MITSCHERLICH, *Krankheit als Konflikt,* S. 103.

22 Die Formulierung gebraucht MITSCHERLICH (*Psyche* III/S. 349) im Sinne FRANZ ALEXANDERS. ALEXANDER spricht von »vegetativen Reaktionen auf emotionale Zustände« *(Psychosomatische Medizin.* Berlin 1951, S. 35).

23 HANS SCHAEFER: *Die Physiologie und die psychosomatische Medizin.* In der PSYCHE, Band XV (1961/62), S. 73.

24 Dualistischem Verständnis stellt es sich dann so dar, als sei eine mit der Erregung sowohl entstehende als auch wieder verschwindende Gefäßverengung der »*symbolische* Ausdruck eines emotional geladenen psychologischen Inhalts«, ein gleichmäßig erhöhter Blutdruck bei seelischer Dauerspannung aber die »vegetative Reaktion« *auf* diese Gespanntheit. Wenn wir eine solche Störung des vitalen Daseins aber nicht in eine leibliche und eine seelische Seite zerlegen, dann sind eher umgekehrt die Gefäßverengung und die Hypertonie der *Innenaspekt* eines Geschehens, das von außen – »psychologisch« – als Aufgeregtheit, Wut oder ständige »Nervosität« uns erscheint. (Die wörtlichen Anführungen hier aus FRANZ ALEXANDER: *Psychosomatische Medizin.* Berlin 1951, S. 22 und S. 35.)

25 Die Verfechter der repressiven Ordnung handeln klug, wenn sie das nicht allzu sehr leugnen. Sie behalten nur ihre Glaubwürdigkeit, wenn sie zugeben, daß ihnen »die Sittlichkeit« oder das »persönliche Heil« höher steht als die Gesundheit. (So RICHARD EGENTER in: EGENTER-MATUSSEK: *Ideologie, Glaube und Gewissen*, München 1965, S. 77.)

26 Wir haben hier zwei Krankengeschichten aus der Psychosomatischen Klinik der Universität Heidelberg einigermaßen auf das Wesentliche verdichtet.

27 wie es etwa nach FRANZ ALEXANDER erscheint (*Psychosomatische Medizin*. Berlin 1951, S. 22).

28 Vgl. FRANZ ALEXANDER: *Psychosomatische Medizin*, S. 72 f.

29 Vgl. VIKTOR VON WEIZSÄCKER: *Natur und Geist*, S. 161.

30 Nach MAX BROD: *Franz Kafka. Eine Biographie*. In der Fischer-Bücherei 1963, S. 81.

31 Siehe KAFKAS *Tagebücher 1910–1923*. Darmstadt 1962, S. 256 und S. 299. – Kafkas langjährige Abneigung gegen eine eheliche Bindung kam wohl zuallererst aus seinem Bedürfnis, allein zu sein. Er wußte: Was er geleistet hatte, war »nur ein Erfolg des Alleinseins« (*Tagebücher*, S. 255). Doch wer allein ist und schreibt, gewinnt die ganze Menschheit zum Gegenüber. Sein Eros ist ausgestreut. (Man vergleiche zu diesem Punkt auch ERNST MICHEL: *Ehe. Eine Anthropologie der Geschlechtsgemeinschaft*. Stuttgart 1948, S. 106 f.!)

32 BRODS Kafka-Biographie, S. 208 f.

33 ALEXANDER MITSCHERLICH: *Vom Ursprung der Sucht*. Stuttgart 1947, S. 23.

34 Vgl. ARNO PLACK: *Die Stellung der Liebe in der materialen Wertethik*, S. 191 ff.

35 Vgl. LUDWIG MARCUSE: *Sigmund Freud. Sein Bild vom Menschen*. Hamburg (rde) 1958, S. 39.

36 Der Verfasser hat während vieler Semester an der Universität Heidelberg die dort von ALEXANDER MITSCHERLICH referierten Krankengeschichten und Behandlungsberichte gehört. (Man vergleiche auch die immer wieder in der *Psyche* abgedruckten Anamnesen.)

37 SIGMUND FREUD: Über die Berechtigung, von der Neurasthenie einen bestimmten Symptomenkomplex als »Angstneurose« abzutrennen. *Gesammelte Werke*, Bd. I, S. 337.

37a Vgl. auch H. MÜLLER-ECKHARDT: *Die Krankheit, nicht krank sein zu können*. In der PSYCHE, Band V (1951/52), S. 291. Hier bereits der Gedanke, daß gerade chronische Krankheiten oftmals nichts anderes bedeuten könnten »als im letzten einen dringenden Selbstschutz der Person vor dem ›Schlimmeren und Ärgeren‹, der Psychose«.

38 Man vergleiche hierzu vor allem die entsprechenden Diskussionsbeiträge auf der 55. Tagung der Deutschen Gesellschaft für Innere Medizin in Wiesbaden 1949, abgedruckt in der PSYCHE, 3. Jahrgang, 5. Heft (August 1949).

39 Wir gehen hier einig mit THOMAS SZASZ. (Nach CHARLOTTE BÜHLER: *Psychologie im Leben unserer Zeit*. München/Zürich 1962, S. 252.)

40 KAREN HORNEY. *Our Inner Conflicts. A constructive theory of neurosis*. New York 1945. – C. G. JUNG: *Bewußtes und Unbewußtes*. In der Fischer-Bücherei 1957, S. 40.

41 FRIEDRICH NIETZSCHE: *Die Unschuld des Werdens. Der Nachlaß*. Zweiter Band. Kröners Taschenausgaben, Band 83, S. 200.

42 BRONISLAW MALINOWSKI: *Geschlecht und Verdrängung in primitiven Gesellschaften*. Reinbek bei Hamburg (rde) 1962, S. 91.

43 Alfred C. Kinsey u. a.: *Das sexuelle Verhalten des Mannes.* Ausgabe S. Fischer, S. 181–183, S. 461 und S. 609.

44 Sigmund Freud: *Drei Abhandlungen zur Sexualtheorie.* In der Fischer-Bücherei (Nr. 422), S. 105.

45 Vgl. Malinowski, a.a.O., S. 90/91.

46 Goethe: *Maximen und Reflexionen.* Nr. 1257 der Hamburger Ausgabe. – »In ihrer extremen Form«, sagt Erich Fromm, »ist die Angst vor völliger Isolierung nichts anderes als die Angst vor dem Wahnsinn.« (*Sigmund Freuds Sendung.* Ullstein-Taschenbuch Nr. 358, S. 158.)

47 Malinowski, a.a.O., S. 89.

48 So soll der Eiweißstoff Taraxein – nach dem amerikanischen Biochemiker Robert G. Heath – nur im Blutserum Schizophrener sich finden. Siehe den von Heath und seinen Mitarbeitern verfaßten Aufsatz »Schizophrenia as an Immunologic Disorder« in: *Archives of General Psychiatry,* Volume 16, No. 1 (Januar 1967).

49 Ernst Kretschmer: *Körperbau und Charakter.* 23. und 24. Auflage, Berlin–Göttingen–Heidelberg 1961, S. 192–196 und S. 216–218.

50 Ein Beispiel dafür bei Karl Landauer: Die Schizophrenie. Im *Psychoanalytischen Volksbuch,* hg. von Paul Federn und Heinrich Meng, 3. Auflage, Bern (1939), S. 510.

51 Beispiele dafür schon bei Wilhelm Reich: *Der triebhafte Charakter. Eine psychoanalytische Studie zur Pathologie des Ich.* Leipzig/Wien/Zürich 1925. – Vgl. speziell Wolfgang Loch: *Zur Struktur und Therapie schizophrener Psychosen aus psychoanalytischer Perspektive.* In der PSYCHE, Band 19 (1965), S. 172–187. Ebenda, S. 188 ff.: Hans Kind: *Welche Fakten stützen heute eine psychogenetische Theorie der Schizophrenie?* (Beide Abhandlungen mit reicher Bibliographie.)

52 Ernst Kretschmer: *Körperbau und Charakter.* 23. und 24. Auflage, 1961, S. 222 f.

53 Malinowski, *Geschlecht und Verdrängung . . .,* S. 94–95.

54 »Daß der Traum Wunscherfüllung ist«, sagt Freud durchaus generalisierend: im *Abriß der Psychoanalyse.* Fischer-Bücherei, S. 38. Vgl. auch das III. Kapitel von Freuds *Traumdeutung.*

55 Goethe: *Maximen und Reflexionen.* Nr. 1242 nach der Hamburger Ausgabe.

56 Werner Kemper und Willhart S. Schlegel sprechen einfach von einer »biologischen Ausgleichsfunktion des Orgasmus«. (Vgl. Schlegel: *Die Sexualinstinkte des Menschen.* Hamburg 1962, S. 16 und 61). Nach Wilhelm Reich bedeutet der Orgasmus aber nicht nur eine »Umsetzung nervöser Erregung, sondern . . . auch eine physio-chemische Auffrischung der übrigen vegetativen Funktionen« des Gesamtorganismus (Reich: *Die Funktion des Orgasmus.* 1927, S. 72).

56a So betonen A. und M. Mitscherlich die »Schutzlosigkeit des Individuums gegen Wohlstandsformen«, die die moderne Konsumgesellschaft entwickelt hat, verkennen zugleich aber nicht, daß »die Suchtmittel . . . eine stark empfundene Bedürftigkeit zu befriedigen« haben. Physiologisch näher bezeichnet wird diese »Bedürftigkeit« nicht. (Siehe Alexander und Margarete Mitscherlich: *Die Unfähigkeit zu trauern. Grundlagen kollektiven Verhaltens.* München 1967, S. 180.)

57 Nach Michael Leigh: *The Velvet Underground.* 3. Auflage, New York 1964, S. 14, 46 und 64.

58 Nach Ruth Benedict: *Urformen der Kultur.* Hamburg (rde) 1955, S. 73 und 101.

59 Klaus Thomas: *Handbuch der Selbstmordverhütung.* Stuttgart 1964, S. 142.

60 Die tendenziöse Gleichsetzung von Genuß und Lust mit Sucht und Süchtigkeit ist sprachlich bereits greifbar in Wendungen wie »hemmungslose Genußsucht« und »neurotische Lustsuche«, wobei das erste mehr bei Juristen und Theologen sich findet, das zweite bei Psychologen. Der von Kant beispielgebend formulierten sittlichen Forderung, niemals nach Lust als solcher zu streben, ist – mit Erich Brock – entgegenzuhalten, daß, wer so gestreng sich an uns wendet, offenbar »noch gar nicht realisiert hat, in welchem Maße der Mensch tatsächlich von Befriedigung entblößt sein kann«. (*Befreiung und Erfüllung. Grundlinien der Ethik.* Zürich und Stuttgart 1958, S. 75.)

60a Vgl. A. und M. Mitscherlich: *Die Unfähigkeit zu trauern,* S. 180, Fußnote 1; zum »Verzicht aus Einsicht« auch S. 168 f.

61 Vgl. Freuds *Vorlesungen zur Einführung in die Psychoanalyse.* 5. Auflage, Leipzig–Wien–Zürich 1926, S. 213.

62 Sigmund Freud: *Drei Abhandlungen zur Sexualtheorie.* In der Fischer-Bücherei, S. 37.

63 Albert Ellis: *The American Sexual Tragedy.* Second Edition, New York 1962, p. 94–95.

64 Psychiatrie und Kriminologie spiegeln hier nur, auf strenge Begriffe gebracht, ein bürgerlich-sittliches Vorurteil: Cunnilingus und Fellatio gelten – trotz Kinseys biologischen Erläuterungen – in diesen Disziplinen noch weithin als »Perversitäten«. Siehe etwa Ernst Seelig: *Schuld, Lüge, Sexualität.* Stuttgart 1955. (Nach einer hierzu keineswegs kritischen Rezension von Tobias Brocher in der PSYCHE, Band X [1956/57], S. 944.) – Bei Kinsey siehe im *Sexuellen Verhalten des Mannes,* Ausgabe bei S. Fischer, besonders S. 526 f., und im *Sexuellen Verhalten der Frau,* ebenso, S. 188 f. – Auf »konstitutionsbedingte innere Notwendigkeiten« für Mundverkehr und manuellen Verkehr deutet Willhart S. Schlegel (*Die Sexualinstinkte des Menschen.* Hamburg 1962, S. 79).

65 Siehe in Sigmund Freuds *Drei Abhandlungen zur Sexualtheorie.* In der Ausgabe S. Fischer S. 42, Fußnote.

66 Nach Kinsey onanieren zwar nur 88 Prozent der Jünglinge (zwischen 16 und 20 Jahren), aber »zwischen 92 und 97 Prozent aller Männer haben irgendwann einmal die Erfahrung der Onanie gemacht« (*Das sexuelle Verhalten des Mannes.* Ausgabe S. Fischer, S. 220 und S. 305).

67 Kinsey: *Das sexuelle Verhalten des Mannes.* Ausgabe S. Fischer, S. 580.

68 Alfred C. Kinsey, Wardell B. Pomeroy, Clyde E. Martin: *Das sexuelle Verhalten des Mannes.* Ausgabe S. Fischer, S. 31 und S. 50–52.

69 Vgl. *Das sexuelle Verhalten des Mannes,* a.a.O., S. 536 und 538.

70 Theodor W. Adorno: Sexualtabus und Recht heute. In: *Eingriffe,* Frankfurt am Main 1964, S. 113.

71 Bei Kinsey: *Das sexuelle Verhalten des Mannes.* S. 505. – Vgl. Freud: *Vorlesungen zur Einführung in die Psychoanalyse.* 5. Auflage, 1926, S. 385.

72 Eine Nachbarin fragte unter Tränen: »Was soll ich machen; mein Mann hat es jetzt mit unserer Tochter.« Gewissermaßen »zur Begründung« habe er gesagt: »Sie ist so weich.«

73 Nach Hans von Hentig sind namentlich inzestuöse Verhältnisse zwischen Geschwistern gar »nicht so selten, obschon sie meist gerichtlich nicht geahndet werden«. Immerhin war – nach einer Untersuchung von H. Többen (*Über den Inzest.*

Leipzig 1925, S. 27) – bei 27 Knaben, die in Fürsorgeerziehung überwiesen wurden, in 13 Fällen sexueller Kontakt mit der Schwester der Grund. (Siehe HANS VON HENTIG: *Das Verbrechen II. Der Delinquent im Griff der Umweltkräfte.* Berlin–Göttingen–Heidelberg 1962, S. 319.)

74 *Das sexuelle Verhalten des Mannes.* Ausgabe S. Fischer, S. 622.

75 in dem Gedicht »Verzweiflung«. GOTTFRIED BENN: *Gesammelte Gedichte.* 2. Auflage, Wiesbaden und Zürich 1957, S. 311.

76 Es mag rein bewußtseinspsychologisch sogar richtig sein, mit P. C. KUIPER zu sagen, daß in manchen Perversionen »nicht der Orgasmus das angestrebte Ziel ist«. Die Frage aber ist, ob zum Beispiel die »aggressiven Impulse« eines Sadisten, die nur »nach außen hin als sexuelles Verhalten in Erscheinung treten« (KUIPER), sich dann der Sexualität nur gleichsam als eines Vehikels bedienen, oder ob hier nicht vielmehr die moralistisch ins Aggressive verbogene Libido ihren vitalen Ursprung nur noch immer nicht ganz verleugnet. (Vgl. P. C. KUIPER: *Perversionen.* In der PSYCHE, Band XVI, S. 499.)

77 Vgl. DAVID KATZ: *Mensch und Tier. Studien zur vergleichenden Psychologie.* Zürich 1948, S. 53 f.

78 Dies letztere eine Beobachtung des Zoologen A. INHELDER, mitgeteilt von R. BRUN, Zürich, in der PSYCHE, Band XV (1961/62), S. 310. Titel der Abhandlung: *Die Freudsche Psychoanalyse als Verhaltensforschung beim Menschen.* – Onanie bei Hunden kann jeder strenge Hundehalter bestätigen. – Über Notonanie bei Affen RENÉ A. SPITZ: *Ein Nachtrag zum Problem des Autoerotismus.* In der *Psyche XVIII* (1964/65), S. 248 (im Anschluß an FORD AND BEACH und YERKES AND ELDER).

79 HELMUT SCHELSKY: *Soziologie der Sexualität.* Hamburg (rde) 1955, S. 74.

79a Die zitierten Formulierungen bei SCHELSKY, a.a.O.

80 Nach FRIEDRICH VON MÜLLERS *Aufzeichnungen*, 7. April 1830. (Zitiert nach PAUL STÖCKLEINS Auswahl der *Gespräche mit Goethe.* Bergen/Obb. 1950, S. 70.)

81 Siehe bei BRONISLAW MALINOWSKI: *Geschlecht und Verdrängung in primitiven Gesellschaften* (rde), S. 93, und bei VERRIER ELWIN: *The Muria and their Ghotul.* Oxford University Press, Bombay (First published) 1947, p. 656, 660. – Vgl. auch O. S. FORD und F. A. BEACH: *Das Sexualverhalten von Mensch und Tier.* Berlin 1954, S. 215.

82 ALFRED C. KINSEY u. a.: *Das sexuelle Verhalten der Frau.* Ausgabe bei S. Fischer 1963, S. 508.

83 SIGMUND FREUD – OSKAR PFISTER: *Briefwechsel 1909–1939.* Frankfurt am Main 1963, S. 12.

84 Laut *Spiegel* vom 27. Oktober 1965, S. 176.

85 So wertet COMFORT die Onanie überhaupt, wobei das allerdings auch eine Wertung auf dem Boden unserer Kultur ist, die Jungen und Mädchen körperlich einander fernhält. (Vgl. ALEX COMFORT: *Der aufgeklärte Eros.* München 1964, S. 137.)

86 Vgl. THEODOR W. ADORNO: Sexualtabus und Recht heute. In: *Eingriffe.* Frankfurt am Main 1963, S. 113.

87 So zum Beispiel der Arzt und christliche Eheberater THEODOR BOVET.

88 Siehe die entsprechenden Aufsätze in *Sexualität und Verbrechen* (von HELMUT THIELICKE u. a.), Fischer-Taschenbuch 1963. – Siehe ferner: *Homosexualität oder Politik mit dem § 175. Mit einem Vorwort von Professor Hans Giese* (rororo 1967) und das *Plädoyer für die Abschaffung des § 175* mit Beiträgen von THIELICKE u. a.), Fischer-Taschenbuch 1963. – Siehe ferner: *Homosexualität oder*

Es wäre – bei der herrschenden Unduldsamkeit – eine böse Unterstellung zu meinen, daß diese Autoren selber zur Homophilie tendierten. Sie spüren nur den »Zug der Zeit«, das heißt das Drängen der Gesellschaft im ganzen.

89 So z. B. ADOLF KÖBERLE in der *Zeitschrift für Evangelische Ethik*, 1962, S. 141–149

90 FLEMING, der »Erfinder« des James Bond, hat nach eigenem Zeugnis seine Romane »für heißblütige Heterosexuelle geschrieben«. (Nach dem *Spiegel* vom 3. Juli 1963, S. 71.)

91 Nach MARGARET MEAD: *Geschlecht und Temperament in primitiven Gesellschaften*, Hamburg (rde) 1959, S. 52.

92 ALBERT ELLIS: *Sex and the Single Man*. New York 1963, p. 26. (MALCOLM MUGGERIDGE zitiert den entsprechenden Abschnitt in seinem Essay »Nieder mit dem Sex« im *Monat* Nr. 203, Berlin August 1965, S. 31.) ELLIS betont allerdings zu Recht die Bedeutung der Onanie – in unserer sexualfeindlichen Kultur (a.a.O. S. 24).

92a Die scheinbar gewagte Bemerkung eines KARL KRAUS, wonach die körperliche Begegnung mit einer Frau allenfalls »ein brauchbares Surrogat für die Selbstbefriedigung« ist, gilt auch nur für den »sittlich« Gehemmten, der nicht die Freiheit hat, bei einem Andern sich vollends zu »lösen«: aus frühe anerzogener »Scham«. (Siehe KARL KRAUS: *Sprüche und Widersprüche*, Bibliothek Suhrkamp 1966, S. 29.)

93 Man vergleiche bei KINSEY, *Das sexuelle Verhalten des Mannes*, nach der deutschen Ausgabe bei S. Fischer besonders die Seiten 306 f. und 359; als Beleg auch die Bischöflichen Richtlinien zur Sexualpädagogik vom 8. November 1964. (Entsprechender Hinweis darauf in der Zeitschrift *Eltern* vom Februar 1967, S. 78.)

94 SIGMUND FREUD: *Vorlesungen zur Einführung in die Psychoanalyse*. – 5. Auflage, 1926, S. 358.

95 ALEXANDER MITSCHERLICH: *Auf dem Weg zur vaterlosen Gesellschaft*. München 1963, S. 325. – Vgl. auch FREUD: *Das Unbehagen in der Kultur*. Ausgabe S. Fischer, S. 145.

96 WILLHART S. SCHLEGEL: *Die Sexualinstinkte des Menschen*. Hamburg 1962, S. 148.

97 Alle diese Veranstaltungen trafen zum Beispiel die Eltern eines als »Strichdirne« gehenden jungen Mannes, der darüber in einer Exploration durch den Kriminologen HEINZ LEFERENZ in der Haftanstalt Heidelberg am 16. Januar 1967 berichtet hat.

98 SIGMUND FREUD: *Vorlesungen zur Einführung in die Psychoanalyse*. 5. Auflage 1926, S. 318.

99 VON HILDEBRAND möchte die geistige Bedeutung, die Mann und Frau füreinander haben, aber ganz »unsinnlich« verstanden wissen – aus erkennbar keinem anderen Grund als dem, daß anders »der Stab über individuelle Gemeinschaften zwischen Mann und Frau außer der Ehe gebrochen« wäre. (Die Bedeutung von Mann und Frau füreinander außerhalb der Ehe. In: *Zeitliches im Lichte des Ewigen*. Regensburg 1932, S. 149.)

100 D. v. HILDEBRAND, a.a.O., S. 143.

101 Vgl. ARTHUR KIELHOLZ: Verhütung von Verbrechen bei Perversionen. In: *Die Prophylaxe des Verbrechens*. Hg. von HEINRICH MENG. Basel 1948, S. 396 f. – Der Begriff der »orgastischen Impotenz« geht zurück auf WILHELM REICH: *Die Funktion des Orgasmus*. Leipzig/Wien/Zürich 1927, S. 15.

102 Von 500 Prostituierten, die ARMAND MERGEN befragt hatte, sagten 81 Prozent von sich selber, »sie seien frigide und hätten nur mit ausgewählten, speziellen Männern Freude am Geschlechtsverkehr. Über 73 Prozent hatten lesbische Er-

lebnisse«. (A. MERGEN: Die Prostitution. In: *Sexualität und Verbrechen,* hg. von FRITZ BAUER u. a., 1963, S. 163.)

103 MAX SCHELER: *Wesen und Formen der Sympathie.* 5. Auflage, Frankfurt am Main 1948, S. 159.

104 HANS KUNZ betont den reaktiven Charakter aggressiven Verhaltens: »daß es stets anläßlich einer zunehmenden Widerständigkeit der Objekte geschieht« (*Die Aggressivität und die Zärtlichkeit.* Bern 1946, S. 26 f.)

105 Man vergleiche dazu aber dennoch DAVID KATZ: *Mensch und Tier. Studien zur vergleichenden Psychologie.* Zürich 1948, S. 58.

106 Hier besonders klar und eindeutig WILHELM REICH: »Die Versagung der Sexualbefriedigung hat ... die Aggressivität hervorgetrieben; durch die Mischung des Racheimpulses mit dem versagten sexuellen Triebanspruch entstand die sexuelle Destruktionstendenz, der Sadismus.« (*Die Funktion des Orgasmus. Zur Psychopathologie und zur Soziologie des Geschlechtslebens.* Leipzig/Wien/Zürich 1927, S. 157.) Siehe aber auch schon FREUD: »Das Ich haßt, verabscheut, verfolgt mit Zerstörungsabsichten alle Objekte, die ihm zur Quelle von Unlustempfindungen werden, gleichgültig, ob sie ihm eine Versagung sexueller Befriedigung oder der Befriedigung des Erhaltungsbedürfnisses bedeuten.« (*Trieb und Triebschicksale.* Gesammelte Werke, London 1946–1952; Band X, S. 230). Dabei ist nur, durchaus im Sinne FREUDS, zu ergänzen, daß solcher Haß sich auf andere Objekte übertragen kann, ja dem frühe und tief frustrierten Menschen zur Lebensgrundhaltung wird.

107 Siehe R. E. ULRICH, R. R. HUTCHINSON und N. H. AZRIN: Pain-elicited aggression. In: *Psychological Record,* 1965; Vol. 15, p. 111–126. – Außerdem R. E. ULRICH, P. C. WOLFF and N. H. AZRIN: Shock as an elicitor of intra- and interspecies fighting behavior. In: *Animal Behavior,* 1964, p. 14–15.

108 Unter einem *Überzeugungstäter* – der Begriff stammt von RADBRUCH – »ist ein Täter zu verstehen, der wohl weiß, daß er gegen die Rechtsordnung verstößt, aber sich auf Grund seiner sittlichen, religiösen oder politischen Einstellung dennoch zu seinem Handeln berechtigt oder gar verpflichtet glaubt.« (ARTHUR KAUFMANN: *Das Unrechtsbewußtsein in der Schuldlehre des Strafrechts.* Mainz [1949], S. 147.)

109 Nach TARZIE VITTACHI: *The Fall of Sukarno.* London 1967. (Auszugsweise in deutscher Übersetzung im *Spiegel* vom 27. Februar 1967.)

110 Sowjetskajy Estonija vom 31. 5. 1966, zitiert nach BORYS LEWYTZKYJ: *Das Generationsproblem in der Sowjetgesellschaft.* (Beilage zur Wochenzeitung *Das Parlament* vom 11. Januar 1967.)

111 Vgl. im I. Teil Anmerkung 52!

112 Vgl. HANS VON HENTIG: *Das Verbrechen. II. Der Delinquent im Griff der Umweltkräfte.* Berlin–Göttingen–Heidelberg 1962, S. 482.

113 *Nicht der Mörder, der Ermordete ist schuldig:* das ist der Titel einer frühen Novelle von FRANZ WERFEL.

114 Nach ALFRED C. KINSEY: *Das sexuelle Verhalten der Frau,* Ausgabe S. Fischer, S. 553.

115 So HITCHCOCK in einem Interview im Ersten Deutschen Fernsehen am 21. September 1964.

116 ABRAHAM GOTTHELF KÄSTNER, zitiert nach IMMANUEL KANT: *Verkündigung eines nahen Abschlusses eines Traktats zum ewigen Frieden in der Philosophie.* (Akademieausgabe, Band VIII, S. 417.)

117 ERNST KRETSCHMER: *Körperbau und Charakter.* 21. und 22. Auflage, Berlin–Göttingen–Heidelberg 1955, S. 183.

118 Ernst Kretschmer: *Körperbau und Charakter, S.* 373 f.

119 »›Athletische‹ Typen finden sich doppelt so häufig unter den Delinquenten.« (Fritz Bauer: *Das Verbrechen und die Gesellschaft.* München/Basel 1957, S. 45.)

120 Hans-Georg Gadamer: *Goethe und die Philosophie.* Leipzig 1947.

121 Nach Hans von Hentig und Prinzig. Wir vermerkten das Faktum schon zu Beginn der Einleitung. (Bei Anmerkung 2.)

122 Man vergleiche die tiefenpsychologische Studie über den »Autoraser« von Rüdiger Herren in: *Der Psychologe.* Jg. 5 (1957), S. 168 ff.

123 Wir formulieren hier nicht wahllos, sondern mit Bedacht in Anlehnung an Ulpianus, den großen römischen Rechtslehrer. (Vgl. Felix Flückiger: *Geschichte des Naturrechtes.* I. Band, *Altertum und Frühmittelalter.* Zollikon–Zürich 1954, S. 269.)

124 Siehe Gustav Janouch: *Gespräche mit Kafka.* Erstmalig in der Fischer-Bücherei 1961, S. 130.

125 Kinsey: *Das sexuelle Verhalten des Mannes.* Ausgabe S. Fischer, S. 190.

126 Vgl. Pius XII. in seiner Ansprache an die Hebammen vom 29. Oktober 1951. – Man vergleiche auch die bekannte Wendung, mit der Friedrich Schiller die Ethik Kants ironisiert, ja kommentiert hat: »Du kannst, denn du sollst.«

127 Aus einem Urteil des Bundesgerichtshofes vom Jahre 1953 (BGH Str. 4, S. 24 ff.). Seit einer gleichsinnigen Reichsgerichtsentscheidung im Jahre 1882 (RG Str. VIII, S. 172) hat unsere höchstrichterliche Rechtsprechung in ihrer Sittenstrenge also keinen Schritt rückwärts getan.

128 Nietzsche, der nur eben soviel gesehen hat, hätte bei einem vollen Erfassen des Wesens der Macht sein eigenes Machtethos als »priesterlich« diskreditiert. (Vgl. Friedrich Nietzsche: *Der Antichrist.* Aphorismus 26.)

129 Wir erinnern hier an die (in manchen Ländern bereits erfolgreichen) Bestrebungen, Triebverbrecher zu kastrieren. – Vgl. auch Prof. Dr. med. Hermann Müller-Platow: *Die gesunde Frau.* Bremen 1959, S. 332 f.: »In einzelnen Fällen gelang es, nymphomane Frauen von ihrem krankhaft gesteigerten Trieb dadurch zu heilen, daß man durch operative Entfernung von Eierstocks-Drüsengewebe eine Verkleinerung der Eierstöcke auf ein Viertel Größe durchführte.« Was heißt in einem solchen Falle »krankhaft«? Was dem herrschenden Ethos nicht entspricht.

130 Freud war sich über seine Anpassung ans herrschende Vorurteil durchaus im klaren. Er sagte wörtlich, mit dem Begriff der Sublimation *füge* er sich nur der »allgemeinen Schätzung«, die »soziale Ziele höher stellt als die im Grunde selbstsüchtigen sexuellen« *(Vorlesungen zur Einführung in die Psychoanalyse.* 5. Auflage, S. 358). Freud fiel damit noch hinter die Erkenntnis Schopenhauers zurück, der im Geschlechtstrieb nicht Egoismus, sondern den »Genius der Gattung« am Werke sah.

131 »Den Mitmenschen zu treten / Ist es nicht anstrengend? Die Stirnader / Schwillt ihnen an, vor Mühe, gierig zu sein.« (Aus dem *Lied vom Freundlichsein* von Bertolt Brecht.)

132 Das geschieht nach Freud auch im wirklichen Leben durch »Triebentmischung«. Vgl. hierzu Gustav Ballys *Einführung in die Psychoanalyse Sigmund Freuds.* rde 1961, S. 88.

133 Siehe Konrad Lorenz: *Das sogenannte Böse.* Wien 1963, S. 68 und S. 134.

134 *Das sogenannte Böse,* S. 262.

135 Adolf Remane: *Das soziale Leben der Tiere.* Reinbek bei Hamburg (rde) 1960, S. 127.

136 ADOLF PORTMANN: *Das Tier als soziales Wesen.* Neuausgabe in der Herder-Bücherei (Freiburg 1964), S. 315.

137 Vgl. OSKAR HERTWIG: *Zur Abwehr des ethischen, des sozialen, des politischen Darwinismus.* Jena 1918, S. 10. – Ferner: GOTTFRIED BENNS Essay *Zum Thema Geschichte.*

138 ALEXANDER MITSCHERLICH: Die Ehe als Krankheitsursache. In: *Krise der Ehe?* München 1966, S. 103.

139 Vgl. bei MAX SCHELER: *Wesen und Formen der Sympathie,* 5. Auflage. Frankfurt am Main 1948, S. 223 f.; bei THEODOR W. ADORNO: *Minima Moralia,* Berlin und Frankfurt am Main 1951, S. 408 ff.

140 SIGMUND FREUD: *Das Unbehagen in der Kultur.* In der Fischer-Bücherei, S. 140.

141 S. FREUD: *Die kulturelle Sexualmoral und die moderne Nervosität.* In: *Drei Abhandlungen zur Sexualtheorie.* Fischer-Bücherei, S. 133.

142 Zum Beispiel C. MÜLLER-BRAUNSCHWEIG in einer Rezension in IMAGO, hg. von SIGMUND FREUD, XV. Band, Wien 1929, S. 137. – Im Ergebnis ähnlich WILHELM REICH: *Die Funktion des Orgasmus.* 1927, S. 189.

143 (Pfarrer Dr. phil.) OSKAR PFISTER: Psychoanalyse und Sittlichkeit. In: *Das psychoanalytische Volksbuch,* hg. von PAUL FEDERN und HEINRICH MENG (mit einem Geleitwort von SIGMUND FREUD), 3. Auflage, Bern 1939, S. 634.

144 Entsexualisierung liegt in der Logik der FREUDschen Definition der Sublimierung. Sie »besteht darin, daß die Sexualbestrebung ihr auf Partiallust oder Fortpflanzungslust gerichtetes Ziel aufgibt und ein anderes annimmt . . .« FREUD: *Vorlesungen zur Einführung in die Psychoanalyse.* 5. Auflage 1926, S. 358.

145 Das geschah erst in der *Neuen Folge der Vorlesungen zur Einführung in die Psychoanalyse.* SIGMUND FREUD: Gesammelte Werke, Band XV, S. 103.

146 Siehe die *Vorlesungen zur Einführung in die Psychoanalyse.* 5. Auflage, S. 358.

147 SIGMUND FREUD: *Drei Abhandlungen zur Sexualtheorie.* In der Fischer-Bücherei, S. 130.

148 Völlig fehlt sie nach LORENZ vor allem bei baumbewohnenden Fröschen. Vgl. *Das sogenannte Böse,* S. 60 f. und S. 223.

149 Da ich in einer gesonderten Schrift über die Psychoanalyse die beiden hier skizzierten Theorien noch eingehend behandeln werde, habe es mit der hier intonierten Kritik einstweilen sein Bewenden. Die Phänomenanalysen des V. Teils dieses Buches mögen weiter ein Licht auf die These vom ursprünglichen Aggressionstrieb zurückwerfen.

150 ARNOLD GEHLEN: Über Kultur, Natur und Natürlichkeit. In: *Anthropologische Forschung. Zur Selbstbegegnung und Selbstentdeckung des Menschen.* Reinbek bei Hamburg (rde) 1961, S. 78.

151 HELMUT SCHELSKY: Soziologie der Sexualität. Hamburg (rde) 1955, S. 50.

152 WERNER SCHÖLLGEN: Sexualität und Verbrechen in der Sicht der katholischen Moraltheologie. In: *Sexualität und Verbrechen,* hg. von FRITZ BAUER u. a. in der Fischer-Bücherei 1963, S. 71.

153 Ein »Gefängnis«, eine »schwere Bürde«, ein »niederziehendes Gewicht«, eine »Strafe der Seele«: das ist der Leib für SENECA. Für EPIKTET ist er »Kot«, für MARCUS AURELIUS »Erde und besudelter Staub« und »stinkender Schmutz und Staub im Sack«. (Zitiert nach KURT LEESE: *Recht und Grenze der natürlichen Religion,* Zürich 1954, S. 25.)

154 GOETHE: *Die Wahlverwandtschaften,* Zweiter Teil, 18. Kapitel. – Vgl. auch Anmerkung 55 des II. Teils!

155 Nach WOLFGANG WIESER: Tierneurose und soziale Rückkoppelung. Aufsatz in

der *Frankfurter Allgemeinen Zeitung* vom 9. April 1963, Seite »Natur und Wissenschaft«.

156 So etwa NORMAN VINCENT PEALE: *Sin, Sex and Self-Control.* New York 1965. (Man vergleiche den Buchauszug in »Das Beste aus Reader's Digest«, Januar 1966.) – In einer in deutschen katholischen Kirchen aufliegenden Broschüre *Ist es wahr, daß die Kirche zu eng ist für Liebende?* (Imprimatur: N. 4–2/63. Monasterii, die 11 Januarii 1963) beklagt der Autor, M. SOMMER: »Bei jungen Menschen, die hemmungslos geschlechtlich leben, gibt es kaum den echten Konflikt.«

157 GEHLEN unterscheidet zwar äußerst fein zwischen »konstitutionellem Antriebsüberschuß« und einem, der aus dem Zerfall jener bislang die Triebe *bindenden* (sittlichen) Institutionen sich löse. (*Der Mensch. Seine Natur und seine Stellung in der Welt.* 4. Auflage, Bonn 1950, S. 60.) Wohin rechnet dann aber schon die über harte sittliche Bindung zwangsläufig hinausschießende Triebhaftigkeit? Logischerweise zu dem behaupteten konstitutionellen Antriebsüberschuß.

158 Siehe PHILIPP LERSCH: *Der Aufbau der Person,* 7. Auflage, München 1956, S. 530 ff.

158a Der Glaube an die Wirksamkeit bloßer sittlicher Postulate auf Leben und Sein des Menschen wird von GERHARD SZCZESNY durch ein Gedankenexperiment treffend ironisiert: »Könnte man Buntbarsche oder Graugänse oder Ratten mit den intellektuellen Fähigkeiten des Menschen ausstatten, würden diese aus ihren vorgegebenen Verhaltensweisen ethische Postulate machen und hätten wahrscheinlich den Eindruck, daß ihr Verhalten von diesen Postulaten hervorgerufen wird.« (Das sogenannte Gute. Aufsatz in den *Vorgängen,* München, Januar 1967, S. 12.)

159 Vgl. im I. Teil Anmerkung 18!

160 Vgl. ALBERT GÖRRES: *Methode und Erfahrungen der Psychoanalyse.* München 1958, S. 258.

161 SIGMUND FREUD: Über Triebumsetzungen, insbesondere der Analerotik. *Gesammelte Werke* (London 1946–52), Band X, S. 407.

162 Vgl. hierzu NORMAN C. BROWN (*Zukunft im Zeichen des Eros.* Pfullingen 1962, S. 362): »Alle Werte sind leibliche Werte.«

163 Man vergleiche hierzu NICOLAI HARTMANN (nach unserem II. Teil, Seite 86).

ZUM V. TEIL (S. 265)

1 So etwa PETER R. HOFSTÄTTER in seiner *Einführung in der Sozialpsychologie,* Stuttgart–Wien 1954, S. 229.

2 SIGMUND FREUD: *Briefe 1873–1939,* Frankfurt am Main 1960, S. 49.

3 ARTHUR SCHOPENHAUER: *Die beiden Grundprobleme der Ethik.* Sämtliche Werke, hg. von Arthur Hübscher, 2. Auflage, Wiesbaden 1950, Band 4, S. 163.

4 FRANZ ALEXANDER und HUGO STAUB: *Der Verbrecher und seine Richter. Ein psychoanalytischer Einblick in die Welt der Paragraphen.* Wien 1929, S. 35. – Der Neo-Lombrosianismus in der USA, der bestimmte körperliche Eigenschaften statistisch der Kriminalität zuordnet, läßt – ehtisch blind – außer Betracht, daß unser triebunterdrückendes Ethos, auf dem das Strafrecht erst aufbaut, von vornherein den kräftigen, muskulösen, den »mesomorphen Typus«, um mit SHELDON zu sprechen, benachteiligt. (Vgl. SHELDON AND ELEANOR GLUECK: The Role of

Constitution. In: *The Problem of Delinquency*, edited by SHELDON GLUECK, Boston 1959, p. 52–73. Ferner: WALTER C. RECKLESS: *Die Kriminalität in den USA und ihre Bedeutung.* Berlin 1964, S. 101.)

5 So PORTMANN und GEHLEN. Siehe unsere Anmerkungen 14 zum III. Teil und 150 zum IV. Teil!

6 MANDEVILLE zitiert nach ADORNO: Zum Verhältnis von Soziologie und Psychologie. In: *Sociologica*, Frankfurt am Main 1955.

7 So – im Anschluß an KANT – zuletzt ALOYS WENZL: *Philosophie der Freiheit. II. Ethik.* München-Pasing 1949, S. 155 ff.

8 Nach FRITZ BAUER: *Das Verbrechen und die Gesellschaft.* München/Basel 1957, S. 45. – Zahlenmaterial, besonders für Mord und Totschlag, bei DR. GÜNTHER BRÜCKNER: *Zur Kriminologie des Mordes.* Hamburg 1961, S. 76–78.

9 Wie etwa bei ARNOLD GEHLEN: *Die Seele im technischen Zeitalter.* Hamburg (rde) 1957, S. 84.

10 H. W. SIEMENS: *Grundzüge der Vererbungslehre, Rassenhygiene und Bevölkerungspolitik.* 13. Auflage. München 1952, S. 116.

11 EDWARD GIBBON *(Decline and Fall of the Roman Empire)*, zitiert nach HERMAN F. MEYER, a.a.O., S. 120. (Siehe Anmerkung 32 des II. Teils!)

12 ARNOLD TOYNBEE: *Studie zur Weltgeschichte.* Deutsch 1949, S. 396.

13 Vgl. FRIEDRICH NIETZSCHE: *Zur Genealogie der Moral.* Kröners Taschenausgaben Band 76, S. 362.

14 Vgl. ARNOLD TOYNBEE: *Krieg und Kultur. Der Militarismus im Leben der Völker.* In der Fischer-Bücherei 1958, besonders S. 55 und S. 79.

15 TOYNBEE sagt in bezug auf Assyrien: »Entvölkerung war der Preis, der für den Militarismus gezahlt werden mußte.« (a.a.O., S. 79.) TOYNBEE ist im übrigen weit davon entfernt, in der Unterdrückung der menschlichen Natur den allgemeinen Grund der Kriege zu sehen. Der Hang zu »soldatischen Tugenden« (und damit indirekt die Bereitschaft zum Krieg) erklärt sich ihm ganz formal aus einem Mangel an »jeglicher anderen geistigen Nahrung« (a.a.O. S. 25).

16 Siehe meine *Stellung der Liebe in der materialen Wertethik*, S. 177.

17 Vgl. RICHARD EGENTER: »Das persönliche Heil steht über der seelischen Gesundung.« In: EGENTER-MATUSSEK: *Ideologie, Glaube und Gewissen.* München/Zürich 1965, S. 77.

18 »Ja, auch ich wünsche mir einen Krieg.« Das sagte ein junges französisches Mädchen in einer Umfrage der Wochenzeitung *Le Nouveau Candide* 1966. (Vgl. den Bericht im *stern* vom 23. Oktober 1966, S. 133 ff.!)

19 SIGMUND FREUD: *Zeitgemäßes über Krieg und Tod.* Gesammelte Werke, Band X, S. 329.

20 ERICH NEUMANN: *Tiefenpsychologie und neue Ethik.* Zürich 1949, S. 37.

21 ALEXANDER MITSCHERLICH: *Auf dem Weg zur vaterlosen Gesellschaft. Ideen zur Sozialpsychologie.* München 1963, S. 24.

22 HERBERT MARCUSE: *Eros und Kultur. Ein philosophischer Beitrag zu Sigmund Freud.* Stuttgart 1957, S. 196.

23 BÉLA GRUNBERGER: *Der Antisemit und der Ödipuskomplex.* PSYCHE, Eine Zeitschrift für medizinische und psychologische Menschenkunde, herausgegeben von A. MITSCHERLICH und W. HOCHHEIMER, Band XVI (1962–1963), S. 257.

23a Für unsere triebpsychologische Betrachtung ist es unwesentlich, die Phänomene Krieg, Bürgerkrieg, Pogrom und Revolution näher zu unterscheiden. Das sie alle verbindende Merkmal ist die im kollektiven »Aufschwung« un-gehemmte – und darum tödliche – Aggressivität. Es ist auch bedenkenswert, »daß der Akzent des Weltgeschehens sich mehr und mehr von dem Ereignis des Krieges auf das der Revolution zu verlagern scheint« (HANNAH ARENDT, *Über die Revolution.* München 1963, S. 19.)

24 Der große Kavalier unter den Anthropologen, ASHLEY MONTAGU, teilt vollauf die Meinung der streitbaren Politikerinnen: »In dieser feindseligen, von Kriegslärm erfüllten Welt bewahren allein die Frauen das Gefühl für die Liebe. Sie müssen sich dieser Tatsache einmal bewußt werden und die Welt wieder in ihre schützenden Arme nehmen.« *(Die natürliche Überlegenheit der Frau. »The natural superiority of women«* deutsch 1955, S. 150.)

25 Vgl. bei WILHELM E. MÜHLMANN: *Krieg und Frieden. Ein Leitfaden der politischen Ethnologie.* Heidelberg 1940, S. 79 f.

26 G. FRIEDERICI: *Die Amazonen Amerikas.* Leipzig 1910. (Nach MÜHLMANN, a.a.O., S. 80 und 227.)

27 PLUTARCH: *Das Leben des Agis.* Kapitel V. Hierzu auch: ARNOLD J. TOYNBEE: *Krieg und Kultur. Der Militarismus im Leben der Völker.* Frankfurt am Main und Hamburg 1958, S. 55.

28 Vgl. hier ALFRED C. KINSEY, WARDELL B. POMEROY, CLYDE E. MARTIN, PAUL H. GEBHARD: *Das sexuelle Verhalten der Frau. »Sexual Behavior in the Human Female«* deutsch: Berlin und Frankfurt am Main 1963, S. 500 ff., S. 511, S. 559.

29 Vgl. NICOLAI HARTMANN: »Liebe hat die Tendenz, alle Willenskraft der Person an sich zu reißen, in ihren Dienst zu stellen.« (*Ethik.* 3. Auflage, Berlin 1949, S. 536.)

30 Eine Unterscheidung ist hier zu treffen nur, sofern »Begehren« schon im Sinne eines Haben-Wollens gedacht (und gefühlt) wird. In solchem Sinne ist die Deutung der Liebe »als eines Begehrens« (wie ich im II. Teil der *Stellung der Liebe in der materialen Wertethik* gezeigt habe) eine Fehldeutung.

31 HANS VON HENTIG: *Das Verbrechen. II. Der Delinquent im Griff der Umweltkräfte.* Berlin–Göttingen–Heidelberg 1962, S. 131. – Wir kommen hierauf noch zurück.

32 EBERHARD SCHAETZING: Die Frau des Heimkehrers. In: *Die Sexualität des Heimkehrers,* Vorträge, Stuttgart, 1948, S. 43.

33 Vgl. hierzu GUSTAV BALLY: *Einführung in die Psychoanalyse Sigmund Freuds.* rde 1961, S. 93 und 167. – »Libido ist bei Freud immer quantitativ gedacht«, sagt ERICH FROMM (*Sigmund Freuds Sendung.* Ullstein-Taschenbuch Nr. 358, S. 143), und wir dürfen ergänzen: Es fehlt bei FREUD ein ursprüngliches intentionales Moment.

34 Nach einem Bericht im *Spiegel* vom 11. September 1963.

35 Wo ein solcher Wunsch voll bewußt wird, besteht für die Frau im Kriege sogar die Möglichkeit, ihn auf legale Weise in die Tat umzusetzen: indem sie dafür sorgt, daß ihr Mann einberufen wird. (Ein entsprechendes Beispiel bringt HANS VON HENTIG: *Das Verbrechen. II. Der Delinquent im Griff der Umweltkräfte.* Berlin–Göttingen–Heidelberg 1962, S. 258.)

36 Vgl. schon FREUDS *Vorlesungen zur Einführung in die Psychoanalyse,* 5. Auflage 1926, S. 145. Es ist da die Rede von einem Todeswunsch gegen den Gatten in »glücklichster Ehe«.

37 Ich betone das, weil nach meinen Erkundigungen während psychoanalytischer Behandlung die Erwartungshaltung des Therapeuten die Traumproduktion des Analysanden nicht nur anregt, sondern bisweilen auch in eine bestimmte Richtung drängt. So kommt es, »daß dieselben Patienten bei verschiedenen Analytikern verschieden träumen«, wie ALEXANDER MITSCHERLICH im Gespräch mit

Dr. Georg Gerster einmal bestätigt hat. (GERSTER: *Aus der Werkstatt des Wissens*, 2. Auflage, Ullstein-Taschenbuch Nr. 73, S. 164.)

38 Wir beachten, »daß auch die Muskelfunktion mit der gesamten vegetativen Steuerung, mit dem vegetativen Nervensystem und der humoralen und hormonalen Regulation aufs innigste verknüpft ist«. (FERDINAND HOFF: *Klinische Physiologie und Pathologie*, Stuttgart 1962, S. 613.) Vgl. auch unseren III. Teil bei den Anmerkungen 154 und 155!

39 Nach ARNOLD TOYNBEE: *Krieg und Kultur. Der Militarismus im Leben der Völker.* In der Fischer-Bücherei 1958, S. 41–42.

40 Nach einem Bericht von JOSEF RIEDMILLER über die genannte Elitetruppe in der *Süddeutschen Zeitung* vom 25. April 1962 unter der Überschrift »Vierzehn Stunden Drill am Tag«.

41 So nach OTTO SCHRADER finden wir das wiedergegeben von GERHARD-REINHARD RITTER in dessen Buch *Jugend und Eros*, Stuttgart 1960, S. 245. RITTER geht es dabei freilich keineswegs darum, der tiefenpsychologischen Betrachtung des menschlichen Trieblebens Argumente zu liefern. Es scheint vielmehr so, wie WOLFGANG HOCHHEIMER dazu bemerkt, »als würde hier die Aggression verherrlicht, um nur ja totaler Enthaltsamkeit das Wort zu reden«. (Siehe W. HOCHHEIMER: *Probleme einer Politischen Psychologie.* PSYCHE, Eine Zeitschrift für psychologische und medizinische Menschenkunde, Band XVI/1962–1963, S. 30.)

42 In einem Aufsatz »Vom Einfluß des Kriegswesens auf die soziale Moral« im *Merkur*, Deutsche Zeitschrift für europäisches Denken, Nr. 187 (September 1963), S. 888 f.

43 So GEHLEN a.a.O. nach *Time* vom 18. Januar 1963, S. 193.

44 Soviel, daß Grausamkeit eine »versetzte Sinnlichkeit« ist, hat NIETZSCHE bereits gesehen. (*Die Unschuld des Werdens I*, Kröners Taschenausgaben, Band 82, S. 285.)

45 WILHELM EMIL MÜHLMANN: *Homo creator. Abhandlungen zur Soziologie, Anthropologie und Ethnologie.* Wiesbaden 1962, S. 224.

46 Ein Beispiel für Melanesien bei MARGARET MEAD: *Mann und Weib.* rde, S. 164; für Südamerika bei EDWARD WEYER JR.: *Primitive Völker heute.* Gütersloh 1959, S. 97.

47 Zur Sprache gekommen im Frankfurter Auschwitz-Prozeß am 25. Juni 1964 laut *Frankfurter Allgemeine Zeitung* vom 26. Juni 1964.

48 Nach einer Aufzeichnung von SS-Obersturmbannführer Dr. Eduard Strauch. Zitiert nach dem *Spiegel* vom 26. Dezember 1966, S. 58 und 60.

49 Dies vor allem hat meines Erachtens KONRAD LORENZ im entsprechenden Zusammenhang übersehen. (Vgl. LORENZ: *Das sogenannte Böse. Zur Naturgeschichte der Aggression.* Wien 1963, S. 372).

50 Nach OSWALD SCHWARZ: *The Psychology of Sex.* 3. Auflage, London 1953, S. 181.

51 Der Strafrechtstheoretiker FRITZ LANGE ist im Blick auf die USA sowie Nord- und Westeuropa – sogar »versucht zu sagen«, die Kriminalität sei hier in der Gegenwart »proportional mit dem Wohlstand« gestiegen. (PROF. DR. FRITZ LANGE: *Nach künftigem deutschem Strafrecht.* Vortrag auf einer Tagung des Bundeskriminalamtes, abgedruckt in der FAZ vom 1. Juni 1960.)

52 Vgl. HANS VON HENTIG: *Das Verbrechen. III. Anlage-Komponenten im Getriebe des Delikts.* Berlin–Göttingen–Heidelberg 1963. S. 87. – ARMAND MERGEN schildert den Fall eines Pyromanen, der »beim Anblick des Feuers masturbiert« (*Die Wissenschaft vom Verbrechen.* Hamburg 1961, S. 141).

53 Nach P. Näcke in Groß' Archiv, Band 26, S. 354. (Hinweis durch Hans von Hentig: *Das Verbrechen III*, S. 88.)

54 Vgl. Middendorff, *Soziologie des Verbrechens*, 1959, S. 186.

55 Vgl. Hans von Hentig, *Das Verbrechen III*, S. 87.

56 Vgl. Hans von Hentig, *Das Verbrechen III*, S. 89–93.

57 Heinrich Meng: Präventiv-Hygiene des Verbrechens. In: *Die Prophylaxe des Verbrechens*, hg. von Heinrich Meng, Basel 1948, S. 520.

58 Das ist nicht übertrieben, wenn z. B. 1961 auf hundert Jugendliche im Alter von 18–21 Jahren 10,831 Verbrechen entfallen; umgerechnet auf den Kopf: Jeder zehnte bis neunte war mit dem Strafgesetz in Konflikt gekommen. (Die Zahl ist der Zeitschrift *Psychobiologie*, Juni 1964, entnommen.) Wie groß ist die Dunkelziffer? Leo Kaplan schildert einen erst in psychoanalytischer Behandlung entdeckten Fall, in dem deutlich »das Kriminelle als Ersatz für das Sexuelle auftritt«. (L. Kaplan: *Probleme der Strafjustiz*. In der PSYCHE, Band III [1949/50], S. 536.)

59 Verrier Elwin: *The Muria and their Ghotul*. Oxford University Press, Bombay (First published) 1947, p. 638, 657.

60 So sagte es mir – als Einwand – Werner Maihofer im Gespräch.

61 Diese, tiefenpsychologisch gesehen, nur *scheinbar* kriminogene Kraft der Gelegenheit, der man ›erliege‹, ist für Edmund Mezger das konstitutive Merkmal des »Gelegenheitsverbrechers«, und zwar durchaus so, daß »die Kriminalität . . . mehr eine äußere, der Persönlichkeit im Grunde genommen fremde Zutat ist« (*Kriminologie*. München und Berlin 1951, S. 154). Mezger distanziert sich hier (S. 153) von der Bemerkung Exners, wonach die Charakterologie des Gelegenheitsverbrechers nichts anderes ist als »die Charakterologie seines Volkes«, kommt aber, wenn auch nur im Blick auf Sittlichkeitsdelikte, in einer späteren Schrift zu der Überzeugung, »daß dem *okkasionellen* Moment häufig eine viel höhere Bedeutung zukommt, als man gemeinhin annimmt, daß m.a.W. das ›perverse‹ Empfinden unter der dünnen Decke kultureller Gewöhnung viel verbreiteter ist, als es zunächst scheinen möchte.« (*Das Typenproblem in Kriminologie und Strafrecht*. In: Sitzungsberichte der Bayerischen Akademie der Wissenschaften. Phil.-hist. Klasse, Jg. 1955, Heft 4, S. 9.) Wobei nur noch zu klären bliebe, welche perversen Neigungen selber schon »Reaktionsbildungen« (Freud) auf bestimmte kulturelle Zwänge darstellen, und in welchen »Perversitäten« andererseits nur der ungezwungene Trieb sich ausdrückt. Siehe hierzu unseren IV. Teil!

62 Vgl. im IV. Teil bei Anmerkung 43! Beispiele für solch psychiatrische Kurzschlüssigkeit finden wir von J. C. A. Heinroths *Lehrbuch der Seelenstörungen und ihre Behandlung* (Leipzig 1818) bis zu André Reponds Beitrag in Heinrich Mengs *Prophylaxe des Verbrechens*, Basel 1948.

63 Bertolt Brecht: *Die Dreigroschenoper*. Dritter Akt.

64 Siehe Anmerkung 63 des II. Teils.

65 Vgl. Paul Reiwald: *Die Gesellschaft und ihre Verbrecher*. Zürich 1948, S. 181.

66 Hans von Hentig, *Das Verbrechen III*, S. 73.

67 Margaret Mead: *Geschlecht und Temperament in primitiven Gesellschaften*. Hamburg (rde) 1959, S. 90 f.

68 Mead, a.a.O., S. 98 f.

69 Es ist daher kein Zufall, daß auch in sogenannten primitiven Kulturen, in denen die kleinen Kinder hinreichend frustriert und in ihren vitalen Bedürfnissen reglementiert werden, der Sexualakt eine flüchtige, wenig lustvolle Angelegenheit ist – auch dann, wenn unter den Erwachsenen eine gewisse sexuelle Unbefangen-

heit sich ausbreitet. Siehe hierzu MARGARET MEAD· *Mann und Weib*, rde, S. 58 f., und *Geschlecht und Temperament in primitiven Gesellschaften* (rde), S. 100.

70 HUBERT ROHRACHER: *Die Arbeitsweise des Gehirns und die psychischen Vorgänge.* München 1953, S. 97.

71 RUTH BENEDICT: *Urformen der Kultur.* Hamburg (rde) 1955, S. 90.

72 BENEDICT, *Urformen der Kultur,* S. 167.

73 Krieg war – nach NANSEN – für die Eskimos »etwas Unverständliches und Verabscheuungswürdiges, ihre Sprache hat nicht einmal ein Wort dafür«. (FRIDTJOF NANSEN: *Eskimoleben.* Leipzig und Berlin 1903, S. 136.) Über die Eskimos auch RUTH BENEDICT: *Urformen der Kultur,* a.a.O., S. 29. – Zu Samoa: MARGARET MEAD: *Mann und Weib. Das Verhältnis der Geschlechter in einer sich wandelnden Welt.* Hamburg (rde) 1958, S. 91, S. 94 f., S. 167 f. und S. 246–248.

73a Vgl. ELIAS CANETTI: *Masse und Macht,* Hamburg 1960, S. 263. Vgl. auch S. 259: »Der Augenblick des *Überlebens* ist der Augenblick der Macht.« Vom Sultan von Delhi, Muhammed Tughlak (gest. 1351), sagt CANETTI, er habe »das Glück des Überlebens . . . voll genossen« (a.a.O. S. 500).

74 Bis in unsere Tage: Wir erinnern an jene Unterstützung, welche die Aufständischen im Spanischen Bürgerkrieg von der katholischen Kirche des Landes erhalten haben. Die Augenzeugen ANDRÉ MALRAUX und GEORGES BERNANOS haben (1937 bzw. 1938) darüber berichtet. (Vgl. FRITZ PAEPCKE: *Der Atheismus in der Sicht von Albert Camus.* Im ECKART, 27. Jahrgang, Witten–Berlin 1958, S. 280 und 283.) – Man denke aber auch nur zurück bis Weihnachten 1966: Der Neuyorker Erzbischof, Francis Kardinal Spellman, rief da in Südvietnam die dort eingesetzten Amerikaner auf, bis zum »totalen Sieg« zu kämpfen. Dieser Appell des Militärbischofs, der auch im Vatikan auf Befremden stieß, wurde gleichwohl von ihm auf einer Pressekonferenz in Manila am 28. Dezember 1966 bekräftigt. (Nach der *Rhein-Neckar-Zeitung* vom 29. Dezember 1966, Hauptartikel.)

75 So GABRIEL MARCEL in einem Vortrag »Widerstand gegen das Böse in dieser Zeit« in Frankfurt am Main Anfang April 1957. (Siehe FAZ vom 5. April 1957!) – Sehr überlegen zählt ARNOLD GEHLEN die Vermutung einer ursprünglichen Güte des Menschen zu den »Prämissen der Aufklärung«, die heute »abgelebt und vergessen« seien. Nun, ihr – bewußt – entgegengelebt haben wir ohne Frage. (Das Zitat aus GEHLEN: Umsturz und Askese. In: *Die Seele im technischen Zeitalter,* Hamburg [rde] 1957, S. 77.)

76 Vgl. hierzu ARNO PLACK: *Dummheit und Humor.* Im ECKART, Witten–Berlin 1959, Heft 4, S. 373.

77 MOLTKE vor dem Reichstag am 14. Mai 1890. (Nach *Moltke. Leben und Werk in Selbstzeugnissen.* Briefe, Schriften und Reden, ausgewählt und eingeleitet von MAX HORST. Birsfelden bei Basel o. J. [1956?], S. 422.)

78 Vgl. HANS VON HENTIG: *Die Besiegten. Zur Psychologie der Masse auf dem Rückzug.* München (dtv) 1966, S. 47.

79 ARNOLD J. TOYNBEE: *Krieg und Kultur.* In der Fischer-Bücherei 1958, S. 8.

80 »Die Wirtschaft braucht die Impulse der Wehrforschung« – so lasen wir's in der *Zeit* vom 21. Juli 1967 als Untertitel über einem Artikel von KLAUS SEEMANN. – Dem jungen W. E. MÜHLMANN galt sogar der Krieg schlechthin zumindest als der große »Beschleuniger« historischer, wirtschaftlicher und technischer Entwicklungen. Siehe: *Krieg und Frieden. Ein Leitfaden der politischen Ethnologie.* Heidelberg 1940, S. 209 f. – In einer wesensmäßig auf den Krieg ausgerichteten Kultur sind solche Behauptungen wohl nicht einfach abwegig. Aber die ethische

Frage ist zunächst, ob der Preis des Krieges für Fortschritt oder Fortschrittsbeschleunigung nicht zu hoch ist. Eine zweite Frage ist erst, ob technischer Fortschritt zum Beispiel wirklich nur im Rahmen einer militanten Kultur möglich ist.

81 So »konservativ« ist zum Beispiel noch 1967 der Dichter BERNT VON HEISELER nach einem Bericht von HANS GRESMANN in der *Zeit* vom 10. März 1967.

82 FRANZ SCHNABEL: *Deutsche Geschichte im neunzehnten Jahrhundert.* Erster Band. Die Grundlagen. 4. Auflage. Freiburg im Breisgau 1948, S. 508.

83 So BENITO MUSSOLINI in einem Artikel der *Enciclopedia Italiana* über die »Lehre des Faschismus«. Zitat bei TOYNBEE, a.a.O., S. 25.

84 RENÉ KÖNIG hat im Anschluß an WLADIMIR VON BECHTEREFF und WILLY HELLPACH festgestellt, »daß Ansteckung und Suggestion nur dann zu wirken vermögen, wenn sie auf einen vorbereiteten Boden fallen«. Das gelte sowohl individuell wie sozial. (Stichwortartikel »Masse« im Fischer-Lexikon *Soziologie,* Frankfurt am Main 1958, S. 169.)

85 Nach LEO TROTZKI: *La Révolution permanente.* Paris 1932, S. 35. – Zitiert nach PAUL REIWALD: *Vom Geist der Massen. Handbuch der Massenpsychologie.* 2. Auflage, Zürich 1946, S. 442.

86 Die andere Möglichkeit, die JOHANN RECKTENWALD aufzeigt, daß Hitler aus pathologischen Gründen sexuell schwach gewesen sei, würde an dem soziologischen Zusammenhang nichts ändern. Sie bestätigte erst recht die Sehnsucht der Massen, das eigene »sittliche« Ideal in der Person eines Führers realisiert zu sehen. (J. RECKTENWALD: *Woran hat Adolf Hitler gelitten? Eine neuropsychiatrische Deutung.* München 1964.)

86a Das jeweils notwendige, zur »Machtausübung« erforderliche, Maß der Verstellung bestimmt sich – negativ – durch die schwankende »Laune« des kleinen Mannes, sich mit den Mächtigen zu *identifizieren.* Soweit die guten Bürger kollektiv in eine »Führernatur« ihren eigenen verquälten Triebhunger projizieren, sind sie auch bereit, einem solchen Manne moralische Privilegien einzuräumen. Umgekehrt besteht für den »Führer«, um an der Macht sich zu halten, sofort der »sittliche« Zwang, von den ihm zugebilligten »Rechten« auch schonungslos Gebrauch zu machen. Er ist dabei aber immer noch strengstens gebunden an die in seinem Volke geltenden Werte; er kann – in einer aggressiv formierten Massengesellschaft – zwar seine destruktiven Neigungen offen ausleben, nicht aber seine libidinösen. Ein absolutistischer Herrscher, der in jeder Hinsicht unbekümmert »tut, was er will«, ist psychologisch daher ohne eine umfassende Identifikation der Bürger mit ihm nicht denkbar: er *ist* der Staat – in jeder Lebenslage.

87 Vgl. den *Spiegel* vom 4. Juli 1966, S. 66.

88 Die Entmachtung von Indonesiens militantem Sukarno (1965/66) ist dafür ein sinnfälliges Beispiel.

89 Nach dem *Spiegel* vom 28. März 1962, S. 18.

90 Man vergleiche hier WILHELM E. MÜHLMANN, der sagt, man habe »sich mit dem Rhythmus von Krieg und Frieden abzufinden (wie Friedrich der Große)«. (*Krieg und Frieden.* Heidelberg 1940, S. 193.)

91 Leserbrief von Marie Hermann, Tuntenhausen (Bayern), im *Spiegel* vom 14. November 1966.

92 Zahlen bei HANS VON HENTIG: *Das Verbrechen. II. Der Delinquent im Griff der Umweltkräfte.* Berlin–Göttingen–Heidelberg 1962, S. 307.

93 Zahlen für den Krieg 1870/71 (Deutsches Reich und Frankreich) bei S. RUDOLF STEINMETZ: *Die Philosophie des Krieges.* Leipzig 1907, S. 114–119. Für den Ersten Weltkrieg (Deutsches Reich) bei FRANZ EXNER: *Kriminologie.* Berlin–

Göttingen–Heidelberg 1949, S. 100. Für den Zweiten Weltkrieg (USA) bei FRANCIS E. MERRILL: *Social Problems on the Home Front.* New York 1948, p. 187. (Vgl. auch Anmerkung 148 dieses V. Teils!)

94 H. v. HENTIG: *Das Verbrechen II*, S. 388 f. Weitere Beispiele bei OTTO KANKELEIT: *Heldentum und Verbrechen.* Monatsschrift für Kriminalpsychologie, Band XVI, S. 193.

95 So LACASSAGNE, nach FRITZ BAUER: *Das Verbrechen und die Gesellschaft.* München/Basel 1957, S. 30.

96 Daher unsere »Berührungsempfindlichkeit« gegenüber dem Verbrecher. So PAUL REIWALD: *Die Gesellschaft und ihre Verbrecher.* Zürich 1948, S. 289.

97 Vgl. PAUL REIWALD: *Die Gesellschaft und ihre Verbrecher*, S. 2 ff.

98 So Staatsanwalt Dr. Rolf-Arno Födisch nach einem Bericht von NINA GRUNENBERG in der *Zeit* vom 11. März 1966: »Der Kölner ›Lotterlord‹«.

99 Vgl. HANS VON HENTIG: *Das Verbrechen. I. Der kriminelle Mensch im Kräftespiel zwischen Zeit und Raum.* Berlin–Göttingen–Heidelberg 1961, S. 55 und S. 57.

100 Wie das Tübinger WICKERT-INSTITUT 1964 ermittelt hatte, sprachen sich 63 Prozent der Männer und 76 Prozent der Frauen für eine Beendigung der Strafverfolgung der NS-Verbrecher aus. – Das Frankfurter DIVO-INSTITUT für Markt- und Meinungsforschung hatte drei Jahre vorher festgestellt, daß 63 Prozent der Bundesbürger vorbehaltlos die Todesstrafe bejahten, während 14 Prozent sie auf bestimmte Verbrechen beschränkt sehen wollten. (Nur 8 Prozent lehnten sie kompromißlos ab; der Rest war meinungslos.)

101 Vgl. PAUL REIWALD: *Die Gesellschaft und ihre Verbrecher*, S. 106 f.

102 Nach einem Bericht der *Frankfurter Rundschau* (vom 24. Juni 1966) über den Fall des sogenannten »Kirmesmörders« von Langenberg.

103 Dafür, daß es möglich ist, aggressive Neigungen im bloßen Mitvollzug aggressiver Handlungen Anderer auszuleben, haben wir einen schönen statistischen Beleg. Er zeigt, daß im Ersten Weltkrieg auch in den neutralen Ländern Schweiz und Schweden die Roheitsdelikte zurückgingen. Siehe HANS VON HENTIG: *Das Verbrechen II*, S. 128 f.!

104 PAUL REIWALD: *Die Gesellschaft und ihre Verbrecher.* Zürich 1948, S. 180–187. – FRITZ BAUER: *Das Verbrechen und die Gesellschaft.* München/Basel 1957, S. 14.

105 Nach einer Botschaft an den US-Kongreß durch Unterstaatssekretär Nicolas de B. Katzenbach lassen die durch white-collar-Verbrechen angerichteten Schäden diejenigen aller Gewaltverbrechen zwergenhaft neben sich. (*Time*, February 17, 1967, p. 11.)

106 FRITZ BAUER, a.a.O., S. 9.

107 Vgl. FRIEDRICH NIETZSCHE: *Der Wille zur Macht.* Kröners Taschenausgaben, Band 78, S. 166.

108 Der Gedanke, der Verbrecher überhaupt sei ein *Stellvertreter* der sozial angepaßten Bürger, ist die Quintessenz der psychoanalytischen Strafrechtstheorie. (Vgl. v. a. THEODOR REIK: *Geständniszwang und Strafbedürfnis.* Leipzig–Wien–Zürich 1925); er kehrt, ausdrücklich formuliert, indessen wieder bei H. M. ENZENSBERGER: *Politik und Verbrechen.* Frankfurt am Main 1964, S. 30 f.

109 Nach FRIDTJOF NANSEN: *Eskimoleben.* Leipzig und Berlin 1903, S. 87; S. 132 ff.

110 NANSEN: *Eskimoleben*, S. 87, Anmerkung.

111 So Staatsanwalt Vogel im Auschwitz-Prozeß laut *Spiegel* vom 18. Dezember 1963, S. 46.

112 *Spiegel*, a.a.O., S. 47.

113 Mit dem Argument, sie hätten doch nur die Befehle des Luftfahrtministeriums ausgeführt, verteidigt auch Marschall Saundby sich selbst und seinen Chef, Oberluftmarschall Harris, gegen den Vorwurf, die Zerstörung Dresdens geplant und angeordnet zu haben. (Nach ROLF HOCHHUTS Bericht über seine Gespräche mit den »Männern, die Dresden zerstörten«, im *stern* Nr. 8 vom 21. Februar 1965.)

114 Zitiert nach der *Frankfurter Allgemeinen Zeitung* vom 28. März 1964.

115 *Frankfurter Allgemeine* vom 16. Mai 1964.

116 *Frankfurter Allgemeine* vom 28. März 1964.

117 IGOR A. CARUSO: *Psychoanalyse und Synthese der Existenz.* Freiburg 1952, S. 98.

118 Vgl. G. RATTRAY TAYLOR: *Wandlungen der Sexualität.* Düsseldorf–Köln 1957, S. 153. TAYLOR stützt sich auf F. FUNCK-BRENTANO, *Luther*, Cape 1936.

119 Aus einem Urteil des OLG Düsseldorf vom 9. Dezember 1964 (Aktenzeichen 2 Ss 610/64). Ähnlich der Bundesgerichtshof: Siehe BGH St 6, 263 und BGH St 11, 241.

120 Nach WALTER HÄVERNICK: *Schläge als Strafe – ein Bestandteil der heutigen Familiensitte in volkskundlicher Sicht.* Hamburg 1965, S. 51 und S. 55.

121 Veröffentlicht z. B. in der Illustrierten *stern* vom 31. Juli 1966, S. 10. – Die Dunkelziffer der Kindesmißhandlungen, auch jener mit tödlichem Ausgang, ist dabei noch nicht einmal abzuschätzen. Das kam auch zur Sprache auf dem Kongreß der Pädiater in West-Berlin im September 1966. – Die im *stern* veröffentlichte Zahl konnte mir indessen weder vom Statistischen Bundesamt noch vom Bundesjustizministerium bestätigt werden. Der Herr Bundesminister der Justiz, Heinemann, erklärte aber in der Fragestunde des Deutschen Bundestages am 17. März 1967, »daß in der Bundesrepublik jedes Jahr etwa neunzig Kinder an den Folgen von Mißhandlungen sterben. Es werde jedoch vermutet, daß die tatsächliche Zahl bis zu zehnmal größer sei«. (Wortlaut des Berichtes in der *Frankfurter Allgemeinen Zeitung* vom 18. März 1967.)

122 Nach Feststellungen des Mainzer Kriminologen ARMAND MERGEN sind von 1945 bis Ende 1966 in Westdeutschland 63 Taxifahrer ermordet worden. (Vgl. *Süddeutsche Zeitung* vom 13. Januar 1967, S. 28.)

123 Das Zitat ist aus NIETZSCHE: *Ecce homo.* Warum ich so gute Bücher schreibe, Nr. 5.

124 So der Oberkonservator der Bayerischen Staatsgemäldesammlungen Dr. C. A. Salm in einem Leserbrief in der *Süddeutschen Zeitung* vom 28. Juni 1962.

124a Vgl. die *Frankfurter Allgemeine Zeitung* vom 17. April 1968, S. 4!

125 MAX HIRSCHBERG: *Das Fehlurteil im Strafprozeß. Zur Pathologie der Rechtsprechung.* In der Fischer-Bücherei, Frankfurt am Main und Hamburg 1962, S. 139. – THEODOR REIK sagt, »daß wir latent alle Keime zum Verbrecher in uns tragen«. *(Geständniszwang und Strafbedürfnis.* Wien 1925, S. 149.)

126 HOFSTÄTTER: »Bewältigte Vergangenheit?« In der *Zeit* vom 14. Juni 1963.

127 Aussage der Zeugin Dr. Ella Lingens im Frankfurter Auschwitz-Prozeß. (Nach der *Frankfurter Allgemeinen Zeitung* vom 3. März 1964.)

128 wie der Angeklagte Boger nach der Aussage des Zeugen Josef Piwko im Auschwitz-Prozeß *(Frankfurter Allgemeine Zeitung* vom 14. April 1964).

129 Diese dem Angeklagten Broad angelastete Mordgesinnung haben wir im I. Teil (vgl. dort Anmerkung 66) schon angeführt.

130 Einige nahmen allerdings die Gelegenheit wahr und haben mit weiblichen Häftlingen Verhältnisse unterhalten. (Siehe den Prozeßbericht in der *Frankfurter Allgemeinen* vom 26. Juni 1964.) Es dürfte dies aber keine, oder jedenfalls

keine negativen, Auswirkungen auf die Ehen der betreffenden Wachmänner gehabt haben. In den Fällen, in denen die sexuellen Beziehungen aufgedeckt zu werden drohten, haben die »Herrenmenschen« ihre »rassisch minderwertigen« Geliebten erschossen.

131 Himmler wörtlich in einer Rede vor SS-Männern im Jahre 1943: »Von euch werden die meisten wissen, was es heißt, wenn 100 Leichen beisammen liegen, wenn 500 daliegen oder 1000 daliegen. Dies durchgehalten zu haben und dabei – abgesehen von Ausnahmen menschlicher Schwäche – anständig geblieben zu sein, das hat uns hart gemacht. (Zitat nach HANS MAGNUS ENZENSBERGER: *Politik und Verbrechen.* Frankfurt am Main 1964, S. 23.)

132 Beispiele bei PAUL REIWALD: *Die Gesellschaft und ihre Verbrecher* (Zürich 1948), auf den Seiten 5, 172 und 175. Ferner bei THEODOR REIK: *Geständniszwang und Strafbedürfnis.* Leipzig–Wien–Zürich 1925.

133 Entsprechende Urteile pflegen denn auch auf solche Anzeigen hin hierzulande nicht auszubleiben. Siehe zum Beispiel: BGH St 17, 230.

134 Vgl. THEODOR W. ADORNO: *Sexualtabus und Recht heute.* In »Sexualität und Verbrechen«, hg. von FRITZ BAUER u. a., Fischer-Bücherei 1963, S. 306 und 311.

135 Nach einem Bericht von SABINA LIETZMANN in der *Frankfurter Allgemeinen Zeitung* vom 25. Oktober 1965: »Der Ku-Klux-Klan im Rampenlicht.« (Über eine Kongreß-Untersuchung der Praktiken des Geheimbundes.) – Vgl. auch WILLIAM PEIRCE RANDEL: *Ku-Klux-Klan.* Bern–München–Wien 1965, S. 240.

135a Vgl. den *Spiegel* vom 17. Juni 1968, S. 86!

136 Nach LUIGI BARZINI: *Die Italiener.* Frankfurt am Main 1965, S. 265.

137 *Der Spiegel* vom 14. April 1965, S. 119.

138 Nach der mündlichen Urteilsbegründung im Prozeß »gegen Mulka und andere«, verlesen von Senatspräsident Hofmeyer am 20. August 1965.

139 Nach RICHARD WRIGHT: *Heidnisches Spanien.* Hamburg 1958, S. 170.

140 Zeugenaussage von Emil de Martini im Auschwitz-Prozeß (nach der *Süddeutschen Zeitung* vom 5. Juni 1964).

141 PAUL REIWALD: *Die Gesellschaft und ihre Verbrecher.* Zürich 1948, S. 174.

142 Zahlen für Ersten Weltkrieg/Deutsches Reich und Zweiten Weltkrieg/USA bei HANS VON HENTIG, *Das Verbrechen II*, S. 371.

143 Nach WOLF MIDDENDORFF: *Soziologie des Verbrechens.* Düsseldorf/Köln 1959, S. 191.

144 FRIEDRICH NIETZSCHE: *Jenseits von Gut und Böse.* Kröners Taschenausgaben, Band 76, S. 89.

145 So referiert es MIDDENDORFF, a.a.O., S. 192–193.

146 Man vergleiche hierzu WOLF MIDDENDORFF: *Soziologie des Verbrechens*, S. 191 f.

147 Die Zahlen aus dem *Statistischen Jahrbuch für das Deutsche Reich.* Hg. vom Kaiserlichen Statistischen Amte, Berlin 1916, S. 11, und vom Statistischen Reichsamt, Berlin 1922, S. 49.

148 Auch im Zweiten Weltkrieg wieder Zunahme der Kriminalität der Frauen und Abnahme bei den Männern. Genaue Zahlen, sowohl für den Ersten wie für den Zweiten Weltkrieg, im *Statistischen Handbuch von Deutschland 1928–1944* Hg. vom Länderrat des Amerikanischen Besatzungsgebiets. München 1949, S. 633.

149 ASHLEY MONTAGU: *Die natürliche Überlegenheit der Frau.* Wien–München–Zürich 1955, S. 95 ff.

150 ERIK H. ERIKSON: *Kindheit und Gesellschaft (Childhood and Society* deutsch), 2. Auflage, Stuttgart 1965, S. 140.

151 Man vergleiche die Zahlen aus 18 Ländern bei MIDDENDORFF, a.a.O., S. 191 f.

152 Vgl. ERIKSON: *Kindheit und Gesellschaft*, S. 130–133. – Die Unterdrückung einer so natürlichen Körperfunktion wie der des Beißens könnte im Glauben an einen ursprünglichen Aggressionstrieb natürlich als Unterdrückung »des Aggressionstriebes« mißdeutet werden.

153 KLAUS THOMAS: *Handbuch der Selbstmordverhütung*. Stuttgart 1964, S. 168.

154 *Handbuch der Selbstmordverhütung*, S. 162. Man vergleiche da auch die Seiten 88, 239 und 245.

153 Vgl. hierzu HANS VON HENTIG: *Zur Psychologie der Einzeldelikte. II. Der Mord*. Tübingen 1957, S. 157. – Daß es dort, wo der Mord mit dem Tode bestraft wird, solche »indirekten Selbstmörder« (LOMBROSO) gibt, das erklärt zu einem gewissen Teil auch den Rückgang der Morde in jenen Staaten, die die Todesstrafe abgeschafft haben.

156 Nach Zahlen aus England und dem Deutschen Reich: zwischen 30 und 40 Prozent aller Mörder. Siehe HANS VON HENTIG: *Das Verbrechen II*, S. 375.

157 CESARE PAVESE: *Das Handwerk des Lebens*. Tagebuch 1935–1950. *Il Mestiere di Vivere* deutsch: München 1963, S. 302.

158 Hier bestätigt uns die Graphologie: BRODER CHRISTIANSEN und ELISABETH CARNAP sehen in verkümmerten Unterlängen ein mögliches Zeichen, daß der Schreiber in seinem Körper sich *nicht* »gut beheimatet« fühlt. Nun hat aber RODA WIESER »gefunden, daß Unterlängenverkürzung besonders häufig in den Schriften von Mördern vorkommt«. (CHRISTIANSEN-CARNAP: *Lehrbuch der Handschriftendeutung*. Stuttgart 1947, S. 105.)

159 HANS VON HENTIG: *Das Verbrechen II*, S. 103. Vgl. auch S. 131!

160 v. HENTIG: *Das Verbrechen II*, S. 102.

161 Die vorstehenden Zitate alle aus HENTIG, *Das Verbrechen II*, S. 102/03.

162 in den *Verliesen des Vatikan*.

163 wie DR. DENNEMARK das tat in der Zeitschrift *Psychobiologie*, Heft Juni 1964, unter der Überschrift: »Ist die heutige Jugend neurotisch oder kriminell?« – Wenn seitdem, von 1964 bis 1966, die Jugendkriminalität hierzulande leicht abgenommen hat – bei gleichzeitigem weiterem Anstieg der Kriminalität der Erwachsenen –, so könnte das immerhin damit in Zusammenhang stehen, daß unterdessen doch etwas freiere sexuelle Sitten unter den ganz Jungen sich eingebürgert hätten, vielleicht aber auch bloß damit, daß die jungen Leute mehr denn je dem Alkohol und den Rauschgiften sich zugewandt haben.

164 GOETHE: *Maximen und Reflexionen*. Nr. 1321 der Hamburger Ausgabe der Gesammelten Werke.

165 Über die Arapesh berichtet MARGARET MEAD: *Geschlecht und Temperament in primitiven Gesellschaften*. Hamburg (rde) 1959, S. 12 ff.

166 So von NANSEN im *Eskimoleben*, S. 129 und S. 138–145, und von KAI BERKET-SMITH: *Die Eskimos*. Zürich 1948, S. 182–193 und S. 193.

167 So RUTH BENEDICT über die Eskimos in: *Urformen der Kultur*. Hamburg (rde) 1959, S. 29.

168 *Neue Bildpost* vom 31. Juli 1966.

169 Für die Alëuten siehe EDWARD WEYER JUN.: *Primitive Völker heute*. Gütersloh 1959, S. 50 ff.

170 Vgl. FRIDTJOF NANSEN: *Eskimoleben*. Leipzig und Berlin 1903, S. 98, 145 und 293 ff.

171 Siehe RUTH BENEDICT: *Urformen der Kultur* (rde), S. 11.

172 Vgl. FRIDTJOF NANSEN: *Eskimoleben*. Leipzig und Berlin 1903, S. 11, Fußnote; auch S. 87, Anmerkung.

173 Michael Landmann: *Philosophische Anthropologie. Selbstdeutung in Geschichte und Gegenwart.* Berlin 1955 (Sammlung Göschen, Band 156/156a), S. 23.

174 Wir spielen hier auf ein Buch von Max Scheler an: *Die Stellung des Menschen im Kosmos.* Darmstadt 1927.

175 »Sogar sehr primitive Völker sind sich manchmal der Rolle, welche kulturellen Charakterzügen zukommt, weit mehr bewußt als wir, und das aus gutem Grund. Sie haben nämlich ihre genauen Erfahrungen mit andersartigen Kulturen [besonders mit der der weißen Kolonisatoren] gemacht.« (Ruth Benedict: *Urformen der Kultur,* (rde) 1959, S. 10.

176 Sie fehlt im übrigen Tierreich außerdem noch bei Bienen, Termiten und Ameisen. Vgl. Konrad Lorenz: *Das sogenannte Böse.* S. 243 ff.

177 Ruth Benedict: *Urformen der Kultur,* S. 149–158.

178 ebenda.

179 ebenda.

180 Gottfried Oosterwal: *Die Papua. Von der Kultur eines Naturvolks.* Stuttgart 1963, S. 49.

181 Wilhelm E. Mühlmann: *Krieg und Frieden. Ein Leitfaden der politischen Ethnologie.* Heidelberg 1940, S. 192.

182 Vgl. Max Scheler: *Der Formalismus in der Ethik und die materiale Wertethik.* 4. Auflage, Bern 1954, S. 59, Fußnote 2.

183 wie es Gehlen anscheinend vorschwebt. Man vergleiche hierzu seinen Aufsatz *Über Kultur, Natur und Natürlichkeit,* abgedruckt in dem Rowohlt-Taschenbuch *Anthropologische Forschung,* 1961, auf den Seiten 81–84.

184 Man vergleiche in Gehlens Aufsatz *Über Kultur, Natur und Natürlichkeit,* a.a.O., besonders S. 84!

185 Vgl. Erich Fromm: *Sigmund Freuds Sendung.* Ullstein-Taschenbuch 1961, S. 123–138: »Die Psychoanalyse als ›Bewegung‹.«

186 Arnold Gehlen: *Über Kultur, Natur und Natürlichkeit,* a.a.O., S. 84.

187 Karl Löwith: *Die immer gleiche Natur des Menschen im Wandel seiner geschichtlichen Existenz.* In: *Gefährdung und Bewahrung des Menschen im Umbruch der Zeit* mit weiteren Beiträgen von Hans Mislin, Ursula von Mangoldt, Max Picard, Paul Schütz. München-Planegg 1959, S. 33.

188 Wir haben diese Auffassung aus Mühlmanns Frühwerk *Krieg und Frieden* (S. 193) bereits zitiert. In *Homo creator* (Wiesbaden 1962, S. 244) bezeichnet Mühlmann nur noch mit einem Wort von Thurnwald den Krieg als »die bittere Würze des Lebens«.

189 Vgl. Hans von Hentig: *Das Verbrechen II,* S. 143.

190 Nach Hans von Hentig: *Das Verbrechen III,* S. 63 und *II,* S. 143.

191 Vgl. das Buch von Max Scheler: *Der Genius des Krieges und der Deutsche Krieg.* Leipzig 1915.

192 Zitiert nach Hans von Hentig: *Das Verbrechen I,* S. 73.

193 So argumentierte zum Beispiel ein Dr. Schwarz vom Statistischen Bundesamt Wiesbaden in einer Zuschrift an die *Frankfurter Allgemeine Zeitung* unter der Überschrift »Ist die Kriminalität wirklich gestiegen?« (Siehe FAZ vom 21. September 1962!)

194 So Mühlmann: *Krieg und Frieden,* S. 129.

195 Wir sprachen davon im Anschluß an Toynbee bereits zu Beginn dieses V. Teils. (Siehe bei Anmerkung 15!)

ZU DEN SCHLUSSFOLGERUNGEN (S. 337)

1 Wir sprachen schon einmal – auf Seite 220 – von der Unzulänglichkeit bloßer »Einsicht« für richtiges Verhalten in einer bestimmten Absicht: Die Schädlichkeit des Rauchens wird von vielen passionierten Rauchern durchaus »eingesehen«. Aber was hilft's? Aufs Ganze der Gesellschaft geblickt, ist solche Einsicht, die einen »guten Willen« verlangt, von unbemerkbarem Wert. Anthropologisch umfassende Ein-Sicht in unsere Triebnatur, die in dieser zugleich das »Material« des sozialen Verhaltens erkennt, umgreift auch noch die Problematik so partieller »Einsicht«. Nur wer im Ganzen seines leibhaften Daseins sich selber richtig einzuschätzen versteht, kommt näher dahin, im einzelnen richtig zu leben. Aber ohne psychotherapeutische Hilfe ist das schwerlich zu leisten in einer Gesellschaft, in der nicht ein weithin gesundes Lebensgefühl den Einzelnen, der davon abirren könnte, im Miteinandersein stetig durchdringt.

1a So Hugo Staub. Nach Paul Reiwald: *Verbrechensverhütung als Teil der Gesellschaftshygiene.* A.a.O., S. 179.

2 Walter Rathenau: *Auf dem Fechtboden des Geistes.* Aphorismen aus seinen Notizbüchern, hg. von Karl G. Walther. Wiesbaden 1953, S. 100.

3 Über die Zusammensetzung der Großen Strafrechtskommission, die, 1954 einberufen, den Entwurf eines neuen Strafgesetzbuches von 1962 erarbeitet hat, gibt das Vorwort Auskunft, das die Herausgeber (Fritz Bauer u. a.) von *Sexualität und Verbrechen* (in der Fischer-Bücherei 1963) ihrem Sammelband vorangestellt haben.

4 Alexander Mitscherlich muß feststellen, »daß in der medizinischen Erziehung Psychologie und Sozialpsychologie fehlen« (*Krankheit als Konflikt.* Frankfurt am Main 1966, S. 46; vgl. dort auch S. 55!) – Ähnlich klagt Albert Görres: *Methode und Erfahrungen der Psychoanalyse.* München 1958, S. 19, Fußnote 6.

5 Wir verstehen darunter nicht nur Gesundheit, Frische, Lebendigkeit, Kraft, Zähigkeit und Ausdauer, sondern ebenso die Lust bei der Befriedigung elementarer Triebe wie das Vermögen, sinnliche Lust zu empfinden.

6 Weniger orthodox marxistisch eingestellte Juristen des Ostens haben das Niveau ihrer Kollegen im Westen, die die entscheidenden Trieb-Gründe verdrängen und das Problem des Verbrechens durch irgendein anderes Faktum »erklären«, das ebenso ungeklärt ist. So macht auch – im Januar 1967 – das Justizministerium der DDR den Alkoholismus für die steigende Kriminalität verantwortlich. (Nach einer Meldung der *Frankfurter Allgemeinen Zeitung* vom 12. Januar 1967.)

7 Polen verzeichnete bereits in den Jahren 1951 bis 1954 einen leichten Wiederanstieg der Jugendkriminalität. (Nach Middendorff: *Soziologie des Verbrechens.* Düsseldorf/Köln 1959, S. 259.) – Zum Anstieg der Jugendkriminalität in der Sowjetunion: Borys Lewytzkyi: Das Generationsproblem in der Sowjetgesellschaft. Beilage zur Wochenzeitung *Das Parlament* vom 11. Januar 1967, S. 14 ff. – Einige Zahlen über die Entwicklung der Jugendkriminalität wie der Gesamtkriminalität in den Ostblockstaaten seit 1960 bei Joachim Hellmer: *Jugendkriminalität in unserer Zeit.* In der Fischer-Bücherei 1966, S. 23–26.

8 Vgl. S. Rudolf Steinmetz: *Die Philosophie des Krieges.* Leipzig 1907, S. 114 ff.

9 So zum Beispiel Leopold von Wiese: *Der Mensch als Mitmensch.* Bern und München 1964, S. 86.

9a Bei HELMUT SCHOECK wird sogar der Neid, jene böse Abschattung ungestillten Verlangens, zu einer »anthropologischen Grundkategorie«, die zwar »nicht alles« erkläre, doch aus dem »sozialen Wechselspiel« gar nicht wegzudenken sei. (Siehe: *Der Neid. Eine Theorie der Gesellschaft.* Freiburg/München 1966, S. 10 und 16.)

10 Man vergleiche hier neben MARX und seinen Nachfolgern auch den liberalen Geschichtsphilosophen ALEXANDER RÜSTOW, in: *Ortsbestimmung der Gegenwart.* 3. Band. *Herrschaft oder Freiheit?* Erlenbach–Zürich und Stuttgart 1957, S. 391.

11 MAX WEBER: *Die protestantische Ethik und der Geist des Kapitalismus.* Siebenstern-Taschenbuch 53/54, S. 44.

12 Vgl. ERICH BROCK: *Befreiung und Erfüllung. Grundlinien der Ethik.* Zürich und Stuttgart 1958, S. 63. Für BROCK ist das Einstimmen in den Spannungsrhythmus des Vitalen aber zugleich eine Voraussetzung, »das echt Geistige« stärker zu beanspruchen und anzuspannen.

13 Haß kann dieses Bewußtsein zwar in Sadismus verkehren, aber er wird es notwendig auch trüben: der Hassende »verhärtet sich«.

14 »Beides schließt sich aus: man kann nicht brennend ehrgeizig sein und zugleich mit ganzer Seele Gelehrter oder Künstler oder Prophet.« (EDUARD SPRANGER: *Lebensformen. Geisteswissenschaftliche Psychologie und Ethik der Persönlichkeit.* 8. Auflage, Tübingen 1950, S. 234.)

15 KARL JASPERS: *Philosophie.* Zweiter Band: *Existenzerhellung.* Berlin 1932, S. 196.

16 ARTHUR KAUFMANN: *Das Schuldprinzip. Eine strafrechtlich-rechtsphilosophische Untersuchung.* Heidelberg 1961, S. 116.

17 EDWARD PITCAIRN: *Neubau der Ethik.* München–Basel 1962, S. 178.

18 CESARE PAVESE: *Das Handwerk des Lebens. Tagebuch 1935–1950.* München (dtv) 1963, S. 117.

19 So CARL FRIEDRICH VON WEIZSÄCKER in seiner Rede zur Verleihung des Friedenspreises des Deutschen Buchhandels 1963 (nach der *Frankfurter Allgemeinen Zeitung* vom 14. Oktober 1963). Er wiederholte das in einem Aufsatz in der *Zeit* vom 30. Juni 1967 unter der Überschrift »Friede und Wahrheit«.

20 Siehe 5 Mose 23, 17 f.; 1 Samuel 21, 6 und 2 Sam. 11, 11. – Vgl. auch GERHARD VON RAD: *Theologie des Alten Testaments.* I. Band: *Die Theologie der geschichtlichen Überlieferungen Israels.* München 1962, S. 30 f.

21 Nach einer Schätzung von KARL STEINBUCH werden »bis zum Jahre 2000 mehrere hundert Millionen Menschen verhungern«. (Aus der Festrede K. STEINBUCHS zur Jahresfeier des Deutschen Museums in München am 7. Mai 1968; vgl. *Süddeutsche Zeitung* vom 8. Mai 1968!)

Ein Buch wie das vorliegende kann nicht geschrieben werden, ohne daß Gesprächspartner und Mitlesende Gelegenheit gäben, die vom Gewohnten sich ab-neigenden Gedanken im Dialog zu erproben. Besonders verbunden bin ich so meinem Heidelberger Studienfreund Willy Spätgens und Prof. Dr. phil. Fritz Paepcke (Heidelberg), die jede Phase der Entstehung meines Buches mit ermutigendem Zuspruch und konstruktiver Kritik begleitet haben. Für die geduldige Erörterung kriminalpolitischer Fragen danke ich außerdem Prof. Dr. iur. Werner Maihofer (Saarbrücken). Besonders wertvolle Auskünfte verdanke ich dem Statistischen Bundesamt, Wiesbaden, und Herman F. Meyer, M.D. (Chicago). Dank sei aber auch den Freunden in München, Landshut/Bayern und Frankfurt am Main, die manchen nützlichen Hinweis gegeben haben und das Schicksal des Buches mit Anteilnahme verfolgen.

AUTORENREGISTER

NAMEN- UND SACHREGISTER